Amos Daragon

Porteur de masques
La clé de Braha
Le crépuscule des dieux

Catalogage avant publication de Bibliothèque et Archives nationales du
Québec et Bibliothèque et Archives Canada

Perro, Bryan
    Amos Daragon
    2ᵉ éd.
    Éd. originale publ. en 12 v.: Montréal: Les Intouchables, c2003-2206.
    L'ouvrage complet comprendra 4 v. comportant chacun 3 titres.
    Sommaire: v. 1. Porteur de masques. La clé de Braha.
    Le crépuscule des dieux.
    Pour les jeunes.
    ISBN 978-2-923995-03-8 (v. 1)
    I. Titre. II. Titre: Porteur de masques. III. Titre: La clé de Braha.
    IV. Titre: Le crépuscule des dieux.
    PS8581.E745A875 2012   jC843'.54   C2012-940151-X
    PS9581.E745A875 2012

Illustration de la couverture: Jeik Dion
Logo du titre: François Vaillancourt
Carte du monde d'Amos Daragon: Pierre Ouellette
Photographie de l'auteur: Geneviève Trudel
Infographie: Geneviève Nadeau
Révision: Marie-Christine Payette
Direction éditoriale: Bryan Perro, Gabrielle Gilbert-Hamel

PERRO ÉDITEUR
395, avenue de la Station
C.P. 8
Shawinigan (Québec) G9N 6T8
www.perroediteur.com

DISTRIBUTION: Les messageries ADP
2315, rue de la Province
Longueuil (Québec) J4G 1G4
www.messageries-adp.com

IMPRESSION: Transcontinental Gagné
750, rue Deveault
Louiseville (Québec) J5V 3C2
www.transcontinental.com

ISBN 978-2-923995-03-8
(publié précédemment par Les Intouchables,
ISBN 2-89549-084-8, 2-89549-088-0, 2-89549-089-9)

Dépôt légal: 2012
Bibliothèque et Archives nationales du Québec
Bibliothèque nationale du Canada

BRYAN PERRO

AMOS DARAGON

PORTEUR DE MASQUES
LA CLÉ DE BRAHA
LE CRÉPUSCULE DES DIEUX

PERRO
éditeur

PORTEUR DE MASQUES

Prologue

On trouve, dans les plus anciennes légendes de ce monde, l'histoire des masques de puissance. Ces masques, qui ont une valeur inestimable et sont porteurs de la magie sacrée des éléments, seraient donnés à des humains ayant beaucoup de cœur et d'esprit. Il existe quatre masques : celui de la terre, celui de l'air, celui du feu et celui de l'eau, et douze pierres de puissance qui servent à alimenter les masques d'une puissante magie. Dans l'éternel combat entre le bien et le mal, entre le jour et la nuit, entre les dieux des mondes positifs et ceux des mondes négatifs, la tâche de ces élus serait de rétablir l'équilibre de ces forces.

Amos Daragon, fils d'Urban et de Frilla Daragon, fut choisi pour accomplir cette mission. Dès sa naissance, son destin fut écrit, par la Dame blanche, en lettres d'or dans la grande histoire des héros éternels. Celle-ci, déesse suprême du monde, attendait patiemment le jour de sa révélation.

Chapitre 1

La baie des cavernes

Le royaume d'Omain était un endroit magnifique. On y trouvait une petite ville aux rues bien ordonnées et surplombées par un château de pierres sombres. De hautes montagnes aux sommets toujours enneigés encerclaient la cité. Une large et longue rivière, qui prenait sa source dans les neiges éternelles, descendait les versants en cascades pour couler directement jusqu'au centre de la ville, dans la vallée.

Il y avait, à Omain, un petit port de pêcheurs rempli de frêles embarcations aux couleurs éclatantes. Lorsque le silence de la nuit tombait sur le marché aux poissons, tous les citoyens s'endormaient au son des vagues de l'océan. Chaque matin, c'est en suivant la rivière que des dizaines de pêcheurs levaient la voile triangulaire de leur bateau de bois pour aller jeter lignes et filets dans la mer.

Les rues d'Omain étaient en terre battue. On s'y promenait uniquement à pied et à dos d'âne. Tous les habitants de la ville étaient pauvres, à l'exception du seigneur Édonf qui habitait le château. Celui-ci régnait en maître sur ce coin de paradis et obligeait chaque famille à verser d'énormes redevances pour la gestion du royaume. Tous les mois, à la pleine lune, la garde personnelle du seigneur descendait en ville afin d'y encaisser l'argent des impôts.

Si un citoyen était incapable de payer, il était immédiatement jeté dans une cage de fer pour être exposé aux regards de tous, en plein centre du marché. Sans nourriture et sans eau, subissant le froid ou la chaleur et les moustiques, le malheureux pouvait rester là plusieurs jours, voire même plusieurs semaines. Les habitants de la ville savaient qu'un séjour dans la cage se terminait souvent par la mort du prisonnier. Aussi, s'efforçaient-ils de régler scrupuleusement leurs redevances au seigneur.

Édonf était gros comme une baleine. Avec ses yeux exorbités, sa grande bouche et sa peau pleine de boutons et toujours huileuse, il ressemblait à s'y méprendre à un de ces énormes crapauds de mer qui envahissaient une fois par an, au printemps, le port d'Omain. En plus d'être laid à faire peur, Édonf avait, disait-on, un cerveau de la taille d'un têtard. Au coin du feu, les aînés racontaient aux enfants les incroyables bêtises de leur seigneur. Ces légendes, amplifiées par le temps et transformées par l'habileté des conteurs, faisaient les délices des petits et des grands.

Ainsi, à Omain, tout le monde connaissait l'histoire de Yack-le-Troubadour qui, de passage dans la ville pour y présenter des spectacles avec sa troupe de saltimbanques, s'était fait passer auprès d'Édonf pour un célèbre docteur. Pendant près d'un mois, Yack avait fait avaler au seigneur de la crotte de mouton enrobée de sucre afin de guérir sa mémoire défaillante. Depuis, on racontait qu'Édonf avait complètement retrouvé ses facultés et n'oublierait jamais le faux docteur ni, surtout, le goût de la crotte de mouton. Voilà pourquoi les vieux conteurs d'Omain disaient aux gamins que ceux d'entre eux qui oubliaient trop souvent d'obéir à leurs parents devraient goûter, un jour, au médicament de Yack. Après avoir écouté ce récit, les enfants de la contrée avaient toujours une excellente mémoire.

* * *

C'est dans ce royaume qu'Amos Daragon avait vu le jour. Son père et sa mère étaient des artisans qui avaient passé de longues années à voyager de pays en pays, à la recherche d'un coin idéal pour s'établir. Lorsqu'ils avaient découvert le magnifique royaume d'Omain, ils avaient décidé de s'y installer avec la certitude qu'ils y demeureraient jusqu'à la fin de leurs jours.

Ces braves gens avaient cependant commis une grave erreur en construisant une petite chaumière à l'orée de la forêt, non loin de la cité, sur les terres mêmes du seigneur Édonf, sans son autorisation. Lorsque celui-ci avait appris la nouvelle, il avait envoyé ses hommes leur rendre visite avec l'ordre de les soumettre au supplice de la cage et de brûler leur maison. En échange de leur vie et des arbres qu'ils avaient coupés pour construire les murs de leur maisonnette, Urban Daragon avait proposé au seigneur de travailler gratuitement pour lui et de s'acquitter ainsi de sa dette. Édonf avait accepté. Douze années déjà s'étaient écoulées depuis ce funeste jour, et le père d'Amos payait toujours, à la sueur de son front, son erreur passée.

Après tout ce temps au service du seigneur, Urban faisait pitié à voir. Il avait beaucoup maigri et dépérissait à vue d'œil. Édonf le traitait comme un esclave et lui en demandait toujours davantage. Les dernières années avaient été particulièrement éprouvantes pour Urban, car son maître s'était mis à lui donner des coups de bâton pour accélérer son rythme de travail. Le seigneur d'Omain prenait un grand plaisir à battre Urban et celui-ci, prisonnier de sa dette, n'avait pas d'autre choix que de subir sa tyrannie. Tous les jours, c'est la tête basse et les membres meurtris que le père d'Amos rentrait à la maison. Étant donné qu'il n'avait pas assez d'argent pour fuir le royaume ni plus assez de force pour affronter Édonf et s'en affranchir, c'est en larmes qu'Urban quittait le foyer le matin et en sang qu'il y revenait le soir.

La famille Daragon était certainement la plus pauvre du village, et sa chaumière, la plus petite d'entre toutes. Les murs étaient faits de troncs d'arbres dégrossis à la hache et couchés les uns sur les autres. Pour conserver la chaleur du foyer,

Urban Daragon avait calfeutré avec de la tourbe et du foin les petites ouvertures laissées par les irrégularités du bois. Le toit de paille avait une excellente imperméabilité et la grosse cheminée de pierre, énorme en comparaison de la taille de la maison, semblait être le seul élément de la construction qui fût véritablement solide. Un petit jardin fleuri, peu ensoleillé à cause des arbres immenses qui l'entouraient, et un minuscule bâtiment ressemblant vaguement à une grange complétaient le tableau.

La chaumière par elle-même était toute petite. Une table de bois, trois chaises et un lit superposé en constituaient l'unique mobilier. La cheminée occupait la presque totalité du mur est. Une marmite était toujours suspendue au-dessus du feu à l'aide d'une crémaillère. Vivre en ces lieux était pour la famille Daragon une lutte permanente contre la chaleur ou le froid, mais aussi contre la faim et la pauvreté.

Obligé depuis son plus jeune âge à se débrouiller avec les moyens du bord, Amos avait acquis de nombreux talents. Il chassait le faisan et le lièvre dans la forêt, pêchait avec une canne de fortune dans la rivière et ramassait des coquillages et des crustacés sur la côte océane. Grâce à lui, la famille réussissait à survivre tant bien que mal, même si certains jours il n'y avait pas grand-chose sur la table.

Au fil du temps, Amos avait mis au point une technique presque infaillible pour capturer les oiseaux sauvages comestibles. Au bout d'une longue perche en forme d'« Y », il laissait glisser une corde dont l'extrémité était dotée d'un nœud coulant. Il lui suffisait de repérer une perdrix, par exemple, de demeurer à bonne distance de sa proie et d'avancer doucement le bout de sa perche muni du nœud vers l'animal. Sans bruit, Amos passait rapidement le piège autour du cou de l'oiseau et tirait aussitôt sur la corde. Il rapportait souvent, de cette façon, le dîner de la famille.

Le jeune garçon avait appris à écouter la nature, à se fondre dans les fougères et à marcher dans les bois sans que personne n'entende le moindre bruit. Il connaissait les arbres, les meilleurs endroits pour trouver des petits fruits sauvages et pistait, à l'âge de douze ans, toutes les bêtes de la forêt. Quelquefois, pendant la saison froide, il parvenait même à repérer des truffes, ces délicieux champignons souterrains qui poussent au pied des chênes. La forêt n'avait plus aucun secret pour lui.

Amos était profondément malheureux. Tous les jours, il voyait son père souffrir et sa mère sombrer peu à peu dans une résignation malsaine. Ses parents, continuellement sans le sou, se disputaient souvent. Le couple s'était enlisé dans la misère du quotidien et n'avait même plus l'espoir de s'en sortir. Plus jeunes, Urban et Frilla faisaient sans cesse des projets de voyage, voulant à tout prix préserver leur bonheur et leur liberté. Leurs yeux, autrefois pétillants, ne reflétaient plus maintenant que tristesse et fatigue. Amos rêvait tous les soirs qu'il sauvait ses parents en leur donnant une meilleure vie. Urban et Frilla étant trop pauvres pour l'envoyer à l'école, le jeune garçon rêvait aussi d'un instituteur capable de mieux lui faire comprendre le monde, de répondre à ses questions et de lui conseiller des lectures. Toutes les nuits, c'est en soupirant qu'Amos Daragon s'endormait dans l'espoir que la journée suivante lui apporterait une nouvelle vie.

* * *

Par une splendide matinée d'été, Amos se rendit sur la côte pour ramasser des moules ou encore débusquer quelques crabes. Il suivit son trajet habituel, mais sans grand succès. Sa maigre récolte, contenue dans un de ses deux seaux en bois, ne suffirait pas à nourrir trois personnes. « Bon!, se dit-il, pour l'instant, je pense avoir épuisé toutes les ressources de cette partie de la côte. Il est encore tôt et le soleil brille! Je vais voir ce que je peux trouver plus loin, sur un autre rivage. »

Amos songea d'abord à se diriger vers le nord, un endroit qu'il connaissait peu, mais soudain il pensa à la baie des cavernes. Celle-ci se trouvait à une bonne distance de l'endroit où il se trouvait, en direction du sud, mais, pour y être allé plusieurs fois, le garçon savait qu'en ne traînant pas trop sur place et en accélérant le pas sur le chemin du retour, il serait rentré chez lui avant la fin de l'après-midi comme il l'avait promis à son père.

La baie des cavernes était un endroit où les vagues, au fil du temps et au gré des marées, avaient érodé la pierre pour y creuser des grottes, des bassins et d'impressionnantes sculptures. Amos avait découvert ce coin par hasard et en revenait toujours avec une grande quantité de crabes et de moules, mais la grande distance à parcourir pour l'atteindre l'empêchait de s'y rendre plus régulièrement. Avec un grand récipient plein à ras bords dans chaque main, le retour à la chaumière n'était jamais chose aisée.

Après deux heures de marche, le jeune garçon arriva enfin à la baie des cavernes. Épuisé, il s'assit sur la plage de galets et contempla le spectacle de la nature. La marée était basse et les immenses sculptures taillées par l'océan trônaient sur la baie comme des géants pétrifiés. Partout sur la falaise, Amos pouvait apercevoir des trous béants, creusés par des milliers d'années de marées, de vagues et de tempêtes. Le vent frais du large caressait sa peau brune et son nez brûlé par le soleil, déjà haut dans le ciel.

«Allez, Amos, au travail maintenant!», se dit-il.

Rapidement, il remplit de crabes ses deux seaux. Il y en avait des dizaines d'autres sur la plage qui s'étaient fait surprendre par la marée descendante et qui cherchaient maintenant à regagner l'eau salée. Alors que le jeune pêcheur passait devant l'entrée d'une grotte, plus large et plus haute que les autres, son attention fut attirée par un gros corbeau noir, mort sur la grève. Amos leva les yeux vers le ciel et vit une bonne vingtaine de ces oiseaux voler en décrivant des cercles au-dessus de la falaise.

« Ces oiseaux volent ainsi en attendant la mort prochaine d'un autre animal, pensa-t-il. Ils se nourriront des restes du cadavre. Il s'agit peut-être d'un gros poisson ou d'une baleine échouée près d'ici. Ce corbeau-ci, lui, n'a pas eu de chance. Il s'est certainement brisé le cou sur la roche. »

Regardant attentivement autour de lui à la recherche d'une bête agonisante, Amos vit, un peu plus loin dans l'entrée de la grotte, trois autres corbeaux, ceux-là bien vivants. Leurs yeux fixaient le fond de la caverne, comme s'ils essayaient de distinguer quelque chose dans le ventre de la paroi rocheuse. Alors qu'Amos s'approchait d'eux pour tenter de trouver une explication à ce mystère, un cri d'une incroyable puissance se fit entendre. Prenant sa source tout au fond de la caverne, cet épouvantable son paralysa les oiseaux qui tombèrent aussitôt raides morts.

Amos fut lui-même renversé par la force de ce cri. Il s'écroula exactement comme s'il avait reçu un violent coup de poing. Il avait instinctivement placé ses mains sur ses oreilles. Par terre, en position fœtale, son cœur battait à tout rompre. Ses jambes refusaient de bouger. Jamais auparavant il n'avait entendu une telle chose. Ce cri semblait à la fois humain et animal, poussé par des cordes vocales extraordinairement puissantes.

C'est une voix charmante de femme, aux accents mélodiques et doux, qui sortit Amos de sa torpeur. On aurait dit qu'une lyre, profondément enfouie dans la grotte, s'était mise soudain à jouer.

— N'aie pas peur, jeune homme, je ne suis pas l'ennemie des humains.

Amos leva la tête et se remit sur ses pieds. La voix poursuivit :

— Je suis dans la grotte, viens vite, je t'attends. Je ne te ferai pas de mal. Je crie pour chasser les oiseaux.

Le garçon s'approcha lentement de la cavité. La femme parlait toujours et ses mots tintaient aux oreilles d'Amos comme une symphonie de clochettes.

— Ne crains rien. Je me méfie des oiseaux, car ils sont fouineurs et grossiers. Ce sont des espions et ils aiment beaucoup trop manger du poisson pour que je leur fasse confiance. Quand tu me verras, tu comprendras ce que je veux dire. Je te répète que je ne fais pas de mal aux hommes. Maintenant, viens vite, mon temps est compté.

Dans l'obscurité, en se dirigeant à tâtons vers l'endroit d'où provenait la voix, Amos pénétrait plus profondément dans la grotte. Tout à coup, une douce lumière bleue enveloppa le sol et les parois rugueuses des murs mal taillés. De petites flaques d'eau brillaient. Toute l'humidité de la caverne scintillait. C'était magnifique. Chacune des gouttes avait sa propre teinte de bleu. Cette lumière envahissait l'intérieur de la grotte en donnant à Amos l'impression d'avancer sur un fluide en mouvement. Puis la voix reprit :

— C'est beau, n'est-ce pas ? Ceci est la lumière de mon peuple. Chez moi, tout le monde peut, par sa seule volonté, faire jaillir la lumière de l'eau salée. Retourne-toi, je suis ici, tout près.

En apercevant la créature, Amos dut prendre son courage à deux mains pour ne pas s'enfuir. Devant ses yeux, couchée par terre dans une petite nappe d'eau, se trouvait une authentique sirène. Ses longs cheveux avaient la couleur pâle du reflet d'un coucher de soleil sur l'océan. Fortement musclée, elle portait sur son torse une armure de coquillages ressemblant aux cottes de mailles utilisées par les hommes de guerre. Entre l'armure et la peau de la sirène, Amos crut voir un vêtement tissé d'algues. Ses ongles étaient longs et pointus. Une énorme queue de poisson, massive et large, terminait son impressionnante silhouette. Près d'elle était posée une arme. C'était un trident en ivoire, probablement sculpté dans une corne de narval et orné de coraux rouge pâle. La sirène dit en souriant :

— Je vois la peur dans tes yeux. Ne sois pas effrayé. Je sais que les créatures de ma race ont mauvaise réputation chez les humains. Vos légendes racontent que nous, les sirènes, aimons charmer les marins pour ensuite les entraîner au fond des mers. Tu dois savoir que c'est faux. Ce sont les merriens qui agissent ainsi. Nos corps se ressemblent sauf qu'ils sont d'une laideur repoussante. Comme nous, les sirènes, les merriens utilisent leur voix comme un piège pour envoûter les hommes. Mais ils dévorent ensuite leurs victimes, pillent les cargaisons et font naître des tempêtes où sombrent les navires pour s'en faire des demeures dans les profondeurs de l'océan.

Amos remarqua, pendant que la sirène parlait, de larges entailles dans son armure. Il l'interrompit pour demander :

— Vous êtes blessée ? Je peux sûrement vous aider, laissez-moi aller dans la forêt, je connais des plantes qui pourraient vous guérir.

La sirène sourit tendrement.

— Tu es gentil, jeune homme. Malheureusement, je suis condamnée à mourir très prochainement. Au cours d'un affrontement avec les merriens, mes organes ont été gravement touchés et la plaie est très profonde. Chez moi, sous les flots de l'océan, la guerre contre ces êtres maléfiques fait rage depuis quelques jours. Maintenant, prends cette pierre blanche et dès que tu le pourras, rends-toi chez Gwenfadrille dans le bois de Tarkasis. Tu diras à la reine que son amie Crivannia, princesse des eaux, est morte et que son royaume est tombé aux mains de ses ennemis. Dis-lui aussi que je t'ai choisi comme porteur de masques. Elle comprendra et agira en conséquence. Jure-moi, sur ta vie, que tu accompliras cette mission.

Sans réfléchir, Amos jura sur sa vie.

— Sauve-toi, vite. Cours et bouche-toi les oreilles. Une princesse des eaux qui meurt quitte ce monde avec fracas. Allez, va. Que la force des éléments accompagne chacun de tes pas ! Prends aussi le trident, il te sera utile.

Le jeune garçon sortit rapidement de la grotte. Au moment où il se couvrait les oreilles de ses deux mains, il entendit un bruit sourd et macabre. Un chant langoureux, chargé de souffrance et de mélancolie, retentit dans toute la baie et fit vibrer la terre autour de lui. Des pierres commencèrent à tomber çà et là, puis, dans un vacarme terrifiant, la caverne où se trouvait la sirène s'écroula violemment. Lorsque tout fut terminé, un silence profond envahit les lieux.

Comme il remontait la falaise, le trident d'ivoire sous un bras et un seau rempli de crabes dans chaque main, Amos se retourna pour contempler l'endroit une dernière fois. Instinctivement, il savait que plus jamais il ne reverrait la baie des cavernes. Sous ses yeux, des centaines de sirènes, la tête hors de l'eau, observaient de loin le tombeau de la princesse. C'est à quelques lieues de là, alors qu'il marchait vers sa demeure, qu'Amos entendit un chant funéraire porté par le vent. Un chœur de sirènes rendait un dernier hommage à la souveraine Crivannia.

Chapitre 2

Le seigneur Édonf, la soupe aux pierres et les chevaux

Amos arriva chez lui en fin d'après-midi. À sa grande surprise, il vit que le seigneur Édonf était là, accompagné de deux gardes. Devant la chaumière, les parents d'Amos, tête basse en signe de soumission, écoutaient les palabres injurieuses du seigneur. Le gros bonhomme, rouge de colère, menaçait de brûler la maison. Il reprochait au couple d'avoir cultivé des terres sans son autorisation et de chasser dans son domaine sans vergogne. En plus, la famille possédait un âne que le seigneur disait être sien. On lui avait, apparemment, dérobé cette bête dans l'enceinte même de son château.

Sur ce point, le seigneur Édonf ne se trompait pas. Au cours d'une brève visite nocturne au château, Amos avait enlevé l'animal pour lui épargner les mauvais traitements qui lui étaient infligés. Il avait ensuite raconté à ses parents que l'âne, perdu dans les bois, l'avait suivi jusqu'à la chaumière. Évidemment, il s'était bien gardé d'avouer son crime. Édonf réclamait maintenant une grosse somme d'argent pour oublier l'affaire, et les parents d'Amos, incapables bien sûr de payer, ne savaient plus quoi dire ni quoi faire.

Complètement affolé, Amos entra discrètement dans la chaumière. Il ne supportait plus de voir ses parents ainsi humiliés. Les choses devaient changer pour lui et sa famille, et c'était à lui de faire quelque chose. S'il n'agissait pas maintenant, il ne le ferait jamais. Mais quoi faire ? Comment fuir ce royaume qui était devenu pour eux un enfer ? Il regarda autour de lui dans l'espoir de trouver une idée, une ruse qui lui permettrait d'en finir une fois pour toutes avec Édonf.

En attendant son retour, sa mère avait mis de l'eau à bouillir dans la marmite, au-dessus du feu. Frilla Daragon avait prévu de faire une soupe avec ce qu'allait rapporter son fils. Une idée surgit alors dans l'esprit d'Amos. Il devait jouer le tout pour le tout. Prenant son courage à deux mains, il se décida à agir. Pour ne pas se brûler, le garçon s'enveloppa la main avec un chiffon épais et saisit l'anse du gros chaudron. Sans se faire remarquer, il alla dans le jardin, non loin d'Édonf et de ses hommes. Il déposa la marmite par terre, prit le bout d'une branche morte dans sa main et commença un étrange rituel. En dansant, il frappait les parois de la marmite avec son bâton et répétait après chaque coup :

– Bouille, ma soupe ! Bouille !

Dans sa colère, Édonf ne fit pas immédiatement attention à son manège. Ce n'est qu'au septième ou huitième « Bouille, ma soupe ! Bouille ! » que le seigneur arrêta de fulminer pour regarder ce que faisait le jeune garçon.

– Qu'est-ce que tu fabriques, petit sot?, lui demanda-t-il.

– Je fais bouillir de l'eau pour le dîner, mon bon seigneur. Nous ferons de la soupe aux pierres!, répondit Amos, passablement fier de lui.

Perplexe, le seigneur regarda les parents du garçon qui se contentèrent de sourire. Ceux-ci, connaissant la vivacité d'esprit de leur fils, savaient qu'il mijotait autre chose que de la soupe. Édonf poursuivit:

– Et par quel miracle peut-on arriver à préparer une soupe avec des pierres?

Amos venait de prendre un gros poisson à son hameçon et il ne le laisserait pas s'échapper. Sa ruse semblait fonctionner à merveille.

– C'est très simple, cher seigneur. Avec ce bâton magique, je fais bouillir l'eau de la marmite jusqu'à ce qu'elle soit assez chaude pour dissoudre de la roche. En laissant, par la suite, refroidir le mélange, on obtient un excellent velouté de pierres. Mes parents et moi ne mangeons que cela depuis des années.

Édonf éclata d'un rire sonore et gras. Il releva une manche de sa chemise et, d'un mouvement rapide, plongea sa main dans l'eau pour en vérifier la température. Lorsqu'il sentit la brûlure que la chaleur intense du liquide provoqua, sa figure devint livide et il retira l'extrémité de son membre en criant de douleur. L'eau était effectivement bouillante. La main rouge comme un homard, le seigneur dansait sur place en maudissant tous les dieux du ciel. Ses pieds frappaient violemment la terre. Il hurlait :

– Vite ! vite ! de l'eau froide ! Vite ! de l'eau glacée !

Un des gardes d'Édonf, qui se trouvait dans la petite grange pour en effectuer l'inspection, accourut vers son maître afin de le secourir. Sans hésiter, il saisit son bras et, croyant le soulager, replongea sa main dans la marmite. Les larmes aux yeux, Édonf s'écria :

– LÂCHE MA MAIN, IDIOT ! LÂCHE MA MAIN OU JE TE FERAI PENDRE !

Sans comprendre pourquoi il se faisait ainsi injurier, le pauvre homme eut droit en prime à une solide raclée de la part de son maître. À grands coups de pied dans le derrière, celui-ci lui fit mordre la poussière. Les parents d'Amos essayaient tant bien que mal de se retenir de rire. Avec des feuilles de différentes plantes, Amos confectionna une compresse au seigneur. Celui-ci, épuisé par l'aventure, se calma enfin. La voix éteinte, il dit :

– Je veux ce bâton qui fait bouillir l'eau. Donnez-moi ce bâton et je vous permettrai de cultiver les terres que vous voulez et de chasser dans mon domaine. Je vous laisse même l'âne !

Amos prit un air grave. Son cœur battait à tout rompre, tellement il avait peur qu'Édonf ne se rende compte qu'il était en train de se faire avoir, mais il n'en laissa rien paraître. Il se devait maintenant de mener habilement la discussion.

– Malheureusement, mon seigneur, cet objet magique appartient à ma famille depuis des générations. C'est notre bien le plus précieux et mes parents n'ont pas les moyens de s'en séparer. Faites comme si vous n'aviez jamais vu ce bâton. Brûlez la maison, nous partirons vivre ailleurs, loin de votre royaume.

Le visage crispé par la douleur, Édonf se redressa et sortit de sa bourse dix pièces d'or.

– Voici ce que je t'offre pour ton bâton magique. Si tu refuses cet argent, je prends quand même le bâton et j'ordonnerai aussi qu'on brûle votre chaumière. C'est à toi de choisir ! Décide-toi vite, garçon, ma patience a des limites et je t'avoue qu'elles sont presque atteintes !

La tête basse, Amos tendit l'objet au seigneur.

– Que votre volonté soit faite, mais sachez que c'est le cœur lourd que j'accepte cet argent. Surtout, mon seigneur, n'oubliez pas de danser autour de la marmite en répétant la formule : « Bouille, ma soupe ! Bouille ! », que l'eau atteigne son point d'ébullition.

Édonf jeta les pièces d'or par terre et, en saisissant le bâton, il déclara solennellement avant de monter en selle :

– Je m'en souviendrai, je ne suis pas idiot.

Les gardes grimpèrent à leur tour sur leur monture, et les trois hommes disparurent bien vite. Par la ruse, Amos venait de gagner l'argent nécessaire pour se rendre au bois de Tarkasis comme il l'avait promis à Crivannia, la princesse des eaux.

Sachant très bien que le seigneur n'allait pas tarder à découvrir la supercherie et qu'il reviendrait aussitôt, Amos trouva une nouvelle ruse. Il fit avaler à l'âne huit des dix pièces d'or après les avoir enrobées de foin et d'une herbe laxative qui en faciliterait l'expulsion par l'animal. Il raconta ensuite à ses parents son aventure à la baie des cavernes. Pour prouver la véracité de son récit, il leur montra la pierre blanche et le trident que lui avait remis la sirène. Urban et Frilla comprirent immédiatement l'importance de la mission qui avait été confiée à leur fils. Ils en étaient fiers. Ils l'encouragèrent donc à se rendre au bois de Tarkasis pour porter le message de la princesse des eaux à la reine Gwenfadrille.

Douze longues et difficiles années s'étaient écoulées depuis que les Daragon s'étaient installés dans le royaume d'Édonf, et leur instinct de survie les mettait maintenant devant une évidence : ce pays n'avait que misère et souffrance à leur offrir et il était grandement temps pour eux d'en partir. Étant donné que la famille ne possédait presque rien, les bagages furent vite prêts. Amos dit alors à ses parents :

— Allez à la clairière qui se trouve au pied de la montagne. Je vous rejoindrai plus tard et j'apporterai des chevaux.

Sans poser de questions, Urban et Frilla partirent aussitôt en direction du lieu de rendez-vous fixé. Les bras chargés de bagages, ils marchaient sans s'inquiéter le moindrement pour leur fils qu'ils laissaient derrière eux. Amos était doté d'une prodigieuse intelligence et il saurait se protéger contre la malveillance d'Édonf. Le jeune garçon avait plus d'un tour dans son sac et plus d'un sac à utiliser pour piéger ses ennemis.

Amos attendit patiemment le retour du seigneur. Il en profita pour faire ses adieux à la forêt qui l'avait vu naître, à sa petite chaumière et à l'âne dont il allait devoir se séparer. Enfin, comme il l'avait prévu, Édonf ne tarda pas à réapparaître avec ses deux gardes. Le seigneur hurlait à s'en écorcher les cordes vocales :

– JE TE TRANCHERAI LA TÊTE, VAURIEN ! JE VAIS T'OUVRIR LE VENTRE, PETIT MISÉRABLE ! JE NE FERAI QU'UNE BOUCHÉE DE TOI, VERMINE !

Calmement et sans qu'Édonf s'en aperçoive, Amos se rendit dans la petite grange. Il saisit les oreilles de l'animal et, le regardant droit dans les yeux, il ordonna :

– Âne, donne-moi de l'or ! Donne-moi de l'or !

Édonf et ses gardes entrèrent d'abord dans la chaumière. Ils en firent le tour d'un rapide coup d'œil. Puis, alors qu'ils se ruaient vers la grange, la voix de l'enfant les arrêta dans leur course.

– Approchons-nous discrètement, dit Édonf à ses gardes, nous le surprendrons.

Les trois hommes regardèrent à l'intérieur du bâtiment en collant un œil sur l'un des nombreux interstices des planches. Ils virent Amos qui caressait les oreilles de l'âne en répétant sans cesse la même phrase :

– Donne de l'or ! Donne de l'or !

Soudain, ils virent l'animal lever la queue et déféquer. Sous leur regard incrédule, Amos se plaça alors derrière la bête et sortit des excréments, une à une, exactement huit pièces d'or. C'est le moment que choisit Édonf pour faire irruption dans la grange. Il sortit son épée en menaçant le garçon :

— Petit vaurien ! Tu croyais m'avoir avec ton faux bâton à faire bouillir l'eau ? Je me suis rendu ridicule devant toute ma cour, au château. Tout à l'heure, je ne pensais à rien d'autre qu'à te tuer, mais maintenant j'ai une bien meilleure idée. Je te prends cet âne. J'avais déjà entendu dire, sans jamais vraiment y croire, que des poules magiques pouvaient pondre de l'or. Mais maintenant, je sais que certains ânes peuvent le faire !

Amos se renfrogna et répondit d'un ton sarcastique :

— Prenez ma fortune, prenez mon âne et je souhaite que vous le fassiez galoper à vive allure vers votre château ! Ainsi, son estomac se déréglera et il ne vous donnera plus que de la crotte !

Le seigneur pouffa d'un rire satisfait.

— Tu te crois intelligent, petite vermine ? Tu viens de me donner un indice précieux qui m'évitera de commettre une grave erreur. Gardes, sortez cet âne avec le plus grand soin ! Nous le ramènerons à pied au château. Laissons les chevaux ici, nous reviendrons les reprendre plus tard. Je vous suivrai en marchant pour m'assurer qu'aucune maladresse ne mettra en péril ce bien trop précieux. Et si la bête se soulage en chemin, j'en profiterai pour ramasser toutes les pièces d'or qu'elle donnera. Quant à toi, vaurien, tu peux garder ces huit pièces encore toutes chaudes ! Avec les dix autres que je t'ai déjà données pour le bâton à faire bouillir l'eau, considère que je paie un bon prix pour cet âne.

En reniflant, Amos supplia Édonf :

– Non, s'il vous plaît, mon bon seigneur, ne me faites pas cela, rendez-moi l'âne ! Il est toute notre fortune, tout notre bien. Tuez-moi, mais laissez l'âne à mes parents.

Le seigneur le renversa d'un coup de pied et, se penchant vers lui, il lui murmura :

– Vous n'avez qu'à manger de la soupe aux pierres. C'est bien ta spécialité, n'est-ce pas, petit idiot ?

Amos regarda Édonf et ses deux gardes s'éloigner lentement à pied avec le précieux animal. Le gros homme chantait et riait. Il exultait.

Fier d'avoir si bien joué la comédie, le garçon grimpa quelques instants plus tard sur la monture du seigneur, y attacha les brides des deux autres chevaux et se rendit directement à la clairière au pied de la montagne, où l'attendaient son père et sa mère.

C'est ainsi qu'une nouvelle histoire se répandit dans le royaume d'Omain. Les vieux racontaient toujours la légende de Yack-le-Troubadour, mais, désormais, les enfants voulaient aussi entendre le récit des ruses d'Amos Daragon, ce garçon malin qui, un jour, avait échangé un banal bout de bois contre dix pièces d'or et un âne commun contre trois superbes chevaux !

Chapitre 3

Bratel-la-Grande

Les parents d'Amos avaient déjà entendu parler de la forêt de Tarkasis. Au cours de leurs précédents voyages, avant la naissance de leur fils, ils avaient eu vent des rumeurs qui couraient sur cet endroit. On disait que ceux qui osaient s'aventurer dans cette forêt n'en revenaient jamais. Plusieurs légendes parlaient d'une terrible puissance qui habitait au cœur des bois. Urban Daragon raconta à son fils qu'un jour, alors qu'il cherchait du travail dans la petite ville de Berrion, il avait rencontré sur la place du marché un homme très âgé. Le vieillard cherchait désespérément à retrouver sa jeunesse perdue. Il arrêtait tous les passants et leur demandait :

– Madame ! Monsieur ! excusez-moi ! On m'a volé ma jeunesse ! J'aimerais tant la retrouver ! Aidez-moi, s'il vous plaît… Je vous en supplie. Je n'ai que onze ans ! Hier encore, j'étais un bel enfant plein de vie. Je me suis réveillé ce matin et ma jeunesse avait disparu. Aidez-moi ! S'il vous plaît, aidez-moi…

Certains riaient; d'autres ignoraient cet homme bizarre. Personne ne le prenait au sérieux. Urban Daragon s'était approché de lui et lui avait demandé ce qui lui était arrivé. Le vieux bonhomme aux cheveux blancs et à la longue barbe de la même couleur lui avait répondu :

– J'habitais près de la forêt de Tarkasis. Mes parents possédaient une chaumière à l'orée du bois. Mon père me répétait sans cesse de ne pas m'aventurer dans ce lieu maudit. Hier matin, j'ai perdu mon chien et je me suis mis à sa recherche. Alors que je regardais partout autour de la maison et plus loin, j'ai entendu des aboiements dans la forêt. C'était lui, j'ai reconnu sa façon particulière d'aboyer quand il a peur de quelque chose. J'ai accouru vers mon compagnon sans même me soucier des recommandations de mes parents. Je me rappelle avoir vu beaucoup de lumière. On aurait dit des petites taches de soleil qui brillaient à travers les arbres. Puis, venant de nulle part, une belle et douce musique s'est mise à jouer et j'ai soudainement eu envie de danser. Je valsais avec les lumières, j'étais heureux. J'étais calme et serein. Je ne sais pas combien de temps cela a duré, mais j'ai dû danser très longtemps parce que je suis tombé endormi, tellement j'étais fatigué. À mon réveil, aucune trace de mon chien. J'avais cette longue barbe blanche, et mes cheveux étaient devenus tout blancs aussi et avaient beaucoup poussé. En fait, tous les poils de mon corps étaient blancs. Affolé, je suis revenu vers la maison pour me rendre compte qu'elle avait disparu, tout comme mes parents. Les lieux étaient complètement transformés et une route passait à l'endroit où se trouvait auparavant le potager de mon père. En pleurs, j'ai suivi cette route pour venir jusqu'ici, à Berrion. Cette ville est à quelques minutes de Tarkasis et, pourtant, je ne la connaissais pas. Je n'en avais même jamais entendu parler. C'est comme si elle avait poussé d'un coup, en une seule nuit. Je ne comprends pas ce qui m'arrive, mon bon Monsieur. J'ai onze ans! On vient tout juste de célébrer mon anniversaire! Je vous assure que je ne suis pas un vieillard, je ne suis pas fou. S'il vous plaît, aidez-moi à retrouver ma jeunesse. Aidez-moi à retrouver mes parents, ma maison et mon chien. S'il vous plaît, Monsieur…

Urban croyait ce pauvre homme, mais, bien conscient de ne rien pouvoir faire pour lui, il avait repris sa route, bouleversé par le récit qu'il venait d'entendre.

* * *

La ville de Berrion se trouvant très loin dans le nord du pays, les Daragon se mirent en route dès le lever du soleil, le lendemain matin, après avoir dormi à la belle étoile dans la clairière. Ils étaient prêts pour ce voyage qui allait durer un mois. Ils avaient trois bons chevaux et dix pièces d'or. Dès qu'il avait retrouvé ses parents, Amos avait remis huit pièces à son père qui les avait soigneusement rangées dans sa bourse. Quant aux deux autres pièces d'or, le garçon les avait déjà dissimulées dans ses chaussures au cas où sa ruse avec l'âne aurait mal tourné. Édonf aurait pu se douter, en le voyant sortir les pièces des excréments de l'animal, qu'il s'agissait d'une supercherie. Mais comme le seigneur était encore plus bête que l'âne lui-même, la famille Daragon pouvait entreprendre un voyage entièrement financé par son ancien maître.

Ensemble, Amos, Urban et Frilla quittèrent le royaume d'Omain en passant par le col des montagnes. En suivant la route qui montait vers le nord, ils traversèrent des plaines et des vallées, plusieurs villages très pauvres, des bois verdoyants et de charmantes petites fermes. Le trajet fut long et difficile pour Amos. Il n'avait pas l'habitude de chevaucher ainsi, des journées entières, et, le soir venu, il s'endormait complètement fourbu.

En route, Urban Daragon et sa femme avaient acheté tout ce qu'il fallait pour accomplir une telle randonnée. La famille disposait maintenant de provisions, d'une tente, de bonnes couvertures et d'une lampe à huile. Jamais Amos n'avait vu son père aussi heureux et sa mère aussi belle. De jour en jour, le couple Daragon renaissait. C'était comme si, après être restés trop longtemps endormis pendant une très longue et très sombre nuit, les parents d'Amos rouvraient les yeux et s'éveillaient à la vie.

Frilla tressait souvent les cheveux de son fils en une longue natte. Ses mains étaient douces et ses soins, attentionnés. Urban riait beaucoup. Ses rires profonds pénétraient l'âme d'Amos qui, pour la première fois et malgré la fatigue, ressentait un bonheur qu'il n'avait jamais connu auparavant.

Amos jouait avec son père, se lavait dans l'eau claire des petites rivières et mangeait toujours une excellente nourriture préparée par sa mère. Il avait même reçu une armure de cuir noir confectionnée par elle, et son père lui avait acheté une nouvelle boucle d'oreille représentant une tête de loup. Sur son beau cheval, le garçon avait fière allure. Le trident de la sirène en bandoulière sur son dos, ses longs cheveux tressés et l'armure bien ajustée, on aurait dit un jeune guerrier sorti d'une légende ancienne. Malgré toutes ces dépenses, la bourse d'Urban contenait encore six belles pièces. Une fortune considérable vu la pauvreté qui régnait partout autour d'eux.

Le soir, près du feu, Urban racontait à Amos sa vie, ses voyages et ses aventures. Orphelin, il avait dû apprendre rapidement un métier pour survivre. Il avait ensuite pris la route pour « conquérir le monde », se plaisait-il à dire en riant de sa naïveté. Il avait malheureusement connu plus de déboires que de joies à ratisser les campagnes. Le vent avait tourné, selon ses dires, le jour où il avait rencontré Frilla. Cette belle fille de dix-huit ans, aux longs cheveux noirs et aux yeux noisette, bergère de métier, lui avait pris son cœur. Ses parents l'ayant promise en mariage à un autre homme, Urban avait carrément dû l'enlever pour préserver leur amour réciproque. Une bonne étoile était apparue dans la vie du jeune homme et, pendant huit ans, Urban et

Frilla avaient vécu heureux, en toute liberté, marchant de village en village, d'un royaume à l'autre. Puis il y avait eu ce bonheur encore plus grand de voir naître leur enfant. Les douze années de misère qui avaient suivi, au royaume d'Omain, avaient été une mauvaise expérience qu'il fallait désormais oublier au plus vite.

Après deux semaines de voyage, la famille Daragon rencontra sur sa route un chevalier. Il avait une large épée, un bouclier arborant l'image d'un soleil rayonnant et une armure qui étincelait à la lumière du jour comme un miroir.

– Halte !, cria l'homme. Déclinez immédiatement votre identité ou vous subirez les conséquences de votre silence.

Très cordialement, Urban Daragon se présenta et expliqua qu'il se rendait avec sa famille à Berrion, dans le nord du pays. Lui et sa femme étaient des artisans voyageurs, ajouta-t-il, et ils avaient décidé de reprendre la route après avoir vécu, pendant de nombreuses années, dans le royaume d'Omain où leur excellent travail avait été maintes fois récompensé par le seigneur. Cette précision dut satisfaire le chevalier qui acquiesça en hochant la tête, car il était plutôt rare de voir des artisans possédant de si beaux chevaux. Bien entendu, Urban s'abstint bien d'avouer les véritables raisons qui le conduisaient, avec sa femme et son fils, à Berrion.

– Est-il vrai que le seigneur d'Omain est aussi stupide qu'une mule ?, demanda le chevalier en riant.

– Vous insultez les mules en les comparant au seigneur Édonf, répondit Amos. Ces animaux ont au moins l'avantage d'être vaillants au travail. Un seul et unique chevalier de votre stature aurait tôt fait de s'emparer de toutes les terres d'Omain, tellement l'armée est à l'image du seigneur Édonf, c'est-à-dire veule et paresseuse.

– Votre fils a la langue bien pendue, mais il sait reconnaître la puissance de l'épée lorsqu'il la croise sur son chemin, fit le chevalier, visiblement très flatté du compliment. Mes frères et moi sommes à la recherche de sorciers qui se terrent dans cette forêt, au bord de la route. Nous savons qui ils sont et ils n'ont certainement pas votre allure ni votre élégance. Allez!, poursuivez votre route, voyageurs, et sachez que vous entrez dans le royaume des chevaliers de la lumière. Notre capitale, Bratel-la-Grande, est à quelques lieues d'ici seulement. Aux portes de la ville, dites à la sentinelle que Barthélémy – c'est mon nom – vous a autorisé l'accès à Bratel-la-Grande. Ne tardez pas à entrer dans la capitale. Quand la nuit tombe, il se passe des choses étranges à l'extérieur de nos murs. Que la lumière vous porte! Adieu, braves gens.

La famille Daragon salua poliment le chevalier et poursuivit son chemin en direction de la ville.

Avant d'arriver à la capitale, Amos et ses parents traversèrent deux petits villages qui se touchaient presque. Un silence lourd et menaçant planait sur les lieux. Dans les rues, autour des maisons, partout, on ne voyait que des statues de pierre. Des hommes, des femmes et des enfants, le visage crispé par la peur, étaient pétrifiés sur place. Amos descendit de son cheval et toucha le visage d'un homme. Il était lisse et dur, froid et sans vie. Manifestement, c'était le forgeron des lieux. Le bras levé, un marteau à la main, il semblait vouloir frapper quelque chose devant lui. Sa barbe, ses cheveux et ses vêtements étaient de pierre. Plusieurs autres personnes paraissaient avoir été saisies dans leur fuite et gisaient, figées, sur le sol. Dans une position d'attaque, les chiens restaient désormais immobiles.

Quelque chose ou quelqu'un s'était introduit dans ces villages et avait ensorcelé leur population entière. Dans l'expression de toutes ces statues humaines, une émotion dominait largement : la terreur. Sur le visage des habitants, petits ou grands, on ne décelait que frayeur et affolement. L'effroi et la panique s'étaient emparés de tous sans exception. Cochons, poules, mulets et chats, tous les animaux avaient été aussi changés en pierre.

Soudain, un gros matou gris, visiblement très vieux, sortit de derrière une pile de billots de bois et s'avança lentement vers les voyageurs. Le museau relevé, la bête semblait renifler l'odeur des nouveaux arrivants. Amos s'approcha de lui. Il le prit dans ses bras et s'aperçut aussitôt que l'animal était aveugle. Une explication s'imposait alors d'elle-même. Ce chat était l'unique être vivant du village à avoir survécu à la malédiction et il était aveugle. C'est donc en regardant l'ennemi que les gens et les autres animaux s'étaient lapidifiés.

En fait, en y regardant de plus près, il était évident qu'il n'y avait pas un adversaire, mais plusieurs. Le sol était sillonné d'innombrables pistes étranges. Des empreintes de pieds triangulaires se terminant par trois longs orteils étaient clairement visibles un peu partout autour d'eux. En examinant ces empreintes, Amos remarqua qu'une membrane reliait les doigts de pied. Ces êtres se déplaçaient debout, sur deux jambes, et leurs extrémités étaient palmées comme des pattes de canard.

Urban ordonna à son fils de remonter sur son cheval. Cet endroit ne lui disait rien qui vaille et le soleil se couchait rapidement. Frilla garda sur elle le chat aveugle qu'Amos lui avait tendu, et la petite famille quitta l'endroit maudit pour continuer son chemin vers la capitale du royaume.

Bratel-la-Grande était une ville impressionnante. Construite au centre d'une plaine cultivée, elle était entourée de hautes et larges murailles en pierres grises qui en faisaient un lieu imprenable pour n'importe quelle armée. Une immense forêt s'étendait autour des terres agricoles. Du haut des tours d'observation, les sentinelles pouvaient facilement voir s'approcher un bataillon ennemi à au moins une lieue à la ronde. Les énormes portes de la ville étaient protégées par une imposante herse.

Cinq sentinelles, aux armures brillantes et aux boucliers arborant l'image du soleil, arrêtèrent les voyageurs. Urban Daragon donna son nom et mentionna celui de Barthélémy, exactement comme ce dernier le lui avait conseillé. Les gardes semblèrent satisfaits et l'un d'eux déclara :

– Comme les portes restent ouvertes dans la journée, par mesure de sécurité, nous ouvrons la herse seulement deux fois par jour, le matin au lever du jour, et le soir au coucher du soleil. Les paysans qui cultivent les terres des alentours seront bientôt de retour. Vous pourrez donc pénétrer dans la ville en même temps qu'eux. Le soleil ne va pas tarder à se coucher et, d'ici une heure, ils seront tous revenus. L'attente ne sera pas longue. Reposez-vous. Nous avons à boire et à manger. Allez vous servir, la nourriture est sur le gros rocher, là-bas. Bienvenue à Bratel-la-Grande, voyageurs ! Et que la lumière vous porte !

La famille Daragon, reconnaissante, remercia la sentinelle et se dirigea vers le rocher. Amos prit une pomme et quelques châtaignes, et alla s'asseoir près de la herse pour regarder la ville. Il y avait là beaucoup d'activité, les gens allaient et venaient d'un pas rapide, des chevaliers patrouillaient dans les rues. On aurait dit que les habitants se préparaient pour une bataille. Sur la place publique, non loin des portes que les Daragon allaient bientôt franchir, des cendres de ce qui avait été un grand feu fumaient faiblement. Amos demanda à l'une des sentinelles pourquoi on avait allumé un si grand feu en plein jour. Le garde sourit et lui dit :

– Nous avons brûlé une sorcière ce matin. Sur la route pour venir jusqu'ici, tu as dû voir ce qui s'est passé dans plusieurs villages des alentours, n'est-ce pas? Eh bien, Yaune-le-Purificateur, notre seigneur, pense qu'il s'agit d'un maléfice de sorcier. Nos hommes fouillent la forêt de fond en comble pour débusquer le coupable. Tous ceux et celles qui exercent la magie d'une quelconque façon se retrouvent sur le bûcher et sont brûlés vifs. Depuis une semaine, nous avons déjà fait griller sept personnes, dont un couple d'hommanimaux.

Amos demanda ce qu'était un hommanimal. Jamais il n'avait entendu ce mot.

– Ce sont des humains qui sont capables de se transformer en animal. Quand j'étais très jeune, les gens parlaient beaucoup des hommanimaux. Maintenant, il s'agit davantage d'une légende que d'une réalité. Enfin, moi, je n'y ai jamais cru et je doute que l'homme et la femme qui sont morts possédaient de tels pouvoirs. Notre roi doit être bien désemparé. Personne ne sait vraiment ce qui se passe dans le royaume. Tous les soirs, nous entendons des bruits effrayants qui viennent de la forêt. Les habitants dorment mal. La peur s'empare de tout le monde lorsque la nuit tombe. Je ne sais plus quoi penser de tout cela… Bon, il est maintenant l'heure d'ouvrir la herse. Au revoir, jeune homme, que la lumière te porte!

– Que la lumière vous porte aussi!, lui répondit Amos.

Les paysans entrèrent dans Bratel-la-Grande, suivis de la famille Daragon. Urban, Frilla et Amos se mirent aussitôt à la recherche d'un endroit où passer la nuit. Ils trouvèrent une auberge appelée

La tête de bouc. C'était un endroit sombre et inquiétant. Les murs étaient gris et sales. Il y avait quelques tables, un long comptoir et plusieurs habitués qui discutaient ensemble. L'atmosphère devint encore plus lourde lorsque les Daragon pénétrèrent dans les lieux. Ils s'attablèrent dans le silence, sous le regard inquisiteur des clients. On les dévisageait, on les observait de la tête aux pieds.

Une bonne odeur de soupe chaude venait de la cuisine et c'est en salivant qu'Amos se mit à table. Les discussions reprirent sans que personne ne s'occupe d'eux. Après quelques minutes, Urban fit signe à l'aubergiste. Celui-ci, derrière son comptoir, ne bougea pas. Frilla essaya d'attirer l'attention du propriétaire en l'interpellant :

— Il y a une bonne odeur chez vous ! Nous aimerions bien manger et dormir ici ce soir…

Rien à faire. L'homme continuait à discuter avec ses autres clients sans même leur accorder un regard. Au moment où la famille décida enfin de se lever pour quitter les lieux, l'aubergiste fit un clin d'œil à l'assemblée et éleva la voix :

— Un instant ! On ne part pas d'ici sans payer !

Urban répliqua aussitôt :

— Nous n'avons rien mangé et rien bu, Monsieur. Alors, pourquoi devrait-on payer ?

L'aubergiste, l'air content et le sourire narquois, poursuivit :

— Sachez qu'ici, on ne sert pas les étrangers. Cependant, je vous vois respirer l'odeur de ma soupe depuis un bon moment. Vous avez donc consommé le fumet de ma préparation et vous devez payer pour cela. On n'a pas idée de se régaler ainsi sans même me donner quelques pièces !

Les autres clients riaient de bon cœur. Ce boniment, l'aubergiste l'utilisait souvent pour extorquer de l'argent aux innocents voyageurs.

– Vous devez me payer ou vous irez directement en prison !, reprit l'aubergiste.

Urban refusa d'ouvrir sa bourse. Trois hommes se levèrent de leur siège avec un bâton à la main et se dirigèrent vers la sortie pour la bloquer.

– Toi, va me chercher un chevalier. Nous avons un problème ici, lança l'aubergiste à l'un de ses amis.

Quelques minutes plus tard, ce dernier revint effectivement avec un chevalier. C'était Barthélémy.

– Alors, que se passe-t-il encore ici ?, demanda le chevalier, exaspéré, en entrant dans l'auberge.

– Ces gens veulent partir sans payer. Ils ont respiré l'odeur de ma soupe, et ces voleurs ne m'offrent rien en compensation. Je suis ici dans mon auberge et j'ai le droit de vendre ce qui me plaît, même une odeur, n'est-ce pas, noble chevalier ?

Barthélémy avait tout de suite reconnu la famille Daragon. Embêté, il leur dit :

– Vous êtes bien mal tombés, mes amis. Cette auberge est sûrement la pire de tout Bratel-la-Grande. Selon nos lois, cet homme a raison et il le sait parfaitement. Il a le droit de vendre ce qui lui plaît, même l'odeur d'une soupe s'il le désire. Tous les voyageurs qui s'arrêtent ici, à La tête de bouc, se font arnaquer de la sorte. L'aubergiste utilise notre loi à son avantage. C'est un escroc et je ne peux rien y faire. Je dois m'assurer que cet homme soit bel et bien payé pour l'odeur de sa cuisine que vous avez respirée. Il faut aussi savoir qu'en cas de litige dans la capitale, ce sont les chevaliers qui se font juges et tranchent ce genre de question. Laissez-lui quelque chose et partez. Je ne puis rien pour vous.

– Très bien, soupira Amos, nous paierons l'aubergiste comme il se doit.

Un rire général se fit entendre dans l'auberge. La ruse fonctionnait toujours à merveille et c'est en jubilant que tous les clients assistaient à la scène.

Saisissant la bourse de son père, Amos poursuivit :

– Dans cette bourse, nous avons exactement six pièces d'or. Est-ce suffisamment payé pour l'odeur d'une soupe que nous n'avons même pas goûtée ?

L'aubergiste, ravi, se frotta les mains.

– Mais oui, bien sûr, jeune homme ! Ce sera parfait !

Amos approcha la bourse de l'oreille du gredin et fit tinter les pièces.

– Comme nous avons respiré l'odeur d'une soupe que nous n'avons pas mangée, dit-il, eh bien, vous voilà payé avec le son des pièces que vous n'empocherez jamais !

Barthélémy éclata d'un rire puissant.

– Je crois bien que ce garçon vient, devant mes yeux, d'acquitter sa dette et celle de ses parents !

L'aubergiste demeura bouche bée. Il était incapable de protester, humilié de s'être fait avoir par un enfant. C'est en riant à gorge déployée qu'Amos et ses parents, accompagnés de Barthélémy, sortirent de l'auberge pendant que, à l'intérieur, un profond silence avait remplacé les rires.

Chapitre 4

Béorf

Comme leur nouvel ami Barthélémy le leur avait suggéré, Amos et ses parents s'installèrent dans une jolie auberge, tenue par la mère du chevalier. Ils étaient heureux de pouvoir enfin se reposer. Le vieux matou aveugle qu'ils avaient adopté se trouva vite un coin pour dormir tranquille.

Urban, lui, trouva par la même occasion du travail. Le toit de l'auberge était à refaire et, depuis la mort de son père, c'était Barthélémy qui s'occupait des travaux d'entretien. Malgré beaucoup de bonne volonté, le chevalier n'était pas très habile de ses mains et c'est avec plaisir qu'Urban accepta d'arranger ce qui avait été mal fait. En échange, il pouvait disposer, avec sa femme et son fils, d'une grande chambre bien éclairée et confortable. Ils seraient également nourris si Frilla voulait bien donner un coup de main à la cuisine, ce à quoi elle consentit avec empressement. Ces ententes furent conclues dès le lendemain de leur arrivée, et les Daragon prirent rapidement possession de leur nouveau logis.

L'auberge avait pour nom Le blason et l'épée. À Bratel-la-Grande, c'était l'endroit de rencontre préféré des chevaliers. Les soldats s'y réunissaient pour trinquer ensemble, parler des dernières batailles ou jouer aux cartes. Du lever du soleil jusqu'à tard dans la nuit, il y avait toujours quelqu'un pour raconter un fait d'armes, pour se vanter de ses exploits ou simplement pour se distraire entre deux missions. Les barbares du Nord envahissaient fréquemment les terres du royaume, et les grandes batailles n'étaient pas rares. Le père de Barthélémy, qui avait été un grand chevalier, était lui-même mort au combat. Ses exploits étaient encore souvent évoqués. Il était toujours vivant dans la mémoire de ses compagnons d'armes, et le récit de ses prouesses émouvait à tous coups la veuve.

Lorsqu'ils étaient de passage à Bratel-la-Grande, les chevaliers des royaumes voisins s'arrêtaient toujours à l'auberge Le blason et l'épée pour échanger les dernières nouvelles et vanter leur habileté à l'épée. C'était un lieu vivant, toujours grouillant de monde, où les rires et les histoires les plus farfelues se faisaient entendre à toute heure du jour.

L'auberge était spacieuse, bien tenue et entourée de magnifiques rosiers. Située à une bonne distance du centre de la ville, cette maison à deux étages en pierres rouge foncé avait fière allure. Yaune-le-Purificateur, seigneur de Bratel-la-Grande et maître des chevaliers de la lumière, s'y rendait souvent, soit simplement pour se détendre, soit pour discuter avec ses hommes. Pour un garçon curieux comme Amos, cette auberge où l'on était toujours les premiers à être informés de ce qui se passait dans le royaume et les alentours, était un endroit de rêve.

Les chevaliers parlaient souvent de la malédiction qui s'était abattue sur plusieurs villages. Personne n'arrivait à expliquer ce qui avait pu transformer chacun de leurs habitants en statue de pierre et, par mesure de précaution, on avait fait évacuer les campagnes avoisinantes. Les paysans qui étaient demeurés chez eux malgré les avertissements des chevaliers avaient, eux aussi, été victimes du terrible maléfice. En fait, quiconque passait la nuit à l'extérieur des murs de la capitale se voyait frappé par ce sortilège.

En ville, on parlait souvent d'un bataillon qui, envoyé par un royaume voisin pour prêter main-forte à Bratel-la-Grande, avait été retrouvé pétrifié dans la forêt. Les détachements de cavalerie voyaient régulièrement des chouettes, des hiboux, des cerfs ou des loups changés en pierre. Et tous ces cris venant des profondeurs des bois, qu'on entendait toutes les nuits, ne faisaient rien pour rassurer qui que ce soit. Des hurlements stridents qui glaçaient le sang de tous les habitants de la ville. Des clameurs qui, chaque nuit, se rapprochaient un peu plus des fortifications de la capitale.

Les chevaliers devaient affronter un ennemi invisible, toujours caché dans les profondeurs des ténèbres. Cette force adverse, tellement puissante qu'elle semblait invincible, ne pouvait être constituée que d'un seul individu. Tous ceux et celles qui avaient succombé aux pouvoirs dévastateurs de ces guerriers de la nuit étaient désormais incapables de dire un seul mot à leur sujet. On aurait voulu trouver des indices, avoir des précisions sur leur apparence physique, sur leurs intentions, mais les statues de pierre demeuraient muettes. Tout comme les habitants de la ville, Barthélémy et ses compagnons étaient inquiets, et Yaune-le-Purificateur semblait s'égarer en brûlant de présumées sorcières et de faux magiciens. On ne savait que faire pour combattre ce mal obscur qui menaçait tous les êtres du royaume.

* * *

Une semaine s'était écoulée depuis l'arrivée d'Amos et de ses parents dans la capitale. Même s'ils étaient contents de leur sort, ceux-ci trouvaient qu'ils s'étaient déjà attardés un peu trop longtemps à Bratel-la-Grande et avaient décidé de reprendre la route, d'ici quelques jours, pour se rendre au bois de Tarkasis. La ruse utilisée par Amos à l'auberge La tête de bouc avait rapidement fait le tour de tous les chevaliers de la ville. Barthélémy avait pris un plaisir évident à raconter à ses compagnons comment le jeune garçon avait cloué le bec du commerçant malhonnête. Amos était fréquemment salué par des inconnus qui le félicitaient d'avoir remis l'aubergiste véreux à sa place.

L'enfant faisait souvent de longues promenades dans la ville. Il déambulait nonchalamment, en découvrant les petites rues et les minuscules boutiques d'artisans. Un grand marché avait lieu tous les matins, sur une place qui se trouvait au centre de la ville, juste en face de l'immense demeure fortifiée de Yaune-le-Purificateur. C'est là qu'Amos vit un garçon marcher à quatre pattes sous les étals de différents marchands. À peine un peu plus vieux que lui, il était gras comme un porcelet et avait des cheveux blonds très raides. Malgré ses grosses fesses et ses bourrelets, il se déplaçait avec une prodigieuse agilité. Rapide comme l'éclair, sa main saisissait des fruits, des morceaux de viande, des saucissons et des miches de pain sans que personne ne s'en aperçoive. Une fois que son sac fut plein à craquer de provisions, le garçon quitta le marché.

Curieux, Amos décida de le suivre discrètement. Il remarqua alors avec surprise que le jeune voleur portait des favoris bien fournis. Celui-ci tourna au coin d'une rue et se dirigea rapidement vers l'un des murs fortifiés de la ville, situé loin de toutes habitations. Arrivé au pied du mur, il regarda furtivement autour de lui et, tout à coup, il disparut! Amos n'en croyait pas ses yeux. Il s'approcha prudemment de l'endroit où s'était arrêté le garçon et y découvrit un trou assez profond. Le gros garçon n'avait pu que sauter dedans, ce qui expliquait sa disparition soudaine.

Amos se glissa à son tour dans le trou et trouva, au fond, un long tunnel, creusé grossièrement, qui passait sous la muraille. Il le suivit et ressortit de l'autre côté, dans l'herbe haute de la plaine. Debout sur la pointe des pieds, Amos regarda autour de lui pour tenter de repérer le garçon. Il n'eut qu'une seconde pour apercevoir sa silhouette disparaître de nouveau au loin, à la lisière de la forêt. Pourtant, il était impossible qu'une personne de cette corpulence puisse se déplacer aussi promptement. En quelques minutes, ce garçon avait traversé la plaine aussi vite qu'un homme sur un cheval galopant. C'était d'autant plus incroyable qu'il portait toujours son énorme sac rempli de provisions!

En courant le plus vite possible, Amos se rendit lui aussi à l'orée de la forêt. Par terre, sous le couvert des arbres, il remarqua d'étranges empreintes. Il y avait des traces de pieds, mais aussi de mains. Le gros garçon se déplaçait-il à quatre pattes également dans la forêt? Plus loin, les traces devenaient celles d'un jeune ours. Pour Amos, il n'y avait pas trente-six solutions à cette énigme: il avait suivi un hommanimal. Oui, le jeune voleur de provisions était un hommanimal! Cela seul pouvait expliquer sa grande agilité, sa force et sa rapidité. Les jeunes ours sont des créatures vives et puissantes. Cela expliquait aussi pourquoi l'étrange fugitif avait tant de poils sur le visage.

Les hommanimaux n'étaient donc pas que des créatures de légende! Il existait vraiment des humains capables de prendre une forme animale à volonté! Les hommes pourvus de ce prodigieux don ne devaient pas être nombreux.

Amos se rappela le couple d'hommanimaux qu'on avait brûlé sur la place publique de Bratella-Grande et en arriva à cette funeste conclusion: «Un enfant qui vole de la nourriture pour vivre n'a probablement pas de parents pour subvenir à ses besoins. Je ne vois qu'une explication: les chevaliers de la lumière ont tué les parents de ce malheureux. Ils les ont probablement vus se transformer en animal, en ours sans doute, et les ont brûlés sur le bûcher pour sorcellerie, croyant qu'un humain qui est capable de se métamorphoser en bête peut aussi transformer un individu en statue. Je dois absolument retrouver ce garçon pour lui parler.»

Amos suivit la piste laissée par l'hommanimal. Le trident de la sirène en bandoulière, il s'enfonça dans la forêt. Après une heure de marche, il déboucha sur une petite clairière. Les empreintes menaient à une charmante maisonnette toute ronde, construite en bois. Tout autour de la maison, de nombreuses ruches avaient été installées. Des milliers d'abeilles virevoltaient un peu partout. Amos cria sur un ton aimable:

– Il y a quelqu'un? Répondez-moi... Je ne suis pas ici en ennemi... J'ai suivi tes traces, jeune ours, et j'aimerais beaucoup te parler!

Rien. Pas un son et, à l'exception de celui des abeilles, pas un mouvement perceptible dans les alentours. Avec précaution, le trident relevé, Amos avança dans la clairière jusqu'à la maison, remarquant avec étonnement que celle-ci était dépourvue de fenêtres. Il frappa à la porte.

– Mon nom est Amos Daragon! Je désire parler à quelqu'un!

Comme il n'y avait toujours pas de réponse, il poussa doucement le battant, jeta un regard circulaire dans la pièce et y pénétra lentement. Une forte odeur de musc le saisit. L'intérieur de cette maison sentait incontestablement la bête sauvage. Amos vit, posée sur un tabouret, une petite bougie dont la flamme vacillait. Au milieu de l'unique pièce, un feu mourant fumait légèrement. La lumière du jour entrait par une ouverture pratiquée en plein centre du toit et par laquelle pouvait s'échapper la fumée dégagée par la cheminée. Sur une table basse en bois étaient posés un bout de pain et un pot de miel. À côté de la porte, tout près de lui, Amos vit le gros sac de victuailles. C'étaient bien celles qui avaient été volées au marché.

Tout à coup, dans un grand vacarme, la table fut traînée et projetée en l'air. Elle alla heurter le mur et retomba avec fracas sur le sol. Aussitôt, un ours au pelage blond bondit sur Amos en hurlant de rage et, d'un seul coup de patte, il le poussa à l'extérieur de la maison. En moins d'une seconde, la bête était sur lui et l'écrasait de tout son poids. Comme l'ours s'apprêtait à lui lacérer le visage avec ses griffes tranchantes comme des lames de rasoir, Amos mit la main sur son trident d'ivoire et le pointa sur la gorge de l'animal. Chacun menaçant de tuer l'autre, les deux combattants arrêtèrent de bouger. Les abeilles, maintenant prêtes au combat, s'étaient regroupées dans un nuage juste au-dessus de la tête de l'ours. Amos comprit rapidement que l'animal exerçait un pouvoir sur les insectes. La bête grognait des ordres à son armée volante. Pour éviter le pire, il fallait maintenant essayer d'entamer un dialogue.

– Je ne te veux pas de mal. J'aimerais te parler de tes parents. Tu m'écrases…

Sous les yeux stupéfiés d'Amos, certaines parties du corps de l'ours reprirent soudain leur aspect humain. Sa tête était maintenant celle du gros garçon du marché. Il avait cependant gardé de la bête d'énormes dents pointues. Son bras droit, encore levé et prêt à frapper, avait conservé la forme d'une patte d'ours, alors que son bras gauche, redevenu normal, plaquait solidement Amos contre terre. Le trident toujours sous la gorge, l'hommanimal dit:

– Je ne te fais pas confiance! Je t'ai vu plusieurs fois avec les chevaliers. Tu habites même dans une auberge qui appartient à l'un d'eux. Je t'ai remarqué bien avant que tu connaisses mon existence. Tu es un espion et je vais te tuer.

Amos réfléchit un peu. Puis il laissa tomber son arme.

– Bon, alors si tu dois me tuer, fais-le! Puisque tu me connais si bien, tu dois savoir que je ne suis pas de ce royaume et que je ne représente aucune menace pour toi. Je te conseille ensuite de me manger rapidement. De cette façon, tu ne sauras jamais ce qui est arrivé à tes parents.

D'un signe, le jeune hommanimal ordonna aux abeilles de regagner leurs ruches. Il se transforma alors complètement en humain. Abandonnant toute agressivité, le gros garçon s'assit par terre et se mit à pleurer doucement.

– Je sais ce que les chevaliers ont fait à mes parents. Ils croient que ce sont eux qui ont transformé tous les habitants des villages environnants en statues de pierre. Je ne suis pas magicien, et ni mon père ni ma mère ne l'étaient. Je ne te ferai pas de mal. D'ailleurs, j'aimerais mieux que ce soit toi qui me tues. De cette façon, je serais libéré de ma peine.

En se relevant, Amos vit que son armure de cuir était déchirée. Au niveau de la poitrine, quatre longues marques de griffes traversaient son vêtement. Sans cette protection, il aurait pu être gravement blessé.

– Tu es vraiment puissant ! Comme tu connais déjà la triste nouvelle, je n'ai pas à te l'apprendre. Je suis désolé pour toi. Si je peux faire quelque chose, dis-le-moi. Je serais heureux de t'aider à te soulager de ce malheur.

Le gros garçon parut content. Il sourit. Toute méchanceté avait disparu de ses petits yeux noirs. Ses grosses joues roses, ses favoris longs et blonds et son corps rond le rendaient profondément sympathique. N'eût été ses favoris, ses épais sourcils qui se rejoignaient au-dessus de son nez et les poils qui recouvraient la paume de ses mains, il aurait eu l'air d'un garçon tout à fait normal.

– C'est bien la première fois que je vois un humain qui montre un peu d'amabilité pour un hommanimal! Je m'appelle Béorf Bromanson. Il reste très peu de gens comme moi dans ce monde. J'appartiens au peuple des hommes-bêtes. Des légendes racontent que les hommanimaux sont les premiers êtres qui ont habité cette planète. Nous avions des rois et des royaumes magnifiques au cœur des grandes forêts. Chaque famille était liée, dans l'âme et dans le sang, à un animal. Il y avait des hommes-chiens, des hommes-oiseaux et un grand nombre d'autres créatures qui avaient la capacité de se transformer à volonté. Moi, je suis de la branche des ours. Malheureusement, les humains ne nous ont jamais fait confiance et ils ont tué beaucoup d'entre nous. En vérité, je n'ai jamais rencontré d'autres hommanimaux que mes parents. Mon père disait souvent que nous étions peut-être la dernière famille de la branche des ours encore vivante sur cette terre. Maintenant, je suis sans doute le dernier représentant de ma race.

Puisque Béorf habitait dans la forêt, pensa Amos, il savait peut-être quelque chose sur cette mystérieuse force maléfique qui faisait tant de dégâts dans le royaume. Aussi demanda-t-il à l'hommanimal s'il savait qui ou quoi transformait ainsi les villageois en statues de pierre.

– Je le sais, je les ai vus!, répondit-il. C'est une longue histoire et je suis trop triste et fatigué pour te la raconter. Viens me voir demain, je te dirai tout ce que je sais sur ces êtres horribles.

Les deux garçons se serrèrent chaleureusement la main et Amos, satisfait de cette rencontre, promit de revenir le lendemain à la première heure. Alors qu'il s'éloignait de la maison de Béorf, Amos entendit des chevaux galoper à vive allure. Revenant sur ses pas, il vit un détachement d'une dizaine de chevaliers de la lumière lancer un filet sur Béorf. Transformé en ours, l'hommanimal se débattait pour sortir du piège. Les abeilles attaquaient sauvagement les hommes en armure. L'un des chevaliers assomma Béorf pendant qu'un autre mettait le feu à la demeure de bois. Lorsque la bête fut inconsciente, les insectes abandonnèrent le combat pour retourner à leurs occupations.

Dans le filet, l'ours avait maintenant repris sa forme humaine. On attacha les pieds et les mains du gros garçon pour ensuite le charger sur un cheval. Amos aurait voulu bondir pour aider son ami. Sa sagesse lui conseilla cependant d'essayer de sauver Béorf autrement qu'en affrontant directement de puissants guerriers. Caché dans les bois, il regarda les chevaliers de la lumière emporter son nouvel ami. De grandes flammes jaillissaient de la maison. Devant ce spectacle, Amos se jura qu'il sauverait l'hommanimal du bûcher. Il se rappela les mots de Béorf : « Malheureusement, les humains ne nous ont jamais fait confiance et ils ont tué beaucoup d'entre nous. »

Dans une course folle, Amos se dirigea vers Bratel-la-Grande.

Chapitre 5

Le jeu de la vérité

Quand Amos arriva dans la capitale, essoufflé et fourbu, il rentra immédiatement à l'auberge Le blason et l'épée. Barthélémy discutait avec trois autres chevaliers. Ces derniers avaient enlevé leur armure et appliquaient de la pommade sur les nombreuses piqûres d'abeilles qui constellaient leur peau. Ils en avaient partout: sous les bras, derrière les genoux, dans la bouche et même sous les pieds.

– Ces abeilles sont de vrais démons! Regardez, elles m'ont piqué l'intérieur de la main avec laquelle je tiens mon épée. Comment ont-elles pu accomplir un tel prodige? J'avais le poing solidement fermé sur la poignée de mon arme, et ces maudits insectes ont quand même réussi à s'introduire là!, clamait bien haut un chevalier.

– Ce n'est rien par rapport à moi, répondit un autre. Voyez ma jambe droite, elle est presque paralysée à cause de l'enflure. J'ai compté exactement cinquante-trois piqûres. Par contre, je n'ai rien sur la jambe gauche, pas la moindre trace d'une attaque d'insectes. Ces abeilles savaient très bien ce qu'elles faisaient et elles ont concentré leur force pour me priver de ma jambe. Un ennemi au sol est un ennemi vaincu ! Ces petits démons connaissaient la façon de me jeter par terre.

— Et moua, déclara le dernier du trio, z'elles m'ong pigué dang la bouge et z'autour dez gieux. Che ne voigue prègue plug rien ! Heureugement gue che parle engore bieng !

Amos s'approcha de Barthélémy et lui dit qu'il désirait lui parler immédiatement en privé. Ils s'éloignèrent un peu des autres chevaliers.

— Vous vous êtes trompés en capturant le jeune hommanimal dans la forêt ! Il n'est pour rien dans les malheurs du royaume, et lui seul sait quelque chose sur nos ennemis. Vous devez le libérer !

Barthélémy sembla surpris.

— Comment sais-tu tout cela, toi ? De toute façon, je ne peux rien faire, il sera brûlé demain matin au lever du soleil.

Amos insista :

— Nous devons le sauver. Si, toi, tu ne peux rien faire, qui dois-je voir pour le faire libérer ?

— Yaune-le-Purificateur en personne, mon jeune ami !, déclara le chevalier sur un ton empreint de respect. C'est lui qui a décrété que toute personne pratiquant la magie devait être brûlée. Les chevaliers obéissent à leur maître et ils ne critiquent jamais ses décisions. Les hommanimaux sont des êtres perfides qui méritent la mort. Ce soir, tu pourras assister au procès du jeune garçon. Je te conseille de ne pas prendre sa défense. Tu pourrais connaître le même sort et monter avec lui sur le bûcher.

Amos demanda à Barthélémy en quoi consistait ce fameux procès, puisque, de toute évidence, le destin de Béorf semblait scellé d'avance.

– L'hommanimal sera soumis au jeu de la vérité. Yaune met dans son casque deux bouts de papier. Un avec l'inscription « coupable », l'autre avec l'inscription « innocent ». L'accusé tire un papier au hasard. Son choix détermine sa culpabilité ou son innocence. Je n'ai jamais vu un seul accusé prendre le bout de papier portant le mot « innocent ». Yaune-le-Purificateur est inspiré par la lumière et jamais il ne se trompe. Si ton ami est innocent, la vérité éclatera au grand jour et il sera sauvé. Mais, de mémoire de chevalier, ce serait bien la première fois qu'une telle chose se produirait !

Amos marcha dans la ville en attendant le procès de Béorf. La place du marché s'était transformée en tribunal. Dans quelques heures, le procès aurait lieu. Son ami, prisonnier dans une cage, était livré aux regards et aux insultes des passants. Plusieurs lui lançaient des tomates et des œufs pourris. Béorf, tête basse, rageait silencieusement. Amos croisa son regard. Il put lire dans ses yeux la haine et le mépris.

Pourquoi fallait-il qu'il en soit toujours ainsi ? Pourquoi l'ignorance des humains les poussait-elle toujours à emprisonner des innocents et à les humilier publiquement en les menaçant de mort ? Béorf allait peut-être monter sur le bûcher ! Tout comme ses parents, il serait condamné sans qu'on puisse fournir la moindre preuve de sa culpabilité. Et tous ces gens satisfaits, sur cette place, qui salivaient d'avance en imaginant le spectacle à venir, n'avaient-ils pas de compassion? Cette ville, sous le prétexte de se protéger, n'avait-elle pas lâchement assassiné assez d'innocents? Il en fallait encore un, puis peut-être un autre et encore un autre pour apaiser leur appétit sanguinaire. Tous ces chevaliers pensaient faire le bien sans remettre en question leurs actions, sans voir plus loin que le bout de leur nez. Amos, l'estomac à l'envers et le cœur dans la gorge, eut soudainement la nausée et vomit derrière le mur délabré d'une maison abandonnée.

Une foule impressionnante se rassemblait sur la place. Amos marchait de long en large. Ses neurones fonctionnaient à plein régime. Il se devait de sauver son nouvel ami. Mais comment? Sans pouvoir s'expliquer pourquoi, il était convaincu que le jeu de la vérité était un truc employé par Yaune-le-Purificateur pour appuyer ses décisions sans que personne ne puisse les mettre en doute. Mais quelle était donc cette ruse?

Amos ramassa deux pierres, qui avaient exactement la même taille, mais des couleurs différentes, et les glissa dans sa poche. La pierre la plus foncée représenterait le mot « coupable »; l'autre, gris pâle, le mot « innocent ». En dix tentatives, le garçon tira au hasard six fois la pierre pâle et quatre fois la pierre foncée. Il recommença le jeu encore et encore. Les résultats étaient toujours sensiblement les mêmes. Jamais Amos ne réussit à prendre dix fois d'affilée la même pierre. Il était donc tout à fait impossible que le jeu de la vérité de Yaune soit juste. Au dire de Barthélémy, il y avait eu beaucoup de procès dans ce royaume et jamais un seul accusé n'avait gagné sa liberté au jeu de la vérité. Tous étaient coupables et cela défiait toute logique !

Soudain, tout devint clair dans la tête d'Amos. Si tous les accusés tombaient invariablement sur le mot « coupable », c'était tout simplement parce qu'on avait écrit ce mot sur les deux bouts de papier ! Voilà, Yaune était un mauvais joueur. Il mentait et trichait. Oui, cela ne pouvait être que ça : le seigneur de Bratel-la-Grande marquait le mot « coupable » sur les deux morceaux de papier. Il était alors impossible de tirer le mot « innocent », puisqu'il n'était inscrit sur aucun des deux bouts de papier qui se trouvaient dans le casque. Maintenant, comment déjouer la ruse de Yaune pour que Béorf soit libéré ?

L'heure du procès approchait et Amos cherchait encore la solution de son problème. C'est lorsqu'il lança la pierre foncée par terre en conservant la pierre pâle dans sa poche que la solution apparut, claire et limpide. Le garçon éclata de rire. Il venait enfin de trouver la ruse qui lui permettrait de libérer son ami.

* * *

Yaune-le-Purificateur s'avança sur l'estrade. Il était grand, âgé d'une soixantaine d'années. Ses longs cheveux poivre et sel étaient attachés sur sa nuque et il avait une grosse barbe grise. Une grande cicatrice s'étirait de son œil droit jusqu'à sa lèvre supérieure. Son armure avait la couleur de l'or. Deux ailes blanches ornaient son casque et il portait au cou une large chaîne avec un gros pendentif. C'était une tête de mort taillée dans une pierre verte, et dont les yeux semblaient être deux énormes diamants. Yaune était imposant, solide et son expression solennelle imposait le respect.

La foule était agitée, grouillante, fébrile. Les portes de Bratel-la-Grande avaient déjà été fermées pour la nuit, et tous les chevaliers étaient présents pour le procès. Sous un tonnerre d'applaudissements, Yaune-le-Purificateur prit la parole :

— Nous sommes ici pour que la lumière triomphe encore une fois. Chers habitants de Bratel-la-Grande, le garçon que vous voyez dans cette cage est un sorcier. Plusieurs chevaliers ont été témoins de sa transformation en bête. Un chevalier ne ment jamais et la parole de mes hommes ne saurait être mise en doute. La magie de ce sorcier est puissante et, comme les autres que nous avons capturés, il sera condamné au feu purificateur afin que notre royaume soit sauvé de la menace qui plane sur nos têtes. À moins, bien sûr, que le jeu de la vérité ne nous révèle son innocence. C'est en éliminant toutes formes de magie que nous pourrons vaincre le mal qui nous assaille. La vérité et la lumière sont nos guides et, jusqu'à présent, nos intuitions furent justes et nos actions, héroïques. Que celui d'entre vous qui doute de la culpabilité du jeune sorcier se lève ou qu'il se taise à jamais !

Un profond silence tomba sur l'assemblée. Amos leva la main et, sur un ton qui trahissait sa nervosité, cria :

– Moi, je sais que vous faites erreur !

Tous les regards convergèrent vers le garçon qui, devant ce tribunal, osait mettre en doute la parole de Yaune et des chevaliers.

– Tais-toi, jeune homme !, lança Yaune d'un ton sévère. Ta jeunesse et ton manque d'expérience excusent cette impertinence. Maintenant, retire tes paroles ou tu en subiras les conséquences !

– Je ne retire rien de ce que je viens de dire, Monsieur, répondit Amos en prenant de l'assurance. Ce garçon s'appelle Béorf et il est mon ami. Il est de la race des hommanimaux. Ce n'est pas un magicien et encore moins une créature qui transforme les hommes en statues de pierre. Je pense que si vous brûlez ce garçon, jamais vous ne comprendrez ce qui se passe dans votre royaume, car lui seul a vu les créatures qui vous menacent. Il est innocent des crimes dont vous l'accusez !

Pour la première fois depuis qu'il régnait sur ce royaume, Yaune-le-Purificateur se voyait contredit.

– Tu penses, petit sacripant, être plus sage que le seigneur de Bratel-la-Grande ? J'ai combattu pendant près de quarante ans les forces occultes de ce monde. J'ai versé mon sang pour la vérité. J'ai perdu des hommes, des armées entières. Tout cela pour que triomphe la lumière des hommes sur le monde sombre et malfaisant des ténèbres. Approche-toi de l'estrade afin que je te voie de plus près.

Amos s'avança dignement en gardant le silence. Yaune sourit en voyant ce jeune garçon avec ses longs cheveux tressés, son armure de cuir noir déchirée et son trident en bandoulière. Barthélémy intervint. Il se jeta à genoux devant son seigneur et lui dit à mi-voix :

– Excuse-le, grand seigneur. Cet enfant est stupide, il ne sait pas ce qu'il fait. Je le connais, il habite avec ses parents dans l'auberge de ma mère. Ce sont des voyageurs arrivés ici depuis peu. Le père et la mère de ce garçon ne savent rien de sa conduite. Pardonne à cet enfant et je me porte garant de lui.

Yaune se radoucit :

– Très bien, valeureux Barthélémy. Ton père m'a sauvé plusieurs fois la vie et je dois à sa descendance le même respect que j'avais pour lui. Amène ce garçon et que je ne le revoie plus à Bratel-la-Grande.

Un homme sortit de la foule et dit :

– Seigneur, mon nom est Urban Daragon. Je connais mieux mon fils que le chevalier Barthélémy et je vous assure que si Amos clame que votre prisonnier est innocent, c'est qu'il a raison. Barthélémy est un homme bon et je comprends qu'il désire protéger des voyageurs avec lesquels il s'est lié d'amitié. La famille Daragon le remercie de tout cœur, mais j'ai toujours enseigné à mon fils à agir, en toutes circonstances, selon ses convictions profondes. Je tiens à ajouter qu'Amos n'est pas stupide et que beaucoup de gens auraient avantage à écouter ce qu'il a à dire.

Impatient, Yaune chassa Barthélémy d'un geste de la main et déclara en soupirant:

– Qu'il en soit selon la volonté du père! Nous veillerons à ce que justice soit rendue. Je soumets ce garçon au jeu de la vérité. Nous jouerons le sort du jeune sorcier prisonnier. Je vais mettre deux bouts de papier dans mon casque. Un avec l'inscription «innocent», l'autre avec l'inscription «coupable». Tu dois tirer un papier au hasard, jeune prétentieux. Si tu prends le papier avec le mot «innocent», je laisse la vie sauve à ton ami le sorcier. Si, par contre, tu prends le papier avec le mot «coupable», nous aurons trois personnes à brûler sur le bûcher: le jeune sorcier, ton père et toi. Ceux qui prennent la défense des enne-mis de Yaune-le-Purificateur sont des traîtres qui méritent la mort. Ceci apprendra à ton père qu'il vaut parfois mieux suivre la loi du maître d'un royaume plutôt que ses certitudes inté-rieures. Amenez-moi deux morceaux de papier que je m'exécute!

Pendant que Yaune écrivait sur les bouts de papier, Amos fit un clin d'œil discret à Béorf en souriant et lança:

– Je me soumets aux lois de ce royaume et c'est avec plaisir que je jouerai au jeu de la vérité. Permettez-moi simplement de voir ce que vous avez marqué sur les deux bouts de papier avant de les mettre dans votre casque.

Yaune parut surpris de cette requête, mais il se ressaisit vite et déclara :

— Trêve de balivernes et de stupidités ! Je suis un chevalier, je ne peux mentir, ni tricher. Monte sur la tribune et que la vérité éclaire vos vies à tous !

Le malaise du seigneur de Bratel-la-Grande conforta Amos dans sa conviction : il avait inscrit « coupable » sur les deux morceaux de papier. C'était marqué dans les yeux du vieil homme. De son côté, Urban Daragon suait à grosses gouttes en espérant fortement que son fils ait une ruse capable de leur éviter le bûcher. Barthélémy regardait nerveusement la scène avec la certitude qu'au petit matin, il verrait s'enflammer ses nouveaux amis. Béorf, le souffle court, n'arrivait pas à croire qu'Amos puisse risquer sa propre vie et celle de son père pour le sauver, lui, un hommanimal détesté de tous les humains. La foule, certaine de l'issue du jeu, restait sereine. Le seigneur du royaume ne s'était jamais trompé, et personne ne doutait que, le lendemain, il y aurait à Bratel-la-Grande un grand feu de joie.

Amos plongea calmement la main dans le casque. Puis, d'un geste vif, il prit un bout de papier, le porta à sa bouche et l'avala d'un coup. Yaune hurla :

— Que fais-tu, petit sot ?

Sourire aux lèvres, Amos déclara :

– C'est simple : j'ai pris un morceau de papier et je l'ai mangé.

On entendit les ricanements de nombreux spectateurs, et Yaune, dans une colère noire, s'écria :

– Mais pourquoi, espèce de bourricot, as-tu fait cela ?

Amos répondit solennellement :

– Puisque j'ai mangé le papier que j'ai tiré au hasard, personne ici ne sait si mon ami est innocent ou coupable. Pour le savoir, nous n'avons qu'à regarder... sur le bout de papier qui est resté dans le casque. Si ce papier porte le mot « innocent », c'est que j'ai mangé celui qui portait le mot « coupable ». Donc, vous nous brûlez demain matin à la première heure. Mais, par contre, si l'on trouve le mot « coupable » sur le bout de papier qui reste dans le casque, cela voudra dire que j'ai mangé le papier avec le mot « innocent ». Ainsi, notre salut sera assuré ! Maintenant, j'aimerais que Barthélémy s'approche afin de lire le verdict de votre jeu de la vérité.

Le chevalier s'avança, sortit le papier du casque et cria haut et fort :

– Coupable !

Amos reprit la parole :

– Cela prouve que j'ai tiré et mangé le papier où était marqué le mot « innocent », à moins qu'il n'y ait eu dans ce casque deux papiers avec le mot « coupable ». Je ne pense pas que le chef des chevaliers de la lumière soit un tricheur. C'est donc la vérité qui vient de parler !

La foule se mit à applaudir à tout rompre. Yaune se leva brusquement et déclara, rouge de colère :

– La vérité a parlé, libérez le gros garçon de sa cage.

Puis il murmura à l'oreille d'Amos :

– Je te ferai payer chèrement ta ruse. Tu sauras qu'on ne contrarie pas le seigneur de Bratel-la-Grande sans en subir les conséquences.

Chapitre 6

L'expulsion de Bratel-la-Grande

Amos rentra à l'auberge, accompagné de son père et de Béorf. Une lune ronde et claire éclairait doucement Bratel-la-Grande. Le jeune homma-nimal fut accueilli chez les Daragon comme un fils. Pendant le repas, Amos expliqua à ses parents comment il avait fait la connaissance de Béorf dans la forêt. Il leur raconta aussi que les che-valiers avaient capturé son père et sa mère pour ensuite les faire griller sur le bûcher.

Inquiète, Frilla proposa qu'ils quittent tous le plus rapidement possible Bratel-la-Grande. Leur but était de toute façon d'atteindre le bois de Tarkasis. Et puis, s'attarder plus longtemps ici, dans cette auberge, mais surtout dans cette ville où les chevaliers étaient prêts à brûler n'importe qui, ne lui paraissait pas de bon augure. Il fut décidé que, dès l'aube, ils reprendraient leur route avec Béorf. Leur bourse se portait encore bien et les chevaux s'étaient amplement reposés.

Béorf commença à raconter à son tour ce qu'il avait vu dans la forêt quand, soudain, il s'arrêta net, les yeux fixés sur le chat recueilli par la famille. Amos sourit.

– Ne t'en fais pas, il n'est pas dangereux. Nous avons trouvé ce chat aveugle dans un village avant d'arriver ici. C'était le seul être vivant des lieux, tous les hommes et les animaux avaient été transformés en statues. Nous avons eu pitié de lui et nous l'avons emporté avec nous.

Béorf sifflota pour attirer l'attention du chat et lui lança un morceau de viande qu'il avait pris dans son assiette. Le félin bondit aussitôt pour l'attraper.

– Cet animal n'est pas aveugle, vous voyez bien ! Ne vous fiez pas à l'apparence de ses yeux. Soyez prudents avec ce chat, il n'est pas normal. Il y a quelque chose en lui qui ne m'inspire pas confiance du tout. Je peux sentir ce genre de chose avec les animaux. Je sais percevoir en eux les intentions malveillantes. Il cache bien son jeu. Il joue à l'aveugle, mais en réalité, il nous observe et, en plus, il nous écoute.

Pour calmer son invité, Frilla Daragon attrapa le chat et monta l'enfermer dans sa chambre, au premier étage. Elle examina bien les yeux de l'animal avant de le déposer sur le lit. Ce chat était bel et bien aveugle. Deux impressionnantes cataractes couvraient ses yeux. Après cette minutieuse inspection, elle fut convaincue que le jeune hommanimal s'était trompé et revint paisiblement s'asseoir à table. Béorf reprit le récit de ce qu'il avait vu dans la forêt :

– C'étaient des femmes. Leur corps était monstrueux et puissant. Elles avaient des ailes dans le dos et de longues griffes aux pieds. Leur tête était massive et complètement ronde. Elles avaient une peau verdâtre, un nez épaté et des dents proéminentes comme celles d'un sanglier. Ces créatures avaient en plus une langue fourchue qu'elles laissaient pendre sur le côté. J'ai vu dans leurs yeux une lueur flamboyante. En les regardant, je me demandais ce qui pouvait ainsi agiter constamment leur chevelure. J'ai failli mourir de peur quand je me suis rendu compte qu'il ne s'agissait pas de cheveux, mais bien de dizaines et de dizaines de serpents qui se tortillaient sans cesse ! Ces vilaines créatures se mettent à vivre la nuit et elles crient tout le temps, car elles se font sans cesse mordre par leurs cheveux-serpents qui s'attaquent à leurs épaules et à leur dos. Leurs plaies sécrètent constamment un liquide noir, épais et gluant. Et puis, ce que je sais aussi, c'est que dès qu'elles croisent le regard d'autres êtres vivants, ils sont immédiatement pétrifiés !

– Mais, dis-moi une chose, l'interrompit Amos. Comment peux-tu savoir qu'elles ont une lueur flamboyante dans les yeux si tous ceux qui les regardent se transforment en statues ? Tu aurais dû toi-même être pétrifié…

Béorf parut surpris de la question. Effectivement, il aurait dû subir le même sort que les autres, hommes comme animaux. Il prit quelques secondes pour bien se rappeler ce qui s'était passé, puis il expliqua les circonstances de sa rencontre avec ces monstres :

– J'étais près d'un petit village où je cherchais des fruits sauvages lorsque la nuit m'a surprise. Je me suis endormi en me couchant dans l'herbe encore chaude. Ce sont les cris des villageois paniqués qui m'ont réveillé. En ours, je me suis approché un peu plus des habitations, pour voir ce qui provoquait autant d'émoi. Je me suis caché derrière la forge et j'ai regardé par un trou du mur, mais, de l'endroit où je me trouvais, je n'arrivais pas à voir directement l'action. C'est alors que j'ai aperçu, dans l'atelier du forgeron, un grand miroir. Ce devait être les chevaliers qui s'en servaient lorsqu'ils essayaient de nouvelles pièces d'armure. Les chevaliers de la lumière sont tellement fiers et imbus d'eux-mêmes que, s'ils le pouvaient, ils iraient à cheval avec une glace devant eux pour être en mesure de s'admirer continuellement. Toujours est-il que, grâce à ce miroir, j'arrivais à distinguer très clairement les créatures. J'ai même bien vu leurs yeux, mais sans être pour autant transformé en statue. Je me rends compte aujourd'hui que j'ai eu beaucoup de chance de m'en tirer vivant !

– Maintenant que nous savons de quoi ces bêtes ont l'air, dit Frilla, j'aimerais bien savoir ce qu'elles veulent et pourquoi elles s'attaquent à cette ville et à ses habitants.

Amos bâilla et répondit :

– Nous connaissons au moins la façon d'éviter d'être transformés en statue. En plus, il est évident que...

– Chut! tais-toi!, murmura Béorf en saisissant le bras de son ami. Regarde discrètement sur la poutre au-dessus de toi. Ton chat aveugle nous épie.

Instinctivement, tous les membres de la famille levèrent la tête en même temps vers le plafond. Le chat était bel et bien là, juste au-dessus de la table, et semblait écouter la conversation.

– Vous voyez que j'avais raison, fit Béorf. Cet animal a les oreilles trop grandes et les yeux trop ronds pour être un simple minet domestique. Dès qu'il descend de son perchoir, je lui fais sa fête! Ce sale petit fouineur travaille pour ces créatures, j'en suis certain.

À ce moment précis, Barthélémy, escorté de cinq autres chevaliers, entra dans l'auberge. Il s'approcha de la table des Daragon et déclara:

– Par ordre de Yaune-le-Purificateur, seigneur et maître de Bratel-la-Grande, nous devons expulser de la ville Amos Daragon et son ami Béorf. Je suis vraiment désolé d'avoir à faire une chose pareille, mais je dois obéir aux ordres. Chevaliers, amenez-les!

D'un bond, Urban se leva pour empêcher les soldats de toucher à son fils. Il reçut alors un puissant coup de bâton derrière la tête et perdit connaissance. Frilla essaya de dissuader Barthélémy d'amener son enfant en implorant sa miséricorde. Hors des murs de la ville, Amos serait une proie facile pour les créatures qui assiégeaient Bratel-la-Grande. Rien à faire, Barthélémy demeurait sourd aux supplications de la femme. Béorf voulut se transformer en ours et vendre chèrement sa peau, mais Amos réussit à le convaincre de contenir sa violence. Lorsque les chevaliers quittèrent l'auberge, accompagnés de leurs deux prisonniers, le chat sauta de la poutre jusque sur le rebord de la fenêtre et, à la vitesse de l'éclair, disparut dans la nuit par un carreau cassé.

On ouvrit les deux immenses portes en bois et la herse de la ville. Une fois que les chevaliers les eurent fait sortir et eurent tout refermé derrière eux, Amos et Béorf se retrouvèrent complètement seuls, livrés à eux-mêmes dans la nuit.

– Réfléchissons, mon ami, fit Amos, nous avons besoin d'une cachette! Je ne connais rien de la plaine qui entoure cette ville et encore moins la forêt. C'est à toi de nous tirer de là avant que les créatures à la chevelure de serpents ne nous mettent la griffe dessus!

– Je sais où nous irons, dit Béorf. Monte sur mon dos et accroche-toi!

Sur ces mots, le jeune hommanimal se transforma en ours. Amos sauta sur son dos, s'agrippa solidement à son poil. En moins d'une seconde, ils étaient partis. Malgré l'obscurité, Béorf courait très vite. Il connaissait assez bien les environs pour éviter tous les obstacles et s'orienter sans aucune difficulté.

Après une assez longue course dans les bois, les deux compagnons arrivèrent au pied d'un arbre gigantesque. Béorf, redevenu humain, suait à grosses gouttes. Étendu sur le dos, son gros ventre bien bombé, il lui fallut quelques minutes pour reprendre son souffle.

– Des… descen… descendons… descendons vite !, finit-il par dire.

En creusant un peu avec ses mains, Béorf dégagea une trappe. Les deux amis descendirent à tour de rôle une échelle conduisant sous terre, directement sous l'arbre. Lorsqu'ils atteignirent le fond du trou, l'obscurité était totale. Béorf chercha à tâtons une lampe qu'il trouva presque aussitôt.

– Regarde bien, Amos, je vais faire de la magie !

Le garçon grogna quelque chose de doux. Une espèce de râlement sortit de sa poitrine. Amos leva la tête et vit plein de petites lumières entrer par la trappe restée ouverte. Au-dessus d'eux volaient des dizaines et bientôt des centaines de lucioles. Les insectes descendirent soudain vers Béorf et vinrent s'agglutiner à l'intérieur de la grande lampe en verre de forme allongée qu'il tenait à la main. La lumière se répandit alors dans la pièce souterraine qui était en fait une bibliothèque.

Les quatre murs étaient recouverts de livres. Des petits, des gros, il y en avait partout. Au centre trônait un large pupitre avec une chaise confortable. Dans un coin, un tas de paille et des couvertures faisaient office de lit. Béorf remonta l'échelle pour fermer la trappe et dit :

– Cette cachette est sûre et personne ne nous trouvera ici. Bienvenue dans la tanière de mon père. C'était un passionné de lecture. Il étudiait constamment. Ici, il y a des livres sur tous les sujets. Mon père les faisait venir de loin. Plusieurs sont écrits dans des langues bizarres, incompréhensibles pour moi. Regarde-les si tu en as envie. Moi, je suis épuisé, je vais me coucher. Pour éteindre les lucioles, tu n'auras qu'à grogner trois fois. Bonne nuit, Amos.

À peine Béorf s'était-il couché qu'il ronflait déjà. Amos arpenta la pièce en regardant les livres. Il devait y en avoir un bon millier. Certains étaient vieux et poussiéreux; d'autres semblaient nettement plus récents. Amos remarqua un livre qui avait été mal replacé sur une des étagères de la bibliothèque. C'était un vieux bouquin qui avait été retranscrit à la main et qui était intitulé: *Al-Qatrum, les territoires de l'ombre*. Il le prit, s'assit au bureau du défunt père de Béorf et se mit à lire.

On parlait dans ce livre d'une contrée située à la frontière de l'Hyperborée. Un monde caché dans les entrailles de la terre où le soleil ne brillait jamais. C'était le repaire des créatures de la nuit, le lieu de naissance d'une foule de monstres qui s'étaient par la suite propagés sur la Terre.

À sa grande surprise, Amos tomba sur un dessin représentant exactement les êtres qu'avait décrits Béorf à l'auberge. On les appelait les «gorgones». Leur origine semblait remonter à très longtemps. La princesse Méduse, une belle jeune femme, régnait sur une île dans la grande mer de l'Hyperborée. Sa beauté était telle que Phorcys, le dieu des Eaux, en était tombé follement amoureux. Céto, la sœur de Phorcys, désirait tant garder pour elle seule l'amour de son frère qu'elle transforma Méduse en une créature répugnante et dangereuse. Pour être certaine que Phorcys ne croiserait jamais plus son regard, elle donna à la princesse le don de transformer en statue de pierre tout être vivant qui la regarderait dans les yeux. Méduse reçut aussi l'immortalité comme cadeau empoisonné. Elle serait donc condamnée à supporter sa laideur pour des siècles et des siècles. Chaque fois qu'un de ses cheveux-serpents mordait Méduse, la goutte de sang qui tombait par terre devenait immédiatement un serpent qui, après de longues années, se méta-morphosait en gorgone. Apparemment, l'île de la belle Méduse existait toujours et était peuplée de statues de pierre.

Amos referma le livre. Maintenant qu'il connaissait l'histoire de ces monstres, il devait trouver la raison pour laquelle ils attaquaient les habitants du royaume des chevaliers de la lumière. Le père de Béorf essayait certaine-ment d'élucider ce mystère avant sa mort. Si ce livre était mal replacé dans la bibliothèque, c'était sans doute parce qu'il l'avait consulté récemment. En regardant dans le tiroir du bureau, Amos découvrit les notes de monsieur Bromanson. Il y vit, dessiné sur une feuille, le pendentif en forme de tête de mort que portait Yaune-le-Purificateur. Désireux d'approfondir sa recherche, Amos continua à lire.

Selon le père de Béorf, Yaune-le-Purificateur avait volé, dans sa jeunesse, cette relique sacrée. À l'époque, on l'appelait Yaune-le-Provocateur. Sur une terre lointaine, alors qu'il attaquait avec son armée un village peuplé de sorciers, il avait subtilisé, dans un temple sacré, cet important objet de magie noire. Le propriétaire du pendentif, un cruel magicien de l'ombre, était à la recherche de son bien depuis ce temps. Un seul homme de l'armée des chevaliers de la lumière était revenu sain et sauf à Bratel-la-Grande. Clamant qu'il avait éliminé tous ses ennemis, Yaune-le-Provocateur avait reçu le nom de Yaune-le-Purificateur et avait été proclamé seigneur et maître de la capitale.

« Tout s'explique, pensa Amos. C'est certainement au cours de cette bataille qu'est mort le père de Barthélémy. Les gorgones sont au service de ce magicien de l'ombre et, tant et aussi longtemps qu'il ne récupérera pas son pendentif, la ville et ses alentours seront en danger. Je comprends maintenant pourquoi Yaune brûle tous les magiciens que ses chevaliers capturent. Il a peur et il sait qu'il n'est pas de taille à lutter contre le sorcier. »

Amos, se sentant observé, leva soudainement la tête. Devant lui, dans l'ombre du passage menant à la trappe, tout près de l'échelle, le chat aveugle le regardait. La bête recula de quelques pas et disparut dans les ténèbres.

Chapitre 7

Le druide

Amos eut de la difficulté à trouver le sommeil. Les gorgones, le pendentif, Yaune, mais surtout le chat, tout cela tournait dans sa tête en alimentant ses pensées d'images plutôt sombres. Lorsqu'il s'éveilla, Béorf avait servi le petit-déjeuner sur le bureau de son père. Il y avait du miel, des noix, des fruits sauvages, du pain, du lait et des gâteaux. Une douce lumière entrait dans la bibliothèque par une fenêtre ronde qui s'ouvrait dans le plafond. Amos n'en croyait pas ses yeux.

– Mais où as-tu trouvé tout ça ?, demanda-t-il à son ami.

– J'ai mes cachettes, répondit Béorf en avalant un gros morceau de pain dégoulinant de miel.

Amos prit avec son ami le premier repas de la journée. Il lui exposa en détail tout ce qu'il avait découvert sur le travail de son père. Puis il lui raconta son aventure à la baie des cavernes, son départ du royaume d'Omain, puis son voyage avec ses parents jusqu'à Bratel-la-Grande. Le garçon sortit ensuite, d'un petit sac lui servant de poche à l'intérieur de son armure, la pierre blanche de la sirène. Il la posa sur la table.

— Regarde. Je dois me rendre au bois de Tarkasis pour remettre cette pierre à une certaine Gwenfadrille. Je dois également lui dire que son amie Crivannia, la princesse des eaux, est morte et que son royaume est tombé aux mains des merriens. Je dois aussi lui apprendre que j'ai été choisi par Crivannia comme porteur de masques. Si seulement je pouvais savoir ce que tout cela peut bien vouloir dire. Je n'y comprends absolument rien.

Comme Amos terminait sa phrase, le chat aveugle sauta du haut d'un rayon de la bibliothèque et vint atterrir directement sur la table. Avec ses dents, il saisit la pierre blanche et fonça vers la sortie. D'une voix rauque et sonore, Béorf cria :

— Je vais te réduire en bouillie, sale bête !

Maintenant transformé en ours, il se lança à la poursuite du chat. Celui-ci grimpa l'échelle sans la moindre difficulté, et se faufila par la trappe. Béorf tomba deux fois en essayant de monter les échelons. La première fois, il retomba sur les fesses ; la deuxième fois, sur le nez. Le troisième essai fut le bon. Amos prit rapidement ses affaires, coinça sous son bras le livre *Al-Qatrum, les territoires de l'ombre*, remit son trident en bandoulière et courut à son tour vers la sortie. Une fois à l'extérieur, il suivit les traces de Béorf. La piste menait tout droit à Bratel-la-Grande.

Amos constata avec étonnement que, malgré l'heure tardive, la herse protégeant les portes de la ville était encore ouverte. Il n'y avait aucun paysan dans les champs. Amos comprit alors ce qui s'était passé. Lorsqu'il pénétra dans la capitale, ses doutes furent confirmés. Avec stupéfaction, il vit que tous les habitants avaient été transformés en statues de pierre. Personne ne semblait avoir échappé à la malédiction.

Le jeune garçon courut vers l'auberge Le blason et l'épée. Chemin faisant, il ne croisa que des êtres pétrifiés, au visage marqué par la peur. À la porte de l'auberge, Barthélémy, immobile, faisait pitié à voir. Amos chercha ses parents, mais en vain. Cependant, il gardait bon espoir de les retrouver sains et saufs : Urban et Frilla connaissaient les pouvoirs des gorgones et avaient dû s'enfuir à temps. Ce furent les cris d'un ours paniqué, provenant du centre de la ville, qui lui rappelèrent son ami Béorf. À toute vitesse, Amos se rendit sur la place du marché.

L'hommanimal était prisonnier de solides racines. Celles-ci s'étaient enroulées autour de ses pattes, de son corps et de sa gorge. C'était incompréhensible ! Comment ces racines avaient-elles pu pousser si vite pour immobiliser ainsi complètement son ami ? Saisissant son trident, Amos essaya de libérer Béorf quand, soudain, une voix de vieillard l'arrêta.

– Il ne sert à rien, Monsieur Daragon, d'essayer de libérer votre ami. La force d'une racine est égale à la puissance du druide qui l'a fait pousser. Et sans vouloir me vanter, je vous affirme qu'une bonne dizaine de bûcherons armés de solides haches ne parviendraient pas à couper celles-ci.

Amos pointa nerveusement son arme sur l'homme. Son adversaire avait une longue barbe grise et sale. Ses cheveux étaient très longs et affreusement emmêlés, pleins de bouts de branches, de feuilles d'arbres et de foin. Il portait une robe brune, tachée et trouée. Une tresse de plantes grimpantes en guise de ceinture, des sabots de bois et un long bâton tordu complétaient son accoutrement. Un énorme champignon rouge lui poussait dans le cou, et ses mains étaient couvertes de mousse comme celle qui couvre habituellement les rochers. Le chat aveugle se tenait aux pieds du vieillard, se frottant la tête contre ses jambes.

— Arrêtez de me menacer ainsi avec votre arme, jeune homme ! Vous me faites peur ! Ah ! que vous me faites peur !, dit en riant le vieux druide. Discutons un peu maintenant. Je dois savoir si vous êtes digne de la confiance que Crivannia vous a donnée avant de mourir.

Mais Amos ne l'écoutait pas.

— Votre chat a volé ma pierre blanche et je désire la récupérer immédiatement !

Le vieil homme fut surpris du ton tranchant de son interlocuteur.

— Monsieur Daragon a des exigences, il me donne des ordres et me menace avec son trident d'ivoire ! Il est vrai que c'est une arme dangereuse, mais comme vous ne semblez pas savoir vous en servir correctement, je crains peu pour ma vie.

Le druide ouvrit la main et Amos put apercevoir la pierre blanche entre ses doigts sales.

– Vous connaissez mon chat, je pense. Je vous observe à travers ses yeux depuis un bon moment. Vous êtes malin, mon cher enfant. Je sens venir votre question : pourquoi cette bête est-elle parfois aveugle et parfois non ? Bonne question, Monsieur Daragon ! Je vous réponds de suite. Quand je regarde à travers lui, il cesse d'être aveugle. C'est aussi simple que cela. Encore une question ? Oui ! Suis-je le magicien de l'ombre qui cherche son pendentif et gouverne l'armée de gorgones ? Non, Monsieur Daragon, je vous l'ai dit, je suis un druide. Un druide un peu sale, je l'avoue ; un druide qui ne sent pas toujours très bon, je vous l'accorde aussi, mais je ne suis pas méchant et je ne travaille pas pour les forces des ténèbres, ni d'ailleurs pour les forces de la lumière. Enfin… vous comprendrez plus tard. Ah non ! vous avez encore une question ! Qu'est-ce que je fais ici, à cette heure et aujourd'hui même en plein centre d'une ville peuplée de statues avec votre pierre blanche dans la main ? Nous y viendrons… Patience ! C'est vous maintenant qui allez répondre à mes questions. Je veux savoir si vous êtes assez intelligent pour devenir un porteur de masques.

– Libérez Béorf d'abord, exigea Amos. Je répondrai ensuite à toutes vos questions.

Le druide sourit. Il avait les dents jaunes, à moitié pourries et branlantes. D'un mouvement de nez, le vieil homme annula son sort pour gagner la confiance d'Amos. Les racines qui emprisonnaient l'hommanimal tombèrent mollement par terre et se desséchèrent aussitôt.

– Pense vite, jeune ami, dit le vieil homme. Qu'est-ce qui peut sauter par-dessus une maison une seule fois et pas deux?

– Simple! Un œuf, répondit Amos du tac au tac. Lancé par quelqu'un, il pourrait facilement sauter par-dessus une maison, mais je doute qu'après l'atterrissage il puisse ressauter ailleurs que dans une poêle à frire.

Le vieillard parut surpris de la justesse de la réponse. Il poursuivit:

– C'était une facile, celle-là! Je complique. Quelle bête peut passer par-dessus une maison et ne peut pas franchir une rigole d'eau?

– Vous la croyez plus difficile?, demanda Amos en pouffant. Elle est, je pense, beaucoup plus simple que l'autre. C'est la fourmi, bien sûr.

Le druide commençait à s'échauffer. Jamais il n'avait vu un individu doté d'une telle vivacité d'esprit.

– Bonne chance avec celle-là! Qu'est-ce qui fait le tour du bois sans jamais y pénétrer?

– L'écorce, répondit Amos avec un soupir d'exaspération. Trop facile, vraiment trop facile!

– Celle-là, c'est ma meilleure! Écoute bien!, continua le druide, certain de la complexité de sa prochaine question. Qu'est-ce qui fait de l'ombre dans les bois sans jamais y être?

Amos éclata de rire.

– C'est le soleil qui fait de l'ombre dans les bois sans jamais y être ! Vous qui vous croyez si malin, répondez maintenant à cette question. Plus on en met et moins ça pèse : qu'est-ce que c'est ?

Le druide réfléchit un instant et avoua :

– Je ne sais pas. Qu'est-ce que c'est ?

– Je vous le dirai lorsque vous m'aurez expliqué ce que vous faites ici.

– Vous jurez de me le dire, Monsieur Daragon ?, demanda anxieusement le druide.

– Je n'ai qu'une parole !, répliqua le jeune garçon.

– Très bien… très bien. Bon, pour rendre simple quelque chose de relativement compliqué, je dirai que je suis venu enquêter sur les événements des dernières semaines, sur Yaune-le-Purificateur et sur le pendentif. Vos lectures d'hier m'ont fortement aidé. Je lisais, par les yeux de mon chat, les mêmes choses que vous. Mon ordre druidique pense que le pendentif est dangereux et qu'il ne doit en aucun cas tomber entre de mauvaises mains. C'est pour cela que, durant la nuit, lorsque Yaune a été transformé en statue avec son armée, j'ai subtilisé son pendentif afin que les gorgones ne puissent pas le remettre à leur maître. Vous voyez, Monsieur Daragon, je suis un puissant druide, mais je ne dois en aucun cas être impliqué directement dans cette affaire. Je suis un magicien de la sphère de la nature et non pas un porteur de masques. Je protège les animaux et les plantes, pas les hommes. Il y a dans ce monde deux forces qui s'entrechoquent constamment : le bien et le mal. C'est ce que nous appelons les forces de la lumière et les forces des ténèbres. Depuis le début des temps, depuis que le Soleil et la Lune se sont partagé la Terre, ces deux puissances se livrent une bataille constante par l'entremise des humains. Les porteurs de masques sont choisis pour leurs qualités spirituelles et intellectuelles. Ils ont pour mission de rétablir l'équilibre entre le jour et la nuit, entre le bien et le mal. Comme il est impossible de se débarrasser du Soleil aussi bien que de la Lune, c'est l'équilibre qui doit triompher. Les porteurs de masques n'existent plus en ce monde depuis plusieurs siècles. Si Crivannia vous a choisi, c'est parce qu'elle a voulu faire de vous le premier d'une nouvelle génération de guerriers. Votre tâche est de ramener un juste équilibre dans ce monde. Une grande guerre se prépare. Déjà, les merriens s'attaquent aux sirènes et, bientôt, ils s'empareront des océans. Rendez-vous vite au bois de Tarkasis. Je vous redonne votre pierre et je vous confie le pendentif de Yaune-le-Purificateur. À vous de juger s'il doit être rendu à son propriétaire. Cela n'est pas ma tâche, c'est la vôtre. Nous nous reverrons sûrement. Puis-je connaître la réponse de votre énigme maintenant ? Plus on en met et moins ça pèse. Qu'est-ce que c'est ?

– Je vais vous le dire… Mais avant, expliquez-moi ce qu'est un « porteur de masques », fit Amos.

– Je ne peux vous répondre, Monsieur Daragon, répliqua le druide sur un ton désolé. Dites-moi, je veux savoir ! Plus on en met et moins ça pèse… Qu'est-ce que c'est ?

– Des trous dans une planche de bois, répondit le garçon sans émotion.

Le vieillard riait aux éclats en se tapant sur le ventre.

– Elle est bonne ! Meilleure que toutes les miennes ! J'aurais dû y penser ! Des trous dans une planche de bois ! C'est évident, plus on en met et moins ça pèse ! Prenez le pendentif et la pierre ! Elle est vraiment bonne ! Trop bonne ! Mon chat gardera un œil sur vous ! Au revoir et bonne chance ! Des trous dans une…

Le druide se dirigea en riant vers un des gros arbres de la place et disparut en passant directement au travers du tronc. Béorf, redevenu humain, s'approcha de son ami Amos, lui passa un bras autour du cou et dit en caressant le pendentif du bout de son index :

– Je pense qu'on est vraiment, mais vraiment dans de beaux draps !

Amos ne savait plus que faire. Il se trouvait dans une situation qui le dépassait totalement.

– Je suis désespéré, Béorf. Je ne sais pas quoi faire avec cette pierre blanche. Je ne sais pas quoi faire non plus de cet horrible pendentif. Mes parents ont disparu et je n'ai aucune idée de l'endroit où ils se trouvent. J'ai été choisi comme porteur de masques et je ne sais pas grand-chose sur cette fonction. Mon trident d'ivoire est, au dire du druide, une arme puissante que je ne sais pas utiliser correctement. Bientôt, nous aurons à nos trousses une armée de gorgones dirigée par un magicien des ténèbres en colère. Nous sommes au centre d'une capitale peuplée de statues et j'ai la certitude que ces créatures reviendront cette nuit pour fouiller les lieux. Comment fait-on pour rétablir l'équilibre entre le bien et le mal? Y a-t-il une façon de rompre le maléfice pour redonner vie à tous les habitants du royaume? Ceux-ci paient chèrement pour le vol de ce pendentif et ils ne méritent pas de rester ainsi pétrifiés pour l'éternité. J'ignore par quel bout commencer et quelle est la meilleure solution pour nous sortir de ce pétrin.

— Réfléchissons et tentons d'analyser calmement la situation, dit Béorf. Ta mission première est de te rendre au bois de Tarkasis. C'est ce que tu dois faire avant toute chose. Si tu pars avec le pendentif, les gorgones te suivront et tous les villages que tu traverseras sur ta route seront frappés par la malédiction de ces créatures. Je pense qu'elles sentent la présence et la puissance de cet objet. Nous pourrions essayer de le détruire, mais il renferme peut-être un pouvoir qu'il nous serait utile de posséder. En fait, le magicien des ténèbres est venu ici pour retrouver son pendentif et il ne doit pas sortir de ce territoire. Je ferai en sorte de laisser des indices de ma présence et surtout de son bijou. Ainsi, le sorcier restera dans les frontières du royaume. Nous devons apprendre qui il est, où il se cache et comment nous en débarrasser. Nous allons nous séparer. Moi, je demeure ici et tu me confies le pendentif.

Je connais bien la plaine et la forêt des alentours. Je me cacherai et jamais les gorgones ne me trouveront. Je protégerai le pendentif pendant que tu iras à la recherche d'autres informations sur cette pierre blanche, sur ton trident et sur ta mission. Pars vite, tu auras le temps de quitter le royaume avant la nuit. Fais-moi confiance, c'est la meilleure solution.

Ne voulant pas laisser son ami seul face au danger, Amos insista pour trouver une autre solution, mais les arguments de Béorf étaient solides comme du roc. C'était effectivement la chose la plus logique à faire. Il lui confia donc le pendentif et se rendit à l'auberge Le blason et l'épée pour prendre ses affaires. Comme tous les chevaux avaient eux aussi été pétrifiés, c'est à pied qu'Amos devrait faire son voyage.

– Bon, eh bien, je te laisse, Béorf. Fais bien attention à toi.

Le jeune hommanimal sourit puis, transformant sa main droite en patte d'ours, il exhiba ses longues griffes acérées et dit :

– Les gorgones, j'en fais mon affaire !

Chapitre 8

Les choses se précisent

Cela faisait presque deux semaines qu'Amos avait quitté Bratel-la-Grande. C'était un voyage aussi long qu'éprouvant. Ne sachant pas où se trouvait le bois de Tarkasis, le jeune garçon interrogeait beaucoup de gens. La plupart n'avaient jamais entendu ce nom ou s'ils en savaient quelque chose, c'était par le biais de contes et de légendes. C'était donc dans la plus totale incertitude qu'Amos allait de village en village, parfois avec des caravanes de marchands, parfois avec des troubadours qui accordaient peu d'attention à ses questions.

Plus souvent seul qu'accompagné, Amos devait se débrouiller pour trouver à manger, soit dans les bois, soit chez des paysans avec qui il échangeait de temps en temps une journée de travail aux champs contre le couvert et le gîte pour la nuit. Le plus souvent, il dormait seul dans les bois, au bord de chemins peu fréquentés. Amos était chaque jour un peu plus désemparé et il regrettait que son ami Béorf ne soit pas avec lui. Il lui arrivait souvent de penser qu'il avait pris la mauvaise décision en quittant seul Bratel-la-Grande.

Des rumeurs troublantes se propageaient un peu partout. On disait, entre autres, que les chevaliers de la lumière avaient subi un terrible maléfice et que leur royaume devait être évité à tout prix. Les villageois se montraient suspicieux et peu accueillants avec les étrangers. Amos se reconnut dans une rumeur selon laquelle il fallait se méfier d'un garçon d'une dizaine d'années qui, étrangement, voyageait sans ses parents. De ce fait, beaucoup de gens lui posaient un tas de questions sur tout et sur rien, tout simplement parce qu'ils doutaient de ses intentions.

La seule distraction d'Amos durant son long périple vers le bois de Tarkasis fut la lecture de *Al-Qatrum, les territoires de l'ombre*, qu'il avait pris dans la bibliothèque du père de Béorf. Ce livre était en fait une encyclopédie des créatures malfaisantes de la nuit. Il y avait des cartes, des dessins et de nombreuses informations sur des monstres inimaginables.

C'est ainsi qu'Amos apprit l'existence du basilic. L'image qu'on montrait de cette bête était assez impressionnante. Elle avait un corps et une queue de serpent, une crête sur le dessus de la tête, un bec de vautour, des ailes et des pattes de coq. Décrit comme l'une des créatures les plus abominables et effrayantes de ce monde, ce monstre était l'œuvre des magiciens des ténèbres. Pour en faire naître un, il fallait trouver un œuf de coq et le faire couver par un crapaud pendant au moins une journée. Ainsi voyait le jour un monstre qui, par son seul sifflement, était capable de paralyser sa victime pour l'attaquer ensuite.

Le basilic mordait toujours au même endroit, soit dans la chair tendre de la nuque. Extrêmement venimeuse, sa morsure était fatale. Toujours d'après le bouquin, le regard d'un basilic pouvait flétrir la végétation qui se trouvait autour de lui ou rôtir un oiseau en plein vol. Apparemment, il n'existait encore aucun antidote contre la morsure du basilic. Pas plus gros qu'une poule, agile comme un serpent et vorace comme un charognard, le basilic tuait juste pour le plaisir. Les humains étaient ses proies préférées, et l'auteur du livre mentionnait de nombreuses villes qui avaient été complètement décimées par seulement trois ou quatre de ces monstres.

Cette dangereuse créature devenait cependant très vulnérable dans certaines conditions. Par exemple, elle mourait sur-le-champ si elle entendait le cocorico d'un coq. En outre, le basilic, tout comme la gorgone, ne pouvait supporter de voir le reflet de sa propre image. Il vivait donc continuellement dans la crainte des miroirs et autres surfaces réfléchissantes qui pouvaient causer sa mort immédiate.

Voilà maintenant que les pièces du puzzle se mettaient une à une en place dans la tête d'Amos, lui permettant d'entrevoir une solution pour libérer Bratel-la-Grande des femmes aux cheveux-serpents. D'abord, les gorgones ne quitteraient pas la ville sans avoir récupéré le fameux pendentif que Béorf avait gardé sur lui. Ensuite, Yaune-le-Purificateur, qui connaissait les pouvoirs des gorgones et qui aurait dû par conséquent être en mesure de protéger ses hommes, avait commis une grave erreur. Étant donné que les armures toujours bien polies des chevaliers de la lumière étaient de vrais miroirs, ces créatures auraient dû périr instantanément en leur faisant face, avant même de pouvoir jeter leur sort sur la ville. Or, Yaune avait négligé un détail important: les gorgones attaquaient toujours durant la nuit, c'est-à-dire à des heures où il faisait trop noir pour que les miroirs reflètent quoi que ce soit.

Le seul moyen d'éliminer tous ces monstres en même temps serait donc d'installer des miroirs un peu partout dans la ville et d'éclairer cette dernière de mille feux, d'un seul coup! Mais comment arriver à mettre en place ce système infaillible? Il y avait bien les lucioles de Béorf, mais jamais celui-ci ne parviendrait à en appeler des milliers, voire des millions.

Alors qu'Amos arrivait dans un village en réfléchissant à la façon d'éliminer les gorgones, il s'arrêta à une fontaine pour s'y abreuver. Une vieille femme, courbée sur sa canne et tout habillée de blanc, l'interpella:

— Qui es-tu, jeune homme, et que fais-tu ici?

— Je dois me rendre au bois de Tarkasis. Je ne connais pas la région, pouvez-vous m'aider?

La vieille resta un instant pensive.

— Malheureusement, je ne peux rien faire pour toi. En deux jours, tu es la deuxième personne qui me parle de ce bois. C'est quand même étrange, non ?

Amos parut surpris. Très intéressé, il demanda :

– Qui avez-vous vu ? Qui vous a posé cette question ?

– Un très gentil monsieur et sa femme. Ils m'ont également demandé si je n'avais pas vu un garçon aux cheveux longs et noirs qui portait une armure de cuir, une boucle d'oreille et une espèce de long bâton en ivoire sur le dos. Hier, je ne l'avais pas vu, mais, aujourd'hui, il est devant moi !

– Ce sont mes parents !, s'écria Amos, fou de joie d'avoir enfin de leurs nouvelles. Nous avons été obligés de nous séparer et je dois absolument les retrouver. S'il vous plaît, Madame, dites-moi de quel côté ils sont partis.

– Je crois bien qu'ils ont pris ce chemin.

Comme Amos la remerciait, pressé de poursuivre sa route, la vieille femme lui demanda de rester quelques minutes de plus auprès d'elle. Après l'avoir invité à s'asseoir à ses côtés, elle dit :

– Je vais te raconter quelque chose, mon jeune ami. Je sais que tu désires retrouver tes parents le plus vite possible, te lancer immédiatement à leur recherche, mais j'ai fait un rêve la nuit dernière et je dois t'en parler. Je préparais des petits pains. Tous les gens de ma famille étaient là, autour de moi, et je m'appliquais en espérant les satisfaire. Mes enfants, mes petits-enfants, mes cousins, mes neveux, tous avaient été changés en pierre. Dans la maison, il n'y avait que des statues. Puis, soudainement, c'est toi qui as surgi dans mon rêve. Je ne te connaissais pas et tu m'as demandé quelque chose à manger. Je t'ai donné trois ou quatre pains. En croquant dans l'un d'eux, tu as trouvé un œuf dur. Je t'ai alors dit : « On trouve souvent des œufs là où l'on s'y attend le moins. » C'est tout. Comme je crois qu'on ne rêve jamais pour rien, j'ai fait des petits pains ce matin et je les ai emportés avec moi. J'ai aussi quelques œufs, je te les donne et je te souhaite de vite retrouver tes parents.

Sans comprendre véritablement le rêve de la vieille femme, Amos la remercia, prit la nourriture et se remit en route. Lorsqu'il se retourna pour la saluer une dernière fois, la dame avait disparu.

Soudain, dans l'esprit d'Amos, tout devint clair. Il pensa à ce que lui avait dit la femme : on trouve souvent des œufs là où l'on s'y attend le moins. Le pendentif que Yaune-le-Purificateur avait volé, bien des années auparavant, devait contenir un œuf de coq. Voilà pourquoi le magicien des ténèbres tenait tant à le récupérer ! Cet objet ne possédait en lui-même aucun pouvoir magique, aucune puissance démoniaque et ne représentait aucun danger pour personne. Il était simplement un emballage servant à protéger l'œuf. Le premier propriétaire de ce pendentif voulait sans nul doute créer un basilic. Quoi de plus logique que ce magicien, qui était à la tête d'une armée de gorgones, désire avoir dans ses rangs un monstre puissant capable à lui seul d'anéantir tout un régiment en deux temps trois mouvements ?

Amos en vint à la conclusion que l'ennemi de Bratel-la-Grande exerçait un pouvoir sur tous les êtres liés de près ou de loin aux serpents. Il devait être malicieux, perfide et très dangereux. Béorf était en grand danger et Amos se demandait comment faire pour l'avertir.

Chapitre 9

Béorf, les gorgones et le Nagas

Encore une fois, les gorgones étaient à ses trousses. Béorf courait dans la forêt, tête basse, en essayant d'éviter tous les obstacles que la nuit cachait.

Les deux premiers jours qui avaient suivi le départ d'Amos avaient été plutôt tranquilles pour le jeune hommanimal, puisque les gorgones avaient concentré leurs recherches sur la ville. Dans sa cachette au fond des bois, Béorf avait beaucoup dormi et s'était reposé en prévision des dures nuits à venir. Il avait aussi longuement réfléchi pour établir des stratégies de défense contre les envahisseuses. L'idée principale, simple et efficace, consistait à se débarrasser des gorgones les unes après les autres.

Béorf avait mis au point un tas de pièges qu'il avait montés partout dans la forêt. Il devinait que, après quelques nuits de fouilles infructueuses à Bratel-la-Grande, les monstres allaient inévitablement se mettre à ratisser les alentours. Les gorgones trouveraient alors des pistes d'homme – les siennes –, et les suivraient pour tenter de coincer le fugitif. L'hommanimal avait donc fait en sorte de laisser, dans la plaine et la forêt, des empreintes qui menaient directement à ses pièges.

Pour ne pas se faire repérer lorsqu'il se déplaçait d'un piège à l'autre, le gros garçon se transformait en ours. Les gorgones cherchaient un voleur de pendentif, pensait-il, pas un ours ! Jamais ces créatures ne se douteraient que l'animal et l'humain constituaient, en réalité, une seule et même personne.

Une nuit, en suivant les traces de Béorf, trois gorgones s'étaient dirigées tout droit vers des sables mouvants. Bien caché, l'hommanimal avait vu, dans la lumière de la lune, leurs corps disparaître complètement dans la terre.

– Et trois de moins !, s'était-il écrié.

Un autre petit groupe s'était retrouvé, de la même façon, dans la clairière aux ruches qui entourait son ancienne maison. Béorf avait ordonné aux abeilles d'attaquer. Les insectes s'étaient regroupés pour former un énorme nuage au-dessus des gorgones et avaient fondu sur elles à vive allure. Pétrifiées en plein vol par le regard des monstres, les abeilles étaient tombées du ciel comme une pluie de pierres qui avaient transpercé leurs corps. Le sacrifice des insectes avait permis au garçon de se débarrasser de cinq gorgones.

Béorf avait remarqué assez vite que, malgré le fait qu'elles portaient des ailes, les femmes aux cheveux-serpents étaient incapables de voler. Il avait alors imaginé un autre piège. Dans la plaine cultivée qui s'étendait autour de la capitale, les champs étaient entourés de fossés. Une digue permettait de remplir ces douves d'eau afin d'irriguer les terres des cultivateurs. Sachant cela, Béorf avait creusé plusieurs grands trous dans les champs et les avait recouverts de branches et de foin afin de bien les dissimuler. La nuit suivante, huit gorgones étaient tombées dans les pièges. Béorf avait ouvert la digue. L'eau avait inondé les fossés, puis les trous. Toutes les créatures s'étaient noyées.

Cette nuit, le piège était différent. Béorf avait eu l'idée de créer une forêt de lames avec des armes qu'il avait trouvées dans l'armurerie des chevaliers. Des lances étaient plantées dans le sol, alors que des dagues et des épées pendaient des arbres, solidement attachées à des branches. Pour éviter ces lames, on ne pouvait emprunter qu'un seul passage à travers des branchages. Comme les gorgones n'attaquaient que la nuit, Béorf avait tout son temps dans la journée pour concevoir ses pièges et les mettre en place. Il s'était entraîné tout l'après-midi à éviter les lames. Le moment de vérité n'allait pas tarder à arriver.

Béorf entendait maintenant les gorgones s'approcher de lui. Sur ses deux jambes, le gros garçon n'arrivait pas à courir très vite. Son piège n'était plus très loin. Il se devait de maintenir la cadence pour sauver sa peau. C'est au moment où il sentit une main froide toucher son épaule que Béorf se métamorphosa en ours. Essoufflé, il emprunta le chemin qui permettait de passer entre les lames. Ne se doutant de rien, les gorgones entrèrent à toute allure dans la forêt de lames. Ce fut la déroute ! Aucune ne survécut.

Béorf, content de lui, rentra à la bibliothèque de son père, sa principale cachette, pour y finir la nuit. Il ouvrit la trappe, descendit l'échelle, puis, comme il cherchait sa lampe à lucioles, une lumière rouge éclaira la pièce.

Assis au bureau de son père, un homme chauve le regardait. Ses yeux lumineux étaient jaune clair, avec des pupilles allongées qui se dilataient et se contractaient sans arrêt. Des écailles recouvraient ses mains, ses bras et son cou, montant jusque derrière sa tête. Béorf remarqua que les sourcils de l'homme, exactement comme les siens, se rejoignaient au-dessus de son nez. Il avait les ongles affreusement longs et laissait sortir de sa bouche, remplie de dents de serpent, une langue fourchue. Torse nu, il était fortement musclé et portait autour du cou des dizaines de colliers en or ornés de pierres précieuses. Il avait aussi deux grandes boucles d'oreilles brillantes et dorées. Dépourvu de jambes, son corps se terminait par une très longue queue de serpent grise, parsemée de quelques taches noires.

Béorf voulut s'enfuir en voyant cet être monstrueux. Alors qu'il tournait les talons, il fut saisi par l'immense queue de serpent qui l'immobilisa.

– Siii, tu veux déjà partir, jeune ami ?, lui dit l'homme-serpent d'une voix sifflante. Il est très, siii, très impoli de fuir ainsi ma présence sans que je me sois d'abord, siii, d'abord présenté.

La queue relâcha son étreinte et Béorf, tremblant, se retourna vers la chose.

– Bien, siii, tu es un garçon courageux, siii, c'est très bien. Je me nomme Karmakas et j'ai fait un, siii, un très long voyage pour venir ici. N'aie pas peur, jeune ami, je ne te veux pas de, siii, pas de mal. Regarde, je suis comme toi, siii, je suis ce que les humains appellent un, siii, un hommanimal. Je ne ferais pas de mal à, siii, à quelqu'un de ma race sans raison valable. Tu sembles surpris de me voir ! Siii, est-ce la première fois que tu vois un autre membre de ton, siii, de ton espèce ?

Incapable de prononcer un seul mot, Béorf hocha la tête de haut en bas.

– C'est bien malheureux, siii. Tu sais pourquoi les êtres comme nous disparaissent les uns après, siii, après les autres. C'est parce qu'ils sont chassés par les humains. Les hommes sont, siii, jaloux de notre don, siii, ils sont jaloux de notre, siii, de notre pouvoir. Moi, je suis un, siii, un Nagas. Ce qui veut dire en, siii, en langue ancienne, un, siii, un homme-serpent. Toi, tu es un béorite, un homme-ours. Tu possèdes un pouvoir sur, siii, sur les abeilles et quelques autres insectes. Moi, je possède un, siii, un pouvoir sur tout ce qui rampe, qui mord et qui, siii, possède du venin. Je contrôle les gorgones à cause, siii, à cause de leur chevelure. Mais je vais t'avouer un secret que, siii, que tu connais peut-être déjà. Je suis aussi un, siii, un puissant magicien. Ne t'en fais pas, je suis un, siii, un gentil sorcier. Je ne fais du mal qu'aux, siii, qu'aux gens qui m'en ont fait. Je deviens méchant seulement, siii, seulement lorsqu'on est méchant avec moi.

La voix tremblante, les mains moites et le cœur tambourinant, Béorf interrompit le sorcier :

— Alors, pourquoi avoir changé tous les habitants du royaume en statues de pierre avec votre armée de gorgones ? Vous vouliez récupérer votre pendentif et vous venger de Yaune-le-Purificateur, n'est-ce pas ? Il n'était pas nécessaire de punir tant d'innocents pour assouvir votre soif de vengeance !

Karmakas éclata d'un rire inquiétant.

— Mais c'est qu'il, siii, qu'il est malin, le béorite ! Je crois que nous avons tort, dans mon pays, de considérer les hommes-ours comme les membres les plus, siii, les plus stupides de la race hommanimale. Tu es moins bête que, siii, que tu n'en as l'air, siii, gros ours mal léché ! Les habitants de ce royaume ont été, siii, ont été transformés en statues pour avoir fait confiance à, siii, à un voleur et à un meurtrier. Je vais te, siii, te raconter ma version de l'histoire et tu, siii, tu comprendras mieux. Je vivais paisiblement dans mon village, siii, un village qui n'existe plus aujourd'hui. Au cœur d'un désert de pierres, les, siii, les Nagas cohabitaient en paix avec les hommes qui vivaient dans la grande ville voisine. Nous étions des artisans et notre, siii, notre force était le travail de l'or. Nous possédions aussi des mines et beaucoup de, siii, de richesses. Les humains ont fini par être jaloux de nos, siii, de nos trésors et ont fait appel aux chevaliers de la lumière pour nous, siii, nous exterminer et voler nos biens. Heureusement, les gorgones sont venues à notre rescousse, mais, siii, mais trop tard. Ma femme et mes quinze enfants, tous des, siii, des Nagas, ont été tués par les chevaliers. Seul Yaune-le-Purificateur a réussi à sauver sa peau. Tu sais pourquoi? Parce que, durant la grande bataille finale contre les gorgones, Yaune était dans, siii, dans un de nos temples en train de voler nos richesses. S'il avait participé à la, siii, à la bataille, il serait mort lui aussi pétrifié, siii, pétrifié par les gorgones. Le pendentif appartient à mon peuple et je suis, siii, je suis ici pour récupérer ce qui a été volé. C'est tout, siii. Les créatures de ma race, ceux qui ont, siii, qui ont survécu, ont voulu se venger des hommes et leur faire, siii, leur faire payer leur cupidité et leur, siii, incapacité à accepter les êtres et les créatures différentes d'eux. Les chevaliers de la lumière n'ont-ils pas tué ton père et ta mère parce qu'ils, siii, parce qu'ils étaient différents d'eux?

Sur ces mots, Béorf se mit à pleurer. Le Nagas reprit:

– Tu vois, siii, nous sommes semblables. Nous sommes tous les deux des, siii, des victimes des humains et nous devons joindre nos, siii, nos forces contre cet ennemi puissant. Imagine, siii, l'ours et le serpent réunis dans la juste, siii, la juste vengeance des hommanimaux! Viens dans mes bras, je serai ton nouveau, siii, ton nouveau père.

Ayant repris de l'assurance, Béorf regarda Karmakas droit dans les yeux et dit:

– Il est vrai que mes parents ont été tués par des humains. Il est aussi vrai que les hommes sont parfois bornés et qu'ils refusent d'accepter les choses qu'ils ne comprennent pas. Mais mon père m'a raconté beaucoup d'histoires sur les hommanimaux et, toujours, il me disait de me méfier des hommes-serpents. Il affirmait que c'est principalement à cause d'eux, de leurs mensonges et de leur soif de pouvoir, que les humains ont commencé à pourchasser les hommanimaux. J'avais un père et il est mort maintenant. Je n'ai besoin de personne pour le remplacer. Vous voulez m'amadouer et gagner ma confiance uniquement pour récupérer votre pendentif. Les béorites ne sont peut-être pas aussi intelligents que les Nagas, mais nous savons faire la différence entre le bien et le mal. J'ai caché le pendentif et jamais vous ne mettrez la main dessus !

Le magicien serra les dents, contracta ses muscles et, en se levant sur son immense queue, lança :

– Je trouverai bien le moyen de, siii, de te faire parler, jeune impertinent ! Tu viens à l'instant de, siii, de signer ton arrêt de mort !

Chapitre 10

Le conteur

Le vieil homme, assis sur un banc entouré d'enfants, commença son histoire :

– Il était une fois, il y a bien longtemps de cela, un jeune homme qui s'appelait Junos. Il habitait avec sa mère dans une petite cabane dans les bois. Ce garçon n'avait pas le moindre talent pour quoi que ce soit. Il était un peu simple d'esprit et il faisait le désespoir de sa mère. Son père était mort, bien des années auparavant, et la pauvre femme s'occupait de tout. De la cuisine à la lessive en passant par le travail dans les champs, elle faisait absolument tout ce qu'il fallait pour assurer sa survie et celle de son bon à rien de fils. Junos passait ses journées à sentir les fleurs, à flâner dans les champs et à courir après les papillons. Un jour, en voyant sa mère peiner à la tâche, il lui dit : « Mère, je vais en ville pour trouver du travail. De cette façon, avec l'argent que je gagnerai, tu pourras enfin te reposer. » Sa mère lui répondit : « Mais, Junos, tu ne sais rien faire de tes dix doigts et tu fais tout le temps des bêtises. » Le garçon répliqua : « Tu verras bien de quoi je suis capable, maman. »

Le conteur avait toute l'attention de son public. Amos, qui passait par là, s'arrêta pour écouter la suite.

– Junos partit donc pour la ville. Il s'arrêta dans toutes les boutiques, chez tous les fermiers et chez tous les artisans. Il demandait du travail à tout le monde, mais chaque fois qu'on voulait savoir ce qu'il était capable de faire, l'honnête Junos répondait : « Je ne sais rien faire. » En entendant cela, personne ne voulait l'engager, bien entendu ! À la dernière ferme dans laquelle il se présenta, Junos pensa que sa mère lui reprochait souvent de faire n'importe quoi. Aussi, lorsque le fermier lui demanda ce qu'il savait faire, Junos répondit sans mentir : « Monsieur, je sais faire n'importe quoi ! » Il fut immédiatement engagé.

Sur la petite place, les curieux étaient de plus en plus nombreux. Il y avait maintenant plusieurs adultes qui attendaient avec intérêt la suite du récit.

– Toute la journée, Junos et le fermier s'affairèrent à couper du bois et à sarcler le potager. Le soir venu, en récompense de son labeur, le garçon reçut une belle pièce de monnaie. En rentrant chez lui, content de sa première journée de travail, Junos s'amusait à lancer sa pièce en l'air et à la rattraper au vol. Un mouvement maladroit lui fit perdre la pièce dans le ruisseau qui longeait le chemin. Tout triste, il rentra à la maison et raconta sa mésaventure à sa mère qui lui dit : « La prochaine fois, Junos, prends ce que le fermier te donne et range-le aussitôt dans ta poche. Ainsi, tu ne risqueras pas de perdre le fruit de ton labeur.» Junos promit de faire ce que sa mère lui demandait et, dès le lendemain, il retourna chez le fermier. Cette fois, il s'occupa des vaches. Afin de le remercier pour son travail, le propriétaire de la ferme lui remit un seau rempli de bon lait frais. Junos fit exactement ce que lui avait conseillé sa mère. Il mit le contenu du seau dans sa poche afin de ne pas le perdre en chemin. Il rentra chez lui complètement trempé. Il avait du lait jusque dans les souliers. En écoutant le récit de son fils, la pauvre mère contint sa rage et lui dit: «Tu dois toujours laisser dans son contenant ce que le fermier te donne, tu comprends cela, mon garçon?» Junos acquiesça et, le jour suivant, après sa journée de travail, il reçut une grosse motte de beurre. Pour éviter que le beurre ne fonde au soleil, le fermier demanda à Junos son chapeau et plaça le beurre à l'intérieur pour le protéger. Le garçon laissa le beurre dans le chapeau qu'il remit sur sa tête et il courut vite à la maison. La chaleur de son crâne fit fondre le beurre et c'est dégoulinant de liquide jaune qu'il se présenta devant sa mère.

Autour du vieil homme, il y avait maintenant une foule appréciable. Tout le monde semblait bien s'amuser en écoutant l'histoire de ce garçon stupide. Le conteur était passionnant: il mimait chaque expression, jouait chacun des personnages et savait garder l'attention de son public.

– Quand Junos eut fini de s'expliquer, sa mère lui dit: «Tu as bien fait de laisser le beurre dans le chapeau, mais tu n'aurais pas dû te le remettre sur la tête! Regarde, prends ce grand sac, tu y mettras ce que tu recevras du fermier et tu le porteras sur ton dos. As-tu bien compris, Junos?» Le garçon répondit que, oui, il avait parfaitement compris. Tout près de la ferme où il travaillait, se trouvait un très joli château. Junos l'admirait chaque fois qu'il passait devant et il rêvait de gagner assez d'argent pour pouvoir un jour l'habiter. Il avait également remarqué qu'une jeune fille se tenait tout le temps sur l'un des balcons de la magnifique demeure et qu'elle pleurait sans cesse. Junos se demandait ce qui pouvait bien la rendre si triste, mais ne s'en préoccupait guère. Le lendemain, après sa journée de travail, le fermier donna à Junos un âne. N'ayant plus besoin de ses services, l'homme lui fit ce généreux cadeau pour le remercier de tout le travail qu'il avait accompli pour lui. Le garçon accepta l'animal avec joie. Comme sa mère le lui avait recommandé, il voulut mettre dans le sac ce que le fermier venait de lui donner. Il tira l'âne vers lui et commença par faire entrer à l'intérieur du sac une patte de devant, puis l'autre, mais il s'aperçut vite que le sac était beaucoup trop petit pour y fourrer l'animal au complet. Junos trouva donc une autre solution: il mit le sac sur la tête de l'âne, s'accroupit et se glissa en dessous de la bête. Il allait la porter ainsi sur son dos. Il tenait à ce que sa mère soit fière de lui et, pour une fois, il allait faire les choses comme il fallait. L'âne, avec son sac sur la tête, se débattait en braillant. Junos déplia son corps avec grande difficulté et lorsqu'il réussit enfin à soulever l'animal de terre, c'est bien vite que tous deux mordirent la poussière. Alors qu'il tentait une seconde fois de remettre la bête sur son dos, le garçon vit un homme s'approcher de lui. C'était le roi qui habitait le château voisin. Il salua Junos, se présenta courtoisement et lui confia aussitôt que sa fille ne cessait de pleurer depuis des années. Il avait promis sa main à quiconque réussirait à la faire sourire. Or, du haut de son balcon, la princesse avait aperçu Junos et, en voyant ses pitreries avec l'âne, elle s'était mise à rire et à rire et ne pouvait même plus s'arrêter, maintenant. C'est ainsi que Junos épousa la princesse, devint roi et vécut au château avec sa mère. Chers amis, ceci prouve que, pour devenir roi, il suffit de ne savoir rien faire ou de faire n'importe quoi !

Sous un tonnerre d'applaudissements, le conteur salua dignement son auditoire et en fit ensuite le tour en présentant son chapeau. Il reçut quelques pièces, et les gens qui arrivaient du marché lui donnèrent du pain, des légumes et des œufs. Il eut même droit à un saucisson. Comme Amos s'apprêtait à quitter les lieux, le conteur l'interpella :

– Tu as écouté mon histoire et tu ne me donnes rien, jeune homme ?…

Amos répondit :

– Moi-même, je n'ai pas grand-chose, Monsieur. Je suis à la recherche de mes parents et j'arrive d'une lointaine contrée. Soyez assuré que votre histoire mérite plus que mes simples applaudissements. Vous devrez malheureusement vous en contenter.

Le vieillard répliqua gentiment:

– J'ai déjà tout ce dont j'ai besoin dans ce chapeau. En vérité, tout ce qu'il me faut, c'est de la compagnie. Me ferais-tu l'honneur de partager ces victuailles avec moi?

– Avec joie!, répondit Amos, qui était affamé.

– Je m'appelle Junos, dit le conteur, et toi, jeune homme, quel est ton nom?

Surpris d'entendre de nouveau ce nom, Amos demanda:

– Vous vous appelez vraiment Junos? Comme le personnage de votre histoire?

– Mon ami, je prends l'inspiration où je la trouve. Tous mes héros, du plus bête au plus intelligent, portent mon nom. Cela me rappelle le temps où mon père me racontait des histoires. Tous les héros de ses récits portaient eux aussi mon nom.

– Moi, je m'appelle Amos Daragon, et je suis enchanté de faire votre connaissance.

– Moi de même, fit le vieillard. Tu vois, jeune homme, je raconte des histoires pour gagner ma vie, c'est tout ce que je sais faire. Et je suis toujours à la recherche de bonnes histoires. Raconte-moi d'où tu viens et ce que tu fais ici. Raconte-moi également comment tu as perdu tes parents. Ça m'intéresse, car j'ai aussi perdu les miens, il y a de cela quelques années.

Amos sentit immédiatement qu'il pouvait faire confiance à Junos. Ce vieillard avait dans les yeux quelque chose de pétillant, de juvénile. À l'exception de la vieille dame en blanc qu'il avait rencontrée à la fontaine dans le village voisin, le jeune garçon n'avait parlé à personne depuis plusieurs jours. Il était donc heureux d'avoir trouvé une personne si sympathique avec qui discuter.

Avant de commencer son récit, Amos avertit le vieil homme qu'il ne croirait peut-être pas tout ce qu'il allait entendre, mais lui jura que c'était pourtant la pure vérité. Tout en savourant les bonnes choses que son hôte lui offrait, Amos lui parla du royaume d'Omain, de son entretien avec la sirène dans la baie des cavernes et de la mission qu'elle lui avait confiée. Il lui raconta aussi comment il avait dupé le seigneur Édonf. Le jeune voyageur enchaîna avec Bratel-la-Grande et Barthélémy, maintenant figé comme tous les autres en statue de pierre. Puis il évoqua sa rencontre avec Béorf, le jeu de la vérité de Yaune-le-Purificateur, le chat aveugle, le druide qui avait un champignon dans le cou, les gorgones et le livre qu'il avait trouvé dans la bibliothèque secrète de monsieur Bromanson, le père de Béorf. Il poursuivit avec l'histoire du pendentif, confié à Béorf afin qu'il ne tombe pas entre les mains des gorgones, puis relata son départ de Bratel-la-Grande. Il ne cacha pas son regret d'avoir dû laisser son ami derrière lui dans la ville pétrifiée. Il révéla aussi ce qu'il avait appris sur le basilic.

Amos raconta tout à Junos, dans le moindre détail. Mais tout cela lui paraissait si loin maintenant! Il avait l'impression qu'il s'agissait d'une histoire qu'il avait vécue des années auparavant. Il acheva son récit à la tombée du jour. Cela faisait trois bonnes heures que Junos et lui discutaient ensemble. Intrigué par cette incroyable histoire, le vieillard avait posé beaucoup de questions. Il voulait toujours plus de précisions sur telle ou telle chose. Quand le garçon se tut, le conteur lui confia :

— Cela est une bien belle histoire et je te crois sur parole. Je vais maintenant t'en raconter une sur le bois de Tarkasis. J'espère que tu me croiras à ton tour. Cette histoire, j'ai cessé de la raconter, il y a plusieurs années déjà, parce que personne n'y croyait. On pensait que j'étais fou. J'ai alors décidé de taire la vérité pour conter ces petits récits inventés qui plaisent aux enfants et font sourire les adultes. Veux-tu entendre la vraie histoire d'un grand malheur ?

Amos, repu et content d'avoir en face de lui un interlocuteur aussi intéressant, ne demandait pas mieux.

— Je vous écoute et soyez assuré que je suis prêt à croire tout ce que vous me direz.

— Il y a de cela très longtemps, commença le vieil homme, vivait, tout près du bois de Tarkasis, un petit garçon. Il avait de beaux cheveux frisés tout noirs, un grand sourire d'enfant heureux, une imagination débordante et un chien magnifique. Il aimait ce chien plus que tout au monde. Son père cultivait la terre, et sa mère préparait les meilleures crêpes du royaume. Les parents du garçon lui disaient tout le temps de ne pas aller dans le bois. Apparemment, il y avait là des forces maléfiques qui faisaient disparaître tous ceux et celles qui osaient s'y aventurer. Un jour, alors qu'il avait perdu son chien, le garçon l'entendit aboyer dans le bois. Croyant son animal en danger, il s'enfonça dans la forêt sans tenir compte de l'avertissement de ses parents. Il marcha longtemps, très longtemps. Les arbres avaient des formes étranges. Il y avait des fleurs partout. C'était la plus magnifique des forêts qu'il ait jamais vues. Soudain, une lumière jaillit d'une fleur et se mit à virevolter autour de lui. Ce n'est que plus tard, bien des années plus tard, que le garçon comprit qu'il était entré ce jour-là dans le royaume des fées. D'autres lumières vinrent se joindre à la première, et une merveilleuse musique se fit entendre. Prisonnier de la ronde des fées, l'enfant dansa, dansa et dansa encore avec les lumières jusqu'à tomber d'épuisement. Il s'endormit sous un arbre. À son réveil, il avait vieilli de cinquante ans. Ses cheveux étaient blancs et il avait une longue barbe. Il revint vers chez lui, mais sa maison n'était plus là. Une route passait maintenant dans le grand jardin de son père. Plus la moindre trace de ses parents, de son chien et de sa chaumière. Il marcha sur la route et se retrouva dans une ville nommée Berrion. C'est la ville dans laquelle nous nous trouvons en ce moment. Complètement désemparé, il raconta son histoire à tous les passants, clamant haut et fort qu'on lui avait volé sa jeunesse. Personne ne voulait l'écouter et, longtemps, on le prit pour un fou. Un jour, il accepta, non sans peine, sa condition de vieillard et commença à raconter des histoires pour survivre. Cet enfant est encore vivant aujourd'hui et il s'appelle, comme tous les héros de mes histoires, Junos. C'est lui qui te parle actuellement. C'est ma propre histoire que je viens de te raconter. Seras-tu la première personne à croire enfin à mon aventure ?

Ahuri, Amos se rappelait avoir déjà entendu cette histoire. Son père la lui avait racontée lors de leur départ du royaume d'Omain. Urban Daragon avait rencontré cet homme, des années auparavant, alors qu'il voyageait avec Frilla.

Le jeune garçon, regardant les deux grosses larmes qui coulaient sur les joues du vieillard, dit :

— Je crois en votre histoire et je promets ici, devant vous, de vous rendre la jeunesse que vous cherchez depuis si longtemps. Amenez-moi au bois de Tarkasis et je réparerai le tort qu'on vous a causé.

Chapitre 11

Le bois de Tarkasis

Amos passa la nuit chez Junos. Ce dernier louait une petite chambre dans une auberge miteuse de Berrion. Le vieillard s'excusa du peu de confort qu'il offrait à son jeune invité. Ils discutèrent encore longtemps ensemble, principalement des fées, avant d'aller dormir. Junos connaissait un tas de contes et de légendes à leur sujet.

Dans ces récits, on disait qu'à l'origine une grande partie de la Terre était dirigée par les fomorians et les firbolgs, qui étaient des races d'ogres, de gobelins et de trolls. Puis les fées arrivèrent de l'Ouest, on ne sait ni comment ni pourquoi, probablement portées par le vent des océans. Elles livrèrent un combat aux gobelins, puis aux trolls et, finalement, elles réussirent à affaiblir suffisamment les ogres pour les obliger à s'exiler. Ceux-ci migrèrent vers le nord, la terre des barbares et du froid.

Puis de l'est, arrivèrent les hommes. C'étaient de puissants guerriers, montés sur de grands et beaux chevaux. Ils prirent possession des terres pour les cultiver et obligèrent les fées à se réfugier dans les bois. Certaines d'entre elles se lièrent d'amitié avec les hommes, mais la plupart restèrent dans les forêts et se firent très discrètes. Les fées trouvèrent plusieurs moyens pour ne pas être embêtées par les humains. Leurs royaumes demeuraient secrets et souvent inaccessibles. Elles respectaient une hiérarchie sociale très stricte. À la manière des abeilles, les fées avaient une reine, des ouvrières et des guerrières.

Toutefois, certains hommes travaillaient de concert avec ces créatures des bois. On les appelait les druides. Leur tâche consistait à protéger la nature, les forêts et les animaux et, par conséquent, les différents royaumes des fées. C'étaient elles qui choisissaient les humains appelés à devenir druides. Elles volaient les enfants au berceau et les remplaçaient par des morceaux de bois qui, sous l'action de leurs paroles magiques, prenaient l'allure de vrais nourrissons, donnant aux parents l'impression que leur rejeton était encore dans son lit. Ces substituts de bébés paraissaient tout à fait normaux jusqu'à ce qu'ils meurent subitement et sans raison apparente.

Encore aujourd'hui, à Berrion, il existait une coutume que les habitants respectaient à la lettre. Même si la majorité d'entre eux ne croyaient pas aux êtres surnaturels, ils suspendaient, au-dessus du lit de leur enfant, des ciseaux ouverts afin de le protéger. Ainsi, comme les fées se déplaçaient rapidement dans les airs, elles se seraient coupées avec les lames si elles avaient essayé de s'approcher du berceau. On fixait aussi aux vêtements des nouveau-nés des clochettes, des rubans rouges et des guirlandes voyantes et encombrantes. De cette façon, si jamais les fées s'étaient avisées d'enlever un poupon ainsi paré, le tintement des clochettes en aurait aussitôt averti les parents. Les rubans et les guirlandes auraient pour leur part empêché les fées de voler normalement.

Amos demanda à Junos s'il savait quelque chose sur les « porteurs de masques ». Le vieillard lui répondit qu'il avait déjà entendu parler d'un homme qui avait terrassé, à lui seul, un dragon. On appelait cet homme « le Porteur », mais la légende n'en disait pas davantage à ce sujet.

Épuisé, Amos finit par s'endormir sur la vieille paillasse que Junos avait posée par terre. Il rêva de la femme qui lui avait donné les petits pains et les œufs à la fontaine. Dans le songe, elle était devenue jeune, mais elle était toujours vêtue de sa robe blanche. Elle lui répétait sans cesse la même phrase : « Enfonce le trident dans la pierre et ouvre le passage… Enfonce le trident dans la pierre et ouvre le passage… »

Amos voulait savoir qui était cette femme. Pourquoi lui parlait-elle ? Il voulait aussi en savoir davantage sur la pierre et le passage. Il voulait connaître la signification de cette phrase qu'elle ne cessait de répéter. Il demeurait muet, incapable de prononcer un seul mot, et la femme en blanc disparut. Amos se réveilla et médita sur cet étrange rêve tout le reste de la nuit. Quand Junos se leva, les deux compagnons mangèrent un peu et partirent pour Tarkasis.

Après quelques heures de marche, Amos et Junos arrivèrent à l'orée d'un bois.

– C'est ici, déclara le vieillard. Oui, c'est bien ici que j'habitais autrefois. Tout a beaucoup changé, mais il y a des choses qui ne trompent pas. Par exemple, ces grosses pierres, juste là, sont les mêmes. Et puis ce chêne, là-bas. Il était déjà gros avant que je ne danse avec les fées. Maintenant, il est immense, mais c'est le même arbre. Cela doit bien faire une bonne douzaine d'années que je ne suis pas revenu ici. En fait, je n'y suis jamais revenu depuis que je suis ressorti de ce bois dans la peau d'un vieillard. J'avais onze ans…

Les souvenirs de Junos le rendaient triste. De son côté, Amos avait toujours en tête le rêve de la nuit précédente. Il y avait dans ce songe quelque chose de trop réel pour qu'il ne s'agisse que d'un rêve banal. «Enfonce le trident dans la pierre et ouvre le passage…» Amos regarda d'abord le sol afin d'y trouver un indice. Puis il examina l'aspect du bois des arbres, leur essence. Il observa aussi les pierres qui se trouvaient là. Après de longues minutes de silence, il dit enfin :

– Regarde bien, Junos, tout ici nous indique un chemin. En faisant abstraction des petits arbres, des fougères et autres petites plantes, nous pouvons l'apercevoir.

Attentif aux indications du garçon, Junos vit effectivement un semblant de chemin, un passage à travers la végétation :

– Eh bien, c'est impressionnant ce que tu viens de découvrir là, mon ami! Prenons ce chemin.

Ils suivirent la piste jusqu'à ce que de gigantesques conifères et d'imposants feuillus leur barrent la route. Devant eux, plus aucune indication. Par terre, dans l'herbe haute, il y avait une pierre. Elle était marquée à quatre endroits. D'abord un simple trou. Juste en dessous, trois autres trous rapprochés les uns des autres. La troisième marque était une cavité allongée, et la quatrième avait l'apparence d'une grosse alvéole.

Se rappelant les propos de la dame de son rêve, Amos saisit son trident et, d'un seul coup, l'introduisit dans la deuxième marque. Comme par miracle, les trois dents de la fourche d'ivoire épousèrent à la perfection les trois trous rapprochés de la pierre, tout comme si l'on avait fabriqué l'objet expressément pour cette fonction.

«Les autres trous doivent servir à accueillir d'autres types d'armes représentant chacune un des éléments, pensa Amos. Le premier trou représente l'air; c'est certainement une flèche qui doit s'y enchâsser. Mon trident est l'arme de la sirène, c'est donc l'eau. Le troisième est fait pour une épée forgée dans le feu, et l'alvéole doit être là pour recevoir le manche d'une puissante masse de guerre en bois, une arme représentant la terre. Ces trous sont des serrures, et les armes sont des clés. Quatre serrures, quatre clés, quatre façons d'ouvrir la même porte! Voilà pourquoi Crivannia m'a dit, dans la grotte de la baie des cavernes, d'emporter le trident avec moi.»

À l'instant même où l'arme entra dans la pierre, la forêt dense et impénétrable qui se dressait devant eux s'ouvrit dans un vacarme de branches qui craquaient et de troncs qui se tordaient. Incrédules, Amos et Junos virent un long tunnel sombre se former devant eux. Amos retira son arme; la porte qui permettait d'atteindre le cœur du bois de Tarkasis était maintenant ouverte. Sans même se consulter, les deux compagnons empruntèrent ce passage.

Au bout de quelques minutes, ils débouchèrent sur une magnifique clairière remplie de fleurs. Il y en avait partout. Sur le sol, sur les rochers et sur les arbres qui bordaient la trouée. Des fées de couleurs et de tailles différentes volaient dans tous les sens, tout affairées qu'elles étaient à leur besogne. Les rayons du soleil étaient aveuglants et la lumière, blanche et pure, inondait la clairière. Apparaissant à travers la lumière, un homme marcha lentement vers eux. Amos le reconnut. C'était le druide qu'il avait rencontré à Bratel-la-Grande. Il était toujours aussi sale et laid. Le chat aveugle sur son épaule, il ouvrit les bras.

— Bienvenue au royaume de Gwenfadrille, Monsieur Daragon. Je vois que vous arrivez avec un ami. Je m'attendais toutefois à vous voir accompagné du jeune hommanimal. Dépêchons-nous, le grand conseil des fées est actuellement en réunion. Ces dames vous attendent depuis déjà un bon moment. Elles sont impatientes de vous rencontrer. S'il le désire, monsieur Junos peut venir avec nous. D'ailleurs, je pense qu'il a déjà rencontré les fées…, ajouta-t-il en riant de bon cœur.

Le druide guida Amos et Junos jusqu'au centre du bois de Tarkasis. Sept dolmens délimitaient une place sur laquelle une multitude de fées et de druides, venus de partout, étaient confortablement assis sur de grosses chaises de bois aux formes insolites. Tous applaudirent l'arrivée d'Amos. Il y avait de petites et de grandes fées, de vieux personnages poilus, de très belles druidesses, de jeunes apprentis et d'étranges petites créatures toutes ridées.

On invita Amos et Junos à s'asseoir au centre du cercle. Devant eux, deux femmes portaient une couronne : une robuste sirène aux cheveux bleu clair et une grande fée aux oreilles pointues. Ces deux créatures resplendissaient. Elles avaient une force et un charisme étonnants. La fée aux oreilles pointues, tout habillée de vert, se leva et, d'un geste de la main, demanda le silence.

– Chers amis, Gwenfadrille, reine du bois de Tarkasis, est heureuse de vous accueillir chez elle pour la résurrection du culte des porteurs de masques.

Amos comprit que la souveraine parlait d'elle à la troisième personne.

– Le porteur a été choisi par Crivannia, princesse des eaux profondes, pour accomplir la mission. Il a été reconnu comme tel à Bratel-la-Grande par notre plus ancien druide, Mastagane le Boueux, ainsi que par la Dame blanche. Amos Daragon, ici présent, deviendra, au bénéfice de l'équilibre de ce monde, le premier porteur de masques d'une nouvelle génération de héros. Que celui ou celle qui s'oppose à sa nomination parle maintenant ou qu'il se taise à jamais!

L'assemblée continua de se taire. Amos se leva et déclara:

— Moi, je m'oppose à ce choix!

Il y eut un murmure d'étonnement dans l'assistance. Amos poursuivit:

— Je refuse de servir qui que ce soit sans même comprendre ce qu'on attend de moi. Je ne doute pas que vous me fassiez un grand honneur, mais j'exige d'en savoir plus sur cette mission que vous voulez me confier, et je veux que vous m'expliquiez ce qu'est un porteur de masques.

Gwenfadrille, perplexe, dévisagea Mastagane le Boueux.

— Mastagane, vous ne lui avez donc rien dit?

Le druide marmonna:

— Oui... un peu... mais pas tout... Je croyais que c'était vous qui deviez le lui dire... Alors... alors je n'ai pas tout à fait...

— Êtes-vous en train de me dire que ce garçon a fait tout ce chemin jusqu'ici sans savoir ce qu'est un porteur de masques?, l'interrompit la reine en appuyant sur chacun de ses mots.

— Je pense que c'est cela, murmura le druide, la tête basse.

Profitant de la confusion qui régnait, Amos sortit la pierre blanche de sa poche et reprit la parole:

— D'abord, je suis venu jusqu'ici pour vous livrer un message: votre amie Crivannia, princesse des eaux, est morte et son royaume est tombé aux mains des merriens. Avant de mourir, elle m'a demandé de vous remettre cette pierre blanche et de vous dire qu'elle m'a choisi comme porteur de masques. Mais je pense que vous saviez déjà tout cela, n'est-ce pas?

– Oui, nous le savions déjà, avoua la fée verte. Donne-moi la pierre et écoute-moi. Dans les temps anciens, le monde fut divisé entre le Soleil et la Lune, entre les créatures du jour et les créatures de la nuit. Les êtres du jour représentaient le bien, et ceux de la nuit étaient les représentants du mal. Pendant des siècles, les créatures des deux camps se livrèrent des combats mortels pour assurer la domination, sur la Terre, soit du jour, soit de la nuit. Las de poursuivre un combat stérile et sans fin, plusieurs grands rois et reines des deux camps décidèrent de se rencontrer afin de trouver une solution. Il fallait trouver un terrain d'entente afin de regagner la paix comme chacun le souhaitait. Tous ensemble, ils sélectionnèrent des êtres exceptionnels en qui cohabitaient le bien et le mal et créèrent l'ordre sacré des porteurs de masques. Leur tâche, simple en apparence, consistait à travailler avec le bien et le mal, avec le jour et la nuit afin de rétablir un équilibre dans le monde. Les guerriers de l'équilibre furent donc envoyés en mission pour abattre des dragons menaçants, pour calmer les ardeurs des licornes et pour unir des royaumes divisés par la guerre. Ces êtres tiraient leurs pouvoirs de la magie des éléments. Ils possédaient chacun quatre masques: celui de l'air, celui du feu, celui de la terre et celui de l'eau. Sur ces quatre masques pouvaient être enchâssées quatre pierres de pouvoir. Quatre pierres blanches pour l'air, quatre bleues pour l'eau, quatre rouges pour le feu et quatre noires pour la terre. Seize pierres de pouvoir en tout. Ces guerriers réussirent leur mission et, pendant de longues années, le bien et le mal vécurent dans un équilibre parfait. Croyant avoir atteint la paix éternelle, on ne remplaça pas les porteurs de masques. Leurs faux visages furent abandonnés et les pierres de pouvoir, partagées entre les forces de la nuit et celles du jour. Mais voici que, depuis peu, les êtres de la nuit ont repris le combat. L'attaque des merriens contre les sirènes en est le meilleur exemple. Voilà pourquoi nous désirons faire renaître l'ordre des porteurs de masques.

Amos demeura silencieux un moment, puis demanda :

– Vous avez parlé, plus tôt, d'une dame blanche. J'ai vu cette femme deux fois. Qui est-elle au juste ?

– C'est un esprit puissant, expliqua Gwenfadrille, c'est la conscience qui accompagne et guide les guerriers de l'équilibre. Chaque porteur de masques est parrainé par la Dame blanche. Elle sera là pour te protéger et t'indiquer la voie à suivre. En ce jour, si tu acceptes la destinée que nous avons prévue pour toi, je te ferai cadeau de ton premier masque, celui de l'air. J'y enchâsserai la pierre blanche que tu m'as apportée, et les pouvoirs de cet objet ancien renaîtront. Il te faudra par la suite découvrir les trois autres masques et les quinze pierres manquantes. Plus tu auras de masques et de pierres, plus ton pouvoir sera grand et mieux tu contrôleras les éléments. Amos, acceptes-tu notre proposition ?

Amos réfléchit. Un profond silence régnait autour de lui. Les fées retenaient leur souffle, elles ne bougeaient plus. Les druides trépignaient d'impatience et la nouvelle princesse des eaux, la sirène aux cheveux bleus, se demandait si Crivannia avait fait le bon choix en désignant ce garçon.

Amos se leva de nouveau et lança :

— J'accepte à une seule condition !

— C'est inusité, affirma Gwenfadrille, mais vas-y quand même, nous t'écoutons.

— Je veux que les fées rendent à mon ami Junos la jeunesse qu'elles lui ont volée. Il doit retourner auprès de sa famille pour aider son père au potager et pour manger les meilleures crêpes du monde, préparées par sa mère. Enfin, je veux qu'il retrouve son chien.

Spontanément, la souveraine des fées rendit son verdict :

— Ta requête est acceptée. Mes fées, ramenez Junos chez lui, dans le passé, et faites en sorte qu'il ait exactement le même âge que lorsqu'il est tombé malencontreusement dans notre piège.

Junos explosa de joie. Il pleurait comme un enfant.

— Amos Daragon m'a rendu ma jeunesse ! Je vais retrouver mon enfance ! Je vais revoir mon chien ! Et mon père ! Et ma mère ! Merci ! Merci, mon ami ! Merci de tout mon cœur !

Comme il quittait le conseil, entouré d'une ronde de fées, le vieillard se retourna vers Amos et, les yeux pleins d'eau, lui dit :

— Je te rendrai au centuple ce que tu viens de faire pour moi. Je le jure sur ma vie, sur mon âme et sur la tête de mes parents. À bientôt, mon ami !

Solennellement, Gwenfadrille prit à ses côtés un magnifique masque de cristal. Il avait la physionomie d'un homme aux traits fins et au front saillant. Elle le tendit à Amos en lui demandant de l'essayer. Le masque s'ajusta parfaitement à la figure du jeune garçon. La fée y enchâssa ensuite la pierre blanche de pouvoir, envoyée par Crivannia. Amos eut la forte impression de respirer au rythme du vent.

La reine déclara :

— Ce masque grandira avec toi. Il est ta possession et c'est ton bien le plus cher. Tu découvriras par toi-même ses pouvoirs. Il est encore peu puissant, mais lorsque les quatre pierres y seront placées, tu auras le pouvoir de lever un ouragan et la force nécessaire pour marcher dans les airs. Tous ensemble, rendons maintenant hommage à Amos Daragon et festoyons en l'honneur du premier humain de la deuxième génération des guerriers de l'équilibre !

Tous se levèrent et applaudirent. Puis une musique de fête se fit entendre.

Chapitre 12

Béorf et Médousa

Karmakas s'était installé au château de Bratel-la-Grande. Avec l'aide des gorgones, il avait placé tous les habitants, plus de mille statues, à l'extérieur de la ville. Celles-ci longeaient, des deux côtés, la route qui menait aux portes de la capitale. La scène était terrifiante à voir. Marchands, itinérants, voyageurs, aventuriers ou troubadours refusaient de s'approcher de la cité. Tous ceux qui voyaient ce spectacle abominable rebroussaient chemin avec la certitude qu'ils ne remettraient plus jamais les pieds dans ce coin de pays.

Les gorgones avaient saccagé la ville. Les maisons étaient entièrement démolies ou brûlées. Un silence de mort remplaçait maintenant les cris d'enfants des jours heureux. Il n'y avait plus de vie, plus de fleurs et plus d'activités humaines. L'armée des chevaliers de la lumière de Yaune-le-Purificateur avait été définitivement vaincue. Un drapeau noir représentant un serpent, la bouche ouverte et prêt à mordre, flottait au-dessus de la cité. L'eau de la rivière avait été empoisonnée, les champs étaient en friche et les oiseaux avaient déserté les lieux.

Par sa puissante magie, Karmakas avait doublé son armée de gorgones. La ville grouillait de serpents. Des cafards, la nourriture préférée des reptiles, se promenaient sur les murs du château, dans les restes des maisons en ruine et partout sur les murailles de Bratel-la-Grande.

Depuis trois jours, Béorf, enterré jusqu'au cou sur la place du marché, souffrait le martyre. Seule sa tête sortait de la terre. On lui avait bandé les yeux afin que le regard des gorgones ne le pétrifie pas. La nuit, les monstres lui marchaient fréquemment sur la tête et l'empêchaient de dormir. Le jour, un soleil de plomb cuisait son crâne. Tous les matins, le Nagas venait lui rendre visite. Karmakas connaissait le point faible des béorites. Il savait que les hommes-ours avaient une résistance et une force physiques à toute épreuve. La seule chose qu'ils ne supportaient pas, c'était d'avoir faim. Chaque matin, en narguant Béorf avec du pain et du miel, le magicien lui disait :

– Si tu me dis où, siii, où est le pendentif, je te donnerai, siii, tout ce que tu voudras à manger. Dis-moi où est le pendentif et nous, siii, nous ferons équipe. Je sais que tu, siii, que tu as faim. Parle-moi, siii, dis-moi où tu, siii, où tu as caché mon précieux objet.

Le gros garçon, les yeux bandés, sentait l'odeur du pain bien frais. Il imaginait le goût du miel sur sa langue. Son estomac criait famine et tout son corps hurlait pour réclamer à manger.

Ses papilles gustatives s'activaient en laissant une épaisse salive remplir sa bouche. Chaque matin, la torture grugeait un peu plus sa volonté.

– Jamais je ne vous le dirai! Je rendrai l'âme avant que vous ayez pu tirer de moi une seule information, répondait Béorf jour après jour.

Le Nagas, contrarié, quittait alors les lieux en sifflant de rage. Vers la fin du cinquième jour de torture, alors que Béorf, épuisé par les douleurs de son estomac, se demandait comment il ferait pour tenir un jour de plus, la voix d'une jeune fille vint résonner dans son oreille.

– Ne crains rien, je suis là pour t'aider, murmura-t-elle.

Le garçon sentit des mains creuser pour enlever la terre autour de lui. La fille le libéra de son piège. En l'aidant à se mettre debout, elle lui dit :

– Je dois t'avertir, je suis une gorgone. Fais bien attention. N'essaie jamais de me regarder dans les yeux, tu serais immédiatement changé en pierre. Pour ta sécurité, je porte une cape dont le capuchon me recouvre les yeux. Je t'enlève maintenant ton bandeau.

Ahuri, Béorf découvrit, en ouvrant les paupières, une jeune gorgone d'une grande beauté. Son capuchon, bien calé sur le haut de son nez, laissait entrevoir un joli visage et une belle bouche. Ses lèvres étaient brunes et pulpeuses. Quelques jolies têtes de serpents, dorées et sans aucune malice, sortaient de sa capuche en faisant bouger lentement le tissu. Sa peau était d'un joli vert pâle. Elle lui tendit la main en déclarant :

— Viens, nous devons absolument fuir cet endroit avant que le sorcier nous surprenne. Sais-tu comment sortir de cette ville sans emprunter la grande porte?

— Oui, je connais un chemin, fit Béorf. Suis-moi!

Ensemble, ils empruntèrent le passage que Béorf avait creusé sous l'un des murs de la ville. Ils s'enfuirent rapidement et arrivèrent sans difficulté dans la forêt. Le gros garçon conduisit la jeune gorgone dans une grotte qui avait toujours servi de garde-manger à ses parents. Là, l'hommanimal plongea la tête la première dans les provisions de nourriture et s'empiffra de fruits séchés, de noix, de miel, de céréales et de viande salée. Lorsqu'il fut complètement rassasié, Béorf offrit, par politesse, quelque chose à manger à son sauveteur.

— Merci beaucoup, dit la fille, je ne mange pas ce genre de choses. Je ne consomme que des insectes. J'adore les cafards bouillis dans du sang de crapaud. C'est un pur délice! Toi qui aimes bien manger, tu devais essayer ma recette un de ces jours.

Béorf eut un haut-le-cœur, mais n'en laissa rien paraître. Il avait repris des couleurs et se sentait maintenant en grande forme. Comme tout son corps se détendait après cette immense délivrance, il ne put retenir un rot sonore et profond. La jeune gorgone fit entendre un rire cristallin. Béorf se dit qu'il était impensable qu'une si charmante créature puisse être issue d'une race aussi horrible. Il s'excusa, confus, puis demanda:

– Qui es-tu et pourquoi m'es-tu venue en aide ?

– Mon véritable nom serait imprononçable pour toi, répondit la gorgone. Appelle-moi Médousa. C'est ainsi que les humains nomment souvent les gens de ma race. C'est un nom hérité de la princesse Méduse qui fut transformée en laideron immortel par une méchante déesse. Beaucoup de légendes circulent à ce sujet, mais personne ne connaît véritablement les origines de mon espèce. Toi, tu t'appelles Béorf, je le sais. On dit que tu peux te métamorphoser en ours, est-ce que c'est vrai ?

Béorf, flatté que cette magnifique jeune gorgone connaisse son nom, se transforma sur-le-champ.

– Voilà !, dit-il, fier et poilu de la tête aux pieds.

– Cache tes yeux, dit Médousa, j'aimerais te regarder.

L'ours mit sa patte sur son museau, et la jeune fille put le contempler longuement. Replaçant son capuchon sur ses yeux, elle s'exclama :

– C'est magnifique, un ours ! Jamais je n'ai vu de telles bêtes. Tu sais, à l'endroit d'où je viens, il n'y a que des gorgones et des serpents. Il y a aussi beaucoup de statues de pierre, ajouta-t-elle en éclatant de son rire envoûtant. Pour répondre à ta question, je t'ai aidé parce que, moi aussi, j'ai besoin d'aide. Karmakas est un méchant sorcier. Par sa magie, il exerce un contrôle total sur mon peuple. Il nous a obligées à venir dans ce royaume pour exécuter ses volontés. Si nous défions ses ordres, il force les serpents qui composent notre chevelure à nous mordre les épaules et le cou. Ça fait tellement mal que nous poussons des cris de douleur à faire trembler les montagnes. Nous sommes des créatures de la nuit et nous supportons mal le soleil. Cela ne veut pas dire que nous sommes méchantes et cruelles. Bien sûr, notre pouvoir transforme les êtres que nous croisons en statues de pierre. Pour éviter que de tels malheurs se produisent, mon peuple vit caché dans les collines arides et les déserts de l'Est. Ce sont les gorgones, elles-mêmes, qui m'ont envoyée pour te délivrer. Je te demande de me croire. Nous ne voulons de mal à personne et nous savons comment redonner vie aux statues de pierre que nous créons. C'est un peu compliqué, mais pas du tout irréalisable. Nous ne voulons plus nous battre et nous désirons rentrer chez nous pour vivre en paix. Il nous est impossible de combattre Karmakas. Notre pouvoir ne fonctionne pas sur lui et il nous tient prisonnières. Les gorgones sont ses esclaves. Nous devons le servir ou endurer d'horribles souffrances si nous désobéissons à ses ordres. Regarde la peau de mes épaules et tu comprendras mieux ce que je veux dire.

Médousa tira sa robe et découvrit le haut de son corps. Elle était couverte de plaies béantes et de cicatrices.

– Tu vois bien!, dit-elle. J'ai peine à croire que ce sont mes propres cheveux qui me font cela. Moi qui aime tellement ma coiffure!

Béorf, redevenu humain, demanda naïvement:

– Pourquoi ne coupes-tu pas ces sales bêtes alors ?

– Te couperais-tu un bras ou une jambe même si elle te faisait souffrir ?, répondit-elle, un peu fâchée. Ma chevelure fait partie de moi, chacun des serpents dorés que tu vois renferme une partie de ma vie. Les couper signifierait ma mort. Ils sont mes seuls amis et mon unique réconfort. Je les connais depuis que je suis toute petite et chacun porte un nom. Je les nourris et j'en prends grand soin.

– Puis-je te demander quelque chose ?, fit Béorf, très poliment.

– Tout ce que tu veux, répliqua Médousa.

– J'aimerais voir tes yeux, ton visage.

La gorgone fit de nouveau entendre son si joli rire.

– Mais tu n'écoutes pas ce qu'on te dit, jeune ours ? C'est impossible, tu serais immédiatement changé en pierre !

– Je sais qu'on peut regarder une gorgone par le reflet d'un miroir, déclara Béorf, content de lui. Je le sais parce que je l'ai déjà fait par accident. J'ai un miroir ici et...

À ces mots, Médousa paniqua complètement.

– Tu as un miroir ! Tu as un miroir ! M'as-tu amenée ici pour me tuer ? Je savais que je ne devais pas te faire confiance ! Je disais justement aux gorgones qu'il faut toujours se méfier de tout ce qui ressemble à un humain. Vous êtes méchants et vous désirez toujours tuer tous les êtres qui sont différents de vous ! Si tu veux me tuer, fais-le maintenant, mais arrête de me faire souffrir en me parlant de miroir !

Béorf se précipita sur le miroir, qu'il avait remarqué un instant plus tôt dans les réserves de nourriture, et le fracassa sur le sol de la grotte. Il sauta dessus à pieds joints pour le casser en mille morceaux.

– Tiens, voilà ! Plus de miroir ! Il n'y a plus de miroir, c'est fini ! Plus de danger ! Calme-toi, s'il te plaît, calme-toi ! Je n'ai pas voulu t'offenser, ni te menacer. Je disais cela parce que je te trouve très belle et que je voulais voir tes yeux, c'est tout ! Je le jure !

Médousa se calma. Le gros garçon vit couler de grosses gouttes de sueur dans le cou de son amie. En pesant bien ses mots, la gorgone dit :

– Rappelle-toi, Béorf, rappelle-toi toujours que les gens de ma race ont une peur bleue des miroirs. Une gorgone ne peut pas voir son reflet dans une glace. Elle meurt immédiatement en se déchirant complètement de l'intérieur et tombe ensuite en poussières. C'est la pire des morts que nous puissions connaître. J'aimerais mieux couper les serpents de ma tête un à un que de savoir que je me trouve dans un endroit où il y a un miroir.

Mal à l'aise, le gros garçon lança en riant :

– Ça tombe bien, je n'ai jamais aimé les filles qui passent des heures à se peigner devant la glace !

Après quelques secondes de silence, il demanda encore plus embarrassé :

– Mais, dis-moi, Médousa, il y a quelque chose que je ne comprends pas… J'ai déjà vu des gorgones dans la forêt et… euh… comment dire ? Eh bien, elles étaient… disons… pas très agréables à regarder, alors que toi…

La jeune gorgone se mit de nouveau à rire.

– Je vois où tu veux en venir. À dix-neuf ans et demi, c'est-à-dire à l'âge précis où Méduse a été frappée par la malédiction de Céto, notre visage se transforme. Nous devenons laides comme Méduse l'est alors devenue. Quelques-unes d'entre nous, très rares, échappent à ce maléfice. Mais je ne sais pas pourquoi. Aucune ne veut révéler son secret.

– Peut-être que tu le découvriras avant d'atteindre cet âge.

Médousa resta un instant pensive, puis elle dit tendrement :

– Tu es mignon, Béorf, tu sais ?

Béorf sourit de toutes ses dents. En rougissant un peu, il répondit :

– Oui, je sais.

Chapitre 13

Le retour à Berrion

Au cours de la fête que les fées avaient organisée pour lui, Amos mangea une grande quantité de mets qu'il n'avait jamais goûtés de sa vie. Pour la première fois de son existence, il but du nectar de jonquilles, de marguerites et de lys. Il assista aussi à un concert donné en son honneur. La musique des fées était sublime. D'une pureté et d'une délicatesse infinies, les airs qu'il entendait étaient surréels. « Il n'y a rien d'étonnant à ce que Junos ait été envoûté », pensa-t-il en se rappelant l'aventure de son ami dans le bois. Amos s'endormit dans l'herbe au son de la musique céleste.

Au matin du nouveau jour, les fées lui apportèrent un grand verre de rosée et un morceau de gâteau aux pétales de roses. Le jeune garçon quitta ensuite la forêt avec son masque serti de la pierre blanche et son trident d'ivoire. Il reprit le long passage permettant d'entrer dans le bois de Tarkasis et d'en sortir. Arrivé à l'orée de la forêt, quelle ne fut pas sa surprise d'y voir plusieurs écriteaux portant la mention : « Forêt interdite par décret royal ». Tout étonné, il rejoignit la route et remarqua qu'elle était maintenant pavée.

« Ces choses-là ne peuvent s'accomplir en une seule nuit ! », se dit-il.

Cependant, sa surprise fut totale lorsqu'il arriva aux abords de la ville de Berrion. La petite cité était devenue trois fois plus grosse. D'imposants murs avaient été érigés. Un étendard flottait sur le toit d'un château récemment construit. Le pavillon arborait une lune et un soleil partageant le même cercle. À la porte de la ville, un garde intercepta Amos.

– Par décret royal, tous les enfants qui désirent franchir les murs de cette ville doivent me donner leur nom.

Amos n'en croyait pas ses yeux ni ses oreilles. La dernière fois qu'il y était venu, cette ville n'avait pas d'armée ! Encore moins de puissants chevaliers vêtus de magnifiques armures et munis de longues épées ! Comment les choses avaient-elles pu changer à ce point en une nuit seulement ? Le garçon se souvint que Junos, envoûté par le sortilège des fées, avait dansé pendant près de cinquante ans dans le bois de Tarkasis. Pourtant, Amos était toujours un enfant, et non pas un vieillard. Il n'avait donc pas subi la même malédiction que Junos. C'est le monde autour de lui qui avait changé.

– Je m'appelle Amos Daragon, dit-il timidement.

– Je vous prie de me répéter votre nom, jeune homme, demanda fermement le garde.

– Euh… Amos, Amos Daragon.

— Si tel est votre nom, vous devez me suivre immédiatement.

Sans résister, Amos accompagna le garde dans la ville pour se rendre jusqu'au château. Les maisons, les auberges, les boutiques, le marché, les rues, les gens, tout avait changé. La veille, il avait quitté un gros village où les gens arrivaient difficilement à gagner leur vie et, aujourd'hui, il déambulait dans les rues d'une grande cité fortifiée où tout le monde semblait vivre dans une certaine aisance. Amos n'y comprenait rien.

En arrivant au château, le garde le conduisit immédiatement dans une vaste salle où se trouvait un trône. Amos y demeura seul un moment, puis, tout à coup, les grandes portes de la salle s'ouvrirent. Un homme d'un certain âge courut vers lui et le souleva de terre en criant de joie :

— Amos ! mon ami ! tu es de retour ! Comment vas-tu ? Il y a si longtemps que je t'attendais ! C'est un grand jour ! C'est une telle joie de te revoir !

L'homme finit par déposer Amos par terre. Celui-ci n'en revenait pas. C'était Junos en personne qui se tenait devant lui ! Il était moins âgé d'une dizaine d'années, beaucoup plus costaud, et son visage en disait long sur sa joie de revoir son ami.

— Excuse-moi, Junos, dit Amos, mais j'aimerais bien que tu m'expliques ce qui se passe. Hier, tu as retrouvé ta jeunesse et maintenant te revoilà encore vieux. As-tu revu tes parents ? As-tu retrouvé ton chien ? Qu'est-ce qui se passe ? Tu étais conteur et te voilà maintenant roi ? Je ne comprends plus rien, Junos.

Junos souriait en entendant son jeune ami le questionner de la sorte.

– Assieds-toi sur mon siège que je t'explique.

Amos prit place sur le trône et réfléchit tout haut :

– Si tu es devenu roi, Junos, c'est que tu ne sais rien faire ou que tu as pris l'habitude de faire n'importe quoi !

Le rire de Junos résonna dans toute la pièce.

– Mon histoire ! Tu te souviens de cette histoire ? ! Elle est bonne, celle-là ! Il y a des années que je ne l'ai pas racontée. Je pense que je ne m'en souviens même plus !

– Explique-moi d'abord ce qui se passe, Junos, et après je te rafraîchirai la mémoire. Ton conte, je l'ai entendu de ta bouche, il y a deux jours de cela, et tu avais l'air d'un vieillard. Maintenant, tu es un homme dans la force de l'âge.

Junos reprit son souffle et raconta :

– Si tu veux, je ferai comme dans le temps. Dans le temps où je racontais des histoires pour survivre. J'étais plus vieux et plus laid qu'aujourd'hui par contre. Je me lance. Bon ! Il était une fois un gamin qui s'aventura dans le bois de Tarkasis pour retrouver son chien, il dansa avec les fées et devint vieux. Il passa douze ans à raconter des histoires pour manger, il rencontra Amos Daragon qui devint son ami et il retrouva sa jeunesse grâce à lui. Jusque-là, c'est une vieille histoire. Tu connais le début, mais pas la fin. La suite est meilleure encore. Donc, le garçon à qui l'on avait volé près de cinquante ans de vie redevint jeune. Un bond de cinq décennies en arrière! Il fut renvoyé dans le bois exactement une heure après sa première rencontre avec les fées. Il retrouva son chien et ses parents. Jamais personne ne sut qu'il avait vécu autant d'années dans la peau d'un vieillard misérable. Seulement voilà, le garçon retrouva son corps d'enfant, mais conserva sa mémoire d'adulte intacte. Comme Junos avait une dette envers son meilleur ami, qui en réalité n'était pas encore né, il choisit de devenir chevalier et partit apprendre l'art du combat dans un royaume voisin. Après bien des années de loyaux services, le grand roi demanda à Junos, son meilleur chevalier, ce qu'il désirait le plus au monde. Le garçon, devenu grand, sollicita les terres de Berrion et y fit construire une grande ville. Il monta une armée, créa les chevaliers de l'équilibre et attendit que tu sortes de la forêt pour enfin t'accueillir. Il fit également poser des écriteaux près du bois de Tarkasis afin qu'aucun malheur n'arrive plus à personne et que les fées demeurent en paix.

– C'est magnifique!, s'exclama Amos. Il y a donc cinquante ans que tu attends que je sorte de cette forêt?

Junos, le seigneur et maître de Berrion, déclara:

– Oui, Amos, il y a cinquante ans que je t'attends. Tu m'as rendu ma jeunesse. Grâce à toi, j'ai eu une enfance heureuse et mes parents sont morts dans mes bras, fiers de ce que j'étais devenu. Grâce à toi, j'ai retrouvé mon chien et je l'ai aimé et gâté toute sa vie durant. Grâce à toi, j'ai même eu le temps d'apprendre à cuisiner ! Avec la recette de ma mère, c'est moi qui fais les meilleures crêpes du royaume. Je me rappelle encore bien le grand conseil des fées auquel j'ai assisté. Je connais ta mission et la tâche qui t'attend. Je me rappelle aussi que tu m'avais dit, il y a bien longtemps pour moi de cela, que Bratel-la-Grande était tombée aux mains des gorgones. J'ai envoyé mes hommes qui m'ont confirmé la chose. J'ai créé l'ordre des chevaliers de l'équilibre pour te servir et pour t'aider dans ta mission. Une armée de quatre cents hommes attend tes ordres, cher porteur de masques !

Amos n'en croyait pas ses oreilles. Tout était arrivé si vite, du moins pour lui.

Junos, l'œil taquin, continua :

– Ah oui, j'ai aussi demandé à mes hommes de ratisser toutes les terres de Berrion, et nous avons retrouvé tes parents. Ils sont dans une des chambres du palais. Viens vite, allons les voir !

* * *

Les retrouvailles furent émouvantes. Amos se jeta dans les bras de ses parents et longtemps ils dansèrent de joie. Urban expliqua à son fils comment lui et sa femme avaient fui juste à temps Bratel-la-Grande. Immédiatement après l'expulsion d'Amos et de Béorf, ils avaient concocté un plan. Ils avaient fait leurs bagages et les avaient chargés sur un cheval. Puis, sachant où étaient rangées les armures de Barthélémy, Urban en avait enfilé une. Il s'était présenté tel un chevalier à la porte de la ville, chevauchant fièrement sa monture. Marchant à côté du cheval, les deux mains attachées derrière le dos, Frilla jouait la prisonnière. Urban avait ordonné qu'on ouvre encore une fois les portes de la ville afin d'en chasser la mère des deux enfants expulsés un peu plus tôt. Sans poser de questions, le gardien des portes avait obéi. Frilla s'était aussitôt défaite de ses faux liens, avait sauté sur le cheval, et les deux époux s'étaient enfuis dans la nuit. Le gardien, pas très fier de s'être fait avoir de la sorte, n'avait parlé de l'incident à personne. C'est ainsi qu'Urban et Frilla avaient pu fuir avant l'attaque des gorgones.

Amos voulut raconter son histoire à lui, mais Junos s'était déjà chargé de relater à Urban et à Frilla, dans les moindres détails, leur rencontre et leur expédition au bois de Tarkasis.

Le soir, avant de se mettre au lit dans l'immense chambre que Junos lui avait réservée, Amos essaya de nouveau le masque. Il était seul et ce moment lui parut tout indiqué pour commencer ses expériences. Ce dont il ne s'était pas encore aperçu, c'est que le masque, au contact de sa peau, disparaissait complètement. En se regardant dans un miroir, Amos constata avec étonnement que, bien qu'il sentît le masque bouger sur son visage, celui-ci demeurait invisible pour l'œil humain. La chose lui fut confirmée lorsque, ainsi masqué, il ouvrit la porte de sa chambre pour demander à un garde qui se trouvait dans le couloir de bien vouloir venir ouvrir une fenêtre coincée. L'homme s'exécuta sans rien remarquer d'anormal chez le garçon.

Lorsque le garde fut parti, Amos fut pris d'un vertige. Il respirait comme jamais il ne l'avait fait auparavant. C'était comme si l'air entrait par tous les pores de sa peau. Il leva la tête et vit la Dame blanche. Elle avait maintenant huit ans et s'amusait avec les oreillers sur le lit. Elle lança nonchalamment :

– Ne t'en fais pas, le masque s'ajuste à toi. Il lui faut un certain temps pour te connaître. Il te sonde et, bientôt, il entrera en contact avec ton esprit. Attention, ça va faire boum !

Comme l'avait annoncé la Dame blanche, Amos se sentit soudain traversé par un éclair. Il poussa un cri. La douleur qu'il éprouvait dans le cerveau était si intense qu'il tomba à genoux, paralysé par le mal qui ne cessait de croître. C'était une horrible torture. Au bout de quelques minutes qui lui semblèrent durer une éternité, la souffrance disparut et Amos réussit à se remettre debout. La petite fille habillée de blanc, qui, maintenant, sautait sur le lit à pieds joints, dit :

– C'est terminé ! Tu ne pourras plus jamais enlever ce masque de ton visage. Les autres masques, si tu les trouves, viendront s'emboîter sur celui-ci. Le pouvoir du vent est maintenant en toi ! Cette force retournera dans le masque seulement et uniquement à ta mort. C'est ainsi. Viens maintenant !

La Dame blanche prit Amos par la main et l'entraîna vers le balcon de la chambre. De là, ils avaient une magnifique vue sur la cité de Berrion. La nuit était tombée. Des flambeaux et des feux de joie illuminaient les activités nocturnes de la ville.

– Vas-y, dit-elle, fais lever le vent !

Amos tendit le bras gauche. Une brise forte et constante fit trembler les feux des torches sur une grande partie de la ville.

– Eh bien, fit la petite fille en blanc, puisque tu es si doué, je pense que tu n'as plus besoin de moi. Tu constateras que tu peux également déplacer, en soufflant avec la bouche, une assez grande quantité d'air. Si tu le veux, ton trident ou n'importe quelle autre arme de jet pourront parcourir de très grandes distances. Tu pourras aussi parler et faire en sorte que tes mots soient portés à plusieurs lieux de l'endroit où tu te trouves. Les oiseaux sont maintenant tes amis. N'abuse pas de leur confiance !

La petite fille en blanc courut vers le lit, tira les couvertures, se glissa sous les draps et disparut prestement. Amos n'avait pas pu, cette fois-ci encore, placer un seul mot.

* * *

Amos ouvrit les yeux et se redressa d'un bond. Il était dans son lit. C'était le matin. Il ne sentait plus le masque sur son visage. Il regarda autour de lui. Le masque s'était volatilisé. Il regarda dans la glace : rien sur sa figure. Voyant une mésange à tête noire qui prenait un bain de soleil sur le balcon, le jeune garçon s'en approcha. L'oiseau ne parut pas le moins du monde effrayé. Amos tendit la main vers lui et lui demanda gentiment, à mi-voix et d'un ton doux, s'il voulait bien venir se poser sur son bras. Immédiatement, la mésange quitta la balustrade pour venir sur sa main.

« Alors, pensa-t-il, tout ce que j'ai vécu hier soir était vrai… Ce n'était pas un rêve. Le masque s'est intégré à mon corps et je possède maintenant tous ses pouvoirs. Et dire que ce masque n'a qu'une seule de ses quatre pierres de pouvoir ! J'ai du mal à imaginer ce que sera ma force lorsque les trois autres y seront enchâssées. Il y a aussi les autres masques, celui de la terre, celui du feu et celui de l'eau. J'espère avoir assez d'une vie pour rassembler tout ça et accomplir ce qu'on attend de moi. »

Amos vit passer une corneille. L'oiseau le salua d'un coup de tête en continuant sa route. Le garçon s'appuya à la balustrade du balcon. Sur une petite place, un peu plus loin, une dizaine d'enfants essayaient en vain de faire s'envoler un cerf-volant. Amos se concentra, leva la main gauche, et le vent emporta le cerf-volant très haut dans les airs. Les gamins crièrent de joie. Après quelques minutes, le jeune porteur de masques perdit sa concentration, et le cerf-volant tomba directement sur le nez d'un passant. Étourdi, Amos s'écroula par terre et la mésange s'envola.

« Je m'aperçois maintenant, se dit-il, que la magie des éléments est épuisante et qu'il faut une concentration sans commune mesure pour maintenir un sort très longtemps. Si ce qui s'est passé hier soir n'était pas un rêve, je dois essayer une dernière chose pour ce matin. »

Avec ses mains, Amos recueillit de l'air comme on ramasse de la neige. Il en fit une boule transparente. Il plaça ensuite la sphère sur sa bouche et emprisonna ce message à l'intérieur :

— Béorf, c'est moi, Amos. Je vais bien et j'arriverai aussi vite que possible avec une armée de quatre cents chevaliers. Tiens bon, mon ami, je serai bientôt à tes côtés.

Une fois son message terminé, Amos vit que ses mots tourbillonnaient dans la boule, incapables d'en sortir. Alors, il lança la boule de toutes ses forces en disant à haute voix :

— Va jusqu'à l'oreille de mon ami Béorf et brise-toi !

Il regarda la boule voler en direction de Bratel-la-Grande. Il espérait de toute son âme que son ami était encore en vie. Béorf lui manquait beaucoup et il regrettait amèrement de s'être séparé de lui. Perdu dans ses pensées, Amos descendit à la salle à manger du château pour y grignoter quelque chose. Il y trouva Junos qui, tout en aidant ses serviteurs à débarrasser les tables de ceux qui avaient déjà pris leur petit-déjeuner, lui dit :

— J'ai demandé à mes hommes de préparer leurs affaires pour que nous puissions partir bientôt. Le chemin est long et les dangers qui nous attendent sont grands et nombreux. Nous devons bien nous reposer avant de reprendre Bratel-la-Grande aux forces du mal. Enfin, nous discuterons de stratégies plus tard. Vive les chevaliers de l'équilibre!

Amos regarda Junos, tourna de l'œil, et tomba sans connaissance sur le plancher. Son dernier tour de magie l'avait vidé de toute son énergie.

Chapitre 14

Les yeux de Médousa

Cela faisait trois jours que Béorf et Médousa partageaient la même cachette. Ils n'étaient pas sortis une seule fois de la grotte. Dans cet entrepôt de nourriture, le garçon avait suffisamment de provisions pour survivre plusieurs semaines. La jeune gorgone se contentait d'avaler les insectes qu'elle trouvait dans la caverne. Ce régime ne lui plaisait pas trop. Elle aurait préféré plus de cafards et moins d'araignées.

Des orages violents et de fortes pluies les confinaient dans ce lieu peu confortable. Ils discutaient beaucoup. Béorf avait raconté à son amie sa vie dans la forêt, son quotidien avec ses parents et ses jeux avec les abeilles. Plus le temps passait, plus Béorf appréciait Médousa. Il n'avait pas souvent eu l'occasion de se faire des amis, et cette rencontre emplissait son cœur d'un bonheur qu'il n'avait jamais connu auparavant. La jeune gorgone était douce et attentionnée, calme et placide.

Béorf avait fabriqué, avec de la paille et de petits morceaux de bois, une charmante poupée représentant Médousa. Pour le remercier, la gorgone l'avait tendrement embrassé sur la joue. Béorf aurait voulu que ce séjour dans la grotte ne finisse jamais. Il se sentait respecté et aimé. Très vite, il était tombé amoureux. Les paroles de Médousa résonnaient comme une douce musique à ses oreilles. La nuit, ils dormaient dos à dos pour se réchauffer. Le gros garçon vivait dans une allégresse sans fin. Les heures passaient comme des minutes ; les journées, comme des heures.

Le matin du quatrième jour, Médousa demanda à Béorf s'il savait pourquoi le sorcier s'intéressait tant à Bratel-la-Grande.

– Oh oui, je le sais !, répondit-il en s'empiffrant de noisettes. Il est à la recherche d'un pendentif. Mais ne sois pas inquiète, jamais il ne le trouvera !

– Pourquoi ?, fit la gorgone, étonnée par le ton convaincu de son ami.

– Parce que je l'ai bien caché !, affirma Béorf, très fier de lui. Je ne sais pas ce que ce pendentif représente pour l'homme-serpent, ni quels sont ses pouvoirs. Il m'a bien raconté une histoire là-dessus, mais je n'en crois pas un mot. Les Nagas sont des êtres dont il faut se méfier. Ils sont rusés et menteurs.

Médousa réfléchit un instant et dit :

– Mais si nous avions cet objet, nous pourrions l'utiliser contre lui ! Je connais un peu la magie et si je pouvais voir le pendentif, cela nous aiderait peut-être à comprendre ses pouvoirs.

– Je crois qu'il est plus dangereux de l'avoir en notre possession que de le laisser là où il est, bien caché. Je pense que Karmakas est capable de sentir la présence de cet objet et, en très peu de temps, nous l'aurions sur le dos.

– Oui, tu as raison, mon ami, répliqua Médousa. Je suis quand même curieuse de savoir où tu as bien pu mettre ce pendentif afin qu'il ne le retrouve pas.

– J'aimerais bien te le dire, mais je ne le ferai pas. Si jamais tu étais capturée, Karmakas te torturerait pour t'arracher le secret.

Vexée, la jeune gorgone lui tourna le dos. Puis elle déclara :

– De toute façon, s'il me capturait, je serais immédiatement tuée pour t'avoir aidé à t'enfuir. Je comprends que tu désires garder ce lieu secret… Mais je croyais être ton amie. Chez moi, nous disons tout à nos amis. Tu as peut-être raison de ne pas me faire confiance. Je ne suis qu'une méchante gorgone après tout !

Béorf, confus et mal à l'aise, répondit :

– Mais oui, tu es mon amie ! Et même ma meilleure amie ! C'est pour te protéger que je ne veux pas te dire où j'ai caché le pendentif.

– Excuse-moi, finit par dire Médousa. Je sais que tu fais cela pour mon bien. Je suis trop curieuse. Je t'admire tellement ! J'aurais aimé savoir quelle ruse tu as trouvée pour empêcher le sorcier de retrouver son pendentif, c'est tout.

Le gros garçon, touché par ce compliment, s'approcha doucement de sa copine.

– Très bien, je vais te le dire ! Ce sera notre secret. Lorsque j'ai caché le pendentif, je n'avais pas encore rencontré Karmakas. Mon ami Amos m'avait dit que quelque chose ou quelqu'un de très puissant était à la recherche de cet objet. Après son départ pour le bois de Tarkasis, quand je me suis retrouvé seul, j'ai pensé à un endroit où personne n'irait le chercher. Je l'ai caché dans le cimetière de Bratel-la-Grande. Il y a là des milliers de tombes et des dizaines de caveaux. C'est un véritable labyrinthe et ce ne sont pas les cachettes qui manquent. Le cimetière est à dix minutes de marche de la ville. Je me suis dit que les gorgones n'iraient sûrement pas interroger les morts et j'ai eu raison. Je suis certain que le sorcier ne pensera jamais à fouiller cet endroit!

Médousa sourit tendrement.

— Merci de ta confiance, mon ami. Je ne révélerai ce secret à personne. Mais si je peux me permettre de te poser encore une question, où l'as-tu caché dans le cimetière?

— J'aime mieux garder ça pour moi, répondit Béorf. C'est difficile à expliquer à quelqu'un qui ne connaît pas l'endroit. J'y suis souvent allé avec mes abeilles parce qu'il y a là des fleurs magnifiques, toujours pleines de pollen. Je te le montrerai plus tard si tu veux.

C'est à ce moment précis que Karmakas entra dans la caverne. Sa longue queue de serpent avait disparu et il se déplaçait maintenant sur deux jambes. D'un geste vif, il saisit Médousa et lui mit un poignard sous la gorge.

— Siii, il était temps! Je vous surveille depuis trois, siii, depuis trois jours. Ma patience était, siii, était à bout. Maintenant, jeune béorite, tu vas, siii, tu vas aller dans ce cimetière et me, siii, me rapporter aussitôt mon, siii, mon pendentif. Sinon, siii, je tue ta copine. Une gorgone de plus, siii, de plus ou de moins, ça ne changera rien pour, siii, pour mon armée.

Médousa, sereine malgré la lame menaçante qui caressait sa gorge, intervint :

– Ne cède pas à ce chantage, Béorf, ne lui dis rien ! Si tu me sauves la vie, tu vas mettre en péril un tas d'autres personnes ! Laisse-le me tuer ! Lorsqu'il aura le pendentif, il nous tuera de toute façon. Sauve ta vie et tais-toi !

Béorf, muet devant la scène, ne savait plus quoi faire.

– Pense vite !, dit Karmakas en enfonçant lentement la lame de son arme dans la peau de la jeune créature.

La douleur fit hurler Médousa. Ne supportant pas de voir son amie souffrir, Béorf cria :

– Très bien ! Laissez-la vivre et je vous donne le pendentif ! Jurez-moi que vous ne lui ferez aucun mal !

– Je le jure, répondit le Nagas. Je t'attendrai ici, siii, avec elle, pour être sûr que tu, siii, que tu reviendras. Va chercher mon, siii, mon pendentif et fais vite, siii. Je n'ai plus beaucoup de, siii, de patience en réserve.

Béorf se transforma en ours et sortit d'un bond de la grotte. Il courut à perdre haleine vers le cimetière de Bratel-la-Grande. Chemin faisant, il essaya de trouver une solution, une ruse qui lui permettrait de se tirer de ce pétrin. « Si Amos pouvait être là !, pensa-t-il. Lui, il trouverait un moyen pour garder le pendentif et sauver Médousa. » Une chose était cependant claire dans son esprit : la gorgone ne devait pas mourir et il ferait tout ce qui était en son pouvoir pour la garder en vie, près de lui. Béorf aimait Médousa. Il se sentait même prêt à donner sa propre existence pour préserver celle de son amie.

Arrivé au cimetière, Béorf s'avança vers le caveau d'une importante famille de la ville. En déplaçant une pierre dont le mortier s'était effrité avec les années, il récupéra prestement le pendentif. Le béorite respira un peu, le précieux objet entre les pattes. Ses pensées étaient confuses et la peur de perdre Médousa le torturait. Il était piégé ! Le Nagas n'avait aucune raison de leur laisser la vie sauve une fois qu'il aurait récupéré son bien. Béorf avait fait tout son possible pour que le sorcier ne retrouve pas le pendentif. Maintenant, il n'avait pas le choix : il devrait affronter la mort dignement en espérant la clémence de Karmakas. Sur cette sombre pensée, c'est le pendentif maintenant entre ses dents qu'il prit le chemin du retour.

Lorsqu'il arriva à la grotte, Béorf retrouva sa forme humaine. En sueur, devant le magicien qui menaçait toujours Médousa avec son arme, il dit :

— Voici votre pendentif ! Maintenant, laissez-nous la vie sauve. Si vous voulez vraiment tuer quelqu'un pour apaiser votre colère, prenez ma vie. Je vous l'échange contre la sienne. Laissez-la vivre, car elle n'a rien à voir dans cette affaire. Cela se passe entre vous et moi!

Le magicien saisit le pendentif. Avec un rire monstrueux, il lança:

– Très bien, siii, je prends ta vie et, siii, et je laisse Médousa vivre. Cet accord te, siii, te convient?

Résigné, Béorf gonfla la poitrine et déclara solennellement:

– Oui, ma vie contre la sienne!

Le Nagas semblait s'amuser follement. Il rangea son arme et dévoila la tête de Médousa.

– Tu vois, siii, ma belle enfant, fit-il, comme, siii, comme tout s'arrange pour toi!

La jeune gorgone serra le Nagas dans ses bras et l'embrassa sur la joue.

– Tu m'avais dit que les béorites étaient stupides et sentimentaux. Tu avais bien raison! Le faire parler a été un jeu d'enfant. Je n'aurais pas cru la chose aussi facile. Merci de ta confiance, père, je pense que j'ai bien joué mon rôle.

Béorf, bouche bée, n'en croyait pas ses yeux ni ses oreilles. Karmakas regarda le gros garçon et dit avec un affreux sourire:

– Je te présente ma, siii, ma fille Médousa. Toutes les gorgones sont, siii, sont mes enfants. Nous formons tous une, siii, une grande famille!

Après avoir replacé son capuchon sur ses yeux, la jeune créature s'adressa à Béorf:

– Croyais-tu sincèrement que tu étais devenu mon ami? Je déteste les êtres poilus, ils me répugnent! Tu empestes la bête mal lavée et je te trouve grotesque. Je ne t'aime pas, je te déteste. Si tu te servais plus souvent de ton cerveau que de ton estomac, tu aurais rapidement compris que je jouais la comédie. C'était tellement facile de te faire croire que j'étais ton amie ! Je n'ai aucun mérite, mon cher Béorf. Tu es si stupide !

Presque en larmes, le garçon répondit :

– Je t'ai vraiment aimée, Médousa. Et même si à présent je sais que tu m'as menti et que je vais mourir, jamais je ne regretterai les moments passés avec toi. Ce furent assurément les plus beaux de ma vie.

– TAIS-TOI !, cria la gorgone. Tu es pitoyable. Je vais te faire un cadeau, brave garçon. En échange de la ridicule poupée que tu m'as fabriquée, je vais exaucer un de tes vœux. Je vais, à l'instant, te laisser voir mes yeux. Ce sera la dernière chose que tu regarderas avant de te pétrifier à tout jamais. Il serait dommage que je te prive de ce spectacle !

Médousa retira son capuchon, et Béorf ne songea même pas à tourner la tête, tant il désirait voir ses yeux. Ils étaient rouge sang. Au centre de ses pupilles, le béorite vit danser une lueur, un feu ardent. Incapable de bouger, il sentit sa peau se durcir. Une froideur envahit tout son corps. Juste avant d'être transformé en statue de pierre, Béorf eut le temps de dire tendrement :

– Tu as les plus beaux yeux du monde, Médousa.

Chapitre 15

La nouvelle mission

Depuis presque une semaine, Médousa se rendait tous les jours à la grotte où Béorf se trouvait, maintenant pétrifié et sans vie. Elle regardait longuement son visage candide, figé dans la pierre. Il lui avait dit qu'elle avait les plus beaux yeux du monde. La gorgone n'arrivait pas à se sortir de la tête cette dernière phrase qu'il avait prononcée. En dépit du danger que ses yeux représentaient pour lui, Béorf ne s'était pas défilé. Il était allé jusqu'au bout de ses sentiments pour elle.

Médousa n'arrivait pas à comprendre ce comportement. Chez les gorgones, l'amour n'existait pas. C'était un sentiment à éviter, une faiblesse imputée aux autres races. Toujours, autour d'elle, on avait ridiculisé l'amour et l'amitié. Médousa n'avait pas d'amis. C'était mal vu dans son pays. Les faibles s'alliaient uniquement aux forts pour survivre. Chez elle, son quotidien était rempli d'incessants combats visant à prendre le pouvoir, à diriger des clans, à trouver de la nourriture et un endroit sécuritaire pour dormir.

Depuis sa plus tendre enfance, Médousa n'avait connu que la violence de ses semblables. Le seul être qui lui avait donné un semblant d'affection était son père. Karmakas recueillait les gorgones les plus faibles pour s'occuper d'elles. Dès lors, celles-ci le servaient sans rechigner. Il avait, de cette façon, mis sur pied une puissante armée dont chaque membre connaissait sa puissance et n'osait jamais le défier. Il se faisait appeler « père » par toutes les créatures et donnait des grades à ses meilleures combattantes. Les plus hautes gradées des gorgones s'appelaient toutes « mère ». Le magicien avait ainsi réussi à créer des rapports familiaux jusque-là inexistants au sein de cette race.

Béorf avait beaucoup parlé de sa famille à Médousa, et celle-ci n'arrivait pas à comprendre ce type de relation. Chez elle, il n'y avait pas de mâles. Toutes les gorgones étaient des femmes. Les légendes disaient que la première des gorgones, celle qui avait été transformée par Céto, se reproduisait chaque fois qu'une goutte de son sang tombait sur le sol. En réalité, la reproduction des gorgones se faisait par le biais de leurs cheveux. Chaque serpent de leur chevelure était une nouvelle gorgone prête à voir le jour. Arrivé à maturité, le reptile tombait par terre et devenait, avec le temps, une gorgone. Il n'y avait donc pas, chez Médousa, de structure familiale ordonnée. C'était chacun pour soi. Pas question d'aider les plus jeunes ou encore de s'occuper des plus vieilles du clan. La vie était très difficile, et seules les créatures les plus vicieuses, les plus fortes et les plus rusées arrivaient à survivre.

Médousa n'avait pas menti à Béorf quand elle lui avait confié que Karmakas contrôlait, par sa magie, les serpents de leur chevelure. Lorsqu'une gorgone n'obéissait pas sur-le-champ aux ordres du sorcier, les reptiles lui piquaient impitoyablement le visage et les épaules. La souffrance était si intense qu'elle anéantissait, chez son peuple, toute volonté de révolte ou d'indépendance.

C'est Karmakas qui avait ordonné à Médousa de délivrer Béorf et de lui faire croire qu'elle était son amie. Voyant que le gros garçon, malgré la faim, refusait de parler, le sorcier avait décidé de lui tendre un piège. Il avait ensuite écouté toutes les conversations que Médousa et Béorf avaient eues dans la grotte par l'intermédiaire des reptiles dorés qui constituaient la chevelure de la gorgone. Les béorites étaient des êtres au cœur aussi grand que leur estomac. La ruse du sorcier s'était avérée efficace.

Karmakas avait maintenant le pendentif et restait enfermé dans le château de Bratel-la-Grande. Il avait ordonné qu'aucune gorgone ne sorte de la capitale. Médousa connaissait le passage secret de Béorf et, refusant de continuer à obéir au sorcier, elle s'y faufilait en cachette. Tous les jours, elle empruntait le tunnel pour aller observer le jeune hommanimal.

Il y avait quelque chose de fascinant chez ce garçon. Lorsqu'elle regardait Béorf, la gorgone sentait naître en elle un sentiment nouveau.

Une impression de vide qui jamais auparavant ne l'avait habitée. Médousa aurait encore voulu prendre Béorf dans ses bras, le regarder discrètement s'empiffrer de noisettes, entendre ses tourbillons de mots et sentir la chaleur de son dos contre le sien. Ce sentiment qui s'éveillait lentement, au fil de ses visites, la faisait de plus en plus souffrir. Pas comme une morsure de serpent ou une blessure de combat. Non, c'était plus vif, plus profond et plus grave.

De sa main, elle caressait longuement le visage de Béorf en se rappelant sa bonne humeur et sa naïveté. Il ne serait plus jamais là, vivant, à ses côtés. Médousa le savait bien. Pour rompre le sortilège d'une gorgone, il fallait que celle-ci soit tuée par son propre reflet dans un miroir. C'était l'unique façon de redonner vie à la pierre, la seule solution pour annuler la malédiction. Il était maintenant impossible qu'un jour Médousa revoie Béorf vivant. Pour la première fois de sa vie, elle s'ennuyait de quelqu'un. Elle se surprenait à rire en pensant aux pitreries de Béorf et à pleurer en le voyant ainsi prisonnier de sa malédiction. Elle avait trahi son seul ami et se sentait terriblement coupable.

Comme Médousa caressait une dernière fois le visage de Béorf avant de rentrer à Bratella-Grande, un souffle de vent pénétra dans la grotte. Il fit un tour méthodique des lieux en effleurant chaque objet et en tournoyant contre les parois irrégulières de la caverne. On aurait dit qu'il cherchait quelque chose. La brise entoura Médousa, puis Béorf. Elle s'agglutina devant la tête de ce dernier pour former une sphère translucide. La boule essaya d'entrer dans l'oreille de Béorf, mais elle ne put traverser la pierre. Incapable de délivrer son message, elle se brisa et Médousa entendit la voix d'un garçon qui disait :

– Béorf, c'est moi, Amos. Je vais bien et j'arriverai aussi vite que possible avec une armée de quatre cents chevaliers. Tiens bon, mon ami, je serai bientôt à tes côtés.

Béorf avait parlé à Médousa de son ami Amos, parti pour le bois de Tarkasis, mais jamais il n'avait fait mention de tels pouvoirs. Amos arrivait donc avec une armée pour reprendre Bratel-la-Grande. La jeune gorgone sortit précipitamment de la grotte pour aller avertir Karmakas. À mi-chemin, elle se ravisa.

« Si je dis tout au sorcier, pensa-t-elle, je trahis Béorf une deuxième fois. Par contre, si je me tais, les chevaliers prendront la ville par surprise et mon peuple sera anéanti. Je risque moi-même de perdre la vie. »

Face à ce dilemme, Médousa s'assit pour réfléchir. Elle ne voulait plus faire de mal à personne. Son cœur avait découvert, trop tard, la force de l'amitié. Entre ses mains reposait le destin des hommes et des gorgones. Il lui fallait trancher et choisir une fois pour toutes son clan. D'un pas rapide, elle revint à la grotte. Debout devant Béorf, Médousa le regarda de la tête aux pieds. Après s'être torturé les méninges un bon moment, elle dit dans un soupir :

Toi aussi, tu as de beaux yeux, mon ami.

* * *

Après avoir récupéré son pendentif, Karmakas était rapidement retourné au château de Bratella-Grande. Une fois dans ses nouveaux quartiers, il avait ordonné à ses servantes gorgones de ne le déranger sous aucun prétexte. Le Nagas avait attentivement regardé le pendentif. Il l'avait longtemps caressé de ses longs doigts en souriant de contentement. Enfin, le sorcier avait récupéré son bien. Après de longues années de recherche pour retrouver Yaune-le-Purificateur, ses efforts étaient pleinement récompensés. Ses ennemis, les chevaliers de la lumière, n'étaient plus que d'inoffensives statues et il allait enfin pouvoir donner naissance à son basilic.

Karmakas sentait en lui une force nouvelle, un courage rempli de désir de vengeance. Il allait créer une nouvelle arme vivante pour détruire les humains et assurer son règne sur la Terre. Il commencerait par étendre son pouvoir de ville en ville, de pays en pays, pour ensuite contrôler une partie du monde. Ses armées de gorgones iraient ensuite dans le Nord pour attaquer les barbares, puis dans le Sud pour s'emparer des pays riches et prospères qui se trouvaient de l'autre côté de la grande mer. Plus rien n'arriverait à contrarier ses projets. Les dieux des ténèbres le remercieraient et lui accorderaient un pouvoir infini. Peut-être se verrait-il aussi élevé au rang de demi-dieu du mal !

Karmakas était originaire d'une lointaine contrée, près de l'Hyperborée, où les humains considéraient les hommanimaux de sa race comme des démons. Il habitait une grande cité taillée dans la pierre des montagnes arides. Dès son plus jeune âge, il avait montré un don particulier pour la magie. Il savait mieux que personne contrôler les serpents. Voyant cela, ses parents l'avaient confié à la secte des adorateurs de Seth. Il était devenu un puissant sorcier, surpassant rapidement ses professeurs. Il inspirait facilement le respect et la terreur.

Aussitôt proclamé roi et maître de la cité, Karmakas avait incité les habitants à se révolter contre les humains. Son arrogance et son ambition démesurée l'avaient entraîné dans une guerre sans merci contre tous les royaumes des alentours. Des hordes d'hommes-serpents avaient attaqué et pillé les villes et les villages, ne laissant derrière eux que misère et désolation. Las de ces incessants combats, plusieurs hommanimaux de son espèce avaient décidé de se débarrasser de lui. Ils voulaient un autre chef. C'est alors que, en utilisant ses pouvoirs, Karmakas avait mis sur pied une armée de gorgones qu'il avait ensuite dirigée contre son peuple. Pour les punir de leur traîtrise, il avait exterminé les habitants de sa propre ville. Devant cet acte cruel, Seth, le puissant dieu à tête de serpent, s'était manifesté et lui avait offert un œuf de coq pour le récompenser de sa perfidie et de sa méchanceté.

Jamais le sorcier n'avait eu le temps de créer son basilic. L'armée des chevaliers de la lumière, appelée en renfort pour secourir les humains et éliminer le mal, était venue livrer bataille à Karmakas. Celui-ci avait caché son précieux œuf dans un pendentif que Yaune-le-Purificateur avait réussi à voler. Dans la bataille, le sorcier avait été blessé par une lance qui lui avait traversé le corps. Entre la vie et la mort durant plusieurs mois, il avait dû se reposer pendant de longues années avant de retrouver sa force et ses pouvoirs. C'est alors qu'il avait pu partir à la recherche de Yaune et du pendentif. Maintenant, sa quête était terminée. Animé par une insatiable soif de pouvoir, il allait créer un basilic qui, à lui seul, pourrait paralyser des armées et anéantir des cités entières.

Donc, pendant plusieurs jours, Karmakas avait passé tout son temps, enfermé dans ses appartements, à regarder et à caresser le pendentif. Après l'avoir récupéré physiquement, il devait se le réapproprier mentalement, le réinvestir de sa puissance. Lorsqu'il sentit que le moment était venu, le sorcier se rendit dans sa chambre. Cérémonieusement, il ouvrit un petit coffre en or et en sortit une fiole noire. Sur le bouchon, on pouvait voir deux crocs de serpent en diamant comme unique décoration. Le sorcier leva la petite bouteille vers le ciel et but un peu de son contenu après avoir prononcé une formule magique. Aussitôt, le magicien perdit connaissance, et sa tête heurta violemment le sol. Le sorcier sentit son âme quitter son corps.

Karmakas marchait maintenant dans un temple aux murs crasseux. Il déboucha dans une chapelle entièrement construite avec des ossements humains. Les colonnes qui supportaient le toit étaient faites de crânes. Des tibias et des fémurs, incrustés dans les murs, constituaient une tapisserie morbide et effrayante. Au centre de la chapelle, un homme à tête de serpent était assis sur un trône en or. Sa peau était rouge clair et ses mains ressemblaient à de puissantes pattes d'aigle. Karmakas s'agenouilla devant Seth, le dieu de la Jalousie et de la Traîtrise, puis déclara :

— Ton esclave est, siii, est là, puissant Seth. Je t'apporte de, siii, de bonnes nouvelles. Es-tu disposé à les, siii, à les entendre ?

Le dieu cligna des yeux deux fois en signe d'affirmation. Le Nagas poursuivit :

— J'ai retrouvé le pendentif contenant l'œuf de, siii, l'œuf de coq. D'ici quelques heures, siii, j'aurai en ma possession un basilic à, siii, à la tête de mon armée de gorgones. Les humains ainsi que toutes les créatures de la, siii, de la lumière ne nous, siii, ne nous résisteront pas.

Seth, ravi d'entendre cela, répliqua :

— Bien ! La guerre a débuté. Tous les dieux du mal se sont enfin unis pour s'emparer du monde. Nos créatures des eaux gagnent déjà, en ce moment, de nombreux royaumes aquatiques. Nous comptons sur toi, Karmakas, pour étendre le pouvoir des ténèbres sur la Terre. Tu es l'un de nos plus fidèles serviteurs et nous t'estimons beaucoup. Fais attention, toutefois. Rappelle-toi la longue tradition des porteurs de masques. La Dame blanche a recréé cette force éteinte depuis des générations. Un jeune guerrier de l'équilibre a ainsi repris le flambeau. Tu recevras bientôt la visite de cet élu. Il est encore très peu puissant et il ne possède, en vérité, que peu de pouvoirs. Élimine-le rapidement ainsi que sa ridicule armée.

Karmakas se leva, salua son maître et quitta la sinistre chapelle. Il emprunta le corridor, réintégra son corps, puis s'éveilla brusquement. Fatigué par ce voyage, le Nagas se leva et se rendit à son laboratoire dans les caves du château. Il y avait là ses potions, de nombreuses fioles de poison et un grand livre noir. Saisissant le pendentif, le sorcier le brisa entre ses puissants doigts et en sortit un œuf de coq. Beaucoup plus petit qu'un œuf de poule, celui-ci était vert pâle, avec des taches grises, et possédait une coquille dure comme de la pierre. Karmakas le plaça dans une boîte en bois qu'il avait lui-même fabriquée et posa par-dessus un gros crapaud. Ce dernier, incapable de bouger, couvrait l'œuf de son large corps. Le magicien referma la boîte dont le couvercle était pourvu de petits trous pour permettre au crapaud de respirer.

Une fois cette tâche accomplie, Karmakas remonta dans la grande salle du château et demanda qu'on lui amène Médousa. Quelques minutes plus tard, la jeune gorgone se présenta devant lui.

– Vous m'avez fait appeler, père?, demanda-t-elle.

– Oui, dit Karmakas. Écoute-moi bien, siii, j'ai une autre mission de, siii, de la plus haute importance pour, siii, pour toi. Je sais qu'une, siii, qu'une armée arrivera bientôt, siii, bientôt ici pour reconquérir, siii, reconquérir la ville. Tu partiras à sa, siii, à sa rencontre pour, siii, pour l'intercepter. Il y aura parmi les soldats un, siii, un humain qui porte le, siii, le titre de porteur de masques. Tu dois, siii, gagner sa confiance pour ensuite le, siii, le transformer en statue de pierre. Quand il sera, siii, sera pétrifié, j'enverrai des hordes de, siii, de serpents pour détruire son armée. Les gorgones se, siii, se chargeront des survivants. Pars et ne reviens pas, siii, sans avoir accompli ta mission, siii, ta mission correctement.

Médousa n'en croyait pas ses oreilles. Elle venait à peine d'entendre, dans la grotte, le message d'Amos que Karmakas en connaissait déjà les grandes lignes. Comment avait-il fait pour savoir si rapidement qu'une armée allait bientôt arriver ? Ce sorcier était puissant et elle se devait de lui obéir pour rester en vie. La peur que lui inspirait le Nagas, son père, était difficilement supportable. À chaque rencontre, elle tremblait de tout son être et ce n'est qu'au prix de gros efforts qu'elle réussissait à conserver son sang-froid.

– J'essaierai de vous satisfaire du mieux que je pourrai, répondit-elle.

– Pars maintenant, j'ai, siii, j'ai autre chose à faire, lança-t-il en s'éloignant.

Puis, plongé dans ses pensées, le Nagas ajouta à voix basse en se parlant à lui-même :

– Mon basilic, siii, mon basilic m'attend !

Chapitre 16

L'armée de Berrion

Pendant quatre jours, les chevaliers de l'équilibre se préparèrent selon les recommandations d'Amos. Tous les boucliers furent polis jusqu'à ce qu'ils réfléchissent, comme des miroirs, tout ce qui se trouvait devant eux. En tout temps, ils devaient demeurer impeccables. Les forgerons de Berrion avaient parfaitement accompli leur tâche. Les pavois de l'infanterie scintillaient au soleil, tout comme les rondaches des archers.

Grâce à sa lecture attentive du livre *Al-Qatrum, les territoires de l'ombre*, Amos avait mis au point une stratégie de combat. Il demanda que l'on capture deux mangoustes pour chacun des chevaliers afin de les protéger contre une attaque probable de serpents. La Dame blanche lui était apparue pour le mettre en garde contre une éventuelle pluie de vipères que pourrait déclencher l'ennemi grâce à ses pouvoirs magiques. En ratissant les terres de Berrion et celles des royaumes environnants, on trouva sept cent soixante-dix-sept mangoustes qui furent remises aux quatre cents soldats qui constituaient l'armée de Berrion. Les hommes reçurent l'ordre de ne pas trop nourrir les petits mammifères durant le voyage jusqu'à Bratel-la-Grande. Il était important que les mangeuses de serpents soient affamées lors d'un possible affrontement avec les reptiles.

Parmi tous les coqs de Berrion, Amos choisit celui qui avait le cri le plus puissant et le plus strident. Grâce au pouvoir qu'avait le porteur de masques sur les oiseaux, le coq le suivait fidèlement partout où il allait.

De son côté, Junos exultait en dirigeant ses hommes et se fiait totalement à l'intelligence d'Amos. Il obéissait au jeune garçon sans poser la moindre question. Le roi de Berrion avait même engagé un barde qui, accompagné de l'un ou l'autre des nombreux instruments de musique dont il pouvait jouer, chantait dans le but d'encourager les braves soldats.

Ce fut donc dans une ambiance de fête qu'Amos et l'armée quittèrent la cité de Berrion pour aller libérer Bratel-la-Grande des maudites gorgones. Lorsqu'ils voyaient apparaître l'étendard des chevaliers de l'équilibre qui flottait au vent, les habitants de chaque ville et village les accueillaient par un tonnerre d'applaudissements. Ils avaient tous entendu parler de leur mission, et tenaient à saluer ces hommes qui étaient devenus des héros et paraissaient indestructibles.

Urban et Frilla n'étant pas des guerriers, leur présence sur le terrain n'aurait servi à rien. Ils étaient donc restés à Berrion pour y attendre le retour de leur fils. Ils faisaient confiance à Amos et le laissaient libre de diriger lui-même sa destinée.

Les chevaux galopèrent du lever au coucher du soleil pendant cinq longues journées. Lorsque, au soir du cinquième jour, les soldats de Berrion arrivèrent à la frontière du royaume des chevaliers de la lumière, on envoya des éclaireurs à Bratel-la-Grande, où un spectacle terrifiant les attendait. De chaque côté de la route qui menait à la capitale, on pouvait voir des centaines de statues de pierre alignées telle une haie d'honneur macabre. On devinait facilement que tous les habitants de la ville, sans exception, hommes, femmes, enfants et animaux, avaient été pétrifiés.

En entendant le récit des éclaireurs qui, à leur retour, claquaient des dents et tremblaient de tous leurs membres, l'armée entière perdit instantanément son enthousiasme et sa confiance. Les soldats avaient quelque part devant eux des ennemis puissants capables de prodiges impressionnants. Après s'être consultés, Amos et Junos décidèrent que le jour était trop avancé pour que l'armée continue sa route. On installa un campement de fortune pour y passer la nuit et l'on désigna des hommes qui monteraient la garde toute la nuit.

Junos essaya, en vain, de remonter le moral de ses hommes. La plupart d'entre eux n'avaient que très peu d'expérience des batailles et se sentaient impuissants devant un pareil danger. Le barde ne chantait plus et suppliait maintenant le seigneur de le laisser rentrer chez lui. Alors que le soleil disparaissait à l'horizon, Amos et Junos, assis autour du feu de camp, discutaient d'une stratégie pour reconquérir Bratel-la-Grande. Un garde vint les interrompre :

– Il y a une fille très étrange qui désire vous parler, Maître Daragon. Dois-je l'amener ou la renvoyer ?

Intrigué, Amos voulut recevoir cette visiteuse inattendue. C'est entourée d'une escorte de quatre chevaliers que celle-ci lui fut présentée. Elle portait une cape avec un large capuchon qui lui cachait complètement les yeux. Amos s'aperçut avec consternation que de petits serpents dorés se tortillaient dans l'ouverture de sa coiffure. À quelques pas de lui, les mangoustes commencèrent à s'agiter dans leur cage. Avant même que la fille se rende compte qu'on l'avait conduite jusqu'à Amos, celui-ci se retourna brusquement vers Junos.

– C'est une gorgone !

Le seigneur se mit aussitôt à crier à pleins poumons :

– GARDES ! LEVEZ LES BOUCLIERS-MIROIRS ! UNE GORGONE S'EST INTRODUITE DANS LE CAMP !

En quelques secondes, la fille fut entourée de miroirs et se jeta au sol, face contre terre, en tremblant de tout son être.

– S'il vous plaît, implora-t-elle, ne me faites pas de mal ! Mon nom est Médousa, je suis seule et je suis venue ici en amie ! Ne me faites pas de mal, je vous en prie ! Dites à Amos Daragon que je suis venue pour l'aider et que je connais son ami

Béorf! S'il vous plaît… s'il vous plaît… Je vous assure, je ne suis pas méchante…

La jeune gorgone semblait sincère, mais, par mesure de précaution, Amos demanda qu'on lui bande les yeux et qu'on lui attache solidement les mains derrière le dos. Deux des chevaliers qui avaient escorté la visiteuse s'exécutèrent prudemment. On la plaça ensuite près du feu de camp afin qu'elle soit en pleine lumière. Une vingtaine de soldats, leur bouclier dirigé vers elle, encerclèrent Médousa. Ainsi, la gorgone ne pouvait fuir sans se retrouver devant son propre reflet.

Encore surpris de l'avoir entendue prononcer le nom de son ami Béorf, Amos s'approcha d'elle.

– Je suis Amos Daragon. Tu voulais me parler, eh bien, vas-y, je t'écoute.

– Oui, répondit-elle. Voilà. Je connais Béorf. C'est même moi qui l'ai pétrifié. Ne me juge pas maintenant, laisse-moi te raconter mon histoire et tu comprendras mieux les circonstances qui ont entouré ce malheur.

Assommé par cette nouvelle, Amos tomba assis par terre. Il n'aurait jamais dû partir pour le bois de Tarkasis sans son ami. C'était sa faute si Béorf avait été transformé en statue de pierre. Il l'avait laissé affronter seul un terrible danger, et le pauvre payait maintenant trop cher le prix de cette séparation. L'espace d'un instant, Amos eut envie d'ordonner aux chevaliers de tuer sur-le-champ la jeune gorgone. Mais il se ravisa.

– Continue, lui dit-il en retenant ses larmes. Je t'écoute.

– Le sorcier que tu te prépares à combattre s'appelle Karmakas. Il appartient, tout comme ton ami Béorf, à la race des hommanimaux. Il a la faculté de se métamorphoser en serpent et, grâce à sa puissante magie, il peut contrôler tout ce qui s'apparente à cette bête. C'est le cas des cheveux des gorgones qui, à cause de cela, sont obligées de le servir comme des esclaves. Sache que c'est Karmakas qui m'a envoyée ici pour te séduire avant de te changer en statue de pierre. C'est dans un piège semblable qu'est tombé ton ami. Après avoir été capturé par Karmakas, Béorf refusait de lui dire à quel endroit il avait caché le pendentif. Alors, j'ai été chargée de le libérer afin de gagner sa confiance. Ceci accompli, je devais lui soutirer son secret. Je l'ai donc libéré et nous sommes partis ensemble nous réfugier dans une grotte que ses parents utilisaient autrefois pour entreposer de la nourriture. Durant plusieurs jours, nous avons appris à nous connaître. Je dois même dire qu'il est très vite tombé amoureux de moi. Je restais prudente, car je savais que Karmakas, pour savoir où était caché le pendentif, écoutait chacune de nos conversations et attendait le bon moment pour frapper. Quand Béorf, tout confiant, m'a enfin révélé son secret, le sorcier est sorti de l'ombre et, en menaçant de me tuer, il l'a obligé à aller chercher le pendentif pour le lui remettre. Béorf a obéi et quand il est revenu, j'ai dû le transformer en statue de pierre. Ce n'est qu'après que j'ai senti à quel point il me manquait. Je n'arrêtais pas de penser à lui. Depuis, je retourne tous les jours à la grotte pour revoir son corps figé et je sais maintenant ce que peut représenter l'amitié… et peut-être même l'amour. Ce genre de sentiments n'existe pas normalement chez les gorgones. Alors, cela a été pour moi une grande révélation. Je regrette mon geste et je suis venue jusqu'ici afin de me racheter. Je suis prête à trahir Karmakas et à te livrer des secrets que tu pourras utiliser ensuite contre ses pouvoirs.

Amos était touché par le récit de Médousa. Il garda le silence un moment puis soupira :

– Cela ne ramènera pas mon ami.

– Tu sais, il m'a beaucoup parlé de toi, répondit la jeune gorgone. Je sais que tu ne te décourages pas facilement et je connais un moyen de le ramener à la vie. Gagne cette bataille, reconquiers la ville et je te rendrai ton ami tel que tu l'as connu.

– Comment pourrais-je avoir confiance en toi après ce que tu viens de me raconter ?, demanda Amos. Qui me dit qu'il ne s'agit pas d'une ruse pour servir ce Karmakas ?

– Laisse-moi finir de parler et tu pourras ensuite juger de ma loyauté envers toi. Je connais les plans du sorcier et je sais qu'il vous attaquera bientôt. Dès que vous emprunterez la route pour vous rendre à Bratel-la-Grande, même si vous vous cachez, il sentira votre présence et enverra contre vous des hordes de vipères extrêmement venimeuses. Je connais ces bêtes et je peux te dire qu'une seule de leurs morsures plonge la victime dans un coma profond. Ensuite, le poison se rend lentement au cœur et bloque toutes les artères.

C'est une mort assurée pour quiconque se fait mordre. Je sais aussi que Karmakas possède un basilic. Je ne peux pas te dire ce qu'est un basilic, je l'ai juste entendu en parler, il y a quelques jours.

— Donc, j'avais raison, dit Amos en fronçant les sourcils. Le pendentif devait effectivement contenir un œuf de coq. Moi, je connais les pouvoirs de cette sale bête.

— Tant mieux, car Karmakas n'hésitera pas à l'utiliser contre vous. Ce n'est pas tout. À l'intérieur des murs de la ville, une armée de gorgones attend impatiemment de se dégourdir les jambes en se battant. Les deux cents guerrières de Karmakas s'ennuient et se chamaillent sans cesse entre elles pour se distraire. Elles ont vidé les dépôts d'armes des chevaliers et disposent maintenant d'épées, d'arcs, de lances et de massues. Toi et tes hommes semblez connaître le secret pour tuer les gorgones. Je m'en suis rendu compte dès que j'ai entendu l'un des vôtres donner l'ordre de lever les miroirs… Sache que c'est aussi l'unique façon de redonner vie aux habitants de la ville. Toute victime ayant été métamorphosée en statue de pierre se voit immédiatement libérée de sa malédiction lorsque la gorgone qui l'a pétrifiée meurt en voyant le reflet de son image. Tu sais, je regrette que…

Amos l'interrompit :

— Si je comprends bien, la seule et unique façon de libérer Béorf de ta malédiction serait que tu te regardes dans un miroir ?

L'air grave, Médousa répondit :

– Je sais comment libérer Béorf, fais-moi confiance. Laisse-moi racheter ma faute en t'aidant et je te promets de te rendre ton ami. Considère-moi comme une alliée, mon aide te sera précieuse. J'ai quelques bonnes idées pour piéger le sorcier. Avec mes informations et tes ruses, nous donnerons du fil à retordre à Karmakas.

Chapitre 17

La bataille

C'est tout juste avant le lever du soleil que l'armée des chevaliers de l'équilibre, dirigée par le seigneur Junos, arriva devant Bratel-la-Grande. La nuit avait été courte pour les hommes de Berrion. De lourds nuages cachaient le ciel. La lumière blême de cette aurore naissante ternissait le paysage autour de la capitale. Le ciel, comme la terre, était gris. L'atmosphère sinistre de ces lieux emplissait d'inquiétude le cœur des chevaliers. Même Junos avait changé de tête et avait perdu sa contagieuse bonne humeur.

En haut de la plus grande tour du château, Karmakas exultait en regardant l'armée de Berrion prendre position dans les champs. Le sorcier caressait avec tendresse la tête de son basilic. Il le déposa dans une cage en or, placée à ses pieds, et lui dit affectueusement :

– Patience, mon petit, siii, mon petit trésor. Ce sera bientôt à, siii, à toi d'agir.

Le sorcier leva les bras. Il se concentra et répéta, plusieurs fois de suite, une formule magique en langue ancienne. Les chevaliers, dans la plaine, purent voir un nuage noir se former au-dessus de la ville. Junos cria à ses hommes :

– Demeurez bien en selle et préparez-vous à fuir rapidement. Si Amos ne s'est pas trompé, nous gagnerons facilement cette première manche !

Karmakas continuait ses incantations. Un puissant vent se leva sur Bratel-la-Grande et poussa lentement le nuage vers l'armée. Soudain, à mi-chemin entre les murailles de la cité et l'endroit où se trouvaient les hommes de Berrion, le nuage éclata dans un coup de tonnerre assourdissant. Des centaines d'aspics et de cobras tombèrent du ciel comme une pluie de bouts de corde grouillants et visqueux. Les chevaux ruèrent et plusieurs chevaliers faillirent déguerpir aussitôt. Junos hurla en galopant devant ses hommes :

– RESTEZ EN POSITION ! RESTEZ EN POSITION !

Dès qu'ils atteignirent le sol, les serpents se mirent à ramper vers l'armée, toujours immobile. Leurs mouvements dans l'herbe haute des champs faisaient penser à une vague de l'océan arrivant précipitamment sur la plage.

– PRÉPAREZ LES CAGES ! ordonna le seigneur Junos.

Tous les chevaliers posèrent leur main sur la porte des cages qui contenaient les mangoustes affamées. Les serpents avançaient rapidement et ils étaient maintenant à quelques mètres à peine des premiers chevaux. Karmakas, du haut de son perchoir, regardait la scène avec délectation. Il se frottait les mains en ricanant, certain que ses serpents allaient anéantir en un rien de temps ces prétentieux humains. Au moment propice, Junos cria :

– LIBÉREZ LES MANGOUSTES !

Les portes de quatre cents cages, renfermant une ou deux mangoustes chacune, s'ouvrirent en même temps. Sept cent soixante-dix-sept petits mammifères qui n'avaient presque rien mangé depuis plusieurs jours bondirent alors sur les reptiles. Les chevaliers détalèrent au grand galop. Les mangoustes, plus agiles que les serpents, sautaient en l'air, évitaient les crochets de leurs adversaires et leur infligeaient des blessures mortelles à chacune de leurs attaques. Leurs pattes, rapides comme l'éclair, immobilisaient les cobras contre le sol pendant que leur gueule, armée de puissantes dents, leur broyait la tête. Les mammifères attrapaient les aspics par la queue et les faisaient tourner dans les airs. Étourdis, les petits serpents perdaient leurs réflexes et se voyaient ensuite cloués au sol et tués d'un coup de dents. Les reptiles, pourtant beaucoup plus nombreux, étaient complètement débordés. Il n'y avait aucun endroit où fuir, aucune cachette en vue.

La bataille dura à peine dix minutes. Une vingtaine de mangoustes y perdirent la vie. Autour des survivantes, des milliers de serpents gisaient, sans vie, dans l'herbe. Le festin des mangoustes débuta sous le regard stupéfait de Karmakas.

Le sorcier bouillait de rage. Il sautait sur place, hurlait des insultes en langue Nagas et se frappait la tête d'incrédulité. Comment cette armée avait-elle pu savoir qu'il ferait pleuvoir sur elle un nuage de serpents? Karmakas avait souvent utilisé ce tour de magie, et rares étaient ceux qui y avaient survécu! En voyant les hommes de Berrion, indemnes, reprendre leur position dans les champs, il sourit en serrant les dents.

– C'est maintenant, siii, maintenant votre, siii, VOTRE FIN!, cria-t-il.

Karmakas ouvrit la cage du basilic, prit l'affreuse créature dans ses mains et lui chuchota fermement:

– Va me réduire en, siii, en bouillie cette bande de, siii, de bouffons!

Amos et Médousa s'étaient cachés dans l'herbe haute, non loin des murs de Bratel-la-Grande. De cet endroit stratégique, le porteur de masques pouvait parfaitement voir, à l'aide d'une lunette d'approche, la grande porte de la ville. Content de ce qu'avaient accompli les mangoustes, il attendait avec confiance la suite des événements. Son coq sur les genoux, il était prêt à passer à la seconde étape, convaincu que Karmakas, furieux, n'allait pas tarder à lâcher son basilic.

Ainsi placé aux premières loges, Amos pouvait juger de la situation et faire parvenir ses ordres à Junos en lui envoyant une sphère de vent. Soudain, il vit la porte de la ville s'entrouvrir. Le basilic, de la taille d'une grosse poule, sortit de la cité. Il correspondait en tous points à la description que le jeune garçon en avait lue dans son livre. Son corps rappelait celui d'un serpent. Il avait une crête de coq et un bec de vautour. Il marchait sur deux maigres pattes d'oiseau sans plumes ressemblant à celles des poulets. Le basilic déploya ses ailes. À ce moment, Amos et Médousa se bouchèrent les oreilles avec une pâte de fougère très consistante. Le garçon prononça quelques mots que le vent apporta immédiatement à Junos. Le seigneur de Berrion cria :

– BOUCHEZ-VOUS LES OREILLES !

Sans perdre une seconde, tous les chevaliers prirent, eux aussi, de la pâte de fougère et s'en remplirent le conduit auditif. Jusque-là, tout se déroulait exactement comme prévu. Rien n'avait été laissé au hasard. Lorsque le basilic prit son envol, Amos vit son bec s'ouvrir. Il comprit aussitôt que la bête était en train de lancer son cri paralysant. Médousa attrapa promptement la lunette d'approche, puis confirma à Amos, d'un signe de tête, que les soldats ne semblaient pas en avoir souffert. Seuls les chevaux demeuraient immobiles.

Amos se concentra pour créer dans sa main droite une sphère de communication. Puis il leva l'autre main et fit souffler le vent face au basilic. Celui-ci battait des ailes de toutes ses forces pour atteindre les chevaliers. Le vent était cependant trop fort, et le basilic faisait pratiquement du sur-place. Amos devait garder sa concentration et continuer à diriger le vent. Il s'était beaucoup entraîné à Berrion avant de partir, mais cet exercice drainait rapidement toute son énergie. L'attention intense lui causait d'horribles migraines.

Le basilic faisait toujours de gros efforts pour avancer, mais Amos lui opposait un obstacle difficile à franchir. Le porteur de masques suait à grosses gouttes. Il lui fallait attendre le bon moment, attendre que le coq se mette à chanter. Sa main droite tenant fermement la sphère de communication et la gauche levée, il sentait ses jambes faiblir. Le coq se tenait à ses côtés, insouciant. Amos perdait peu à peu son emprise sur le vent, et le basilic gagnait du terrain. Pour retarder la créature volante, Junos fit un signe du bras, et une volée de flèches partit aussitôt en direction de la bête, la forçant à faire quelques faux mouvements.

Karmakas regardait le spectacle les dents serrées, de l'écume au coin des lèvres. Il n'arrivait pas à comprendre pourquoi le vent s'était ainsi levé et comment les chevaliers pouvaient encore bouger. Une deuxième salve de flèches décolla. Le basilic fut blessé à la cuisse. Étrangement, cela sembla décupler sa force. Il utilisait toute son énergie pour combattre le vent et s'approchait de l'armée de Berrion.

Puis, enfin décidé à chanter, le coq y alla d'un cocorico bien sonore. Averti par Médousa qui s'était débouché les oreilles, Amos se retourna et enferma le chant de l'animal dans sa sphère de communication. À ce moment précis, il perdit sa concentration, et le vent tomba net. Le basilic fonça la tête la première vers les chevaliers. Son regard fit brûler les cheveux et les barbes des hommes. Pas un poil n'y échappa. La crinière et la queue des chevaux tombèrent aussi. À bout de forces, Amos réussit tout de même à lancer sa sphère en direction du basilic et cria :

– Tiens, j'ai un message pour toi !

Ce qui se passa alors fit couler deux grosses larmes de rage sur les joues de Karmakas. Le chant du coq, enfermé dans la boule d'air, atteignit la tête du basilic et s'infiltra dans ses oreilles. Seule la créature volante entendit le cri du gallinacé et elle explosa, en plein vol, à quelques mètres de Junos. Des cris victorieux s'élevèrent de l'armée des chevaliers qui, heureux, se débouchèrent les oreilles en se félicitant. Il y eut une effusion d'accolades, de poignées de main et d'embrassades. Amos eut tout juste le temps d'esquisser un sourire avant de tomber dans les pommes, épuisé par ses efforts.

À son réveil, Médousa était à ses côtés. Il avait été transporté dans un abri de fortune, et la jeune gorgone veillait sur lui. Sous son capuchon qui lui cachait toujours les yeux, elle chantonnait doucement un air de son pays.

– Que s'est-il passé ? Où suis-je ?, demanda Amos.

– Te voilà enfin réveillé. Tu dors depuis deux jours !, répondit Médousa.

Amos se leva d'un bond, complètement affolé.

– DEUX JOURS ! JE DORS DEPUIS DEUX JOURS ?

– Oui, dit la gorgone. Mais ne t'inquiète pas, les chevaliers ont pris les choses en main.

– Raconte! Raconte-moi tout ce qui s'est passé dans les moindres détails, s'il te plaît.

– Nous avons le contrôle de la situation, commença par dire Médousa. Après la mort du basilic, Karmakas a fait descendre des dizaines de pythons et de boas des murs de Bratel-la-Grande. Ils étaient énormes et très puissants. Ces serpents avaient des corps gros comme des troncs d'arbres. Les chevaliers, confiants et motivés par leurs deux premières victoires, les ont attaqués. Ç'a été un dur combat, et plusieurs de nos combattants ont été blessés. Junos a été magnifique. Il criait ses ordres, donnait des coups d'épée et, à lui seul, il a terrassé une bonne douzaine de ces bêtes. C'est grâce à lui que nous avons gagné la bataille. Quelques minutes plus tard, il y a eu un léger tremblement de terre provenant du château de Bratel-la-Grande. Personne ne comprend pourquoi ni comment cette chose est arrivée.

– Mais maintenant, que se passe-t-il?, demanda anxieusement Amos.

– Les chevaliers ont travaillé jour et nuit. Ils ont creusé des tranchées, fait des barricades de bois, allumé de grands feux qui brûlent d'une aurore à l'autre et ils patrouillent sans relâche autour de la ville. Leurs boucliers-miroirs sont constamment dirigés vers la cité, et aucune gorgone n'ose mettre le nez à l'extérieur des murs. Karmakas est certainement en train de concocter un plan pour lancer une autre attaque contre Junos et ses hommes. Les chevaliers sont très fatigués et plusieurs d'entre eux s'endorment pendant leur tour de garde. La ville est impossible à prendre, car ses murs sont trop hauts. Les gorgones lancent des flèches sur tout ce qui bouge dans les alentours. Tenter d'approcher la cité serait un suicide, et vouloir défoncer les grandes portes est impensable. Junos ne sait plus quoi faire. Il attendait impatiemment ton réveil pour établir une nouvelle stratégie d'attaque.

– Très bien, fit Amos. Contrairement aux chevaliers, moi, je suis bien reposé. J'ai un plan. Dis-moi où est Junos et nous terminerons cette bataille dans quelques heures.

* * *

Karmakas était rentré dans son laboratoire complètement abasourdi. Pour la première fois de sa vie, il avait perdu trois batailles consécutives. C'était inadmissible pour un sorcier aussi puissant que lui. Il avait honte et se sentait déshonoré. Il rageait et frappait du poing la table qui se trouvait devant lui. Aveuglé par la colère, il ne s'aperçut pas tout de suite que les murs de la pièce avaient changé de forme. Des crânes, des fémurs et des tibias humains décoraient maintenant son laboratoire. Karmakas sut, à l'instant, que Seth avait quitté son monde pour venir lui parler. Il se retourna lentement et vit, derrière lui, le trône en or. Son dieu, confortablement assis, le regardait avec mépris. Il dit en croisant les jambes :

– C'est ainsi que tu me traites ? Je t'offre un œuf de coq et, toi, petit magicien de pacotille, tu commences par te le faire voler par les stupides chevaliers de la lumière. Tu retrouves ensuite, après des années de recherche, mon précieux présent pour finalement le faire éclore et perdre lamentablement ton basilic. Comment puis-je maintenant te faire confiance et t'accorder ma grâce ?

Karmakas baissa la tête et implora le pardon de son maître :

— Je suis, siii, je suis désolé. J'ai sous-estimé mes, siii, mes adversaires. Je croyais que…

Seth interrompit son disciple en hurlant d'une voix qui fit trembler la terre :

— TU CROYAIS !… QUE LA PESTE SOIT SUR TOI, VERMINE ! GAGNE CETTE GUERRE OU JE T'ÉCRASE D'UN COUP DE TALON, PUANT REPTILE ! VA, MAINTENANT, ET MONTRE-TOI DIGNE DE MA PUISSANCE DIVINE ET DE MA CONFIANCE !

Tout le château vibra et les fondations craquèrent par endroits. Les murs d'ossements se volatilisèrent et la chapelle de Seth disparut pour laisser place au laboratoire de Karmakas. Celui-ci tomba par terre, la tête entre les mains, tremblant d'angoisse et de colère. Après quelques instants de déroute, le Nagas bondit sur son livre de magie et se mit à étudier quelques puissants sorts. Il demeura longtemps enfermé dans son laboratoire.

* * *

Pendant qu'Amos discutait avec Junos du plan à suivre pour reprendre la cité, Médousa s'était rendue en secret à la grotte de Béorf. Le garçon, toujours pétrifié, faisait pitié à voir. La jeune gorgone lui caressa tendrement la tête et lui murmura à l'oreille :

– Tu seras bientôt libre, Béorf. Je sais que tu peux m'entendre. Ton corps est en pierre, mais ton âme est sûrement encore là, attendant et espérant la délivrance. Je viens te voir pour la dernière fois. Tu es le premier et le seul ami que j'aie eu dans ma vie. Plus jamais je ne te reverrai, mais tu dois savoir que je te porterai dans mon cœur pour l'éternité. Garde mes yeux en souvenir, tu es l'unique personne à les avoir vus. Merci de ton amitié et de ta douceur, merci de m'avoir fait confiance. Je me montrerai digne de toi et de la sincérité de tes sentiments. Adieu, mon ami.

Médousa embrassa Béorf sur la joue et quitta la grotte, bouleversée par cette dernière rencontre.

La gorgone revint au camp au moment où les chevaliers se préparaient à pénétrer dans la ville. La nuit tomberait bientôt et l'armée se devait d'agir rapidement. Personne n'avait remarqué son absence. Médousa vit que les hommes de Berrion ne portaient plus leur armure. Dans la plus grande discrétion, ils avaient fabriqué des pantins avec des branches, de la boue et du bois, puis les avaient dispersés devant la ville. Ces drôles d'épouvantails portaient leurs cuirasses, leurs casques et leurs bottes. De loin, ils avaient l'allure de véritables humains. Leur immobilité semblait certes un peu étrange, mais il fallait les observer longuement pour comprendre la supercherie.

Amos, à la tête des guerriers, se dirigea vers le tunnel, celui-là même qu'il avait déjà emprunté pour suivre Béorf. Cet étroit couloir passait sous l'un des murs de Bratel-la-Grande. Médousa le connaissait aussi. C'est par là qu'elle s'était enfuie tant de fois pour se rendre à la grotte du béorite pétrifié. Les chevaliers suivaient en rangs serrés, une torche prête à être allumée à la ceinture, leur épée dans une main et leur bouclier-miroir dans l'autre. Tous les pavois et les rondaches avaient été modifiés. Grâce à des lanières de cuir, les chevaliers pouvaient maintenant les porter sur le dos, un peu comme une carapace de tortue. L'armée complète réussit à passer par le tunnel sans se faire voir et à aller se cacher, en rampant par terre, à l'intérieur des murs de la ville. Amos dit à Junos :

— Maintenant, je vais au château avec Médousa, elle me guidera vers le sorcier. Attends de mes nouvelles, je te dirai quand attaquer.

Solennellement, Junos serra la main de son ami et répliqua :

— À vos ordres, Monsieur le porteur de masques ! Bonne chance, Amos ! Je pense que Crivannia serait très contente de son choix si elle te voyait mener cette bataille.

— Merci, Junos, répondit Amos en souriant. À bientôt.

Médousa pénétra dans le château avec Amos à ses côtés. Le garçon portait un sac de jute sur la tête, et ses mains étaient attachées derrière son dos. La jeune gorgone le tirait derrière elle à l'aide d'une corde. Elle faisait semblant de boiter et prenait appui sur le trident d'ivoire comme s'il s'agissait d'une canne. Elle passa facilement la garde des gorgones et se présenta devant Karmakas.

– J'ai capturé le porteur de masques, Maître. Je viens ici vous le remettre en personne.

Brutalement, le sorcier demanda :

– Et pourquoi ne l'as-tu pas, siii, pas transformé en statue de pierre comme je te l'avais, siii, demandé ?

– Ses pouvoirs sont grands, père, et il résiste à ma magie, répondit-elle en baissant la tête.

Karmakas s'approcha d'Amos et tira le sac de jute. En voyant son visage, il éclata d'un rire méprisant.

– C'est lui, siii ? C'est cet enfant qui, siii, qui me tient tête ? Eh bien, siii, viens ici et, siii, et regarde ce qui va bientôt, siii, bientôt arriver à ton armée !

Médousa resta à l'écart pendant que Karmakas poussait Amos sur un balcon, en haut de la plus grande tour du château.

– Contemple ma puissance et, siii, et regarde tes hommes, siii, mourir !

Le sorcier leva les bras et prononça une formule magique. Des champs environnants, tout autour de la ville, jaillit une épaisse fumée jaune et verte. Sur une demi-lieue à la ronde, le nuage opaque recouvrit les terres et une petite partie de la forêt. Fier de lui, Karmakas dit d'un air satisfait :

— Quiconque respire cet, siii, cet air meurt immédiatement empoisonné, siii. Tes chevaliers ne, siii, ne résisteront pas longtemps.

— Mes hommes sont indestructibles, Karmakas, répondit calmement Amos. Regarde bien, ils sont encore debout!

Le porteur de masques se concentra et, par sa seule volonté, fit se lever le vent. La brise poussa lentement l'épais nuage, et le sorcier aperçut, au loin, tous les chevaliers encore debout. Ceux-ci n'avaient pas bougé d'un poil. Le poison n'avait pas eu le moindre effet sur eux.

— Qui es-tu, siii, jeune humain? Qui t'envoie et, siii, et comment fais-tu pour contrer si facilement les effets de, siii, de ma magie?, demanda le sorcier en faisant de gros efforts pour garder son calme.

— Je suis Amos Daragon, ton pire cauchemar!, répondit-il en souriant férocement.

— Très bien, siii, nous allons voir, siii, maintenant ce que tes chevaliers peuvent faire contre, siii, contre ça!

Karmakas demanda à Médousa de surveiller le prisonnier, puis sortit de la pièce. Il ordonna ensuite à l'armée de gorgones de se rassembler en face des grandes portes. Amos créa une sphère de communication et envoya immédiatement un message à Junos.

— Je pense qu'ils préparent une attaque, agissez en conséquence.

Junos vit, dans les ombres grises du coucher de soleil, qu'effectivement les gorgones se regroupaient devant les portes de la ville. À son commandement, les chevaliers avancèrent sans faire de bruit. Du mieux qu'ils purent, ils formèrent, au travers des maisons en ruine et des rues pleines de gravats, un demi-cercle autour des créatures. Aucune ne devait leur échapper. Les hommes de Berrion étaient fatigués et tendus, mais ils savaient que, s'ils remportaient cette dernière bataille, ils pourraient ensuite dormir et rentrer chez eux.

Karmakas se fraya un passage au milieu de ses gorgones et dit :

– Maintenant, siii, vous allez m'exterminer cette, siii, cette misérable armée ! Ouvrez-la, siii, la herse !

Avant que quiconque n'ait eu le temps d'actionner le mécanisme d'ouverture de la herse, Junos cria à ses hommes :

– LES TORCHES !

Près de quatre cents torches s'allumèrent presque en même temps. Les gorgones poussèrent un cri de surprise et Karmakas leur ordonna d'attaquer immédiatement les intrus. Les chevaliers avancèrent vers les guerrières en marchant à reculons. Leur bouclier-miroir fixé sur le dos, ils levèrent de la main droite leur torche pour faire de la lumière. Les hommes de Berrion guidaient leurs pas, en reculant, à l'aide d'un petit miroir qu'ils tenaient dans la main gauche.

Des dizaines de gorgones aperçurent en même temps leur reflet. Dans d'effroyables cris de douleur, elles se déchirèrent de l'intérieur et tombèrent en poussières. Les femmes aux cheveux-serpents étaient entourées de miroirs. Pour s'enfuir, elles ouvrirent la herse. Une cinquantaine de chevaliers les attendaient de l'autre côté et formaient un mur de boucliers réfléchissants. Ce coup final en foudroya encore un bon nombre. Autour du sorcier, les gorgones tombaient les unes après les autres. Les chevaliers refermaient de plus en plus le cercle, et toutes créatures cherchant une issue étaient condamnées à mort. Karmakas se transforma en un immense et gigantesque serpent à sonnette et réussit à s'échapper. Le sorcier se dirigea rapidement vers la tour du château. Furieux, il répétait sans cesse : « Je vais te tuer, sale porteur de masques, je vais te tuer ! » Dans le combat, seul Junos n'avait pas trouvé son miroir de poche pour guider ses pas.

Du haut de la tour, Amos et Médousa assistaient à la déconfiture des gorgones.

– Merci, Médousa, dit Amos. C'est grâce à toi que des centaines de vies humaines seront sauvées et que cette ville pourra renaître.

– Je dois maintenant te dire une chose importante, Amos, répondit-elle. Il n'y a qu'une façon de ramener notre ami à la vie. Cette méthode, tu la connais aussi bien que moi. Ne bouge pas et écoute ce que j'ai à te dire.

La jeune gorgone s'éloigna d'Amos. Ses mains tremblaient et ses jambes semblaient avoir du mal à la porter.

– Je sais ce que tu vas me dire, Médousa, et jamais je ne t'obligerai à regarder ton reflet. Il y a sûrement une autre façon de ramener Béorf à la vie. Ensemble, nous la trouverons.

– Je sais ce que je dis, Amos. Je sais aussi que jamais tu ne me forceras à faire quelque chose qui me déplaise. Jamais tu ne me sacrifieras pour sauver ton ami. Au cours de ces quelques journées passées ensemble, nous nous sommes attachés l'un à l'autre. Toi, moi et Béorf, nous pourrions faire une équipe imbattable. Seulement voilà, j'ai compris au fil du temps que l'amitié véritable implique parfois un sacrifice de soi pour l'autre. C'est ce que Béorf m'a appris en regardant mes yeux. Il aurait très bien pu me donner un coup de patte et me tuer avec ses puissantes griffes. Il ne l'a pas fait par amitié pour moi. Même après ma trahison, il est resté fidèle à lui-même, fidèle à ses sentiments pour moi. J'ai connu, avec vous deux, l'amitié. C'est ce qu'il y a de plus beau chez les humains et c'est maintenant à mon tour de faire preuve d'humanité. Tu diras à Béorf que je l'emporte avec moi dans la mort.

Médousa sortit alors d'un petit sac le miroir de poche de Junos. Amos bondit en avant pour arrêter la jeune gorgone. Trop tard. Elle s'était déjà regardée. Avant de tomber en poussières, Médousa eut le temps de murmurer :

– C'est vrai, Béorf, j'ai vraiment de beaux yeux !

À ce moment, Karmakas apparut dans l'entrebâillement de la porte et se jeta sur Amos. Instinctivement, celui-ci saisit son trident et évita de justesse les dents du gigantesque serpent à sonnette. Une deuxième attaque de la bête le fit tomber par terre. Il roula sur le côté, se dégagea du sorcier et dit à son trident :

— Si tu sais faire quelque chose d'extraordinaire, c'est le moment de me le montrer !

Amos lança de toutes ses forces son arme en direction du serpent. Le trident pénétra légèrement dans le corps de son ennemi. Karmakas, protégé par une couche d'écailles qui formaient une solide armure, se moqua du jeune garçon :

— Tu penses me, siii, me combattre avec, siii, avec ceci ? Je vais t'avaler tout, siii, TOUT ROND !

Comme il se ruait sur Amos, le sorcier fut pris d'un soudain étourdissement. Le trident, toujours planté dans sa chair, luisait maintenant d'une lumière bleu pâle. Karmakas régurgita de l'eau salée. Amos vit alors quelque chose de fantastique se produire. Le trident s'enfonça lentement dans le corps du serpent. Le plancher de la salle devint liquide, et les murs se mirent à suinter. Des trombes d'eau coulaient du plafond en cascades vigoureuses. Deux sirènes émergèrent du parquet et s'emparèrent de Karmakas. Elles l'enveloppèrent d'un filet d'algues, sans s'occuper d'Amos qui, debout sur l'eau, regardait la scène sans rien y comprendre. Elles entraînèrent le grand serpent dans le plancher et disparurent aussi vite qu'elles étaient apparues. L'eau s'écoula alors comme dans un drain. En un battement de paupière, la salle avait repris son aspect habituel. Seul un miroir de poche cassé gisait sur le parquet.

Chapitre 18

Barthélémy, seigneur de Bratel-la-Grande

Béorf ouvrit les yeux avec la nette impression d'avoir dormi pendant des années. Il s'assit par terre pour retrouver ses esprits. Son estomac criait famine. En mangeant des noix, il tenta de se rappeler ce qui s'était passé avant qu'il ne soit changé en pierre. Pour l'instant, il n'avait en tête que la jeune gorgone. Il avait rêvé de Médousa qui lui caressait le visage. Plusieurs fois, sa douce voix avait bercé ses songes. Béorf avait complètement perdu la notion du temps. Puis l'image de Karmakas s'imposa à son esprit. Il y avait aussi son ami Amos qui était parti pour une quelconque raison. Tout se bousculait dans sa tête dans un tourbillon de souvenirs. Il décida de sortir de la grotte et se mit à marcher sans but précis dans la forêt.

* * *

Tous les habitants de Bratel-la-Grande, les chevaliers de la lumière comme les paysans et les commerçants, quittèrent le bord de la route où ils étaient exposés et se mirent instinctivement à marcher en direction de la cité. Ils furent chaleureusement accueillis, aux portes de la ville, par les hommes de Berrion. Toutes les gorgones avaient été réduites en poussières, et la malédiction n'était plus maintenant qu'un mauvais souvenir.

Un grand rassemblement eut lieu, au centre de la ville saccagée. Junos, debout sur une estrade de fortune, prit la parole :

– Habitants de Bratel-la-Grande ! Moi, Junos, seigneur des chevaliers de l'équilibre et maître des terres de Berrion, déclare cette cité libre ! Nous avons combattu le mal et nous vous avons délivrés de la puissance des gorgones. Je vous offre maintenant de reconstruire cette ville avec vous, dans l'harmonie et le respect de tous.

Dans la foule, un homme cria :

– Allez-vous-en ! Il n'y a qu'un maître ici et c'est moi !

Yaune-le-Purificateur s'avança vers l'estrade.

– Personne ne dira aux chevaliers de la lumière quoi faire et comment le faire. Partez maintenant et laissez-nous rebâtir notre ville comme nous l'entendons.

Une rumeur s'éleva de la foule. Junos leva la main pour rétablir le silence.

– Vous devez savoir, citoyens de Bratel-la-Grande, que c'est à cause de votre ancien seigneur que vous avez tous failli perdre la vie dans cette aventure ! Yaune-le-Purificateur savait très bien qu'un puissant sorcier le recherchait. Il vous a caché la vérité, et ce mensonge a presque causé votre perte. Un véritable chevalier ne ment jamais et cet homme vous a menti pendant trop d'années. Je me dois donc aujourd'hui de dire clairement les choses pour que vous ayez tous une idée juste de mes intentions. Je désire ardemment annexer le territoire de Bratel-la-Grande à celui de Berrion. Nous créerons ensemble un vaste royaume…

– Taisez-vous et partez immédiatement, hurla Yaune en tirant son épée. Je ne supporterai pas davantage un tel affront !

Barthélémy s'avança à son tour et déclara :

– Yaune, ne devrions-nous pas écouter ce que cet homme a à nous proposer ? Nous lui devons la vie et, sans son courage, cette cité serait encore aux mains de nos ennemis. Par respect pour les exploits de ses hommes et par reconnaissance envers eux, je suis prêt à lui prêter allégeance. Il n'y a pas de mal à servir plus fort que soi. Lorsqu'un seigneur est juste et bon, un chevalier doit se soumettre et reconnaître la valeur de celui qui demande une alliance.

– TRAÎTRE !, vociféra Yaune. Tu parles comme ton père ! Puisqu'aujourd'hui nous mettons les cartes sur table, je t'avouerai que c'est moi qui l'ai tué de ma propre épée. Nous étions ensemble lorsque le pendentif est tombé entre mes mains. Ton père a insisté pour que nous le détruisions immédiatement. J'ai refusé. Je voulais garder ce trophée pour moi. Il m'a provoqué en duel et j'ai fait couler son sang. Maintenant, j'ordonne que tu sois brûlé vif pour trahison envers ton seigneur. Chevaliers de la lumière, emparez-vous de lui immédiatement!

Les chevaliers, déconcertés, se regardèrent. L'un d'eux lança :

– Nous avons brûlé assez d'innocents! Je me range derrière Barthélémy! Que sa punition soit aussi la mienne, car je suis las d'obéir à Yaune-le-Purificateur.

Un autre chevalier de la lumière s'approcha de Barthélémy, lui posa la main sur l'épaule et dit :

– Je connais cet homme depuis ma tendre enfance et je crois qu'il est taillé pour devenir notre nouveau seigneur! Je suis aussi en faveur d'une alliance avec nos sauveurs, nos amis de Berrion.

La foule applaudit à tout rompre et tous les chevaliers de la lumière se placèrent derrière leur nouveau maître, Barthélémy. Puis Junos demanda de nouveau le silence.

– Bratel-la-Grande vient de se choisir un nouveau souverain! Barthélémy, monte à mes côtés sur l'estrade et reçois les acclamations de ton peuple! En ce jour, je t'assure l'amitié et la loyauté de Berrion. Pour faciliter nos échanges, nous ferons construire une vraie route entre nos deux royaumes. Nous travaillerons ensemble à la prospérité et au bien-être de nos gens.

Yaune, dans un mouvement de rage, leva son épée pour frapper Barthélémy. Il fut rapidement immobilisé par la garde de Junos. Barthélémy intervint :

– Laissez-le! Pour avoir tué mon père, Yaune, je te condamne à l'exil. Le mot «meurtrier» sera tatoué sur ton front afin que tous puissent savoir, en te voyant, quel genre d'homme tu es. Je te démets également de tes fonctions de chevalier. Jamais plus personne, dans ce royaume, ne sera brûlé et nous reconstruirons cette cité sur de nouvelles bases.

* * *

Pendant ce temps, Amos cherchait son ami Béorf dans la foule. Ne le trouvant pas, il décida de sortir de la ville. Par bonheur, la pleine lune lui permettait de distinguer clairement ce qui l'entourait. Tandis qu'il marchait dans la plaine, Amos fut soulagé de voir enfin apparaître Béorf à la lisière de la forêt. Il courut vers lui en l'appelant. Les deux amis, fous de joie de se retrouver, se jetèrent dans les bras l'un de l'autre.

– Amos, mon ami!, s'exclama Béorf. Comme je suis heureux de te revoir! Je suis à la recherche de Médousa, ma nouvelle amie. Je voudrais tant te la présenter, mais elle a disparu. Pourtant, elle était avec moi… C'est le sorcier qui…

– Béorf, je sais que nous avons beaucoup de choses à nous dire, l'interrompit Amos. Asseyons-nous ensemble et laisse-moi te raconter la plus belle histoire d'amitié que je connaisse.

Amos rapporta alors à Béorf les confidences de Médousa. Il lui avoua aussi qu'elle s'était sacrifiée pour lui. Béorf ne put retenir ses larmes.

– Je ne la reverrai plus jamais, n'est-ce pas, Amos?

— C'est cela, Béorf.

Un lourd silence tomba.

— Elle était si gentille et si belle, murmura Béorf au bout d'un moment. Je l'aimais. J'ai passé avec elle les plus beaux moments de ma vie. Ses yeux… Tu aurais dû voir ses yeux…

— Je t'avoue que j'ai fait de mon mieux pour éviter de les voir… Allez! viens, mon ami. Retournons en ville, nous avons besoin de distractions.

En chemin, Béorf se rappela que, la dernière fois qu'il avait vu Amos, celui-ci partait pour le bois de Tarkasis.

— Dis-moi, Amos, sais-tu maintenant ce qu'est un porteur de masques?

— Oh! que oui! Regarde bien.

Le jeune garçon se concentra, tendit son bras et le leva doucement. Une légère brise vint entourer les deux amis.

* * *

Marqué d'une inscription indélébile sur le front, Yaune-le-Purificateur fut enfermé dans une cage de bois que l'on porta jusqu'aux limites du royaume. Une fois libéré, l'ancien seigneur de Bratel-la-Grande prit la route comme un mendiant. À cause de son tatouage qui le trahissait, il fut chassé de tous les villages qu'il traversa.

Une nuit, alors qu'il pénétrait sans le savoir dans le royaume d'Omain, propriété du seigneur Édonf, Yaune vit une petite chapelle. Il y entra, croyant avoir trouvé un endroit pour se reposer.

Un frisson parcourut son dos lorsqu'il constata que les murs et les poutres de l'édifice étaient constitués d'ossements humains. Devant lui, sur un trône en or, était assise une créature à tête de serpent. Sa peau était rouge clair et ses mains ressemblaient à de puissantes pattes d'aigle.

– Qui es-tu et que fais-tu ici?, demanda bravement Yaune.

– Je m'appelle Seth et j'ai une proposition à te faire. Je t'offre cette épée, noble chevalier. Elle déchire les armures et empoisonne tous ceux qu'elle touche. Un seigneur comme toi ne peut pas vivre sans royaume. Sers-moi et je t'offrirai pouvoir et richesse. Tu vas conquérir, pour ma gloire, les terres d'Omain et tuer le seigneur Édonf.

– Et si je refuse?, demanda Yaune d'un air provocateur.

– Eh bien, si tu n'acceptes pas mon offre, tu retournes à ta minable vie de mendiant et tu meurs pauvre, affamé et oublié. Conquiers le royaume d'Omain et je t'offre ensuite une revanche sur Barthélémy et Junos. Tu récupéreras tes anciennes terres en plus de celles de Berrion. Ma proposition t'intéresse?

Yaune sourit de toutes ses dents, tendit la main et répondit:

– Donne-moi cette épée, Seth, j'ai beaucoup de travail devant moi!

LA CLÉ DE BRAHA

Prologue

Il y a très longtemps, dans les contrées luxuriantes de Mahikui, s'élevait une cité grandiose. Celle-ci s'appelait Braha, ce qui signifiait en langue mahite «divine merveille du monde». Une immense pyramide érigée au centre de la ville justifiait à elle seule ce titre de merveille. Le peuple des Mahites, pacifique et doux, y vécut dans le calme et la sérénité pendant de nombreux siècles. Il arriva cependant qu'un jour, devant tant de beauté, les dieux décidèrent d'un commun accord d'accaparer ce précieux bijou. Alliant leur force et leurs pouvoirs, ils déclenchèrent un grand cataclysme qui ensevelit Braha. Dans une terrible tempête de sable, ils enterrèrent complètement la ville et transformèrent toutes les terres avoisinantes en un désert stérile. La «divine merveille du monde» passa alors dans une autre dimension et devint un port d'accueil pour les âmes de toutes les créatures terrestres qui avaient cessé de vivre.

Dès lors, la ville fut rebaptisée la «cité des morts». On y créa un grand tribunal pour juger ces âmes. Il y avait là deux portes, l'une conduisant au paradis et l'autre en enfer. De la

Braha originale, il ne restait que la pointe de la pyramide émergeant des sables du désert. Il est dit aussi que les dieux y plantèrent un arbre extraordinaire, donnant des fruits de lumière et pouvant élever n'importe quel mortel au rang de divinité. Sur une grande porte de métal protégée par deux gardiens, fut inscrite cette énigme :

Celui qui meurt et revient à la vie
Celui qui vogue sur le Styx
et trouve son chemin
Celui qui répondra à l'ange
et vaincra le démon
Celui-là trouvera la clé de Braha.

Au fil du temps, cette histoire se transforma en légende. De siècle en siècle, cette légende s'effaça peu à peu du souvenir des hommes.

Chapitre 1

La fermeture des portes

Mertellus était assis à son pupitre. Le spectre feuilletait un grand livre de lois. De son vivant, l'homme avait été l'un des plus grands juges que le monde ait connus. À sa mort, les dieux l'avaient reconduit dans ses fonctions de magistrat. C'est lui qui présidait le grand jury de la ville de Braha, la cité des morts. Depuis cinq cents ans, Mertellus se rendait au tribunal toutes les nuits. Avec Korrillion et Ganhaus, ses assistants, il jugeait les âmes des morts qui se présentaient devant lui.

À tour de rôle, les défunts entraient dans la cour. Les trois juges étudiaient soigneusement leur dossier et rendaient ensuite leur décision. Si le défunt avait commis de mauvaises actions, on ouvrait la porte des enfers où un grand escalier le conduisait dans les entrailles de la Terre, vers les dieux négatifs. Si, par contre, sa vie avait été remplie de gestes attentionnés, de bonté et de compassion, on lui indiquait la porte menant vers les cieux, le paradis des dieux positifs.

Dans la majorité des cas, les décisions des trois magistrats étaient unanimes et la procédure n'était qu'une pure formalité. Il arrivait cependant qu'un dossier présente des difficultés. Il pouvait y avoir, par exemple, des erreurs dans la comptabilisation des bonnes actions et des mauvaises actions. L'âme de la personne décédée pouvait également être encore attachée au monde des vivants à cause d'un puissant lien affectif. Les promesses non tenues, faites avant la mort, entravaient elles aussi la procédure. Parfois, pour compliquer les choses, une damnation divine venait s'ajouter au dossier.

La moindre complication entraînait le renvoi du mort dans la ville de Braha, et celui-ci était condamné à y demeurer prisonnier en attendant un nouveau jugement. Les procédures pouvaient alors durer des décennies. Le pauvre fantôme angoissé, se voyant ainsi refuser l'accès à la porte du paradis ou de l'enfer, errait dans la gigantesque ville. La cité des morts était pleine de spectres en attente d'un jugement et, malgré leur acharnement au travail, Mertellus et ses assistants n'arrivaient pas à désengorger la ville. Tous les jours, de nouveaux arrivants s'installaient à Braha, et le problème de surpopulation de fantômes se faisait de plus en plus criant.

Mertellus, confortablement installé à son pupitre, consultait le grand livre de lois pour éclaircir un cas compliqué. Un homme ordinaire, ni très bon ni très mauvais, avait refusé, de son vivant, d'ouvrir sa maison, par une rude nuit d'hiver, à une femme qui lui demandait l'hospitalité. Au petit matin, il l'avait retrouvée morte, gelée, sur le pas de sa porte.

Dans son dossier, les dieux du bien demandaient réparation pour la femme. Ils exigeaient que cet être mesquin soit condamné à hanter sa propre maison jusqu'à ce qu'il acquitte sa dette envers une autre personne dans le besoin. Par contre, les dieux du mal le réclamaient immédiatement en enfer. Ils invoquaient la clause B124-TR-9 ou « clause de l'acte marquant » qui stipulait que tous les humains devaient d'abord être jugés selon le poids de leur péché le plus lourd. Cette clause entrait en contradiction avec la G617-TY-23 ou « clause de la bonté quotidienne » qui disait que les humains étaient la somme de leurs petites actions bienfaisantes et non de leurs égarements sporadiques. Découragé, Mertellus cherchait une jurisprudence en grognant d'impatience. Autour de lui, par terre, sur les tables et les chaises, sur les étagères de la bibliothèque et même sur le rebord des fenêtres, des centaines de dossiers tout aussi compliqués attendaient d'être résolus.

Soudainement, la porte du bureau de Mertellus s'ouvrit et Jerik Svenkhamr entra sans crier gare. Le revenant était un minable petit voleur qui avait été condamné à la guillotine. Ne pouvant replacer sa tête coupée sur ses épaules, il la portait toujours entre ses mains ou sous son bras. Étant donné que Jerik, comme le prescrivait son jugement, refusait fermement d'aller en enfer pour les vols qu'il avait commis, son avocat avait proposé une peine de mille ans au service de la justice divine pour réparer ses fautes. C'est ainsi qu'il avait été affecté au service de Mertellus et était devenu son secrétaire particulier. Jerik était malhabile et nerveux. Il ne savait pas écrire sans faire de fautes et, depuis cent cinquante-six ans maintenant, faisait le désespoir du grand juge. Son entrée dans la pièce fit sursauter Mertellus.

– JERIK! sale petit détrousseur de vieilles femmes impotentes, je t'ai déjà dit cent fois de frapper avant d'entrer! Un jour, tu me feras mourir de peur!, hurla le magistrat.

Le secrétaire, complètement paniqué devant la colère de son maître, tenta machinalement de remettre sa tête sur ses épaules pour se donner plus d'assurance. Celle-ci bascula vers l'arrière, tomba lourdement par terre et roula en direction de l'escalier. Le juge put entendre la tête de Jerik crier en dévalant les marches:

– Je ne peux pas… outch!… vous tuer… ouille!… vous êtes… aïe!… déjà… ouf!… mort!… outch! ouille! aïe! ouf! ouille! outch!

Jerik se lança à la poursuite de sa tête, mais, dépourvu d'yeux, il dégringola lui aussi les marches en faisant un boucan infernal. Il accrocha au passage une bonne dizaine d'armures servant à décorer l'escalier. Mertellus soupira en implorant les dieux:

– Mais qu'ai-je fait pour mériter cela?

Comme unique réponse à sa question, il entendit la voix timide de Jerik qui réapparut dans son bureau en tenant fermement sa tête entre les mains et en exécutant de nombreuses courbettes maladroites et de longues révérences ridicules :

– Maître Mertellus !... votre honorable juge !... non... disons... éclairé patron des destinées humaines ! Grand décideur devant les dieux et... euh... j'ajouterai... euh... sage homme de loi et...

Le magistrat, bouillant d'une colère volcanique, hurla :

– MAIS VEUX-TU BIEN ME DIRE POURQUOI TU ME DÉRANGES ? VIENS-EN AUX FAITS, STUPIDE BRIGAND DE PACOTILLE !

Visiblement terrifié, Jerik esquissa un mouvement pour remettre sa tête sur ses épaules. Prévoyant la répétition de la scène de l'escalier, Mertellus intervint rapidement :

– Jerik ! Arrive ici et pose ta tête sur le pupitre. Je veux que tu t'asseyes par terre. EXÉCUTION !

Le secrétaire obéit rapidement.

– Maintenant, dit le vieux fantôme sur un ton menaçant en regardant la tête droit dans les yeux, dis-moi ce qui se passe ou je te mords le nez !

Jerik avala sa salive et prononça ces quelques mots :

– Les grandes portes sont... disons... comment vous expliquer ?... elles sont... euh... elles sont fermées !

Le magistrat lui asséna un violent coup de poing sur le crâne.

– PRÉCISE ! J'AI BESOIN DE PRÉCISIONS ! QUELLES PORTES ?

– Oui, voilà…, répondit le secrétaire, vos deux assistants, les juges Korrillion et Ganhaus, m'envoient… euh… pour vous informer que les portes… vous savez… les deux portes… celles qui donnent accès au paradis et à l'enfer… euh… eh bien… elles sont fermées. Disons… euh… qu'elles sont impossibles à rouvrir! Les dieux ont… comment dire?… euh… ils ont bloqué les accès! C'est… je pense… une… n'ayons pas peur des mots… euh… une catastrophe!

Mertellus saisit la tête de son secrétaire par les cheveux et descendit rapidement l'escalier menant à la grande salle du tribunal. Arrivé là, la tête pendant au bout de son bras, le juge comprit toute la gravité de la situation. Korrillion désespérait en arrachant les poils de sa barbe pendant que Ganhaus s'acharnait, à grands coups de pied, sur les portes. Les deux fantômes semblaient avoir perdu l'esprit. Korrillion sauta au cou de Mertellus en pleurant.

– Nous sommes foutus!, s'exclama-t-il. Les dieux sont contre nous… Il y a trop d'âmes dans cette ville… J'ai trop de dossiers à traiter… Je n'arrive pas à suffire à la tâche… Je craque, Mertellus… je craque…

Fulminant, Ganhaus cria :

– Donnez-moi une hache! Qu'on amène une hache! Je vous jure que je vais les ouvrir, ces portes! UNE HACHE!

Le premier magistrat jeta négligemment la tête de son secrétaire dans un coin de la salle et pria ses confrères de se calmer. Après plusieurs minutes, Korrillion et Ganhaus reprirent leurs esprits. Les trois spectres s'assirent autour d'une grande table en chêne massif. Mertellus prit alors la parole :

– Mes amis ! nous voilà devant une situation qui dépasse nos compétences respectives. Le second magistrat Korrillion a raison. La ville regorge de fantômes, de revenants, de momies, de squelettes, bref, d'âmes en peine de toutes sortes. Si les seules issues servant à évacuer tout ce monde sont maintenant fermées, nous aurons bientôt à affronter de véritables soulèvements populaires. Il faut trouver une solution !

Un lourd silence tomba dans la pièce. Les trois juges réfléchissaient à s'en faire exploser la cervelle. Après quinze minutes de cet intense exercice, Ganhaus s'exclama :

– Mais oui ! voilà ! je l'ai ! Enfin... il faut voir... mais j'ai peut-être une piste. Je viens de me souvenir d'une vieille histoire que j'ai entendue il y a fort longtemps de cela. Apparemment, il existerait une clé qui sert à ouvrir ces portes. J'ai entendu une légende à ce sujet. Attendez que je me rappelle... Oui, la clé serait cachée dans les profondeurs de la ville. Elle aurait été forgée précisément au cas où se produirait une telle situation. C'était... oui... cela me revient... c'était lors de la fondation de Braha, des milliers d'années auparavant. C'est le premier des grands magistrats de la cité des morts qui, à l'insu des dieux, la fit fabriquer par un elfe serrurier de grand renom. Voilà !

Korrillion explosa de joie.

– Nous sommes sauvés! Trouvons cette clé et ouvrons les portes!

– Cette histoire de clé n'est sans doute qu'une vieille légende sans fondement, répliqua Mertellus. Nous n'avons aucune preuve que cet objet existe réellement.

– C'est bien vrai, ce n'est pas une bonne solution!, admit Ganhaus. En plus, si cette histoire est vraie, il est dit que le lieu où se trouve cette clé est gardé par deux puissantes forces qui empêchent quiconque d'y entrer. Il y a aussi un autre problème à résoudre, car je me rappelle que, dans ce récit, on raconte que seul un mortel peut se saisir de la clé et actionner le mécanisme d'ouverture des portes du bien et du mal.

– Diantre! mais comment sais-tu tout cela?, demanda Mertellus, intrigué.

– Ma grand-mère m'avait raconté cette histoire, répliqua Ganhaus. C'était une voyante un peu folle qui contrôlait mal ses visions. Elle se réveillait souvent en hurlant comme une louve au beau milieu de la nuit. Toute ma jeunesse fut bercée par ces récits rocambolesques. C'était évidemment de mon vivant, il y a de cela des années. Mon peuple, les gitans, raffolait de ce genre d'histoires morbides. Ma grand-mère était sans contredit une femme étrange, mais respectée de tous.

– Et en supposant que tout cela soit vrai, fit Korrillion, soucieux, quel mortel accepterait de voguer sur le Styx, la rivière de la mort, pour venir en aide à une ville de spectres ? Personne ne peut arriver à Braha sans être mort ! Personne ne voudra risquer de perdre sa vie pour des fantômes ! Les vivants craignent les esprits, c'est bien connu !

Un lourd silence envahit une fois de plus les lieux. Après quelques minutes, Jerik, dont la tête était toujours par terre, intervint prudemment :

– Euh… c'est bien malgré moi que j'ai entendu votre conversation et… disons… je pense… voyons… que… je pense savoir qui pourrait vous venir en aide…

Les trois juges se regardèrent avec une évidente incrédulité. Personne ne s'occupa du secrétaire et le silence revint. Mais Jerik insista :

– Comme je viens de le dire, je… je peux vous aider. Si l'un d'entre vous pouvait… euh… disons que s'il pouvait venir me ramasser sous la chaise, dans le coin de la pièce, je me ferais un… disons-le franchement… un plaisir de partager mon idée avec vous.

Toujours le silence. Aucune réaction de la part des juges. Les magistrats réfléchissaient toujours pour trouver une solution en faisant fi du secrétaire. Hésitant, Jerik demanda d'une voix tremblante :

– Y'a quelqu'un ?… Vous êtes encore là ?… Hou hou ?…

Mertellus regarda ses collègues avec un haussement d'épaules qui signifiait : « Pourquoi pas ? » Après tout, les hommes de loi n'avaient rien à perdre. Le spectre se leva, se dirigea vers le coin de la pièce, saisit la tête de Jerik par les cheveux et la déposa violemment sur la table. Puis il retourna à son siège et lança :

— Vas-y ! Nous t'écoutons !

Ganhaus s'approcha du visage du secrétaire et le menaça :

— Si tu nous fais perdre notre temps, je te jette dans le Styx !

Jerik, inquiet, esquissa un sourire craintif et dit d'une voix vacillante :

— Euh… bon… euh… vous… euh… vous souvenez-vous, il y a de cela environ un mois, d'un sorcier appelé Karmakas ? Nous l'avons expédié en enfer et…

— Au nombre de dossiers que nous traitons en un mois, penses-tu sincèrement qu'il nous soit possible de nous souvenir de tout le monde ?, demanda Korrillion, visiblement agacé.

— Laissez-moi terminer !, implora Jerik. Ce sorcier, un peu fou… je pense… disons… n'arrêtait pas de maudire un certain Amos Daragon. Il disait… voyons… toujours… encore et encore… il répétait sans cesse : « J'aurai ta peau, sale porteur de masques. Je te tuerai, Amos Daragon, et je ferai de la bouillie avec ta cervelle ! »

— ET ALORS ?, fit Mertellus, exaspéré.

— Eh bien, reprit Jerik, par curiosité… euh… eh bien… euh… j'ai fait des recherches dans la section de la bibliothèque… la section où… comment dire ?…

— Où tu n'as pas le droit d'aller !, répliqua Ganhaus avec une pointe de colère. Tu parles sûrement de la bibliothèque qui est interdite aux subalternes. J'ajouterai : FORMELLEMENT interdite aux gens de ton espèce !

Jerik se mit à suer abondamment. De grosses gouttes perlèrent sur son front.

– Oui… euh… oui, oui, celle-là même. J'y suis entré par hasard, mais bon… c'est une autre histoire… euh… si vous le désirez, nous en discuterons plus tard. Donc, pour en revenir à mes recherches, j'ai découvert que… disons… les porteurs de masques sont des êtres choisis par la Dame blanche pour rétablir… disons… rétablir l'équilibre du monde. Lorsque les dieux sont en guerre… comme c'est présentement le cas… nous le savons tous… il n'y a pas de secret là-dedans… ce sont eux… j'entends par là les porteurs de masques, bien sûr… qui prennent la relève et qui doivent veiller au grain. Leur tâche est de rétablir l'équilibre entre… euh… entre le bien et le mal… et… je pense… venir en aide aux victimes de la guerre des dieux. Ce que nous vivons ici… si je peux me permettre… est manifestement… euh… un puissant déséquilibre ! Vous serez sans doute d'accord… avec… euh… avec moi ? Nous devrions peut-être essayer de… de… disons… trouver cet Amos Daragon et de lui demander son aide. La légende de la clé est… selon moi… la seule piste de solution que nous ayons… disons… sous la main. Nous devrions la suivre et charger ce… euh… ce grand homme de régler notre problème ! Qu'en… qu'en pensez-vous ?

Mertellus, impressionné par ce qu'il venait d'entendre, déclara :

– Je pense que nous avons notre plan. Il reste cependant un point à éclaircir. Qui se chargera de débusquer ce Daragon et de l'amener jusqu'ici ?

Après quelques secondes de réflexion, les trois magistrats posèrent en même temps leur regard sur la tête de Jerik. Celui-ci, comprenant que, de toute évidence, il venait d'être désigné pour la mission, voulut protester, mais… il était déjà trop tard.

– J'approuve ce choix, dit Ganhaus en pointant le secrétaire du doigt.

– J'appuie cette proposition de tout cœur, enchaîna Korrillion avec ironie.

– Votre sagesse est grande, chers amis, fit Mertellus en riant. Je me rallie à votre décision et c'est avec grand chagrin que je me séparerai d'un aussi bon secrétaire. C'est le moment de vérité pour toi, mon cher Jerik ! Si tu réussis ta mission, je te relève de ta peine de mille ans au service de la justice et je t'envoie, comme tu le désirais, directement au paradis. Si tu échoues, par contre, tu iras hanter une oubliette jusqu'à la fin des temps !

Les trois juges se levèrent en ricanant. Ils avaient trouvé un début de solution et disposaient d'un pigeon pour faire le sale travail. Avant de quitter les lieux, suivi de Korrillion, Mertellus se retourna vers son secrétaire et dit fermement :

– TU PARS CE SOIR ! J'aviserai Charon, le capitaine du vaisseau du Styx. Je contacterai aussi le Baron Samedi pour qu'il te délivre une autorisation d'embarquement que tu remettras à ce… ce… Amos quelque chose ! Ainsi, il pourra facilement arriver jusqu'à nous !

Ganhaus fut le dernier à quitter la pièce. Avant de refermer la porte, il chuchota avec satisfaction à Jerik :

– Excellent, tu as parfaitement joué ton rôle ! Mes deux acolytes sont tombés dans le piège. Nous les avons roulés dans la farine ! Quand Seth aura fait libérer mon assassin de frère Uriel des enfers, nous éliminerons Amos Daragon, ce foutu porteur de masques, et je garderai pour moi la clé de Braha. Si tu échoues dans cette mission, je jure que je te le ferai payer très cher !

Le juge sortit en claquant la porte. Jerik, dont la tête trônait au milieu de la table, soupira :

– J'ai le don de me mettre les pieds dans les plats ! Dans tous les complots, c'est toujours moi qui… disons… fais le sale travail ! Il n'y a vraiment pas de justice dans ce monde !

Chapitre 2

L'envoyée du Baron Samedi

Amos vivait depuis quelques mois dans la ville fortifiée de Berrion. Avec ses parents, Urban et Frilla, il occupait de somptueux appartements à l'intérieur même du château. Le seigneur des lieux, Junos le roi cuisinier, comme on l'appelait familièrement, les hébergeait avec une fierté non dissimulée. Leur aventure avec les gorgones à Bratel-la-Grande avait tissé de solides liens entre lui et la famille Daragon.

Par une fraîche matinée de septembre, Amos dormait paisiblement dans sa chambre lorsque son compagnon Béorf entra en trombe. Visiblement énervé, le gros garçon cria :

– DEBOUT, AMOS ! Le seigneur Junos te demande dans la cour du château. Vite ! Dépêche-toi, c'est important !

À peine réveillé, Amos se leva et s'habilla à toute vitesse. Il peigna hâtivement ses longs cheveux, mit sa boucle d'oreille représentant une tête de loup et ajusta son armure de cuir noir, cadeau de sa mère. Le soleil venait à peine de se lever lorsque Amos arriva au lieu de rendez-vous, dans la cour intérieure du château. Tout le personnel y était rassemblé et attendait impatiemment le jeune porteur de masques. La foule, curieuse, décrivait un cercle autour de quelque chose ou de quelqu'un. Les cuisiniers discutaient entre eux, à voix basse, pendant que les gardes, les chevaliers et les archers du royaume se tenaient aux aguets. Les palefreniers semblaient hypnotisés et les servantes tremblaient en échangeant des regards angoissés.

Béorf, inquiet et prêt au combat, se tenait déjà sur une estrade centrale, juste aux côtés de Junos, seigneur et roi de Berrion. Ce dernier paraissait perplexe et inquiet dans sa chemise de nuit. Son bonnet jaune et vert lui donnait un air ridicule. De loin, il ressemblait à un vieux clown. Tous les regards convergeaient vers le centre de la place. Amos se fraya facilement un chemin dans la foule compacte qui s'écartait sur son passage. Ses parents, Frilla et Urban Daragon, virent leur fils rejoindre le seigneur Junos et Béorf sur l'estrade de fortune.

Amos comprit rapidement de quoi il retournait. Au centre de l'assemblée, une vingtaine d'hommes se tenaient fièrement debout, le dos droit, dans une parfaite immobilité. Leur peau était noire comme la nuit, et leur corps arborait de magnifiques peintures de guerre aux couleurs éclatantes. Ces combattants venus d'on ne sait où avaient la tête rasée et portaient d'énormes bijoux faits d'or, de pierres précieuses et d'ossements d'animaux. Ils étaient légèrement vêtus de peaux de bêtes, exposant ainsi aux regards de tous leur puissante musculature et leurs énormes cicatrices de combat. Le nez large et plat, les lèvres charnues, le regard injecté de sang et les dents taillées en pointe, ces hommes aux pieds nus portaient sur le dos de puissantes lances. Près d'eux, cinq panthères noires se reposaient, la langue pendante. Devant ce spectacle, Amos s'approcha de Junos et lui demanda à l'oreille :

– Tu voulais me voir, Junos ? Qu'est-ce qui se passe ?

Le seigneur, inquiet, répondit à voix basse :

– Non, pas moi ! Ce sont eux qui veulent te voir, mon ami ! Ils sont arrivés aux portes de la ville ce matin en demandant spécifiquement à te rencontrer. Ce sont probablement des démons, fais bien attention à toi ! Regarde-moi la taille de leurs chats, ils sont immenses ! Si les choses tournent mal, mes chevaliers sont prêts à l'attaque. Au moindre signe d'hostilité, nous les renvoyons vite fait en enfer !

Amos se tourna vers son ami Béorf et lui fit un signe de la tête. Celui-ci comprit immédiatement ce que son camarade attendait de lui. Le compagnon d'aventure du jeune porteur de masques était de la race des hommanimaux. Il avait le don de se transformer en ours. Outre le fait qu'il était rond comme un tonneau, seuls ses sourcils qui se rejoignaient au-dessus de son nez, ses larges favoris blonds et les poils qui recouvraient la paume de ses mains trahissaient son appartenance à la race des hommanimaux. Béorf descendit de l'estrade avec Amos et se plaça un pas en arrière de lui, prêt à se métamorphoser en ours et à bondir.

– Je suis celui que vous vouliez voir, affirma Amos d'un ton amical.

Les guerriers noirs se regardèrent les uns les autres et s'écartèrent lentement sur le côté. Tout le monde put alors apercevoir, au centre de leur groupe, une fillette d'une dizaine d'années qui s'avançait dignement vers Amos. Jusque-là, personne ne l'avait remarquée. Sa peau avait la couleur de l'ébène. Ses cheveux, très longs et tressés de centaines de nattes, touchaient presque le sol. L'enfant portait, autour du cou, de la taille, des poignets et des chevilles, de somptueux bijoux en or. De larges bracelets, de belles ceintures finement entrelacées, des colliers adroitement ciselés et de nombreuses boucles d'oreilles de différentes formes lui donnaient l'air d'une princesse. Elle était magnifique. Entre ses narines, une parure discrète de forme allongée lui traversait le nez. La fillette portait une cape de fourrure noire et une robe en peau de léopard qui laissait entrevoir son nombril. Celui-ci était percé d'un bijou doré orné d'une pierre verte. La fille s'arrêta devant Amos et, le regardant droit dans les yeux, lui dit :

– Je suis Lolya, reine de la tribu des Dogons. J'ai fait un long voyage, un très long voyage depuis ma terre natale pour venir vous rencontrer. Le Baron Samedi, mon dieu et guide spirituel, m'est apparu et m'a ordonné de vous remettre ceci.

La reine fit alors claquer ses doigts. Un des guerriers noirs s'avança et déposa aux pieds de la fillette un coffre en bois. Avec précaution, elle l'ouvrit. La curiosité l'emportant maintenant sur leurs craintes, tous les spectateurs s'étaient un peu rapprochés pour essayer de voir le mystérieux cadeau.

– Prenez-le!, déclara solennellement Lolya qui s'inclina de façon respectueuse. Cet objet est maintenant à vous!

Amos se pencha au-dessus du coffre et en ressortit un magnifique masque. L'assistance poussa un cri d'admiration devant la beauté de l'objet. Il était en or pur et représentait la figure d'un homme dont la barbe et les cheveux étaient en forme de flammes. Amos, perplexe, mais ébloui par l'objet, demanda:

– Vous m'offrez véritablement ce masque? Il est merveilleux.

– Cet objet est dans ma famille depuis… depuis plusieurs générations, reprit la jeune reine en hésitant un peu. Il y a très longtemps, un de mes aïeux fut lui-même porteur de masques. Je vous offre, par ce cadeau, la puissance du feu. J'espère que vous en ferez bon usage, car il est très précieux. Il ne vous servira à rien sans les pierres de puissance qui y sont associées, mais, cela, vous le savez sûrement déjà.

– Oui, répondit Amos. Je porte maintenant le masque de l'air sur moi. Il n'est serti que d'une seule pierre. Grâce à lui, j'ai quelques pouvoirs sur le vent.

– Vous le portez en ce moment même?, demanda la jeune reine.

– Oui. Les masques s'intègrent complètement à mon visage et deviennent ensuite invisibles.

– Votre quête commence donc. Il vous faut encore trouver deux masques et quinze pierres.

– Mais je n'ai que douze ans!, s'exclama le garçon en riant. Il me reste encore bien du temps devant moi.

– Puis-je vous demander quelque chose?

– Allez, je vous écoute.

– Je sais que notre allure n'est pas conforme à ce que vous avez l'habitude de voir et cela peut, sans doute, vous choquer. Sachez que nous sommes ici en amis. Les Dogons sont des gens pacifiques et vous n'avez rien à craindre de nous. Comme je vous l'ai dit, nous avons parcouru un long chemin pour venir jusqu'à vous et…

Junos intervint prestement:

– Bien sûr! Je comprends que vous soyez fatigués. Je me présente! Junos, seigneur et roi de la ville de Berrion et vous êtes mes invités. Qu'on leur donne les meilleures chambres de ce château!, ordonna-t-il à ses servantes. Ce soir, nous donnerons un banquet en l'honneur de nos invités! Préparons la fête et n'ayez crainte, je superviserai moi-même le banquet. Chevaliers, considérez ces hommes à la peau noire comme vos amis! Procédons rapidement, les pauvres sont certainement exténués et affamés. Peut-être pourront-ils nous apprendre quelques-uns de leurs chants et de leurs danses ce soir. Enfin, nous verrons bien, n'est-ce pas ? Nous trouverons aussi un endroit pour garder vos chats géants. Messieurs les chevaliers de l'équilibre, allez ! Exécution !

Tous les habitants du château se mirent à applaudir joyeusement. La peur était maintenant dissipée. Dans cette bruyante démonstration de joie, Lolya, abandonnant toute forme de cérémonial, se pencha vers Amos et, inquiète, lui murmura :

– Il faut que je te parle seule à seul immédiatement. Beaucoup de choses se trament et nous avons très peu de temps.

Amos fit un signe affirmatif de la tête et chuchota quelques mots à l'oreille de Béorf. L'hommanimal déguerpit aussitôt pour demander à Junos la permission d'utiliser la salle secrète du château. Pendant ce temps, Amos et Lolya quittèrent les lieux sans trop se faire remarquer.

* * *

– Ici, nous ne serons pas dérangés, dit Amos à Lolya.

Ils avaient emprunté un passage secret qui conduisait directement à la salle de réunion des chevaliers de l'équilibre, l'armée du seigneur Junos. Seules quelques personnes privilégiées connaissaient ce lieu. La pièce était relativement petite. Six chaises et une table rectangulaire en constituaient l'unique ameublement. Béorf entra dans la salle, accompagné d'une servante. Celle-ci portait un immense panier, rempli de fruits, de noix, de viandes séchées et de pain, qu'elle posa au centre de la table avant de repartir aussitôt. Béorf referma le passage derrière elle et s'assit près d'Amos.

Lolya sourit d'un air soulagé. Elle lança par terre sa cape de fourrure noire, retira ses bijoux, se défit les cheveux et les releva en un immense chignon sur le dessus de sa tête. Elle sauta ensuite directement sur la table et plongea la tête la première dans les victuailles. Le panier entre ses jambes, elle mangeait goulûment en s'accordant peu de temps pour respirer. Les deux garçons restèrent bouche bée devant le spectacle. La fillette mordait vivement dans les fruits et s'empiffrait de pain en poussant des petits cris de satisfaction. La petite reine douce et précieuse était devenue, sous leurs yeux, un animal affamé qui engloutissait la nourriture à une allure effrénée. Béorf, un large sourire aux lèvres, se tourna vers Amos et dit:

– Ça, mon ami, c'est le genre de fille que j'aime!

– On attaque?, demanda Amos.

– On attaque!, répondit Béorf.

Les deux garçons sautèrent sur la table et commencèrent à s'empiffrer avec Lolya. Celle-ci, ravie d'avoir de la compagnie, gavait Amos de raisins pendant que, de l'autre main, elle enfournait dans sa bouche une poignée de noix. Elle fit même un concours avec Béorf pour déterminer lequel des deux était en mesure de se mettre le plus de nourriture dans la bouche. L'hommanimal gagna de justesse. Pendant un bon moment, les trois gamins s'amusèrent follement à faire les goinfres, à se lancer de la nourriture et à roter bruyamment.

Lorsque le repas fut terminé, Béorf tomba de la table et roula par terre. L'estomac plein, il tomba aussitôt dans un profond sommeil de jeune ours rassasié. Sa ceinture détachée, Amos était affalé sur une chaise, les bras pendants, les deux pieds sur la table. Lolya, repue et couchée de tout son long sur la table au milieu des restes de fruits et des écales de noix, s'adressa à Amos :

– J'avais tellement faim ! Tu ne peux pas t'imaginer ! Je n'avais rien avalé depuis une semaine. Mes hommes et moi n'avions plus de provisions. Aujourd'hui, j'ai mangé comme une reine ! Il y avait longtemps que je ne m'étais pas autant amusée. J'ai onze ans et je suis fatiguée d'être reine. Depuis que mes parents sont morts, c'est moi qui gouverne mon peuple. Je n'ai plus le droit de rire, de jouer et de faire des pitreries. Je déteste les cérémonies et les...

Lolya s'arrêta de parler, leva la tête pour mieux écouter et demanda :

– Tu entends ce bruit, Amos ? Qu'est-ce que c'est ? On dirait une bête qui grogne !

– N'aie pas peur, c'est Béorf qui ronfle, répondit Amos en rigolant.

– C'est horrible ! Il fait toujours ce vacarme lorsqu'il dort ?

– Ça, ce n'est rien. Dans quelques minutes, nous ne pourrons plus nous entendre parler!, répliqua le garçon en riant de plus belle.

La jeune Noire se tourna sur le ventre et rampa jusqu'à Amos. Elle se croisa les bras, y appuya sa tête et dit sérieusement :

– Parlons des vraies choses maintenant. Je ne sais par où commencer! Bon… tu dois savoir qu'il existe plusieurs types de magie?

– Effectivement, répondit Amos, ce n'est pas un secret pour moi.

– Les porteurs de masques comme toi ont un pouvoir sur les éléments, n'est-ce pas?, demanda Lolya.

– C'est ça, confirma le garçon. Quatre masques, celui de la terre, celui de l'eau, celui de l'air et celui du feu. En réalité, ce sont les pierres de pouvoir qui leur donnent une véritable puissance.

– Eh bien, moi, reprit la jeune reine, je suis capable de capter les énergies des morts. J'exerce une forme de sorcellerie qui, chez moi, s'appelle le vaudou. Je sais faire des envoûtements, créer des zombies, lancer des bons et des mauvais sorts, mais j'excelle surtout dans la communication avec les esprits. Mon guide spirituel est un dieu qui s'appelle le Baron Samedi. Je sais, par lui, que le monde des morts cherche à te contacter. Quelqu'un veut entrer en communication avec toi. Voilà pourquoi je suis ici. Je dois, avec mes pouvoirs, t'ouvrir une porte qui donne sur le monde de l'invisible.

Amos avait rapidement retrouvé son sérieux en écoutant les paroles de Lolya. Il demanda :

– En sais-tu davantage sur le sujet ? Ton guide, le Baron Samedi, ne t'a pas dit autre chose ?

– C'est tout ce que je sais, répliqua la fille. Il m'est apparu dans un rêve pour me demander de te remettre le masque. Ensuite, il m'a guidée vers toi dans tous mes songes. Mes gardes et moi avons traversé plusieurs pays et affronté de grands dangers pour te retrouver. Dans quelque temps, je devrai ouvrir cette fameuse porte, mais… pour l'instant… Attends, reste là, je prends mes osselets.

Lolya descendit de la table et attrapa sa cape par terre. Elle en sortit un petit sac multicolore. La jeune reine vint s'asseoir près d'Amos, puis ouvrit le sac d'où tombèrent sept bouts d'ossements aux formes étranges.

– Ferme les yeux, Amos, dit-elle. Je vais tenter de lire ton avenir.

La reine des Dogons plaça ses deux pouces sur les yeux du garçon. Elle appuya ensuite sa tête contre son front. Amos sentit une grande chaleur l'envahir. Pendant que Lolya se concentrait en prononçant quelques paroles incompréhensibles, il se détendit complètement. La fille s'écarta soudainement, saisit d'une main les osselets et les lança violemment contre le mur en hurlant une formule magique quelconque, puis elle se calma.

– Regarde, Amos, dit-elle en pointant du doigt les osselets sur le sol. Leur position m'indique plusieurs choses. Tu feras bientôt face à un complot.

On veut se servir de toi pour causer la perte de ce monde. Je vois très clairement que tu ne pourras pas te servir de tes pouvoirs pour vaincre tes ennemis. Ton intelligence et ta ruse seront tes meilleures armes. Il te faudrait également écouter ton cœur pour te rendre… attends… oui, pour te rendre à la rencontre d'un arbre. Tu devras te méfier de tout le monde, même de moi. Je vois une mauvaise nouvelle. Dans l'aventure que nous vivrons, tu perdras un ami. Tu dois savoir que cette personne se sacrifiera pour toi, pour que tu accomplisses ton destin.

Ébranlé par cette dernière révélation, Amos demanda :

— Connais-tu le nom de cet ami ?

— Non. Je sais seulement que c'est quelqu'un que tu aimes beaucoup qui trouvera la mort, quelqu'un de très proche.

Le jeune garçon resta silencieux. Son regard et celui de Lolya se baissèrent lentement vers Béorf qui ronflait innocemment.

Chapitre 3

La cérémonie

Lolya et ses guerriers vivaient au château de Berrion depuis bientôt une semaine. La délégation des Dogons s'était bien adaptée aux nouvelles coutumes de ce lointain pays, mais leur présence alimentait les rumeurs et les ragots dans la ville. Les habitants, n'ayant jamais rencontré jusque-là d'hommes à la peau noire, y allaient de calomnies et d'histoires abracadabrantes à leur sujet. On se méfiait d'eux, et leurs peintures de guerre faisaient grande impression. Les plus étroits d'esprit racontaient qu'ils étaient des diables envoyés sur la Terre pour s'emparer de leur ville. Les feux des enfers les avaient calcinés en leur laissant la couleur de la suie comme marque distinctive.

Junos avait pourtant dépêché son crieur public pour avertir ses sujets de la présence de prestigieux invités. Il avait également ordonné à sa population, toujours par la voix de cet émissaire, de traiter dignement ces étranges guerriers. Mais comme il est encore plus difficile d'ouvrir un esprit obtus qu'une forteresse lourdement défendue, peu de gens avaient tenu compte de ce message. Les femmes interdisaient à leurs enfants de quitter la maison. Les hommes se rencontraient dans les tavernes afin d'échafauder des plans d'expulsion.

Percevant cette aversion au cours de leurs promenades dans Berrion, les Dogons décidèrent de rester au château. Cette décision amplifia les bavardages et, dans toutes les rues, dans toutes les maisons et sur la place du marché, on disait maintenant que ces hommes gouvernaient secrètement la ville. On racontait aussi que le seigneur Junos, envoûté par leur puissante magie, avait signé un pacte avec les dieux du mal afin que périssent tous ses sujets. Pour empêcher l'escalade de la peur collective, Junos devait se promener chaque jour dans la cité pour rassurer ses citoyens. Chacune de ses paroles d'amitié avec les Dogons était interprétée à contresens. Le représentant de la guilde des marchands l'accusa même de collusion avec les forces du mal. C'est désespéré et angoissé que le seigneur regagnait, tous les jours, le château. Une émeute couvait, anéantissant peu à peu la confiance des habitants de Berrion envers leur seigneur.

– Que puis-je faire?, demanda Junos après avoir rapporté ce délicat problème à Amos. Je sais que tu es jeune, mon ami, mais, même à douze ans, tu es plus sage que la plupart de mes conseillers à la barbe blanche. Je sens que je perds lentement le contrôle de la situation. J'ai besoin que tu m'aides. Je veux satisfaire ma population, mais, en même temps, je ne peux pas renvoyer nos invités. Je leur ai offert l'hospitalité et quand je donne quelque chose, je ne le reprends jamais.

– Il faut rapidement trouver une solution, répondit Amos. Je tente depuis trois jours de parler à Lolya, mais elle reste enfermée dans sa chambre sans vouloir en sortir. Elle ne mange plus. Je ne sais pas ce qui se passe. Je l'ai surprise, quelques heures avant qu'elle ne disparaisse dans sa chambre, en train de manger des cailloux dans la cour du château. Elle avait l'air d'une bête féroce préparant un mauvais coup. Lolya parlait toute seule en répétant constamment le nom de Kur. Je ne sais pas du tout de qui il s'agit. Elle discutait avec lui comme s'il avait été là. Lorsque j'ai posé doucement ma main sur son épaule, elle m'a violemment repoussé en grognant. Je ne l'ai plus revue depuis cet incident. Tous les guerriers dogons ont l'air parfaitement normal même si leur reine semble indisposée. J'ai demandé à Béorf de surveiller la porte de sa chambre. Je ne sais pas non plus quoi faire, Junos. Au cours de notre première rencontre, elle m'a parlé de son guide spirituel, le Baron Samedi, pour qui, selon elle, je dois accomplir quelque chose. Le monde des morts cherche apparemment à me contacter. De plus, elle m'a presque prédit le décès de Béorf. Très candidement, Lolya m'a aussi dit que je devais me méfier d'elle. Je ne sais pas trop quoi penser de tout cela. J'ai un mauvais pressentiment. Je dois t'avouer, Junos, que Lolya ne m'inspire plus une grande confiance. Ses deux personnalités me troublent. Je la trouve étrange, à la fois trop spontanée et trop imprévisible.

— Sais-tu, Amos, poursuivit Junos, qu'elle a pourchassé un de mes cuisiniers avec un grand couteau? Elle voulait le tuer, car elle l'accusait de traîtrise. Elle lui criait qu'il avait le mauvais œil. Je ne sais ce que cela veut dire, mais il a fallu trois de mes hommes pour l'empêcher de commettre son crime. En colère, elle est forte et puissante… Une véritable bête!

— Mon père m'a raconté un jour une histoire qui, je trouve, a un rapport direct avec notre situation. Trois poissons nageaient tranquillement dans un lac lorsqu'ils aperçurent le filet d'un pêcheur. Le premier, sentant le danger, quitta immédiatement les lieux. Les deux autres, insouciants, se retrouvèrent vite prisonniers dans le piège. L'un de ces deux poissons, comprenant la précarité de sa situation, se laissa flotter sur le dos et fit le mort. Le pêcheur, désirant ramener à sa famille de la nourriture fraîche, le prit et le lança sur la rive. D'un habile coup de queue, le poisson se projeta dans le lac et sauva ainsi sa vie. Il venait de se sortir adroitement d'une dangereuse situation. Le troisième poisson, incapable de prévoir la suite des événements, finit dans la poêle à frire du pêcheur. La morale de cette histoire est simple: les gens qui ne sont pas clairvoyants ou rusés devant le danger finissent toujours leur vie dans le ventre de quelqu'un.

— Moi, fit Junos, je n'ai pas du tout confiance en cette fille, même si elle est reine. Imagine, elle égorge des poulets pour lire l'avenir dans leurs entrailles. Elle l'a fait deux fois devant mes servantes avant de s'enfermer à double tour dans sa chambre. C'est une domestique qui m'a rapporté la chose.

Amos leva à ce moment la tête vers le ciel étoilé. Lui et Junos se trouvaient dans la cour intérieure du château. Le garçon dit :

– Quelque chose me dit que nous aurons des nouvelles de Lolya ce soir. Regarde, Junos, la lune est pleine et les étoiles sont particulièrement brillantes. J'ai aussi le mauvais pressentiment que je mourrai durant la nuit.

À cet instant précis, Béorf arriva en trombe. Il était essoufflé et très excité.

– Elle est sortie de sa chambre !, s'écria-t-il. Lolya se dirige vers la ville avec ses hommes !

Les deux garçons et le seigneur se précipitèrent à l'extérieur des murs du château. Sur la place du marché, Lolya et ses guerriers avaient déjà allumé un grand feu. Les Dogons, maquillés et habillés de peaux de tigre pour l'occasion, se placèrent autour du brasier et commencèrent à jouer de la musique. Ils avaient de gros tambours et une multitude de petits instruments à percussion. Tous les habitants de Berrion, armés de râteaux, de pelles et de pioches, s'approchèrent prudemment de cet étrange rassemblement.

Le son des tam-tams s'éleva lentement. Lolya, pieds nus près du feu, se mit alors à danser. Elle était vêtue d'une robe de cérémonie jaune et portait à la ceinture un long couteau. Un maquillage blanc ornait son visage. De loin, on aurait dit une tête de mort. Junos ordonna à ses chevaliers de se tenir prêts à contenir la foule ou à calmer ses invités. Hébétés, Amos et Béorf se regardaient sans trop savoir quoi faire. Les percussions se firent de plus en plus présentes et la danse de la reine s'accéléra. Junos se pencha vers Amos et dit:

– Pour en revenir à ton histoire de poissons, je crois bien que le filet est tombé et qu'il est trop tard pour essayer de fuir. Je compte sur ta ruse pour nous sortir de là, mon ami.

– Je n'aurai qu'à faire le mort, ironisa Amos.

Bientôt, le rythme des tambours envahit complètement la place du marché. Les mouvements de la jeune reine hypnotisèrent bien vite tous les spectateurs. Plus personne ne pouvait bouger. Les habitants de la ville, comme les chevaliers, regardaient le spectacle dans la plus totale immobilité. Toute volonté les avait abandonnés, et l'envoûtant son des instruments les clouait sur place. Sans comprendre pourquoi, la ville entière se mit soudain à taper du pied. Prisonniers de la musique, les spectateurs commencèrent ensuite à bouger lentement. Le son les pénétrait, envahissait leur esprit. Lolya sautait, criait et bougeait de plus en plus vite.

La lune, ronde et claire, se couvrit d'un voile noir. Amos, presque totalement envoûté par la danse, conclut rapidement à une éclipse lunaire. Béorf dansait à ses côtés, moitié homme, moitié ours. Le gros garçon était en transe et s'agitait comme un démon dans l'eau bénite. Autour du porteur de masques, tous les villageois semblaient avoir perdu la raison. Junos, les bras en l'air, avait perdu toute réserve, et plusieurs de ses chevaliers se roulaient par terre.

Au moment où la lune disparut du ciel, Lolya s'immobilisa brusquement et pointa Amos du doigt. Le jeune garçon, attiré par une force incompréhensible, traversa la foule et vint rejoindre la reine au centre du cercle de Dogons, près du grand feu. Loyla sortit cérémonieusement le couteau de son étui. Les tambours se turent. Le charme se rompit immédiatement et tous les spectateurs arrêtèrent de danser. Devant la foule qui reprenait lentement ses esprits, Lolya poignarda férocement Amos à l'abdomen en criant :

– LA PORTE EST OUVERTE !

Le porteur de masques sentit alors une puissante brûlure le traverser de part en part. Frilla Daragon poussa un cri d'horreur en voyant son fils unique s'affaisser sur le sol. Amos entendit son cœur battre… quelques coups… de plus en plus faibles, puis s'arrêter.

Les chevaliers se précipitèrent sur les Dogons pour prévenir toute action de leur part. Ceux-ci n'offrirent aucune résistance. Urban Daragon accourut vers son fils pendant que Junos, paralysé devant la scène, balbutiait :

– J'aurais dû m'en douter… J'aurai dû savoir…

En larmes, Frilla courut rejoindre son mari. Urban, pleurant devant le corps inanimé de son enfant, leva la tête et balbutia douloureusement :

– Il est… il est mort !

À cet instant retentit le cri puissant et enragé d'un jeune ours. D'un bond vigoureux, Béorf se jeta sur Lolya et, d'un robuste coup de patte, la plaqua au sol. Alors qu'il s'apprêtait à l'égorger, la reine noire parvint à murmurer :

– C'était la seule façon de le faire traverser… Il n'est pas réellement mort… Fais-moi confiance !

Pendant que Béorf refermait la gueule, sentant le goût du sang de sa victime entre ses dents, la lune réapparut dans le ciel. Junos hurla :

– QU'ON LES ENFERME AU CACHOT ! ET ISOLEZ LA REINE ! QU'ON LA LIGOTE !

Le jeune hommanimal desserra son étreinte et chuchota à l'oreille de la fille :

– Je te ferai payer ce que tu as fait, je le jure, tu me le payeras !

Chapitre 4

Le Styx

C'est un fort parfum de fleurs qui réveilla Amos. Il éternua violemment, puis ouvrit les yeux. Regardant autour de lui, le garçon se rendit vite compte qu'il était couché dans une boîte de bois rectangulaire. Autour de lui, des roses, des jonquilles, de beaux grands lys et quelques œillets ornaient son inconfortable couche. En levant un peu la tête, Amos aperçut les visages de son père et de sa mère. Ceux-ci, penchés sur lui, pleuraient abondamment. Junos se tenait debout, juste derrière eux. Le seigneur de Berrion avait les yeux rouges et fiévreux.

En se redressant, Amos vit Béorf. Il était assis par terre, le dos appuyé à une pierre tombale. Le gros garçon regardait le ciel d'un air songeur. Ses lèvres bougeaient. On aurait dit qu'il s'adressait à quelqu'un qui n'était pas là. Des dizaines de personnes, qu'Amos connaissait bien, marchaient çà et là dans le cimetière de Berrion. Le porteur de marques se leva d'un bond et comprit que ce dernier hommage lui était, en fait, réservé. On allait bientôt le porter en terre. Amos, un peu affolé et assommé de voir tous ces gens affligés, se dit en riant :

« Tout le monde pense que je suis mort ! Pourtant, je ne me suis jamais senti aussi en forme de toute ma vie ! »

Le garçon, debout dans son cercueil, déclara sur un ton moqueur :

– Excusez-moi, mais... mes funérailles, ce sera plus tard !

Aucune réaction dans l'assemblée. Personne ne semblait l'avoir entendu. Amos insista, perplexe et inquiet :

– Je suis là, je ne suis pas mort ! C'est une blague ou quoi ? Père ! Mère ! Je suis là, je suis vivant !

Les gens autour de lui agissaient exactement comme s'il n'était pas là. En descendant du cercueil, Amos aperçut son propre corps dans la boîte de bois. Il sursauta en poussant un cri. Incrédule, il regarda encore, de plus près cette fois. Il était bien là, c'était lui. Le garçon vit clairement ses longs cheveux tressés et sa boucle d'oreille en forme de tête de loup. Vêtu de son armure de cuir noir confectionnée par sa mère, on lui avait croisé les mains sur la poitrine.

C'est à ce moment qu'Amos se souvint de la cérémonie de Lolya. Il revit la danse, le feu, l'éclipse de lune et les tambours des Dogons. Il se rappela le couteau de la jeune reine et revécut brièvement sa propre mort. En levant les yeux pour regarder autour de lui, le porteur de masques constata que le paysage n'était plus tout à fait le même. Les couleurs des arbres étaient plus pâles, plus ternes, et le ciel avait pris une faible teinte grise. Son corps était légèrement translucide comme celui d'un fantôme. En levant la main, le garçon tenta de faire se lever le vent. Rien. Il essaya de nouveau, toujours rien. Manifestement, Amos n'avait plus de pouvoirs.

« Eh bien, pensa-t-il, la prédiction de Lolya semble maintenant se réaliser ! »

La jeune reine lui avait bien dit : « Je vois très clairement que tu ne pourras pas te servir de tes pouvoirs pour vaincre tes ennemis. Ton intelligence et ta ruse seront tes meilleures armes. »

Amos courut vers Béorf. Il le prit par les épaules et s'écria :

— Béorf, je suis là, je ne suis pas mort ! Écoute, Béorf, mon esprit est vivant, je ne sais pas dans quel monde je suis et je ne sais pas non plus ce que je dois y faire. Va demander à Lolya de...

Béorf versa une larme et se leva soudainement. Sans prêter attention aux paroles de son ami, il marcha en direction du cercueil en poussant de profonds soupirs. Amos tenta de l'empêcher d'avancer en se mettant devant lui. Le gros garçon traversa sans peine le corps du porteur de masques. Celui-ci poursuivit son compagnon en clamant :

— Béorf, rappelle-toi ! Je ne peux pas être vraiment mort ! Je t'ai dit ce que Lolya m'a raconté sur ma nouvelle mission... ÉCOUTE-MOI ! ARRÊTE-TOI, BÉORF, ET ÉCOUTE !

Le jeune hommanimal s'appuya sur le cercueil pour regarder une dernière fois son ami. On allait bientôt le mettre en terre. Les fossoyeurs étaient là. Au cours de la cérémonie qui avait précédé l'enterrement, Junos avait longuement parlé de sa première et dernière aventure avec Amos. Béorf entendait encore, tout en contemplant le corps d'Amos, l'hommage qu'avait rendu le seigneur à son meilleur ami. Ses paroles étaient empreintes d'un très grand respect. Il avait raconté les événements de Bratel-la-Grande, insistant sur l'astucieux combat qu'ils avaient livré contre les gorgones et le basilic. Il avait aussi parlé du bois de Tarkasis, de leur passage chez les fées et de la façon dont Amos avait réussi à lui rendre sa jeunesse.

Cette histoire faisait ressurgir en Béorf de beaux souvenirs. Il revoyait maintenant Amos affronter Yaune-le-Purificateur ; il le voyait également triompher au jeu de la vérité. Le gros garçon se sentait à présent bien seul et ses pensées dérivèrent lentement vers Médousa, la plus belle de toutes les gorgones. Elle aussi était morte. L'hommanimal sentit sa gorge se serrer pendant que ses yeux s'inondèrent de nouveau. Amos, juste à ses côtés, tentait toujours d'établir la communication.

– Je t'explique encore une fois, Béorf. Lolya m'a dit que le monde des morts voulait entrer en contact avec moi. Elle a aussi dit qu'elle devait ouvrir une porte ! Écoute, bon sang, fais un effort ! Béorf, tout ceci doit faire partie de son plan ! Tu te rappelles, après notre premier repas tous les trois, Lolya m'a parlé de différentes magies ? Mais non, tu ne peux pas savoir, tu dormais! Tu t'endors toujours au mauvais moment!

On fermait maintenant le cercueil. Amos, pris de panique, vit les fossoyeurs clouer le couvercle. Frilla Daragon éclata en sanglots dans les bras de son mari. Le jeune porteur de masques essaya, en vain, de communiquer avec ses parents. Il tenta d'envoyer une sphère de communication en utilisant ses pouvoirs. Rien. Impossible d'utiliser sa magie. Son âme était maintenant dans une autre dimension, et l'air ne lui obéissait plus. Amos cria, sauta et tenta de renverser plusieurs pierres tombales. Rien n'y fit. Ses parents et amis, en larmes, restaient là, immobiles, regardant les fossoyeurs remplir lentement le trou. Amos assista à son enterrement sans pouvoir intervenir.

Lorsque tout le monde se dirigea vers la sortie du cimetière pour regagner la ville, Amos suivit Béorf. Il lui parlait toujours, lui demandant sans cesse d'interroger rapidement Lolya. Mais le gros garçon n'entendait rien. Amos avait beau lui crier dans les oreilles, lui donner des coups de pied et le traiter de tous les noms, Béorf ne réagissait pas et continuait de pleurer silencieusement. Lorsqu'il voulut traverser les portes du cimetière, Amos fut violemment projeté vers l'arrière. Un champ de force le retenait à l'intérieur de ce lieu. Étonné et frustré, il essaya de nouveau. Encore une fois, ce fut sans succès.

En désespoir de cause, Amos tenta d'empêcher Junos de sortir. Il saisit une pelle qui était posée contre un muret et lui en assena un violent coup.

Cependant, dans les mains du garçon, la pelle était devenue translucide et vaporeuse. Et, bien sûr, Junos ne sentit rien du tout. C'est avec un profond sentiment d'impuissance que le jeune porteur de masques vit s'éloigner ses parents et ses amis. Prisonnier du cimetière, il retourna à sa pierre tombale où les deux fossoyeurs rangeaient leurs affaires.

Amos demeura longtemps debout, près de sa tombe, sans savoir comment se sortir de ce pétrin. Il pensa à ce que Lolya lui avait raconté, aux choses qu'elle lui avait prédites. D'abord, il devrait affronter sa prochaine aventure sans pouvoir utiliser ses pouvoirs. Ensuite, il lui faudrait écouter son cœur pour décider quoi faire. Et puis, finalement, il y aurait la mort d'un de ses amis. Amos avait du mal à comprendre tout ce fatras de prédictions.

Tandis que le porteur de masques essayait de remettre de l'ordre dans ses idées, ses yeux se posèrent sur une rivière qui coulait en plein centre du cimetière. Ébahi, il s'approcha de la rive pour s'assurer que ce cours d'eau n'était pas une hallucination. Mais non, c'était bel et bien une rivière ! Il ne l'avait jamais vue de son vivant. Ses eaux semblaient profondes et ténébreuses. Une terrible puanteur s'en élevait en vapeurs légères. Elle coulait lentement, en un épais bouillon. De grosses bulles remontaient régulièrement à la surface en laissant échapper une fumée verte. Tout près d'Amos, il y avait un quai rappelant ceux du domaine d'Omain, sa terre natale. Les pêcheurs du royaume s'en servaient pour l'embarquement et le débarquement de passagers.

Amos s'avança sur le quai. Au bout de l'embarcadère, il remarqua une cloche d'où pendait une longue corde.

«Au point où j'en suis, pensa-t-il, aussi bien sonner et attendre! Je vais peut-être attirer l'attention de quelqu'un!»

Le son de la cloche retentit alors dans tout le cimetière, puis le silence revint aussitôt. Amos essaya de nouveau. Rien. Découragé par ce nouvel échec, il tourna les talons pour regagner la rive. À ce moment, un vent fort se leva. Tournant la tête, le jeune garçon vit arriver un bateau. Un immense trois-mâts presque aussi large que la rivière venait vers lui à vive allure.

Le navire était dans un état pitoyable. Sa coque, trouée par des dizaines de boulets de canon, semblait vouloir se rompre à tout moment. De la braise fumante, des marques de nombreux combats, de la suie et de grandes traces de sang coloraient l'ancien vaisseau de guerre. Les voiles étaient en lambeaux, le mât central sectionné en deux et la figure de proue, représentant une sirène, n'avait plus de tête. Le vaisseau fantôme ralentit et s'immobilisa en face du garçon. Deux squelettes sautèrent brusquement sur le quai et attachèrent les amarres. Amos, paralysé par la peur, se dit:

«Je pense que j'ai vraiment réussi à attirer l'attention de... de quelqu'un!»

Les deux squelettes, en bons matelots, avaient immobilisé le bateau. Ils restaient plantés là, les cordes d'amarrage dans les mains, en dévisageant le garçon. Une passerelle tomba lourdement devant Amos. C'est un vieillard mal vêtu, à la mine sombre et sinistre, qui descendit vers lui. Sans émotion et sur un ton menaçant, il lui demanda en criant :

– TON NOM ?

– Amos… euh… Amos Daragon, Monsieur.

Le vieil homme à la peau grise et aux lèvres vertes sortit un épais livre de cuir d'une gibecière. Il le consulta quelques instants puis, impatient, hurla encore :

– RÉPÈTE TON NOM !

– Amos Daragon, répéta le garçon.

– JE NE TROUVE PAS TON NOM, vociféra l'homme. VA-T'EN, SALE MOUCHERON, TU N'ES PAS MORT !

À ce moment, comme le capitaine s'apprêtait à remonter à bord de son navire, Amos vit un homme descendre la passerelle. Il paraissait nerveux et portait sa tête sous son bras. Il s'approcha du vieillard et déclara :

– J'ai une dérogation… disons… une lettre du Baron Samedi pour assurer… comment dirais-je ?… le passage de monsieur Amos Daragon. Regardez ce papier !

– Très bien, marmonna le vieux après avoir lu la lettre. CE PAPIER M'INDIQUE CLAIRE-MENT QUE VOUS ÊTES BEL ET BIEN MORT, cria-t-il à Amos. JE M'APPELLE CHARON ET JE

SERAI VOTRE CAPITAINE POUR LE VOYAGE. VOUS DEVEZ PAYER VOTRE PASSAGE! MAINTENANT!

– Désolé, je n'ai pas d'argent!, répondit le jeune garçon, étonné.

L'homme qui portait sa tête sous son bras s'avança:

– Bonjour, Monsieur Daragon. Je m'appelle Jerik Svenkhamr et je dois assurer le… disons… le bon déroulement de votre voyage jusqu'à Braha. Regardez bien dans… comment dire?… là… sous votre langue… disons… oui… dans votre bouche, il y a sûrement là une pièce qui traîne. Il arrive souvent que… comment dire?… que les gens laissent là un peu d'argent afin de payer maître Charon pour ses services. C'est une vieille tradition dans… dans… enfin… dans plusieurs cultures!

Amos se mit les doigts dans la bouche et, surpris, il y trouva une boucle d'oreille en or. Le garçon reconnut immédiatement le bijou de Lolya. La jeune reine le lui avait sûrement glissé sous la langue durant la grande cérémonie. Sans comprendre comment il avait pu garder ce bijou tout ce temps dans la bouche sans même s'en rendre compte, Amos tendit l'objet à Charon.

– MERCI, fit le capitaine en riant, PROFITEZ BIEN DE VOTRE DERNIER VOYAGE!

– Venez, Maître Daragon, venez!, dit Jerik en empoignant le porteur de masques par le bras. Je vous croyais plus… disons… comment dire?…

plus vieux, plus costaud et moins enfant… disons… plus adulte.

– Expliquez-moi ce qui se passe ! J'ai besoin de comprendre, demanda Amos à Jerik en montant sur le pont du bateau et tout étonné qu'il l'appelle « maître ».

– Voici, voici… c'est assez simple, finalement. Il y a longtemps que je vous cherche. En fait, c'est mon maître, le premier magistrat de Braha, qui désire vous rencontrer. Là, ici, nous sommes sur le fleuve de la mort, celui qu'on nomme le Styx. Lui, c'est Charon… mais… mais vous le connaissez déjà ! Enfin, pas depuis longtemps, mais déjà quand même. Moi, je suis le secrétaire de Mertellus… Je suis un ancien voleur qui a eu la tête coupée. D'ailleurs, cela se voit, non ? Mertellus est le juge, le premier magistrat de Braha qui, en fait, est… la grande cité des morts. Comment dire ?… Vous aurez à trouver une clé que seul un être vivant peut prendre, mais le problème… c'est que… nous ne savons pas si elle existe vraiment ! De toute façon, là, vous êtes… disons… mort, mais il vous faudra revenir à la vie ! Vous voyez ? Des questions ? Il y a aussi le Baron Samedi, sans qui rien de tout cela n'aurait pu être possible ! C'est lui qui vous a envoyé Lolya… C'est clair ?

– Je n'ai absolument rien compris de ce que vous venez de dire, Jerik, répondit Amos, en proie à la plus grande des confusions.

– Je ne suis peut-être pas la meilleure personne pour… enfin… vous voyez ? J'ai un peu perdu la tête… C'est une blague… En fait… vous la comprenez? Bon… enfin… de toute façon, il est vrai que je n'ai jamais eu beaucoup de… de tête!

Le navire largua les amarres. Amos soupira en regardant s'éloigner, derrière lui, le cimetière de Berrion.

Chapitre 5

Les révélations de Lolya

Le calme était maintenant revenu dans la ville de Berrion. Junos avait fait amende honorable auprès de la population. Il avait avoué son manque de jugement, sa trop grande bonhomie, et les citoyens de Berrion avaient vite pardonné à leur seigneur. Tous savaient que le royaume avait un seigneur au grand cœur, et personne ne parla plus de cette misérable histoire de révolte.

Toute la tribu des Dogons avait été jetée en prison avant les funérailles d'Amos. Après cinq jours de deuil, Junos convoqua la jeune reine dans la cour du palais. Étant donné qu'on ne savait pas exactement quelle était l'étendue de ses pouvoirs magiques, c'est pieds et mains enchaînés qu'on l'amena devant le seigneur. Très dignement, Lolya salua l'assistance, sous une pluie d'insultes, d'invectives et de jurons. Après avoir exigé le silence, Junos déclara :

– Lolya, reine des Dogons, nous vous avons reçue dans ce royaume, vous et vos hommes, comme des amis. Vous avez trahi notre confiance ! Nous ne punissons pas l'homicide par la mise à mort des meurtriers. Par contre, vous paierez cher l'assassinat de mon ami Amos Daragon. Je vous condamne au châtiment des fées du bois de Tarkasis. Les gardiennes du pays de Gwenfadrille vous feront danser et voleront de précieuses années de votre vie. Vous entrerez dans ce bois comme une enfant et vous en ressortirez dans cinquante ans, aussi vieille qu'une grand-mère.

– Vous semblez croire que j'ai vraiment tué Amos Daragon !, fit Lolya en niant l'évidence.

Enragé, Béorf cria :

– Nous t'avons tous vue le tuer ! Son cœur s'est arrêté de battre…

– IL N'EST PAS MORT !, répondit violemment Lolya. Écoutez-moi bien maintenant, car si vous ne faites rien, votre ami risque de perdre son âme. Je ne sais trop comment vous expliquer… J'agis pour obéir au Baron Samedi. Il est mon guide…

– J'en ai assez entendu !, lança Junos. Qu'on l'amène au bois de Tarkasis ! Nous reconduirons ensuite ses hommes aux portes du royaume. Je n'ai pas confiance en cette petite menteuse qui…

Lolya poussa soudainement un cri strident et tomba par terre, en proie à de violentes convulsions. Devant un tel spectacle, personne n'osa bouger, espérant que cette démonstration n'était pas encore un de ses tours de sorcellerie. Les yeux révulsés et l'écume aux lèvres, la fillette tremblait de tout son corps en émettant des sons discordants. Cette crise dura une bonne minute. Une fois calmée, la jeune reine se remit lentement sur ses pieds. Elle s'essuya la bouche et dit d'une voix profonde et caverneuse :

– Stupides humains ! Vous ne savez pas écouter et vous croyez tout ce que vos simples perceptions vous font croire.

– Qu'est-ce que c'est que ce tour de magie ?, demanda agressivement Junos. Qu'on s'empare d'elle !

Lolya éclata d'un rire profond. Au moment où deux chevaliers tentèrent de la saisir, leurs mains s'enflammèrent au contact de sa peau. Les deux hommes coururent vers la fontaine de la cour en hurlant de douleur. La fillette sourit méchamment.

– On ne s'empare pas du Baron Samedi !

La reine des Dogons leva les bras et mit la chaîne reliant ses deux mains dans sa bouche. Devant tous les incrédules, elle la broya comme une coquille de noix entre ses dents. Par sa seule volonté, elle fit ensuite fondre les maillons de métal qui entravaient ses pieds.

– Écoute-moi, seigneur Junos, ou je fais cuire ton armée !, dit Lolya qui avait maintenant une voix de démon.

Au moment même où elle prononça ces paroles, les armures de tous les chevaliers devinrent brûlantes. Les couteaux et les épées prirent une couleur rosée semblable à celle du métal rougi par le feu d'une forge. Les hommes commencèrent à courir dans tous les sens en essayant de retirer leur cuirasse. Quelques personnes de l'assistance voulurent fuir, mais les poignées des portes du château flamboyaient aussi d'une intense rougeur. Junos cria :

— Arrêtez ce cirque ! Je vous écoute !

— Très bien, répondit la fille en annulant son sort. Tu vois Lolya, mais elle n'est plus là. J'ai emprunté son corps pour t'adresser la parole. Je suis le Baron Samedi, un ancien dieu d'un ancien monde que tu n'as pas connu. J'ai plusieurs noms, plusieurs formes, et mes pouvoirs sont grands.

— Et qu'attendez-vous de nous ?, lança Béorf sur un ton de défi.

— En voici un qui n'a pas peur de la mort !, fit le baron. Tu as dans les yeux le même courage que ton père et ta mère, jeune béorite. Les hommes-ours sont ainsi puissants et fiers. C'est moi qui ai accueilli tes parents dans le monde des morts lorsqu'ils ont été brûlés vivants par Yaune-le-Purificateur.

— Je suis bien content de l'apprendre, rétorqua Béorf avec arrogance et mépris. Parle maintenant et retourne ensuite d'où tu viens !

La fillette sourit et le Baron Samedi continua :

— Rassurez-vous ! Amos Daragon, le porteur de masques, n'est pas réellement mort. C'est sous mes ordres que Lolya l'a envoyé dans une autre dimension. Soyez plus gentils avec cette enfant ! Plus de chaînes et plus de prison ! C'est un être doué d'une grande force vitale. Son voyage pour venir à Berrion a été long et difficile, et la moitié de ses hommes sont morts en chemin. J'ai moi-même fabriqué, dans les forges de l'enfer, le masque du feu qu'elle a offert à Amos. Il n'y a jamais eu de porteur de masques dans sa famille ou même chez les Dogons. Lolya vous a menti parce qu'elle ne pouvait pas vous révéler nos véritables intentions et parce qu'elle voulait que vous ayez confiance en elle. Comme je lui ai demandé de le faire, elle a envoyé Amos Daragon vers Braha, la grande cité des morts. J'avais besoin de lui pour régler une affaire urgente. J'ai également besoin de vous! Je vais vous dire ce que vous devez maintenant faire pour ramener Amos Daragon à la vie. Déterrez rapidement son corps et portez-le dans le désert de Mahikui. Vous trouverez là, au milieu de cette mer de sable, une pyramide dont seule la pointe émerge du sol. Vous devrez franchir une porte, mais Lolya saura comment actionner son mécanisme d'ouverture. C'est au centre de cette pyramide que vous déposerez le corps du porteur de masques. Lolya vous guidera pendant tout le voyage. Le corps du garçon doit être à sa place lors de la prochaine éclipse de soleil qui aura lieu dans deux mois exactement. Vous n'avez pas de temps à perdre. Plusieurs d'entre vous mourront dans cette aventure. Méfie-toi, Junos, quelqu'un, ici, dans ce château, cherche à te nuire. Tu héberges un espion. Je pars maintenant… Ne perdez pas de temps! Béorf! On se reverra… À bientôt!

À ce moment, l'esprit du Baron Samedi quitta le corps de Lolya, et celle-ci s'effondra sur le sol, inconsciente. Béorf courut à toute vitesse vers le cimetière. Accompagné de ses parents adoptifs, Urban et Frilla Daragon, il se transforma en ours et commença à creuser frénétiquement le sol. En quelques minutes, le corps était exhumé. On ramena Amos au château et Junos ordonna qu'on prenne soin de Lolya.

Le soir venu, lorsque tout redevint calme, Béorf se rendit auprès de la dépouille de son ami. Amos avait été installé dans sa chambre, sur son lit. Recouvert d'un drap blanc, le garçon semblait dormir d'un profond sommeil. Des dizaines de chandelles avaient été allumées et leurs flammes dansantes caressaient les murs d'une douce lumière. Béorf s'assit sur le lit et parla doucement à son ami :

– Salut, Amos. Je ne sais pas si tu peux m'entendre, mais j'ai besoin de te parler. Quand j'étais petit, mon père m'a raconté l'histoire du forgeron de son village. Un jour, cet homme se présenta devant le grand prêtre. Complètement bouleversé, il demanda au sage de lui permettre de quitter le village pour se cacher en haut de la grande montagne. Apparemment, le forgeron avait vu la mort en personne qui le regardait de façon terrifiante. Ne voulant pas mourir, il avait choisi de fuir en espérant échapper à son destin. Le prêtre lui donna sa bénédiction, et le villageois déguerpit précipitamment. Au sommet de la montagne, épuisé par le voyage, il glissa malencontreusement sur une pierre et se cassa le cou. La mort apparut alors à ses côtés. Le forgeron, agonisant, lui demanda : « Pourquoi m'as-tu torturé de ton regard lorsque je t'ai aperçue au village ? Tu savais que j'allais

mourir, alors pourquoi me faire ainsi souffrir?»
La mort répondit: «Tu t'es mépris sur mon
regard, il n'était pas du tout rempli de colère,
mais plutôt de surprise. Hier, j'ai reçu l'ordre
d'aller te chercher dans la montagne. Si bien
que, quand je t'ai vu dans ta forge, au village, je
me suis demandé: "Mais comment ce forgeron pourra-t-il être demain dans la montagne
alors qu'ici, il croule sous l'ouvrage et semble
parfaitement heureux? Il n'a aucune raison
de partir!"»

Béorf soupira, puis, après un long moment de
silence, il reprit son monologue:

– Il semble, mon ami Amos, que nous
n'échappons pas à notre destin. Le Baron Samedi
m'a salué en disant que nous allions nous revoir.
Comme dans l'histoire de mon père, je viens de
voir pour une première fois la mort. J'ai peur de
mourir, Amos...

Comme il terminait sa phrase, Béorf aperçut
une ombre qui se faufilait dans le couloir. Doucement, il se dirigea vers la porte entrebâillée. Le
gros garçon vit alors un des cuisiniers du château, habillé de vêtements de voyage, descendre
furtivement l'escalier et courir vers les écuries.
Il reconnut l'homme que Lolya avait poursuivi
avec un couteau dans les cuisines du palais. La
jeune reine l'avait alors accusé de traîtrise et
avait dit qu'il avait le mauvais œil. Le cuisinier
vola un cheval et déguerpit dans la nuit. Sans
hésiter, Béorf se transforma en ours et se lança
à la poursuite du fugitif.

«Si mon destin est de mourir dans cette aventure, pensa-t-il, je mourrai la tête haute, comme mon père et ma mère! Je ne fuirai pas lâchement devant le danger!»

Chapitre 6

Sur la route de Braha

Depuis plusieurs heures, Amos essayait de comprendre ce que lui expliquait Jerik. Le secrétaire avait posé sa tête sur un baril du navire afin de se reposer un peu les bras.

— Bon, si tu es d'accord, je récapitule, Jerik, dit Amos. Premièrement, nous voguons en ce moment sur le Styx, le fleuve de la mort. Cette rivière coule dans une autre dimension, et les vivants ne peuvent pas la voir. C'est cela?

— Oui, c'est bien cela!, s'exclama Jerik. C'est comme la clé de Braha pour ouvrir les portes! Vivant, oui, c'est possible! Mais mort... non! C'est ce que je disais...

— Une chose à la fois!, lança Amos en interrompant la tête qui bougeait sans cesse sous le mouvement des mâchoires. Toutes les âmes des morts doivent impérativement prendre ce bateau pour atteindre une très grande ville nommée Braha. Les cimetières sont en réalité des ports d'embarquement. Charon est le capitaine de ce navire, et sa fonction est de récupérer les âmes et de les amener à Braha où elles seront toutes jugées. Cette ville est entièrement peuplée de fantômes. Ce sont des revenants, comme toi et moi, qui attendent de partir vers le paradis ou l'enfer. Là-bas, trois magistrats décident qui va dans le monde des dieux positifs et qui va dans le monde des dieux négatifs, c'est bien cela ?

– Précisément… voilà… tout y est, sauf bien sûr la clé !, répondit Jerik.

– J'y viens. Toi, Jerik, tu travailles pour Mertellus. Il y a aussi les juges Ganhaus et Korrillion. Un matin, sans avertissement, les deux portes permettant de faire sortir les âmes se sont fermées. Impossible de les rouvrir ! Vous m'avez alors choisi pour vous venir en aide. C'est moi qui dois maintenant trouver la clé pour vous sortir du pétrin, c'est toujours cela ?

– Exactement ! Cependant, il y a encore un problème… à expliquer… disons… plutôt… à régler… Comme je le disais:… une âme ne peut pas…

Le bateau s'arrêta brusquement. Amos interrompit Jerik :

– Tu me parleras de ce problème plus tard, allons voir ce qui se passe !

Quatre ou cinq autres âmes, parmi les passagers, suivirent le garçon et se dirigèrent, elles aussi, vers la passerelle. Sur le quai d'un tout petit cimetière rempli de fleurs, Charon refusait de faire embarquer une famille. L'homme implorait la clémence du capitaine :

– Je vous en supplie, je n'ai que cette pièce à vous offrir ! Mes trois enfants, ma femme et moi sommes morts dans l'incendie de notre chaumière. Nous sommes des paysans et avons peu d'argent. Ne nous faites pas cela! Nous étions très unis dans la vie, s'il vous plaît, ne nous divisez pas dans la mort...

– PAS QUESTION!, cria méchamment Charon. UNE PIÈCE PAR PERSONNE! LA LOI, C'EST LA LOI! CINQ PERSONNES, CINQ PIÈCES!

– Mais je n'ai rien d'autre pour vous payer!

– EH BIEN, TANT PIS!, hurla le vieillard. VOS ENFANTS ET VOTRE FEMME DEVIEN-DRONT DES ÂMES ERRANTES ET NE TROU-VERONT JAMAIS LE REPOS!

Amos, incapable de laisser cette famille dans le malheur, intervint:

– Capitaine! laissez monter cette famille. Comme cet homme n'a rien pour payer le pas-sage des siens, eh bien, je le paierai! Je double sa mise! Si vous les laissez monter, je vous offre deux fois rien!

– TRÈS BIEN, dit Charon. TU VEUX RUSER AVEC MOI, JEUNE HOMME, EH BIEN, RUSONS ENSEMBLE. SI TU NE ME DONNES PAS EXACTEMENT DEUX FOIS RIEN, JE TE LANCE PAR-DESSUS BORD! MARCHÉ CONCLU?

– Marché conclu!, répondit Amos en souriant de toutes ses dents.

La famille prit donc place à bord du navire. L'homme remercia chaleureusement le jeune garçon. Le père, la mère et leurs trois enfants se blottirent dans un coin en attendant la suite des événements. Pendant ce temps, Jerik s'avança vers Amos et dit :

– C'est que… vous ne le savez probablement pas… mais, comment dirais-je ?… Toute âme qui touche le Styx est automatiquement… voyons… disons… dissoute et rejoint le néant éternel. Comme j'ai besoin de vous à Braha… je pense… que… disons… cette intervention n'était pas une très bonne idée de votre part ! Charon voudra véritablement voir son « deux fois rien » et… bon… je ne pense pas que « rien » soit en réalité quelque chose de… visible… encore moins de palpable !

– Cela dépend de la façon dont on regarde les choses, répondit très calmement Amos en voyant arriver le capitaine.

– MAINTENANT, PAYEZ-MOI, MONSIEUR DARAGON !, cria Charon avec une mine patibulaire. J'EXIGE EXACTEMENT DEUX FOIS RIEN !

– Tout de suite, fit le porteur de masques. Votre gros livre de cuir, dans votre gibecière, mettez-le sur la table, juste ici, s'il vous plaît.

– POURQUOI ?, demanda le capitaine.

– Faites-le et je vous donne ensuite exactement ce que je vous dois, répondit poliment Amos.

Charon obtempéra en maugréant. Une fois le livre posé sur la table, le garçon dit :

– Soulevez maintenant votre gros bouquin et dites-moi ce qu'il y a dessous !

– MAIS… IL N'Y A RIEN!, vociféra Charon après s'être exécuté.

– Eh bien, puisque vous l'avez vu, prenez-le, il est à vous! Recommencez encore une fois le même manège et vous aurez exactement ce que je vous ai promis, c'est-à-dire deux fois rien. Je vous demande par contre de vous en tenir là, j'ai déjà promis trois fois rien à quelqu'un d'autre!

Les deux squelettes matelots esquissèrent, du mieux qu'ils purent, un large sourire. Toutes les âmes des passagers éclatèrent d'un rire bien sonore. Pour la première fois de sa vie de capitaine, Charon eut lui aussi un rictus. Décontenancé, il essaya de retenir son sourire, mais sans succès. Le vieillard s'approcha du garçon et déclara:

– VOUS ÊTES UN MALIN, JEUNE VOYAGEUR! À L'AVENIR, JE VOUS AURAI À L'ŒIL!

– Ce sera toujours un plaisir de vous servir, capitaine. Et faites bon usage de ce que je vous ai donné!, rétorqua Amos avec un clin d'œil complice.

Jerik, ahuri par la tournure des événements, se laissa mollement tomber sur son derrière, à même le sol.

– Moi qui croyais que l'aventure allait se terminer… comment dire?… là! dans le Styx! Je n'en crois pas mes yeux… Vous avez accompli l'impossible, Maître Daragon… Vous avez fait sourire Charon! Devant moi… sous mes yeux… il a réellement souri! Vous êtes bel et bien la personne qu'il nous faut à Braha, Maître Daragon! Vous accomplissez des… des miracles!

– Merci du compliment, répondit Amos, content de lui.

* * *

Quelques jours s'étaient écoulés depuis qu'Amos avait quitté les terres de Berrion. Il trouvait le temps long. Voguant uniquement sur le Styx, le bateau s'arrêtait souvent dans l'un ou l'autre des cimetières qui se trouvait sur sa route pour faire embarquer de nouveaux passagers. Le garçon fit ainsi la connaissance d'un étrange personnage, un érudit qui était monté à bord en pleurant à chaudes larmes. Il faisait pitié à voir. Après quelques heures sur le navire, l'homme se confia le plus naturellement du monde à Amos.

Le savant avait acquis, au prix d'un nombre incalculable d'heures d'étude, une culture universelle. Il connaissait aussi bien les langues que les coutumes de tous les pays, parlait des étoiles comme s'il les avait visitées, et pas une seule plante n'avait de secret pour lui. Maître en géographie et en histoire, il n'avait par contre jamais voyagé. Il avait tout appris dans les livres. De sa plus tendre enfance jusqu'à l'âge de quarante ans, la bibliothèque de sa cité avait été son seul refuge.

C'est alors que, connaissant tout sur le monde, l'homme avait décidé d'entreprendre son premier voyage. Il avait embarqué sur un navire qui devait le conduire sur un autre continent. Sûr de lui et de sa science, il avait demandé au capitaine, un homme simple et délicat, s'il avait étudié la grammaire. Celui-ci lui avait répondu que non.

– Les mathématiques peut-être ?

– Non.

Désirant faire étalage de sa supériorité intellectuelle, l'érudit avait insisté :

– L'astronomie ?

– Non.

– L'alchimie ?

– Non.

– La rhétorique ?

– Non, avait encore répondu respectueusement le vieux marin.

– Eh bien, avait déclaré le savant, tu as perdu ta vie en balivernes, vieil homme !

Fâché et déconcentré, le capitaine avait alors fait une fausse manœuvre, et son navire avait violemment heurté un récif. La coque du bateau s'était ouverte et l'embarcation avait commencé à couler. Le capitaine avait regardé l'érudit qui, dès la collision, avait perdu toutes ses couleurs et toute son arrogance. Il était blanc comme neige et ressemblait à un enfant apeuré.

– Dis-moi, avait demandé le marin, toi qui sais tout, tu as sûrement appris à nager ?

– Non, je ne sais pas nager, avait avoué le savant.

– Eh bien, avait rétorqué le capitaine, je pense que, de nous deux, c'est plutôt toi qui viens de perdre toute ta vie.

Le vieux capitaine avait nagé jusqu'au rivage en laissant l'érudit couler avec le navire. Le bateau de Charon avait recueilli son âme, transie et complètement mouillée, sur le bord du Styx. Ce savant s'appelait Uriel de Blanche-Terre. Au fil des jours, il se lia d'amitié avec le garçon et le secrétaire, puis ne les quitta plus.

Alors qu'Amos jouait aux cartes avec Uriel et Jerik pour passer le temps sur le navire, un des squelettes matelots lui tapota l'épaule pour attirer son attention. Comme il se retournait, Amos aperçut le capitaine qui lui faisait signe de la main. Abandonnant son jeu, il suivit Charon.

– Qu'est-ce que je peux faire pour vous?, demanda Amos.

– ENTRE DANS MA CABINE, VOYOU!, s'exclama l'homme.

Le garçon s'exécuta sans comprendre ce qui se passait. Charon lui désigna un siège. Le capitaine resta debout et commença à marcher nerveusement, tournant en rond dans la petite pièce.

– Je veux que tu m'aides, finit-il par dire, j'ai besoin de toi.

– Mais, capitaine, vous ne criez plus?

– Non, répondit Charon. Quand je crie, c'est pour me donner une contenance. Mon métier est difficile et mes ordres sont stricts. Je ne dois en aucun cas montrer de la compassion pour mes passagers. Je t'avoue même que, lorsque je suis seul dans ma cabine, je pleure en pensant à ces enfants que je dois abandonner sur les quais parce qu'ils sont sans le sou. Et puis, il y a aussi toutes ces âmes solitaires, apeurées et impuissantes dans la mort. Bref... je dois me sortir continuellement ces images de la tête. Plus je me montre rigide, plus j'étouffe mes véritables émotions. Depuis ton arrivée, je sais que tu n'es pas comme les autres et que je peux te faire confiance. Voilà pourquoi je te confie cela aujourd'hui.

– Parlez, je vous écoute. Je suis touché par votre geste et je ferai tout mon possible pour vous aider.

– Eh bien, voilà, commença Charon. Je vogue depuis des siècles sur ce bateau. J'en ai vu de toutes les sortes et de toutes les couleurs si... si tu vois ce que je veux dire ! Mais il y a une chose que je n'arrive pas à m'enlever de la tête. Une chose qui me hante constamment. Nous arriverons bientôt près d'une grande île dont, depuis près de trois cents ans, les habitants sont damnés. Ils sont tous morts de soif lors d'une importante sécheresse provoquée par leur dieu. Celui-ci est méchant et s'amuse encore à les voir souffrir. Il les empêche tous de monter sur mon bateau. Ce dieu leur a soumis une énigme qu'ils doivent résoudre pour être libérés des tourments de la soif. Quelque chose de très difficile à résoudre, mais je pense que tu es assez malin pour leur venir en aide. Tu devrais les voir, chaque seconde est une éternité pour ces assoiffés maudits !

– Et... quelle est cette énigme ?, demanda Amos.

– Ils doivent faire pleuvoir en utilisant seulement deux cruches remplies d'eau, répondit Charon en haussant les épaules d'un air désespéré.

Cela me paraît impossible, mais… si c'est une énigme, il doit probablement y avoir une solution.

– Mais comment peut-on faire tomber la pluie avec deux cruches d'eau ?, fit Amos, songeur.

– Je n'en sais vraiment rien ! Si je le savais, je ne t'en aurais pas parlé !, lança le capitaine qui commençait déjà à s'impatienter. Enfin, pense à cela, ajouta-t-il en se radoucissant. Nous serons bientôt aux abords de l'île. S'il y a quelque chose à faire, eh bien, fais-le ! Sinon… sinon ils souffriront jusqu'à la fin des temps. Et moi, je continuerai à passer devant l'île sans pouvoir rien y changer.

Amos quitta la cabine du capitaine pour aller retrouver Uriel et Jerik. Plus loin, ces deux derniers discutaient à voix basse :

– Seth m'a libéré des enfers pour que j'élimine ce garçon ?, s'assura Uriel. Et je le tue quand ? Ce sera un jeu d'enfant ! Et comment va mon frère, le grand magistrat Ganhaus ?

– Bien, bien… il va bien…, chuchota Jerik. Je crois qu'Amos pense… je crois qu'il s'imagine vraiment que tu es un grand érudit… Tu as bien joué… Ton histoire et tes… disons… tes larmes étaient parfaitement crédibles ! Mais nous ne devons pas… comment dire ?… il ne faut pas brûler les étapes… Tu tueras Daragon lorsqu'il sera en possession de la clé… de la clé de Braha. Il faudra ensuite que tu la donnes à… à ton frère…

– Je suis patient, crois-moi ! Je ferai ce qu'il faut, affirma Uriel.

– Tais-toi!, murmura Jerik. Le voilà qui vient!

Amos s'approcha de ses compagnons de voyage. Voyant son air soucieux, Uriel demanda en feignant parfaitement l'inquiétude:

– Qu'est-ce qui se passe? On peut t'aider, mon jeune ami?

– Non, répondit le garçon. C'est quelque chose entre moi et Charon. Allez! reprenons la partie si vous voulez bien!

– J'aime mieux ça... Je préfère que vous ne m'embêtiez pas avec vos affaires personnelles, Maître Daragon. J'en ai assez des miennes qui sont... disons... passablement compliquées, poursuivit Jerik en redistribuant les cartes. Lavez votre linge sale en famille comme... comme on dit chez moi!

Amos leva les yeux, regarda Jerik et éclata d'un rire franc et libérateur.

– Jerik, tu viens à l'instant de sauver des centaines d'âmes de la malédiction!, dit-il au secrétaire en l'embrassant sur le front.

* * *

La passerelle tomba et Amos mit le pied sur l'île.

– JE TE LAISSE UNE HEURE, VERMINE!, cria Charon. SI TU N'ES PAS REVENU, JE TE LAISSE ICI, PETIT MORVEUX!

– Pourquoi descend-il ici?, demanda Uriel, soucieux de ne jamais perdre le jeune garçon de vue.

– MÊLE-TOI DE TES AFFAIRES ET FERME-LA!, hurla le capitaine. FAIS LE MORT! JE NE VEUX PLUS T'ENTENDRE!

– Difficile de faire autre chose que le mort sur ce bateau, marmonna hargneusement Uriel.

Amos marcha un moment sur la grande île désertique et arriva bientôt au village des damnés. Un chaud soleil brûlait la terre, et tous les habitants étaient assis à l'ombre de huttes. Leur corps était complètement desséché et brûlé. Ces pauvres gens n'avaient plus que la peau sur les os. Un homme se leva péniblement et vint à la rencontre d'Amos. D'une voix faible, il le mit en garde:

– Pars. Nous… nous sommes maudits et…

– Je sais ce qui vous arrive, l'interrompit le garçon. Votre dieu se moque de vous et il semble n'y avoir aucune solution à votre malheur. Pourtant, il existe bien une façon de vous sortir de cette situation! Je sais comment faire pleuvoir avec deux cruches remplies d'eau.

– Il est bien spécifié que nous ne devons pas les… les boire, reprit l'homme en avalant difficilement la poussière entre ses dents. Si nous utilisons l'eau à mauvais escient, notre sort sera… sera à jamais scellé dans la souffrance.

– Faites-moi confiance, je pense pouvoir vous tirer de ce mauvais pas. Amenez-moi une première cruche d'eau ainsi qu'un grand seau, s'il vous plaît, demanda Amos. Et j'ai également besoin de savon!

Le jeune porteur de masques, sûr de lui, vida le contenu de la première cruche dans le seau. Il retira ensuite son pantalon, le trempa dans l'eau et, en utilisant le savon, commença à le laver. Le village entier, à bout de forces et de larmes, regardait la scène sans espoir. Lorsqu'il eut terminé de nettoyer son vêtement, Amos vida le seau et demanda qu'on lui apporte la deuxième cruche. Le chef du village déclara sur un ton suppliant :

– Mais… mais pourquoi faites-vous cela ? Nous voilà maintenant… condamnés pour l'éternité !

– Ayez confiance. J'ai besoin de la deuxième cruche, c'est primordial.

Sans rechigner, les habitants du village acquiescèrent à sa demande. De toute façon, tout était désormais perdu pour eux, croyaient-ils. Amos prit la seconde cruche, la vida au complet dans le grand seau et rinça consciencieusement son pantalon. Il en retira toute trace de savon, puis vida encore une fois l'eau par terre. Au grand désespoir de tous, Amos demanda :

– Puis-je faire sécher mon pantalon sur cette corde à linge ?

Découragé, le chef hocha la tête de haut en bas. Dès que le vêtement fut étendu sur la corde, les nuages couvrirent rapidement le soleil, et un violent orage éclata. Devant les figures éberluées des habitants de l'île maudite, Amos, tout fier de lui, dit simplement :

– Ma mère dit toujours qu'il suffit de mettre du linge à sécher dehors pour que la pluie vienne à tous coups gâcher le lavage ! L'énigme posée par votre dieu est maintenant résolue. Vous êtes libres de quitter cette île. La malédiction est levée.

Profitez un peu de la pluie. Un bateau vous attend à la pointe là-bas. Ah oui, n'oubliez pas de prendre une pièce de monnaie pour payer votre passage, le capitaine a mauvais caractère !

Chapitre 7

Le retour du Purificateur

Béorf avait suivi à la trace le cuisinier fugitif qui avait chevauché jusqu'au matin avant de s'arrêter dans une clairière, non loin des limites du royaume de Berrion. Béorf vit un homme venir à la rencontre du cuisinier. Il était grand et robuste et portait une solide armure rutilante. Il montait un gros cheval roux. Son bouclier arborait des armoiries représentant d'énormes têtes de serpents. Au moment où le chevalier retira son casque, Béorf reconnut Yaune-le-Purificateur. Une large cicatrice traversait son visage. L'ancien seigneur de Bratel-la-Grande avait toujours le mot « meurtrier » tatoué sur le front. Il semblait encore plus méchant et plus vicieux qu'auparavant. C'est lui qui avait ordonné qu'on brûle les parents de Béorf en les accusant de sorcellerie.

Sous sa forme animale, Béorf marcha silencieusement à quatre pattes et s'avança le plus possible des deux hommes sans se faire voir. Caché sous les arbres, à la lisière de la forêt qui entourait la clairière, l'hommanimal entendit le cuisinier dire :

— Le seigneur de Berrion sortira bientôt de la ville. Il doit se rendre dans un désert quelconque. Le porteur de masques sera là, lui aussi, mais… il semble tout à fait inoffensif. Je n'ai pas très bien compris ce qui lui est arrivé. C'est comme s'il était en état de catalepsie. Le seigneur sera également accompagné de grands guerriers à la peau noire et d'une fillette. Méfiez-vous d'elle, ses pouvoirs sont grands. Elle a su me sonder en un clin d'œil. Elle lit dans l'âme des humains comme dans un livre ouvert.

— As-tu été suivi?, demanda Yaune-le-Purificateur entre ses dents.

— Non, bien sûr que non!, répondit le mouchard en regardant nerveusement autour de lui.

— Voilà tes trente pièces d'or, dit Yaune en lui lançant au visage un petit sac de cuir.

— Désolé, Maître, mais nous avions convenu d'une récompense de cinquante pièces d'or!, répliqua le cuisinier, mécontent.

Sans crier gare, Yaune sortit brusquement son épée de son fourreau et trancha d'un seul coup la gorge de son espion. Le corps du cuisinier tomba lourdement sur le sol. Du bout de sa lame, le chevalier ramassa le petit sac d'or par la ganse.

— Voilà comment on fait des économies!, murmura-t-il en rangeant son arme.

Jetant un regard attentif autour de lui, Yaune remit son casque et partit au galop vers la forêt. Il disparut bien vite, loin de Béorf qui était toujours sous le couvert des arbres. L'hommanimal se dit à lui-même:

« Je dois absolument retourner à Berrion pour avertir Junos ! »

C'est en prenant mille précautions que le jeune ours regagna la route. Lorsqu'il fut à découvert, Béorf sursauta en apercevant devant lui Yaune-le-Purificateur. Le chevalier retira son casque et déclara, content de lui :

– Les ours ne sursautent pas ainsi, Béorf Bromanson ! Tu es beaucoup trop gros et trop lourdaud pour bien te cacher dans la forêt. Tes parents ne t'ont donc rien appris ? Ce n'est peut-être pas leur faute après tout... ils sont morts si jeunes !

Béorf reprit sa forme humaine, conservant toutefois ses longues griffes et ses puissantes dents d'ours. Avec de telles armes, il ne craignait personne.

– Oh ! tu me fais peur !, ironisa Yaune. Tu sais, depuis notre dernière rencontre à Bratel-la-Grande, je m'ennuie de ton ami Amos. Maintenant, parle-moi de lui et explique-moi en détail ce qui se passe à Berrion.

– Jamais ! Vous ne saurez rien de moi !, répondit fièrement le gros garçon en grognant.

– Très bien... très bien... Je serai donc obligé de te tuer !, fit le chevalier en dégainant calmement son épée.

Sans réfléchir plus longtemps, Béorf sauta d'un puissant bond sur Yaune. Il lui mordit violemment le cou, juste sous l'oreille droite. Le chevalier fut désarçonné de sa monture et entraîna l'hommanimal avec lui dans sa chute.

Une fois par terre, les deux combattants se remirent rapidement sur leurs pieds. Yaune dit alors en brandissant son immense épée à deux mains :

— J'avais oublié que les hommes-ours sont parfois très surprenants ! Savais-tu qu'il a fallu douze de mes anciens chevaliers de la lumière pour seulement immobiliser ton père ? Une sale brute ! Ta mère aussi a été assez difficile à capturer, mais, pour elle, nous avons utilisé la ruse. Je lui ai dit que nous t'avions déjà pris en otage et que, sans sa collaboration, j'allais te trancher la gorge ! Elle nous a suivis sans résister et… nous l'avons brûlée vivante. Ta mère était une femme stupide et sentimentale, jeune homme !

Fou de rage, Béorf bondit de nouveau sur Yaune. Le chevalier, sur ses gardes cette fois, l'accueillit avec un puissant coup d'épée qui lui déchira le flanc gauche. Le gros garçon tomba par terre, saisi par une terrible douleur.

— Pauvre Béorf !, dit Yaune en ricanant. Quel dommage ! Le dernier membre de la famille des Bromanson qui va bientôt s'éteindre…

Le Purificateur asséna alors un coup de pied directement sur la blessure de son adversaire. Avec son épée, il entailla ensuite profondément la cuisse de Béorf. Ignorant sa douleur, ce dernier se leva avec adresse et, d'un coup de patte, il déchira la cuirasse de métal du chevalier. L'homme fut projeté par terre, mais se releva, lui aussi, aussitôt. En voyant Béorf qui saignait abondamment, Yaune s'exclama :

– Si je possédais une armée d'hommanimaux comme toi, je ferais la conquête du monde sans le moindre effort! Mais quelle force pour un enfant d'à peine douze ans! Regarde ce que tu as fait à mon armure! C'est impressionnant! Dommage que je doive te tuer!...

– VIENS!, cria Béorf, enragé. Nous verrons bien qui de nous deux survivra à ce combat! Les sales rats de ton espèce ne m'ont jamais fait peur!

À peine sa phrase terminée, l'hommanimal reçut un coup de poing en plein visage qui lui fractura le nez, mais il réussit à éviter de justesse un nouveau coup d'épée de son agresseur. Malheureusement pour lui, le genou de Yaune, bien placé dans l'estomac, lui coupa instantanément le souffle. Chancelant, il tenta de mordre le bras du Purificateur, mais sans succès. Une avalanche de coups de pied et de coups de poing s'abattit alors sur lui. Malgré la force et la puissance du chevalier, Béorf tenait bon et restait encore debout. C'est le visage ensanglanté, complètement ravagé par les attaques de Yaune, que le gros garçon trouva enfin un point d'appui. Le dos contre un arbre, il parvint à reprendre un peu ses esprits. Sa tête tournait et la douleur le paralysait lentement. Il entendit la voix du chevalier:

– Adieu, jeune imbécile!

L'épée de Yaune-le-Purificateur lui traversa le corps.

– Cette arme, ajouta Yaune, empoisonne mortellement tous ceux qu'elle touche. À présent, considère-toi comme condamné. Si tu ne meurs pas de tes blessures, tu mourras du poison que je viens de t'injecter !

Encore une fois, avec l'énergie du désespoir, Béorf bondit à la figure de Yaune. Cette dernière attaque du béorite porta fruit. Avec une de ses griffes, il creva un œil à son adversaire. Le chevalier hurla de douleur et, en replantant son épée dans le corps du garçon, il cria :

– MAIS VAS-TU MOURIR, SALE BÊTE ? VAS-TU MOURIR UNE FOIS POUR TOUTES ?

C'est en titubant que Yaune regagna son cheval. Son œil blessé saignait abondamment. L'homme déguerpit en laissant Béorf au sol, à demi mort. Par deux fois, l'épée empoisonnée du chevalier lui avait traversé le corps. Le jeune hommanimal ferma les yeux et, en souriant, se dit calmement :

« Je vais bientôt revoir mes parents... »

* * *

Le seigneur Junos avait envoyé ses hommes fouiller les moindres recoins de Berrion. Ils étaient revenus bredouilles. Béorf avait disparu et personne ne savait où il se trouvait. Les chevaliers avaient passé tout le château au peigne fin, sans oublier les salles secrètes et les greniers ; ils s'étaient même rendus au cimetière ; mais tout cela en vain ! Pas de traces, pas d'indice ni de message.

Lolya avait demandé, dans le tumulte, à ce qu'on prépare le plus rapidement possible le corps d'Amos. C'est dans une ambiance lourde et sans joie que Junos choisit vingt de ses meilleurs chevaliers pour le voyage. En comptant les vingt Dogons, c'est donc une délégation de quarante hommes qui ferait route vers la pyramide du désert de Mahikui. Junos, le cœur rempli d'inquiétude, se résolut à partir sans Béorf. Le seigneur quitta sa ville chérie dans l'espoir qu'Urban et Frilla Daragon retrouveraient vite le jeune hommanimal.

Le corps d'Amos avait été placé dans une charrette spécialement aménagée. Bien enveloppé dans plusieurs linceuls finement brodés, il reposait dans un hamac qui le protégeait des soubresauts de la route. Une toile couvrait le chariot pour éviter que le soleil ne brûle la dépouille. Quatre magnifiques chevaux tiraient le corps du porteur de masques qui flottait, prisonnier de son lit de corde, au-dessus du matériel et des provisions nécessaires au voyage. Junos, à la tête du groupe, donna ses ordres, et le cortège se mit en route pour un long périple de deux mois.

C'est après une journée de route sans encombre que le seigneur de Berrion vit, juste aux abords de la clairière où il avait projeté de monter le premier camp, un corps étendu par terre. Lolya, pressentant le malheur, fit immédiatement signe à ses hommes de faire ce qu'il fallait. Ceux-ci ramenèrent rapidement les restes tuméfiés et meurtris de Béorf. Junos se jeta sur le gros garçon et constata aussitôt que son cœur battait encore.

– Vite !, cria-t-il. Il est toujours vivant ! Il faut le soigner ! Transportons-le tout de suite à Berrion ! Il lui reste peu de temps. Son cœur bat très faiblement !

Lolya s'avança, plaça la paume de sa main sur le front du garçon, puis déclara :

– Son âme s'accroche à la vie. Il ne veut pas partir. Béorf résiste de toutes ses forces, mais il ne supportera pas le voyage jusqu'à Berrion. Montez le camp, je m'occuperai de lui. Faites-moi confiance, Junos, je sais comment le ramener du royaume des ombres.

Junos ordonna aussitôt qu'on dresse une tente pour accueillir Béorf et Lolya. La jeune reine se mit rapidement à l'ouvrage et demanda qu'on lui apporte immédiatement une dizaine de sangsues. Elle avait remarqué que les plaies de Béorf étaient empoisonnées. Son sang coagulait difficilement. Cinq Dogons partirent à la course dans les bois pour répondre le plus vite possible à la requête de Lolya. Cette dernière demanda aussi qu'on lui trouve des chandelles noires, de l'urine de jument enceinte et une poule. Quelques chevaliers quittèrent sur-le-champ la clairière pour le village voisin. Lolya se pencha sur Béorf et lui chuchota à l'oreille :

– Je sais que tu peux m'entendre. Tu dois vivre, Béorf. Calme-toi et respire bien. Ton cœur bat bien et ton temps n'est pas encore venu. La mort ne te réclame pas. Fais-moi confiance. Je te sortirai de là.

Lolya encouragea Béorf jusqu'au retour des Dogons et des chevaliers. Une fois en possession de tout ce dont elle avait besoin, elle commença par poser les sangsues sur le corps du blessé. Elle alluma ensuite les bougies et entreprit un étrange rituel. La poule à ses côtés, la fillette se mit à danser autour du corps en invoquant un «guede». Ces esprits avares et dangereux, disait-on, cherchaient constamment à extirper l'âme des vivants de leur enveloppe de chair. C'étaient eux qui provoquaient les accidents mortels, les rencontres dangereuses et les malheureux hasards de la vie. Ils tiraient leur force de l'énergie générée par la séparation de l'esprit et du corps. Devant Lolya, juste au-dessus de la dépouille de Béorf, le guede apparut. Une figure laide, blême et chétive prit forme dans un nuage translucide jaune clair.

– Que me veux-tu?, chuinta l'esprit.

– Je t'ordonne de me rendre l'âme de ce garçon, dit-elle d'un ton ferme.

– Je n'ai pas d'ordres à recevoir de toi, sorcière!, répondit le guede. Cette âme se bat magnifiquement bien, mais j'ai envie de gagner la bataille! J'y prends un énorme plaisir. J'en tire une sublime énergie vitale!

– Pour la dernière fois, guede, menaça la fille, cède-le-moi et tu pourras partir en paix.

– ON NE DONNE PAS D'ORDRES AUX GUEDES!, cria la figure translucide. Que peux-tu faire contre moi?

– Je connais les voies des peuples anciens, la magie des premiers rois de la Terre, lança fièrement la fillette, sûre d'elle.

– TU MENS!

– Eh bien… tu l'auras voulu, sale esprit.

Lolya s'approcha du guede, prononça quelques mots dans une langue archaïque, empoigna l'esprit et le propulsa d'un seul coup dans le corps de la poule. Prisonnier de l'oiseau, l'esprit commença à courir dans tous les sens. Sous le rire satisfait de la jeune reine, la poule quitta la tente, complètement paniquée.

– Ça t'apprendra à discuter mes ordres!, cria la fille en riant maintenant aux éclats. Allez! cours vite! Nous mangeons du poulet ce soir, stupide guede! Nous te cuirons avec plaisir!

Se retournant vers Béorf, elle continua ses incantations :

– Maintenant, je ne crains plus rien pour ton esprit. Soignons tes plaies, et ta survie est assurée. Tant que je serai près de toi, jamais un autre guede n'osera mettre son nez dans mes affaires. Ils sont stupides et peureux! Bon, je t'explique, Béorf. Je sais que tu peux m'entendre et c'est important que tu comprennes avec toute ta tête les étapes de ta guérison. Tu es gravement empoisonné. Les sangsues sur ton corps vont naturellement aspirer le poison. Elles tomberont ensuite d'elles-mêmes. Dès que tu ouvriras un œil, je te ferai boire une de mes potions de guérison, fabriquée avec de l'urine de jument. Tu verras, c'est très mauvais, mais efficace. Tu guériras encore plus vite de peur que je ne t'en serve un autre verre!

À ce moment, Junos entra dans la tente et demanda :

– Comment va-t-il?

– Il est sauvé, répondit Lolya.

– Tant mieux!, soupira le seigneur de Berrion. Nous venons de découvrir le corps d'un de mes cuisiniers. Le pauvre a été décapité. C'est curieux... c'est le même homme que tu as poursuivi avec un couteau, au château. Tu l'accusais de traîtrise. Lolya... dis-moi... sais-tu quelque chose que j'ignore?

– Je sais beaucoup de choses que vous ignorez, répondit Lolya en souriant.

– Sais-tu qui a blessé Béorf et tué ce cuisinier?, demanda Junos, inquiet.

– Cherchez un serpent, dit Lolya. Un grand serpent en colère!

Chapitre 8

Le royaume d'Omain

Charon surgit sur le pont du bateau en criant :
– SOYEZ PRÊTS À VOUS SERRER LES COUDES, CHARMANTS VOYAGEURS, NOUS ARRIVONS DANS LE ROYAUME D'OMAIN !

Amos courut à tribord pour regarder pardessus le bastingage. Son cœur battait à toute vitesse. C'est à Omain que le garçon avait vu le jour. C'est là qu'il avait grandi, qu'il avait appris à connaître la forêt et qu'il avait rencontré la sirène Crivannia. Un flot de souvenirs le submergea. Il revit son ancienne chaumière construite par son père, le maigre jardin de sa mère et ses longues promenades dans les bois. L'image de la rivière, du port de pêche et des magnifiques montagnes environnantes s'imposèrent à son esprit. Il huma l'odeur de la mer, toujours présente dans ce royaume.

La passerelle tomba et Amos aperçut une foule considérable sur le quai. Le cimetière était rempli d'âmes qui attendaient patiemment de prendre le bateau. Le jeune garçon se demanda quel funeste événement avait bien pu faire périr autant de gens des paisibles contrées d'Omain. Tous les habitants du royaume devaient être là! Ils étaient tous morts! Un grand malheur les avait sans doute tous frappés en même temps. Sur le quai, les revenants portaient de profondes entailles au torse, aux bras et aux jambes. La catastrophe n'avait sans doute pas laissé de survivants. Les femmes et les enfants étaient très nombreux à attendre le navire. Le spectacle était déchirant à voir. Jerik s'avança près d'Amos et lui dit:

— C'est une guerre, vous voyez, Maître Daragon... là et là... les plaies sur eux. Ces gens sont... comment dire?... ont été... disons... tués à l'épée. Il est arrivé... comment dire?... quelqu'un ou... disons... voyons... une armée... quelque chose de pas très bien... en tout cas!

C'est le seigneur Édonf, seigneur et maître des terres d'Omain, qui monta le premier sur le bateau. L'homme n'avait pas changé d'un poil. Il était toujours aussi gras et ressemblait encore à un gros crapaud de mer. Il avait trois imposants mentons de graisse, et ses yeux exorbités le rendaient ridiculement laid. Il reconnut tout de suite Amos:

— Bien content que tu sois mort, toi aussi!, lança l'adipeux seigneur avec un mouvement théâtral. Il était temps que ce bateau arrive, cela faisait des jours que nous l'attendions. Nous avons sonné et sonné la cloche! Impossible aussi de sortir de ce maudit cimetière! En passant, jeune vaurien, ton âne ne m'a jamais donné d'or et toute la ville s'est bien moquée de moi. J'ai échafaudé nombre de plans pour me venger de toi… mais bon, aujourd'hui, tout cela n'a plus véritablement d'importance…

– Pourrais-je savoir ce qui est arrivé?, demanda poliment Amos à son ancien seigneur.

– Un grand malheur s'est abattu sur mon royaume, répondit le seigneur. Personne ne comprend véritablement comment ni pourquoi nous en sommes arrivés là. En fait, le problème, ce fut la surprise! Rien à faire, en moins d'une heure, nous étions tous morts!

– Je ne comprends pas, dit Amos. C'est une catastrophe naturelle qui vous a surpris alors?

– Pire!, répliqua gravement Édonf. Il s'agit d'un démon! Une vraie bête sortie tout droit des enfers! Il est arrivé au village par une nuit sombre et sans lune. Il était grand, balafré et portait une immense épée. Sans crier gare, il a massacré toute la population! Maison par maison, il a assassiné tout le monde! Des vieillards les plus faibles aux enfants sans défense, personne n'a trouvé grâce à ses yeux. Il est ensuite monté au château, ma petite place forte. En deux temps trois mouvements, il avait mis en déroute ma garde personnelle. Aucun de mes soldats n'a réussi à tenir plus de trois secondes devant lui. Un vrai démon, je te dis! Il avait d'ailleurs le mot «meurtrier» tatoué sur le front. Seul un démon peut avoir une telle force, une telle audace et cette marque sur la figure.

Dans l'esprit du garçon, les pièces du casse-tête se mettaient en place. D'après la description d'Édonf, Amos sut immédiatement qu'il s'agissait de Yaune-le-Purificateur, ancien seigneur des chevaliers de la lumière de Bratel-la-Grande.

– Que s'est-il passé après?, demanda-t-il, curieux de connaître la suite.

– Ce démon m'a tiré du lit, continua Édonf, et il m'a dit qu'il allait prendre possession de mon royaume pour quelques années. Son épée m'a traversé le corps, et mon âme s'est instantanément retrouvée dans ce cimetière. Enfin, c'est ce qui est arrivé à tout le monde, sauf à lui, là-bas. Regarde, il monte sur le bateau. Personne ne le connaît. Il est apparu ici il y a quelques jours. Il ne dit jamais un mot et il se tient tranquille dans son coin. D'après ce que j'ai pu voir, il a eu la gorge tranchée.

Amos s'approcha de l'homme en question et reconnut aussitôt le cuisinier de Berrion, celui-là même que Lolya avait poursuivi avec un couteau.

– Que t'est-il arrivé?, lui lança Amos.

– Vous êtes ici? Vous êtes donc vraiment mort? La fille noire vous a donc réellement tué?, s'étonna le cuisinier.

Ne voulant pas expliquer son aventure ainsi que les raisons de sa présence sur le navire, Amos répondit par l'affirmative. Le cuisinier se livra à lui :

– Maintenant que je suis mort… je peux bien tout vous dire. En fait, je travaillais aussi comme espion, depuis quelques semaines, pour un grand chevalier qui arborait des armoiries représentant des têtes de serpents. Il ne m'a jamais dit son nom, mais j'avais pour lui une grande admiration.

Maintenant, j'ai une tout autre opinion de lui, mais, de mon vivant, il m'avait promis cinquante pièces d'or pour lui fournir des informations. Une vieille offense dont il devait se venger, disait-il. Il voulait savoir tout ce qui se passait à Berrion. Un soir, j'ai appris qu'on vous avait exhumé pour vous amener dans un désert quelconque…

— Attends, l'interrompit Amos. Tu dis qu'on m'a déterré? On a sorti mon corps du cimetière?

— Oui, c'est la fille noire. Elle était possédée par une sorte d'esprit… Il s'appelait le baron… le baron quelque chose, je ne sais plus. Sa voix est devenue très grave et elle a menacé tout le monde en exigeant que votre corps soit amené, dans les plus brefs délais, dans le désert de… de… non, je ne me rappelle pas non plus…

— A-t-elle dit pourquoi il fallait qu'on transporte mon corps?, demanda Amos, de plus en plus intéressé.

— Elle disait qu'en réalité vous n'étiez pas mort! C'est difficile à comprendre. Désolé, je n'en sais pas davantage, sinon que le masque qu'elle vous a donné était en fait un cadeau de ce baron. C'était pour vous amadouer, gagner facilement votre confiance ou quelque chose du genre.

Uriel, qui se trouvait tout près d'Amos, écoutait attentivement la conversation. Il choisit ce moment pour raconter son histoire. Seth lui avait donné une mission très précise à accomplir. L'érudit déclara en s'éclaircissant d'abord la voix:

— C'est dans le désert de Mahikui qu'ils vont amener votre corps.

– Mais pourquoi?, demanda Amos, et comment sais-tu cela, Uriel?

– Pour répondre à votre deuxième question, je le sais parce que j'ai beaucoup étudié de légendes et de vieilles histoires afin de comprendre les mentalités des différents peuples. Maintenant, pourquoi amener votre corps dans le désert de Mahikui? C'est fort simple! Je peux vous dire que nous voguons actuellement vers Braha, la cité des morts. En fait, cette ville a longtemps existé dans le monde réel. Une ville magnifique! Un joyau incomparable! Elle fut complètement enfouie par les sables du désert de Mahikui lors d'une violente tempête. Les dieux choisirent ensuite cet endroit pour y recevoir les âmes des morts afin de les juger. Ils y construisirent deux portes: une menant vers les mondes astraux des dieux positifs et l'autre ouvrant directement sur les plans négatifs des dieux du mal et du chaos. Une petite partie de cette cité existe en même temps dans le monde des morts et dans celui des vivants. C'est, apparemment, le seul endroit de ce genre. Il est dit que, dans la grande pyramide du centre de la ville, il existe une salle de cérémonie. Cette pièce fait la jonction entre les deux univers. Elle est tout en haut du bâtiment triangulaire et c'est par là qu'il est possible de passer d'un monde à l'autre. Pour les êtres vivants qui marchent dans le désert, il est possible de voir le bout de cette pyramide dépasser des sables et d'y entrer par une porte secrète. Par contre, pour les morts qui arrivent à Braha, le bout de cette pyramide est invisible parce qu'elle est constamment perdue dans les nuages. Pas mal, n'est-ce pas?

– Je vois, fit Amos d'un air songeur. Si je te comprends bien, Uriel, c'est par la salle de cérémonie du haut de la pyramide que les morts peuvent accéder au monde des vivants et vice-versa?

– Voilà!, s'exclama l'érudit.

– Mais comment?, demanda le garçon. Par quelle magie cette chose est-elle possible?

– Je ne sais pas… J'ai bien cherché, mais je n'ai jamais trouvé!, répondit Uriel, un peu confus. Ce savoir s'est perdu dans la nuit des temps. C'est ce qu'on appelle un mystère de la voie des dieux, une puissante magie inaccessible aux hommes.

Jerik s'avança vers eux. Agacé par leur discussion, il tenta de replacer machinalement sa tête sur ses épaules, mais celle-ci bascula vers l'arrière et faillit tomber par-dessus bord. En rattrapant sa tête, il s'écria:

– Voilà ce que je tentais de vous expliquer! Depuis… disons… le moment où, nous avons parlé vous et moi, vous vous souvenez, Maître Daragon? La première fois, je voulais vous dire… disons… tout cela?

– Je ne comprends toujours pas ton histoire de clé par contre, répliqua Amos en souriant.

– Je vous explique, dit Uriel. C'est aussi une vieille légende de la cité des morts.

– Enfin, disons, bon… faites en sorte, s'il vous plaît, que le garçon… voyez… comprenne!, insista Jerik, content de la performance d'Uriel.

– D'après l'histoire que je connais et les bribes de vos conservations que j'ai pu entendre, commença Uriel, je pense pouvoir vous éclairer sur votre mission à Braha. Je vous ai parlé des deux portes tout à l'heure…

– Effectivement, je m'en souviens très bien, confirma Amos.

– Eh bien, ces portes sont maintenant fermées et les trois magistrats sont aux prises avec un gros problème. La ville déborde d'âmes qui arrivent tous les jours par bateau et il n'y a donc plus de sortie pour les évacuer! C'est bien cela, Jerik?

– Voilà, simple à dire de cette façon… disons… très simple… parfait… exactement… en plein dans le mille!, répondit le secrétaire du juge Mertellus.

– Je continue, fit Uriel. Vous devez leur venir en aide pour ouvrir ces fameuses portes. Elles ont probablement été fermées, pour une raison inconnue, par les dieux. Mais il existe une clé. La légende dit que c'est le premier des magistrats de Braha qui la fit fabriquer par un elfe, à l'insu des dieux. Tout comme cela a été le cas pour vous, jeune Maître Daragon, on avait retiré l'âme de l'elfe de son corps en lui promettant que cette mort serait temporaire. Une fois sa tâche terminée, l'artisan-serrurier se vit refuser l'accès au monde des vivants. On l'avait trompé! Fâché de s'être ainsi fait berner et de ne pouvoir revenir à la vie, l'elfe cacha la clé dans les profondeurs de la cité. Il ensorcela l'objet afin que seul un être vivant puisse la récupérer. De cette façon, dans une ville de fantômes, il deviendrait impossible de s'emparer de cette clé. Il plaça ensuite deux dangereux gardiens pour protéger la clé et disparut en ne racontant son histoire à personne. C'est ce que dit la légende, mais... cet elfe s'est sûrement confié à quelqu'un, puisque je connais cette légende. S'il s'était réellement tu, jamais je n'aurais entendu parler de son histoire !

– Mais voilà... ouf... ça fait du bien... une belle explication !, explosa Jerik, impressionné par la facilité avec laquelle Uriel mentait.

– Mais, dit Amos, songeur, rien n'est moins certain que cette histoire, puisqu'une légende demeure une légende.

– C'est vrai... mais ces récits constituent toujours des pistes qu'il ne faut pas négliger, répondit Uriel.

Amos se retira pour réfléchir. Uriel regarda Jerik et murmura :

– Je mens aussi bien que j'assassine !

– Nous... je pense... nous le manipulons très bien... Avec ce que vous venez de raconter... il fera exactement ce que nous... enfin... ce que Seth attend de lui...

– Je l'aime bien, ce garçon, dommage que je doive l'éliminer !, pensa Uriel à haute voix.

Plus loin, Amos réfléchissait en regardant le paysage défiler. Si Lolya faisait transporter son corps jusqu'à la pyramide, c'est qu'elle avait sûrement une bonne raison de prendre autant de risques.

« Selon la légende de l'elfe serrurier, songea-t-il, la clé ne peut être prise que par un être vivant, mais… il n'y a qu'une seule et unique façon d'entrer dans la ville de Braha, et c'est d'être un fantôme. Au moment opportun, je devrai sans nul doute réintégrer mon corps pour pouvoir m'emparer de la clé. Voilà pourquoi Lolya fait amener mon corps à la pyramide! Je suis ici en tant que spectre pour trouver la cachette de cette clé. C'est ce qu'on attend de moi… Seulement, tout ce scénario cache encore quelque chose que j'ignore. Les dieux n'ont pas fermé les portes des cieux et des enfers pour rien… J'aimerais bien savoir qui est vraiment derrière tout ça!»

Le navire de Charon, maintenant plein à craquer, quitta enfin le quai du cimetière d'Omain. À bord, il y avait tous les habitants de l'île des damnés et tous ceux des contrées du défunt seigneur Édonf, en plus des âmes embarquées çà et là, dans les différents cimetières qui longeaient la route. De la cale au pont supérieur du navire, on trouvait des revenants partout! Charon annonça sur le pont:

– NOUS NE PRENDRONS PLUS PERSONNE À BORD, PLUS D'ESCALES! ESSAYEZ DE VOUS FAIRE UN PEU DE PLACE, NOUS N'ARRIVERONS À BRAHA QUE DANS TROIS SEMAINES!

– Trois semaines!, soupira Amos. J'essaierai de me louer une cabine la prochaine fois.

Chapitre 9

Les plans de Seth

– Alors, Seth, où est donc cette armée que tu m'avais promise ?, demanda crûment Yaune-le-Purificateur.

Seth, le dieu de la Jalousie et de la Traîtrise, sourit vicieusement. Il balança lentement sa grosse tête de serpent de haut en bas, en signe d'assentiment. Il était effrayant à voir. Siégeant sur un trône en or dans une chapelle entièrement construite avec des ossements humains, Seth avait la peau rouge clair, et ses mains ressemblaient à de puissantes pattes d'aigle. Il prit la parole :

– Petit chevalier de mon cœur, n'as-tu donc aucune confiance en moi ?

– Tu sais sonder les âmes, grand dieu !, répliqua Yaune avec mépris. Je n'ai aucune confiance, aucun respect et pas un gramme d'affection pour toi, sale reptile venimeux !

Seth éclata d'un rire disgracieux et grave.

– La haine, fit-il, est une émotion si forte ! Tu m'apprends beaucoup sur l'humanité, minable chevalier... Tu me sers bien et tu seras récompensé à ta juste valeur !

– Avec toi, Seth, je sers mes intérêts avant tout. Donne-moi ce que tu m'as promis !

– Et il ordonne, le petit !, lança Seth en riant de plus belle. Mais avant tout, raconte-moi ce qui est arrivé à ton œil ! Il est crevé ! Un moustique t'a mordu ?

– Tu sais très bien ce qui est arrivé !, rétorqua Yaune avec rage. C'est l'hommanimal, le jeune Bromanson. J'ai mal évalué une dernière poussée d'énergie avant sa mort. Ce sont des choses qui arrivent lorsqu'on est un simple mortel, n'est-ce pas ? Mais, bien sûr, tu ne sais pas de quoi je parle… Les dieux sont infaillibles, eux ! Surtout lorsqu'il s'agit d'écraser un jeune porteur de masques de… douze ans !

– Ne me pousse pas à bout, Yaune !, dit le dieu en prononçant lentement chacun de ses mots. Ma patience a des limites ! Si j'ai manqué mon coup à Bratel-la-Grande, c'est à cause de ce stupide sorcier de Karmakas. Amos Daragon a eu de la chance, c'est tout et…

– PEU M'IMPORTE !, l'interrompit le chevalier. Par sa faute, j'ai perdu mon royaume et mes terres. J'ai également perdu mon armée, les chevaliers de la lumière qui maintenant reçoivent leurs ordres de Barthélémy. J'EN AI ASSEZ ! Après mon expulsion de Bratel-la-Grande avec ce tatouage infect sur le front, après des semaines d'errance et de misère, je t'ai rencontré et tu m'as…

– TAIS-TOI MAINTENANT, SALE BRAIL-LARD !, cria Seth à pleins poumons.

Le souffle du dieu fut si fort qu'il propulsa Yaune sur le mur, au fond de la chapelle. Le chevalier, sonné par le choc, tomba lourdement par terre. Avec peine, il releva la tête. Son regard croisa celui de Seth, qui s'était levé de son siège. Le dieu, contrarié, poursuivit :

— Je t'ai demandé, lors de notre première rencontre, de conquérir les terres d'Omain. Je t'ai offert une épée à la lame empoisonnée et… je dois reconnaître que tu as très bien travaillé. Seul, tu as réussi à éliminer toutes traces de vie humaine dans cette région. Tu as rasé ce royaume de façon vicieuse et amorale. Tu as égorgé des enfants, tué sauvagement des grands-mères et même bu le sang encore chaud du seigneur Édonf ! Tu es une bête folle assoiffée de vengeance et je me prépare à récompenser ta dévotion envers moi. Je tiens toujours mes promesses avec ceux et celles qui me servent avec ardeur. Je n'aime pas les prières, je préfère le sang, la souffrance et la mort. C'est aujourd'hui, Yaune-le-Purificateur, que tu reçois ta première promotion !

Le dieu regagna son trône et s'assit confortablement. Après un moment de silence, Seth fit signe au chevalier de s'approcher.

— Tu auras bientôt une armée… une armée grandiose ! C'est Amos Daragon qui, sans le savoir, travaille actuellement pour t'offrir cette armée sur un plateau d'argent. Tu sembles sceptique… Écoute bien et constate que Seth, dieu de la Jalousie et de la Traîtrise, est également un stratège accompli.

Yaune s'avança et répondit, respectueusement cette fois :

— Mais, je n'ai jamais douté de toi, ni de ton intelligence, ô grand Seth !

— Tu mens comme tu respires, Yaune ! Et c'est ce que j'aime le plus en toi !

— Parle, je t'écoute attentivement.

— Il y a de cela quelque temps, commença Seth, j'ai enlevé, avec l'aide de quelques divins amis, le dieu suprême de la Justice, Forsete. Sa disparition a eu de fâcheuses conséquences, dont la fermeture définitive des portes de Braha. Je t'ai déjà parlé de la cité des morts, tu t'en souviens ?

— Oui, répondit Yaune. La grande cité du jugement dernier, enfouie dans le désert de Mahikui et uniquement accessible par le Styx… je me rappelle… Continue !

— Dans cette ville, trois juges font la pluie et le beau temps. Ce sont eux qui décident du sort des spectres en attente de leur jugement. Ils sont impartiaux et ne répondent, normalement, qu'à Forsete en personne. Seulement, il arrive parfois que la pourriture du monde des vivants contamine le monde des morts. C'est ainsi que les pommes pourrissent et qu'il est possible de corrompre un juge. Ganhaus travaille pour moi depuis que je lui ai promis de libérer l'âme de son grand frère qui est un assassin notoire prisonnier des profondeurs de l'enfer. Il s'appelle Uriel.

— En quoi cela va-t-il me donner une armée digne de moi ?, demanda fiévreusement Yaune.

– TAIS-TOI ET ÉCOUTE, IMBÉCILE! J'Y ARRIVE!, fulmina Seth, très agacé. Savoure mes paroles et délecte-toi de ma perfidie! Nous avons monté ensemble un scénario parfait… une pure merveille de malice. Une fois que le dieu Forsete a été emprisonné par mes bons soins, les portes de l'enfer et du paradis se sont fermées. Les trois juges, affolés, ont tenté de trouver une solution pour éviter la surpopulation de la cité. C'est là que Ganhaus, d'une fort habile façon, a mis sur le tapis une histoire abracadabrante de gitans qui confirmerait l'existence d'une clé. Fabriqué par un elfe serrurier et gardé dans les profondeurs de la cité, cet objet serait l'unique moyen d'ouvrir les portes. Mais qui pourrait donc s'emparer de la clé, sinon un humain assez valeureux pour accomplir aveuglément cette mission?

– AMOS DARAGON!, lança Yaune en riant.

– Voilà! C'est bien lui qu'il nous fallait. Jerik Svenkhamr, un idiot de minable petit voleur qui est le secrétaire de Mertellus et qui travaille aussi pour moi, a alors parlé du jeune porteur de masques. Tout le monde n'y a vu que du feu! Mertellus est tout de suite entré en contact avec le Baron Samedi, un petit dieu inférieur qui travaille dans l'administration des morts et la gestion des âmes, pour faire venir Amos à Braha. Ensuite, comme promis, j'ai libéré Uriel des enfers et je l'ai fait monter sur le navire de Charon, juste après Amos. Je lui ai composé un personnage de savant respectable, d'homme de lettres. Tout le contraire de sa véritable personnalité! Il a pour mission de raconter à Amos la fausse histoire de l'elfe et de l'éliminer le moment venu.

– Mais attends…, intervint le chevalier.

– Oui, j'y arrive…, reprit Seth. La clé de Braha existe véritablement. Seulement, elle sert non pas à ouvrir les portes des mondes positifs et négatifs, mais le passage qui se trouve tout en haut de la grande pyramide. Elle sert à ouvrir une voie éthérée entre Braha et le monde des vivants. Crois-moi, mon fidèle serviteur, tu seras bientôt à la tête d'une immense armée de morts-vivants et de revenants. Actuellement, dans la ville des morts, mes envoyés recrutent pour toi les meilleurs soldats. À la tête d'une telle force, tu seras invincible! Tu auras ta vengeance sur Junos, Barthélémy et tous ceux que tu détestes tant. Ensuite, nous irons conquérir ensemble la Terre et nous ferons basculer l'équilibre du monde des vivants.

Yaune éclata d'un rire satisfait.

– Enfin, je sens l'heure de ma vengeance arriver. En plus, c'est ce jeune porteur de masques qui me fournira, à son insu, l'instrument de ma riposte! Je n'arrive pas à le croire… Tu es un génie, Seth! Une question par contre… Comment Amos arrivera-t-il à trouver cette clé?

– Moi et quelques-uns de mes amis torturons en ce moment Forsete afin qu'il nous révèle sa cachette, confia Seth, sûr de lui. Dès que je connaîtrai l'endroit, je le ferai savoir à Jerik qui orientera Amos dans sa quête. Comme dans l'histoire inventée de l'elfe serrurier, nous savons que deux gardiens surveillent la clé et que seul un être vivant peut s'en emparer. Deux petits problèmes que le porteur de masques saura certainement résoudre pour nous! Il est si habile et si… brillant! Dans tout ce scénario, une seule chose me tracasse toutefois…

– Quoi donc?, s'inquiéta Yaune.

– C'est Lolya, répondit le dieu, songeur. Je sais qu'elle est l'envoyée du Baron Samedi et qu'à son insu, elle travaille à notre réussite, mais elle cache quelque chose. Une force terrible grandit en elle de jour en jour. J'ai beau essayer de percer ce mystère, je n'arrive pas à voir ce que c'est. Je ne lui fais pas confiance. Engage une armée mercenaire et tue-la. Ne la sous-estime pas, car mon incapacité à la sonder relève de la magie divine. Ensuite, tu conduiras toi-même le corps d'Amos Daragon à la pyramide du désert de Mahikui.

– Tes désirs sont des ordres…, fit Yaune en inclinant la tête.

– Approche-toi, ordonna Seth.

Aussitôt, Yaune-le-Purificateur fit quelques pas vers Seth. D'une main, le dieu le saisit violemment à la gorge et le souleva de terre. En riant à gorge déployée, le dieu serpent s'arracha un œil et le plaça dans l'orbite béant du chevalier. La fusion entre le globe oculaire du dieu et le métabolisme de l'homme provoqua une vive douleur chez le chevalier. Il eut l'impression qu'on le brûlait au fer rouge. Seth desserra son étreinte et Yaune s'écroula sur le sol, en proie à de violents spasmes. Il tremblait de tout son corps et hurlait sa souffrance. L'œil du dieu faisait maintenant partie de lui.

– Voici mon cadeau! Un œil pour remplacer celui que tu as perdu, déclara fièrement Seth. Cet œil de reptile te va très bien! Tu verras dans l'obscurité et, désormais, plus aucun mouvement de tes adversaires ne t'échappera. Par ce globe oculaire, il me sera aussi possible de voir ce que tu vois et de suivre tes mouvements. Autrement dit, de t'accompagner partout où tu iras! J'ai trop fait confiance au sorcier Karmakas à Bratel-la-Grande et il est hors de question que je répète la même erreur avec toi. Pars maintenant!

La chapelle des ossements se dissipa peu à peu et, bientôt, disparut complètement dans une épaisse fumée glauque. Yaune demeura au sol, dans l'herbe de la forêt. Son nouvel œil le faisait terriblement souffrir. De peine et de misère, le chevalier se rendit à sa demeure, l'ancienne place forte du seigneur Édonf. À son arrivée, ses yeux croisèrent le reflet d'un miroir. Quel choc! L'œil que lui avait donné Seth avait la rétine jaune foncé et la pupille allongée comme celle d'un chat. Il était parfaitement rond et une fois et demie plus gros qu'un œil normal. La figure du chevalier en était déformée. Un filet de sang coulait toujours sur sa joue. Yaune, incapable d'accepter son nouveau visage, brisa violemment le miroir et hurla:

– LE MOMENT VENU, JE ME VENGERAI DE TOI, SETH!

Chapitre 10

Braha, la cité des morts

C'est Jerik qui aperçut le premier la grande ville de Braha. Elle apparut dans les brumes d'un sombre matin de grisaille. Le secrétaire s'empressa d'aller réveiller Amos et Uriel.

– Venez… venez vite…, cria-t-il. Vous verrez quelque chose de très beau… disons… plutôt de… magnifique… non !… grandiose !

Les deux voyageurs ouvrirent les yeux avec peine. Puis, en enjambant les fantômes qui dormaient sur le pont, ils suivirent Jerik jusqu'à l'avant du bateau. L'un des deux squelettes de l'équipage de Charon était installé sur la figure de proue cassée et attendait lui aussi de voir le spectacle. Il fumait tranquillement la pipe. Étant donné qu'il n'avait pas de poumons, la fumée qu'il inhalait se dissipait à l'air libre entre ses côtes. Le brouillard autour du bateau disparut peu à peu. Le plafond nuageux demeurait cependant très bas.

Au loin, Amos aperçut alors la ville de Braha. Il fut ébloui par la splendeur de la cité. À mesure que le navire avançait, la ville se colorait d'une douce rougeur. Malgré l'heure matinale, le jeune porteur de masques avait l'impression d'assister à un coucher de soleil. Au cœur de la ville, on pouvait voir des rayons de lumière orange et jaunes qui allaient frapper avec force l'épaisse couche de nuages en les colorant de mille feux. Dans le ciel, pas de soleil, ni de lune ni même d'étoiles ! La lumière émanait de la cité.

En approchant un peu plus, Amos aperçut des dizaines de magnifiques anges translucides qui volaient au-dessus des toits aux tuiles argentées. Les êtres ailés jouaient de la trompette pour accueillir les nouveaux arrivants. Le porteur de masques n'en croyait pas ses yeux. Le souffle coupé par tant de beauté, il vit aussi des dizaines de démons postés sur les deux côtés de la rivière, telle une gigantesque haie d'honneur ! Les incubes tapaient sur de larges tambours. Des instruments de musique jaillissaient de la fumée et des flammes. Au ciel, la musique des anges avait pris forme et dessinait des courbes bleues, parsemées de taches de lumière dorée. Le spectacle était d'une impressionnante beauté.

Braha était immense. Elle défiait l'imagination par sa taille et sa splendeur. Construite sur deux flancs de montagnes abruptes, elle s'ouvrait vers le ciel en créant un large « V ». Le Styx coulait à sa base, directement en son centre. Il y avait là des centaines de milliers d'habitations s'élevant sur plusieurs étages, des châteaux grandioses, et l'on y apercevait également de somptueuses églises. Tous les cultes, toutes les croyances et toutes les figures divines de toutes les nations y étaient rassemblés. Les temples, tous plus beaux les uns que les autres, avaient été construits avec soin à l'aide des matériaux les plus nobles. De l'or et de l'argent, des diamants et du cristal, des marbres rares et des pierres précieuses décoraient tous les édifices. De fines ornementations, taillées par des mains de maître dans des bois exotiques, servaient à mettre en valeur les parures et les garnitures des immenses clochers et des tours.

Amos, bouche bée, regardait silencieusement le spectacle défiler sous ses yeux. Tous les passagers du bateau, maintenant réveillés, restaient eux aussi muets d'admiration devant Braha. Toutes les statues, que ce soient des gargouilles d'ornementation ou des héros de guerre immortalisés dans la pierre, se promenaient librement. Elles se saluaient poliment, s'arrêtant parfois pour discuter un moment. Les rues pullulaient de spectres lumineux qui, dans un incessant va-et-vient, vaquaient à leurs occupations. Une multitude de marchés à ciel ouvert accueillaient les fantômes pour leurs emplettes. On y offrait de magnifiques tomates pourries et des salades flétries depuis longtemps. Des nuages de mouches noires survolaient les pièces de viande en putréfaction.

Des centaines de feux, destinés à faire des offrandes aux dieux, brûlaient çà et là en illuminant la ville. Dans les fenêtres de toutes les maisons, des dizaines de bougies étaient allumées et donnaient à Braha une atmosphère féerique. Des squelettes, armés d'épées et de boucliers, étaient postés à presque tous les coins de rue. Lorsqu'Amos lui demanda à quoi servaient ces squelettes armés, Jerik répondit qu'ils assuraient la sécurité dans la ville.

Les spectres les plus fortunés se promenaient dans des charrettes tirées par des squelettes de chevaux. D'autres fantômes à l'allure patibulaire mendiaient dans les rues. En levant les yeux, Amos vit passer, au-dessus de lui, près d'une vingtaine de chevaux ailés montés par de robustes femmes en armure. Celles-ci traversèrent le ciel à une vitesse extraordinaire en poussant des cris de guerre et en hurlant des chansons dans une langue incompréhensible. On aurait pu croire à de bruyants coups de tonnerre.

– Selon mes lectures, expliqua Uriel, ces femmes sont des valkyries. Les hommes du Nord, ceux qu'on appelle les Vikings, ne prennent jamais le bateau de Charon pour venir jusqu'ici. Ce sont les valkyries qui s'occupent du transport des valeureux guerriers morts au combat.

– C'EST UN TRAITEMENT DE FAVEUR QUE LE DIEU ODIN LEUR ACCORDE!, hurla Charon qui, ayant laissé la barre à son second squelette, s'était approché de la proue du bateau. ET MOI, À CAUSE DE CELA, JE PERDS BEAU-COUP, MAIS ALORS BEAUCOUP D'ARGENT! CES FOLLES FONT TOUJOURS LA COURSE ET ELLES EMBÊTENT TOUT LE MONDE!

En s'approchant du port, le navire passa sous de magnifiques ponts enjambant le Styx. Les mâts du bateau de Charon heurtèrent les structures de pierre des arcades. Celles-ci se dématérialisèrent légèrement afin de laisser passer sans encombre le navire.

Sur les rives du Styx, Amos put apercevoir des dizaines de terrasses, de superbes restaurants et des amuseurs publics. Des hommes et des femmes de toutes les races, humaines comme elfiques, des minotaures et des gorgones, des démons et des anges, des centaures et des farfadets déambulaient, sous leur forme vaporeuse de fantôme. Les couleurs des spectres allaient du blanc neige au noir charbon. Des habits de cuir, des soies précieuses et des bijoux en or côtoyaient des armures sales et rouillées. Des humains balafrés se mêlaient à une foule de créatures répugnantes, d'une laideur indescriptible.

En levant les yeux vers les plus hauts sommets de la ville, Amos aperçut très clairement la base de la grande pyramide dont il était question dans les légendes que lui avait racontées Uriel. Elle semblait gigantesque et disparaissait dans les nuages. Une seule de ses pierres avait la taille du navire au complet.

Charon vint s'appuyer au bastingage à côté d'Amos et lui chuchota dans le creux de l'oreille :

– Bienvenue à Braha, jeune porteur de masques. Ici, les gens vivent exactement comme avant leur mort. Toutes les créatures qui ont un dieu, aussi petit soit-il, et une conscience, aussi petite soit-elle, se retrouvent à Braha en attendant le jugement dernier. Les gens, qui, comme moi, ont été avares, le sont toujours ici. Les guides spirituels comme les guérisseurs, les assassins et les magiciens des ténèbres, ils sont tous ici! Ils sont aussi bons ou méchants qu'ils l'ont été tout au long de leur vie. Dans cette ville, on ne change pas, on ne s'améliore pas, on patiente, c'est tout! Tous attendent de se retrouver devant le juge Mertellus et ses acolytes pour enfin connaître leur sort. Fais bien attention! Il y a, dans cette ville, le pire comme le meilleur. Personne ne peut te tuer, mais beaucoup peuvent te faire souffrir. C'est un endroit où tout est amplifié, où tout est plus grand que nature. Voilà pour les recommandations… Merci encore d'avoir libéré ces gens sur l'île des damnés. Je te dois une fière chandelle. Je me souviendrai de toi et, un jour, je te rendrai la pareille si je le peux!

Puis, en se retournant vers la foule des spectres entassés sur le bateau, Charon hurla:

– PRÉPAREZ-VOUS À DESCENDRE, BANDE DE TRAÎNE-SAVATES ET DE VAURIENS! NOUS ALLONS ACCOSTER! J'ESPÈRE QUE VOUS AVEZ APPRÉCIÉ LE VOYAGE. MOI, JE L'AI DÉTESTÉ! ALLONS! ALLONS! UN PEU DE NERF!

Le bateau accosta et tous les passagers se précipitèrent vers la passerelle. Mertellus attendait avec Ganhaus et Korrillion sur le quai. Lorsqu'ils virent Jerik leur envoyer la main, sourire aux lèvres et la tête sous le bras, les juges se détendirent.

– Je pense qu'il a réussi à nous amener le porteur de masques, dit Ganhaus à Mertellus.

– Je ne le croirai que lorsque cette personne sera devant moi, lui répondit nerveusement le premier magistrat.

– Regardez! Là, ils descendent! Ils descendent!, répéta plusieurs fois Korrillion. Ce doit être lui, là, cet homme à la barbe finement taillée.

Les trois magistrats accoururent vers Uriel pour lui souhaiter chaleureusement la bienvenue. Manifestement, ils avaient commis une grossière erreur sur la personne. Aucun d'eux ne pouvait se douter que le véritable porteur de masques était, en réalité, un enfant de douze ans. Les juges n'en finissaient plus de remercier et de complimenter Uriel. Évidemment, Ganhaus avait très bien reconnu son frère. Mais, à contrecœur, il jouait le jeu. L'érudit, entre deux poignées de main et deux accolades, tenta de placer un mot, mais sans succès.

Alors qu'il se demandait comment interrompre les trois hommes fébriles et bavards, Amos eut une idée. La situation ne pouvait pas mieux se présenter pour lui. Il fit un clin d'œil complice à Uriel! L'érudit comprit vite son nouveau rôle. Amos voulait qu'il continue le jeu et se fasse passer pour lui. Jerik voulut intervenir pour rétablir la vérité, mais Amos lui écrasa un orteil au moment opportun.

– Tais-toi! C'est mieux ainsi, dit le jeune garçon au secrétaire. Cela me donne une marge de manœuvre inespérée.

Amos s'avança alors et toussa trois bons coups pour attirer l'attention des magistrats. Les juges se retournèrent en dévisageant le garçon de douze ans. Hésitant, Uriel dit:

– Oui... euh... je vous présente... euh... mon rat de bibliothèque... euh... je veux dire: mon assistant de recherche... Il s'agit de... de...

– De Darwiche Chaussette, continua spontanément Amos.

Les juges ne parurent pas surpris d'un tel nom. Ils en avaient vu d'autres, des plus étranges et des plus drôles. Ils sourirent gentiment et, sans s'occuper davantage d'Amos, se retournèrent tous vers Uriel.

– Il est de la célèbre famille des Chaussette du... du... Pied de la Montagne fumante! Enfin! Revenons à nos oignons!, dit le faux Amos Daragon.

– Oui, suivez-nous, nous vous conduirons à vos appartements dans le palais, reprit Mertellus, ravi de cette rencontre.

– Vous devez être fatigué de votre voyage?, demanda Korrillion. Vous verrez que les fantômes n'ont généralement pas besoin de dormir. C'est un vieux réflexe que nous conservons très longtemps après notre mort. On s'en passe très bien, mais, pour l'instant, nous ne vous empêcherons pas de faire une sieste. Nous vous voulons en forme dans les plus brefs délais!

Uriel, les trois juges, Amos et Jerik prirent une calèche conduite par un squelette. Tiré par quatre chevaux faits uniquement d'ossements, le véhicule disparut rapidement dans la foule grouillante des spectres. Le garçon, assis sur le toit de la calèche avec Jerik, demanda :

– Mertellus ne t'a même pas salué ! Est-ce normal ?

– Tu vois… moi… disons… tu sais…, dit le secrétaire en tenant fermement sa tête entre ses mains, disons que… comment dire ?… je ne suis pas grand-chose, moi… j'obéis aux ordres et… disons… voilà ! C'est tout !

– Dommage, répondit Amos. Ils connaissent mal ta valeur.

– Merci… disons… merci beaucoup !, répliqua Jerik, fortement ému.

Le palais était aussi quelque chose à voir. De forme octogonale, il était surmonté par un dôme immense. Un grand escalier sortait du toit et montait directement au ciel en perçant les nuages. Le bâtiment était orné de milliers de gargouilles de pierre. Celles-ci volaient librement, grimpaient aux murs, jouaient aux dés ou bavardaient entre elles. Dès que Mertellus sortit de la calèche, toutes les gargouilles s'immobilisèrent. Celles qui étaient en vol tombèrent par terre·ou se fracassèrent contre un mur. Quelques-unes plongèrent dans la grande fontaine, juste devant le palais.

Amos, étonné, regardait la scène sans comprendre ce soudain changement d'attitude. Les gargouilles, en pleine agitation une seconde plus tôt, étaient maintenant figées comme des statues. Comme le jeune garçon allait demander à Jerik pourquoi tout ce remue-ménage s'était arrêté aussi brusquement, le secrétaire devança la question et répondit :

– Quand le chat n'est pas là, les souris dansent ! Alors, disons... que... pour résumer... quand le juge sort... disons que... les gargouilles en profitent. Mertellus n'aime pas l'agitation et... voyons... disons... qu'il interdit formellement aux ornementations de son... de son palais... de... disons... de bouger. C'est le seul qui... dans cette ville... disons... agit aussi sévèrement avec ses décorations ! Un vrai tyran pour les... pour la... disons... pour la liberté d'expression des statues... enfin !

– Ce n'est pas un magistrat très sympathique, fit Amos.

– En connais-tu un qui... disons... qui le soît ?, répliqua Jerik sans émotion.

Ils entrèrent tous dans le palais. Mertellus prit solennellement la parole :

– Bienvenue au palais de justice. C'est ici que sont jugés le bien et le mal. C'est ici que l'éternité commence. Les décisions prises entre ces murs sont toujours justes et nous en sommes très fiers. Jerik, amène notre ami Darwiche Chaussette à sa chambre. Je m'occupe de notre invité, ce cher, cet extraordinaire monsieur Daragon.

Un peu paniqué, Uriel regarda Amos d'un air de dire : « Et maintenant qu'est-ce que je fais ? » Le porteur de masques lui fit encore un clin d'œil pour le rassurer et disparut bien vite à la suite de Jerik. Uriel allait parfaitement jouer son rôle, Amos en était certain. En marchant vers sa chambre, le garçon put admirer la beauté des lieux. Les murs du palais étaient recouverts de tapisseries finement tissées, de rideaux en velours rouge, de vitraux multicolores et de tapis épais. Il y avait de somptueuses bibliothèques, de nombreuses salles de lecture et d'étude, des bureaux et des salles de conférence. En poussant une porte, Jerik dit à Amos :

— Voilà… disons… que c'est cela… C'est petit, mais bon… c'est mieux que de dormir dehors… disons ! Vous savez… Maître Daragon… vous devriez envier Uriel… c'est lui qui va dormir… dans… disons… dans les appartements réservés aux envoyés des dieux… aux gens importants, quoi ! C'est… c'est grandiose…

— Pour moi, c'est beaucoup mieux ainsi, assura Amos en souriant. Comme je connais ma mission, je n'ai pas envie d'entendre les juges me la répéter. Uriel est très instruit et il connaît les bonnes manières. Je ne pouvais pas espérer trouver meilleur représentant.

— Et maintenant… que… que faisons-nous ?, demanda Jerik.

— Toi, tu restes ici et, moi, je vais faire un tour en ville, j'ai une petite enquête à mener !

Chapitre 11

Darwiche Chaussette

Les trois juges avaient fait servir un copieux dîner à leur invité, puis Ganhaus s'était proposé pour aller raccompagner le faux porteur de masques à ses appartements. Lorsqu'il se retrouva seul avec Uriel, le magistrat lui demanda anxieusement :

– Mais pourquoi te fais-tu passer pour Amos Daragon ? Et où se cache-t-il, celui-là ?

– Moi aussi, je suis content de te revoir, mon frère, lança Uriel pour toute réponse. Cela faisait des années que nous ne nous étions pas vus... Tu as bien changé, mon jeune frère, et je suis ravi que tu sois devenu un homme important !

– Écoute-moi bien, Uriel, nous n'avons pas le temps de faire du baratin sur nos retrouvailles ! Je ne t'aime pas et je ne t'ai jamais aimé. Je suis devenu juge justement pour punir les hommes de ton espèce. Les sales meurtriers me dégoûtent. Si je t'ai fait libérer des enfers... c'est pour... pour une raison bien précise.

– Tu as le sens de la famille, frérot !, fit Uriel en ricanant. Tu nous as toujours utilisés, père, mère et moi, pour réaliser tes ambitions. Même mort et enterré, tu n'as pas changé! Vous êtes devenu pire que moi, votre honneur!

– Écoute-moi bien, je t'ai fait libérer des tourments éternels et des flammes de l'enfer, alors tu as une dette envers moi! Tu es ici pour éliminer Amos Daragon, t'emparer de la clé de Braha et la remettre à Seth, non? C'est bien ce qu'il t'a dit? C'est ce qu'il t'a demandé de faire?

– Oui et je n'en sais pas plus, confirma Uriel. Je devais aussi raconter l'histoire d'un elfe serrurier à Amos.

– Mais où est-il, ce fameux Amos Daragon?

– Vous l'avez laissé partir!, lança l'assassin avec un grand sourire. Je vous l'ai pourtant présenté sous le nom de Darwiche Chaussette… C'est lui, le porteur de masques!

– Pardon? Un enfant?

– Et pas n'importe lequel! Je suis entré dans son jeu pour ne pas me dévoiler trop rapidement. C'est une couverture extraordinaire pour lui autant que pour moi.

– Et comment est-il?

– Ce garçon est d'une prodigieuse intelligence et d'une vivacité d'esprit hors du commun. Et moi qui devais jouer les érudits devant lui! J'ai eu beaucoup de mal à tenir mon rôle. Heureusement pour moi, durant tout le voyage, son attention a entièrement été occupée par sa mission. Nous avons beaucoup parlé et beaucoup joué aux cartes. C'est un garçon très honnête et très respectueux. Il m'a souvent surpris en train de tricher et jamais

il ne m'en a fait ouvertement la remarque. Mais…
dis-moi, qu'attends-tu de moi?

– Je veux que tu suives Daragon et que tu lui
voles la clé de Braha. Tu le tueras ensuite en le
jetant dans le Styx! Je veux que tu me remettes
la clé, c'est tout!

– Mais Seth… c'est lui qui veut cette clé, non?
C'est à lui que je dois la remettre, pas à toi!

– Écoute, mon frère, fit Ganhaus, amusé. J'ai
le pouvoir de te renvoyer en enfer! Si tu m'obéis,
je te promets la grâce et le paradis. Si tu me
désobéis, dès que les portes seront rouvertes, je
te renvoie dans les flammes des démons! Je suis
juge, rappelle-toi. Avec le dossier que tu as, ton
cas sera vite classé! Réfléchis un peu, je reviendrai
chercher ta réponse!

– Mais pourquoi désires-tu tant cette clé?

– Cela ne te regarde pas! Je serai bientôt un
dieu, marmonna le magistrat avant de quitter
les lieux.

* * *

Amos se promenait dans Braha depuis maintenant quelques jours. Il cherchait des indices,
des pistes à suivre pour accomplir adéquatement
sa mission. Uriel, qui jouait toujours le rôle du
porteur de masques, semblait parfaitement à
l'aise avec les juges, et le jeune garçon le voyait
souvent en compagnie de Ganhaus. L'érudit se
faisait discret et peu bavard lorsqu'Amos était
dans les parages. Tous deux ne s'étaient presque

pas parlé depuis leur arrivée à Braha, mais Amos ne s'en faisait pas trop. Une chose, par contre, le dérangeait. Durant ses promenades, il avait toujours l'impression d'être suivi. Il sentait constamment un regard derrière son dos, une présence dérangeante qui épiait chacun de ses gestes. Le porteur de masques finit par se dire, pour se réconforter, que se balader dans une ville remplie de fantômes devait certainement rendre n'importe qui un peu paranoïaque.

Dans cette cité pleine de spectres et de personnages étranges, Amos faisait des rencontres inusitées. Un jour, au coin d'une rue très passagère, il arriva face à face avec Vincenc, un grand squelette de deux mètres qui mendiait dans la rue. Celui-ci racontait sa vie aux passants et quémandait de l'argent pour racheter ses os. De son vivant, parce qu'il était très grand, un célèbre professeur d'anatomie était venu le voir pour lui proposer un marché. Le géant recevrait dix pièces d'or s'il promettait de léguer son squelette au savant après sa mort afin que ce dernier puisse l'étudier. Le pacte avait été vite signé : Vincenc était convaincu que le vieux professeur mourrait avant lui et, surtout, il avait grand besoin d'argent pour payer ses dettes d'alcool dans les différentes auberges du coin. Malheureusement, les choses n'avaient pas très bien tourné pour Vinvenc. Le pauvre s'était noyé dans la rivière peu de temps après avoir réglé ses créanciers. Le corps n'avait jamais été retrouvé. Son squelette, appartenant désormais au professeur, restait prisonnier à

Braha en attendant que son propriétaire légitime le réclame. Vincenc mendiait donc pour accumuler les dix pièces d'or nécessaires au rachat de ses os. Personne ne lui donnait jamais d'argent, et le pauvre squelette racontait, encore et toujours, sa pathétique histoire aux passants.

Amos rencontra aussi Angess. Elle vint s'asseoir près de lui sur un banc, dans un parc, et lui demanda s'il n'avait pas vu Peten, son amoureux. La jeune femme était tout habillée de blanc et avait une longue épée qui lui traversait le cou. Elle saignait abondamment et ses vêtements étaient souillés de sang. Elle cherchait désespérément l'homme de sa vie. De son vivant, Angess était tombée amoureuse de Peten et voulait l'épouser. Malheureusement, son père en avait décidé autrement. Il avait choisi pour elle un autre homme, plus respectable, mais surtout plus riche. Angess ne pouvait voir Peten qu'en cachette. Un jour, son père les avait surpris. Fou de colère de voir que sa fille lui avait désobéi, il avait levé son épée contre le prétendant, mais Angess s'était lancée devant l'arme. L'épée lui avait percé le cou. Depuis ce jour, la pauvre fille errait dans la cité des morts, à la recherche de Peten, son grand amour.

Un matin, Amos s'aventura sur une grande place totalement déserte, située derrière un imposant monastère. L'endroit était magnifique et le garçon se demanda pourquoi les habitants de Braha semblaient fuir un si charmant endroit. Il y avait une belle fontaine, et des dizaines d'énormes chênes bordaient la place. Le porteur de masques comprit vite pourquoi personne ne venait là. Trois gros chiens noirs sortirent de nulle part et se jetèrent furieusement sur lui. C'est de justesse qu'il parvint à se sauver sans être déchiqueté. Dès qu'il mit le pied à l'extérieur de la place du monastère, les chiens disparurent.

Amos apprit plus tard, de la bouche d'un passant, que ces chiens étaient en réalité trois malfaiteurs damnés. De leur vivant, ils avaient profané la tombe d'un moine. On racontait que le saint homme avait été enterré avec de magnifiques objets religieux d'une valeur inestimable. Les trois mécréants avaient déterré le moine et découvert les trésors sacrés. Comme ils allaient s'en saisir, le mort s'était levé dans sa tombe et les avait maudits pour l'éternité. Les pilleurs de tombe avaient ainsi été transformés en gros chiens noirs. Depuis ce temps, ils gardaient le trésor et assuraient la tranquillité du moine.

Braha était remplie de personnages tous plus étranges les uns que les autres. Il y avait un château qui était hanté par un loup-garou, et une avenue habitée par un barbier fou qui n'avait qu'une idée en tête : raser chaque passant. Toutes les heures, une jeune mariée sortait d'un puits en clamant des chants religieux. Une fois qu'elle avait terminé son récital, elle replongeait dans son trou en poussant d'horribles cris. Amos vit également des pirates s'amuser à aborder un immeuble comme s'il agissait d'un navire. Cette ville était en ébullition constante et grouillait d'une énergie folle. Découvrir ses quartiers et ses habitants était pour le jeune garçon une incroyable aventure. Sa curiosité l'amenait continuellement à faire d'étonnantes rencontres.

Une nouvelle journée commençait pour Amos. Il marchait dans Braha depuis bientôt une heure. Jusque-là, il n'avait trouvé aucun indice, aucune piste ne lui permettant de trouver la clé de Braha. Il demandait des informations, interrogeait les passants, écoutait toutes les rumeurs qui circulaient dans la ville, mais personne ne semblait connaître la fameuse légende. Alors qu'il déambulait dans la foule de spectres, le garçon s'aperçut soudain que Jerik le suivait furtivement. Feignant de ne pas l'avoir vu, il continua à marcher comme si de rien n'était. Mais pourquoi Jerik l'espionnait-il ainsi ? Peut-être était-ce seulement pour assurer sa sécurité. Après tout, Amos ne connaissait pas la ville, et le secrétaire voulait sans doute veiller à ce qu'il ne lui arrive rien de fâcheux.

Pour s'amuser, le jeune garçon décida de surprendre son ami. Il courut droit devant lui pour ensuite bifurquer vers une petite ruelle sombre. Une fois arrivé là, il s'accroupit, prêt à bondir sur Jerik lorsqu'il passerait devant lui. Le secrétaire allait avoir une sacrée peur ! Tout à coup, Amos sentit une présence derrière lui. Se retournant, il vit un inquiétant colosse, gros comme un cachalot, chauve et balafré. D'une seule main, ce dernier s'empara de lui avec brutalité et l'entraîna dans l'obscurité de la ruelle.

Quelques secondes plus tard, le garçon fut projeté dans un amoncellement de déchets. La brute, armée d'un immense marteau de guerre lui adressa finalement la parole :

— Avoue que tu es un voleur ! Tu te cachais des squelettes, de ces pourris de squelettes qui font la loi ici, qui surveillent tout et qui décident de tout, c'est cela ? Tu essayais de leur échapper ? Tu es un voleur, n'est-ce pas ? Je connais des voleurs…

Amos comprit vite, d'après le discours du gros bonhomme, quelle était la meilleure façon de lui répondre. On ne contrarie pas une brute excitée et prête à frapper.

— Oui, dit-il vivement. Je m'appelle Darwiche Chaussette, je suis un voleur, le meilleur voleur de toute la ville, et vous avez raison, je fuyais les squelettes, c'est bien ça !

— C'est bien !, répondit le gros guerrier avec un sourire édenté. Mais oui, très bien ! J'ai quelqu'un à te présenter. Tu vas venir avec moi, je connais des gens qui font une fête. Nous allons y aller ensemble et je te présenterai mon patron. Lui aussi, c'est un voleur. Je suis certain qu'il va t'aimer. Ensuite, tu seras mon serviteur… J'ai toujours eu envie de me faire servir… cela fait plus sérieux d'avoir un serviteur ! Tu acceptes ou je me fâche ?

— J'accepte avec un grand plaisir, lança spontanément Amos en avalant sa salive. Ce sera pour moi un honneur de vous servir, Maître…?

— « Maître »? C'est bien « maître »!, répéta le barbare, ravi. Ce sera Maître Ougocil… C'est mon nom, Ougocil !

– Très bien, où allons-nous donc?, demanda Amos en jetant discrètement un coup d'œil autour de lui pour voir par où il pourrait passer pour fausser vite compagnie au mastodonte.

– Je n'ai pas le droit de te le dire, répondit fièrement le gros Ougocil. C'est un secret. La guilde des voleurs de Braha n'aime pas qu'on dévoile ses secrets!

– Mais comment faire alors pour se rendre là? Si nous y allons ensemble, je vais assurément voir où ils se cachent, non?

– Pas si tu dors!, répondit le cachalot en levant son arme.

Ougocil abattit puissamment son marteau de guerre sur la tête d'Amos. Celui-ci perdit instantanément connaissance. Comme lui avait dit Charon sur le bateau, on ne peut pas mourir à Braha, mais on peut y souffrir beaucoup. Le garçon se rappela ces paroles à son réveil et ne douta pas un instant de leur véracité. Une terrible migraine le torturait sans pitié.

En ouvrant les yeux, Amos regarda autour de lui. D'abord embrouillée, sa vue redevint vite normale. Il était couché sur le plancher d'une pièce majestueusement drapée de rideaux en velours rouge. Il y avait des centaines de spectres qui dansaient, buvaient et s'amusaient. C'était un grand bal où tous les invités portaient une perruque blanche et des vêtements ornés de fines dentelles et de somptueuses broderies. La subtile musique d'un orchestre de chambre donnait à ce lieu une légèreté peu commune.

Désirant quitter son inconfortable position, Amos se rendit vite compte qu'il était enchaîné par le cou, exactement comme un chien. Affalé au pied d'une chaise aux imposants barreaux, il leva les yeux et vit, assis dignement, un elfe qui avait l'air d'un prince. Celui-ci avait les cheveux blancs, la peau noire et les oreilles pointues. Ses dents étaient parfaites, son visage d'une exceptionnelle beauté et ses mouvements avaient la grâce d'un ange. Il regarda Amos, attaché à ses pieds comme un animal domestique, et lui dit en souriant malicieusement :

– Bonsoir, Darwiche Chaussette ! Ougocil, le plus imbécile des barbares de Braha, t'a amené ici. Il voulait que tu deviennes son serviteur, mais cet idiot ne comprend pas qu'on ne peut pas posséder un serviteur lorsqu'on est serviteur soi-même. Il est bête comme ses pieds… Ougocil est le plus terrible des combattants que j'aie vus à l'œuvre. C'est pourquoi il est mon garde personnel. Il peut affronter une armée à lui seul. Malheureusement, son courage n'a d'égal que sa stupidité. Ah oui… je suis le maître de ces lieux et, toi, tu es mon prisonnier. C'est moi qui dirige la guilde des voleurs. Tous ceux et celles que tu vois ici sont des racailles de première, des brigands et des coupe-jarrets. Il y a des assassins et des pickpockets, des empoisonneurs et des traîtres, personne à qui se fier, quoi ! Nous attendons tous le jugement dernier, celui qui nous précipitera en enfer, mais, en attendant, nous nous amusons ! Nous nous cachons ! Nous fuyons la justice des squelettes ! À Braha, rien ne change… Mais dis-moi, jeune homme, tu assures être le plus grand voleur de cette ville ? C'est bien ce que tu prétends ? C'est bien ce que tu as dit au gros bêta de barbare ?

Amos fut pris d'une grande panique. Il avait menti pour tenter de sauver sa vie et voici que ce mensonge allait peut-être se retourner contre lui. Rapidement, il jugea la situation. Il était prisonnier de cet elfe noir, enchaîné comme un chien. Rien à faire pour se sortir de ce piège ! Le porteur de masques décida donc de jouer le jeu jusqu'au bout, de jouer le tout pour le tout. Il dit en cachant bien sa nervosité :

– Oui, effectivement, je suis le meilleur voleur de cette ville !

– Je savais que tu dirais cela, répondit l'elfe. Tous les voleurs sont de prétentieux vantards ! Eh bien, c'est ce que nous allons voir, mon jeune ami. Nous allons te mettre à l'épreuve. J'ai prévu un petit jeu pour mon amusement. Il faut bien passer le temps ! Au centre de la salle, là-bas, il y a une grande table, tu la vois ? Regarde derrière les gens qui dansent.

– Oui, confirma Amos, je la vois.

– Eh bien, sur cette table, il y a un plat rempli d'une centaine de petites cuillères dorées. J'ai posté, autour du plat, cinq gardiens qui le surveillent attentivement. Ce sont mes couverts des grandes occasions. Sans te faire voir, tu voles une cuillère dans ce plat et tu me l'amènes ! Si tu réussis, je te laisse partir. Si tu échoues, je te lance dans les eaux du Styx et ton âme sera dissoute. Tu comprends?... Je n'aime pas les menteurs et encore moins les fanfarons. Avant que tu t'exécutes, je te présente l'Ombre que voici.

Un jeune garçon, identique trait pour trait à Amos, s'avança devant eux.

– Il est étonnant, tu verras, confia le maître des lieux au porteur de masques. Allez, l'Ombre, va me chercher une de ces cuillères dorées sans que personne ne s'en aperçoive !

Immédiatement, l'Ombre disparut dans la foule. En moins d'une seconde, il prit l'apparence d'un danseur, d'un autre encore, puis d'une femme et d'un enfant. Sans se faire remarquer, il s'approcha lentement de la table. Il changeait de visage et de forme à volonté.

– L'Ombre EST le plus grand voleur de la ville !, dit l'elfe à Amos. Il est le dernier survivant de sa race à Braha. Le peuple de la pénombre, comme on l'appelait, a quitté le monde des vivants et celui des morts depuis fort longtemps. Regarde comme il change de forme, de visage, d'expression. Son corps est composé d'une vapeur qui se solidifie pour prendre l'apparence qu'il veut. Il est épatant ! Il peut aussi bien prendre la forme d'un objet que celle d'un humain.

Maintenant juste à côté de la table, l'Ombre prit l'apparence de l'un des gardiens. Il éternua pour attirer l'attention sur lui, changea encore une fois d'apparence, se pencha au-dessus de la table en feignant un étourdissement et prit rapidement une cuillère. Il la glissa dans sa manche et s'élança de nouveau sur la piste de danse. Vingt secondes plus tard, c'est sous la forme d'une très belle femme vêtue d'une robe jaune qu'il remit la cuillère dans les mains de l'elfe noir.

– Tu es fantastique, l'Ombre! Fantastique!, s'exclama le maître des lieux en glissant la cuillère en or dans la grande poche de sa redingote. Personne n'a rien vu! Maintenant à toi, Darwiche Chaussette! Allez! Amuse-moi!

L'elfe libéra Amos de sa chaîne. Le jeune garçon demanda alors :

– Vous désirez que je vole une cuillère dans ce plat, là-bas, c'est bien cela?

– Oui, c'est cela, jeune prétentieux!, fit l'elfe en riant.

– Dites-moi, ces cuillères sont-elles toutes identiques?

– Elles sont toutes pareilles!, assura le maître de la guilde avec un sourire diabolique.

– Très bien… Alors, je fais un marché avec vous, proposa Amos. Si j'échoue, vous me lancez dans le Styx, mais si je réussis, vous m'aidez à voler autre chose! Une petite bagatelle qui me tient à cœur…

– Je refuse!, s'écria l'elfe noir. Je n'ai pas à faire de marché avec toi! Tu es MON prisonnier ici.

– Très bien, riposta le garçon sans se démonter, alors jetez-moi immédiatement dans le Styx… Je suis désolé mais je ne travaille jamais pour rien et surtout pas pour me donner en spectacle! J'ajoute que je réussirais cet exploit non pas à l'insu de tous, comme l'Ombre, mais pendant que tous les regards seraient tournés vers moi. Vous êtes curieux? Eh bien, prenez le risque d'accepter ce que je vous demande! Je suis Darwiche Chaussette, le plus grand voleur de cette ville, et je ne vous mens pas!

– D'accord!, lança l'elfe, intrigué. Si tu réussis ce tour-là, je ferai l'impossible pour toi. Je volerai tout ce que tu voudras. Je te ferai même immédiatement membre officiel de la guilde. Par contre, je doute que tu puisses réussir un tel exploit! Mets-toi au travail, je te regarde.

Amos sauta sur une chaise et cria à pleins poumons:

– Qu'on arrête la musique! Arrêtez tout et écoutez-moi bien! S'il vous plaît, accordez-moi votre attention quelques secondes!

Les musiciens s'immobilisèrent et tous les yeux se tournèrent vers le garçon, amusé par cette interruption subite. Le silence se fit rapidement dans la foule.

– Merci beaucoup… euh… je m'appelle Darwiche Chaussette et…

En entendant ce nom étrange, plusieurs personnes dans l'assistance se mirent à rire et à applaudir.

– Oui, c'est bien mon nom, reprit Amos. Je suis un très grand magicien et pour vous ce soir, avec la permission du maître des lieux, j'exécuterai un de mes fameux tours. Un de ces messieurs pourrait-il m'apporter une des cuillères du plateau?

L'elfe noir donna son accord en hochant la tête, et un des gardiens du plat s'exécuta prestement. La cuillère dorée dans la main, Amos fit semblant de se concentrer et dit :

– Bel objet, beau trésor ! Va vers celui qui est le plus digne de te recevoir, va vers ton propriétaire !

Dans un geste théâtral, le garçon mit alors la cuillère dans la poche de son pantalon et lança :

– Elle a disparu ! Elle se trouve maintenant dans la poche de la redingote de l'elfe noir ! De ma poche, elle est passée dans la sienne ! Levez-vous, cher Maître, et fouillez bien votre vêtement !

L'elfe comprit vite la ruse d'Amos et sut qu'il venait de perdre son pari. En se mordant la lèvre de colère, il se leva. Sous les yeux de ses invités, il sortit effectivement une cuillère en or de sa redingote. Il s'agissait évidemment de celle que l'Ombre avait volée précédemment. Un tonnerre d'applaudissements vint s'abattre sur Darwiche. Celui-ci salua plusieurs fois. Amos avait effectivement volé l'objet au vu et au su de tous ! Le tour était joué et la partie, gagnée.

– Eh bien, dit le garçon, satisfait. Voici la preuve de mon talent... Ce que l'Ombre a fait en se cachant, je l'ai fait au grand jour. J'en déduis donc que je suis le plus grand voleur de cette ville et je n'ai pas menti. Ai-je le droit de vivre maintenant ?

– Bien, dit l'elfe en se renfrognant. Tu es libre et j'ai maintenant une dette envers toi.

– Puis-je connaître votre nom ?, demanda poliment Amos.

– Tout le monde ici porte cinq ou six noms, répondit l'elfe. Ici... tout est faux ! Appelle-moi

Arkillon, ce sera très bien. Et toi, Darwiche Chaussette, c'est ton vrai nom ?

– Non, répondit Amos en souriant.

– Tu vois…, dit l'elfe noir, tout est mensonge, tout le temps ! Je dirai à Ougocil que tu fais maintenant partie de notre famille de voleurs. Il en sera heureux ! Après tout, c'est lui qui t'a recruté ! Il te montrera nos cachettes, nos lieux secrets.

– Merci bien. Pour en revenir à nos affaires maintenant…

– Oui… oui !, fit l'elfe en soupirant. Tu veux que je vole quelque chose pour toi ?

– Exactement !, confirma le jeune porteur de masques.

– Qu'est-ce que c'est ?, demanda nonchalamment l'elfe en prenant une grande gorgée de vin rouge.

– La clé de Braha !, lança fièrement Amos.

Avalant lentement sa boisson, l'elfe devint livide et, le souffle coupé par cette demande, implora :

– Non… tout, Darwiche, tout ! mais pas cela !

Chapitre 12

Le désert de Mahikui

Après d'interminables semaines de voyage, la troupe de Junos arriva enfin en vue du désert de Mahikui. Béorf avait complètement récupéré et ses blessures s'étaient bien refermées. Tout le monde, les chevaliers comme les Dogons, était épuisé par cette longue route. La troupe n'avait rencontré aucun problème majeur durant le périple, mais les innombrables heures de marche semblaient avoir miné son moral. Un soleil de plomb cuisait férocement la peau des hommes de Berrion. Ceux-ci, moins habitués que les Dogons à ce climat étouffant, souffraient terriblement. Junos, comme les autres, aurait donné n'importe quoi pour un peu de pluie ou pour une légère brise rafraîchissante. Seule Lolya donnait l'impression d'être fraîche comme une rose.

– Nous nous arrêterons ici pour la nuit, cria le seigneur de Berrion, exténué par sa journée.

– Je ne suis pas d'accord, protesta la jeune reine. Je sens un danger. Ne nous arrêtons pas. Il y a un village plus loin. Nous y serons dans une heure à peine si nous pressons le pas. Ce sera d'ailleurs notre dernier point de ravitaillement avant d'entrer véritablement dans le désert.

— Je ne ferai pas un pas de plus, affirma Junos, un peu exaspéré. Mes hommes sont épuisés et vos guerriers, Lolya, ressemblent à des épaves. Nous nous traînons les pieds et nous avons grand besoin de repos. C'est ici même que se termine notre journée !

— Ce n'est pas sage de votre part de mettre ainsi en doute ma parole, répliqua Lolya. J'ai le don de sentir les événements à venir et ce campement pourrait bien être le dernier de votre vie.

— Je suis fatigué de tes palabres, de tes pressentiments et de tes visions, jeune fille ! lança Junos, de plus en plus impatient. Nous sommes exténués, peux-tu comprendre cela ? Nous devons manger et dormir ! Nous irons à ce village demain. Pour l'heure, nous installons le campement que tu le veuilles ou non. Me suis-je bien fait comprendre ?

Lolya capitula. Béorf, tenaillé comme toujours par la faim, alla immédiatement engloutir une ration de fruits séchés et un gros morceau de pain. Une fois rassasié, il s'installa dans le chariot où gisait le corps d'Amos et, comme tous les jours, il lui raconta sa journée. Le gros garçon avait pris cette habitude. En parlant à son ami, il avait l'impression de le tenir en vie, de tenir son âme éveillée. C'est Lolya qui l'interrompit dans son monologue :

— Tu viens avec moi, Béorf ? Je me rends au village. Junos refuse d'y aller ce soir, mais j'ai besoin d'informations pour la suite de notre itinéraire.

– Mais tu as dit à Junos que tu avais un mauvais pressentiment, répondit Béorf. Tu ne préfères pas demander à tes guerriers de t'accompagner ?

– Non… peut-être… Je ne sais pas comment t'expliquer cela, Béorf. Je suis très confuse… Je suis tiraillée entre deux pôles. Quelque chose m'appelle dans ce village. Depuis bientôt une semaine, je fais des rêves étranges. Le Baron Samedi veut me prévenir d'un danger, mais il n'arrive pas à me le communiquer clairement. Une puissante force brouille notre lien. Je veux me rendre à ce village dès que possible.

– Bon, grogna Béorf, je t'accompagnerai, mais je préférerais rester ici. Je suis si fatigué !

– Merci, tu ne le regretteras pas, mon ami, dit Lolya, soulagée.

En chemin, la jeune reine se confia de nouveau au béorite.

– Béorf, connais-tu le peuple des Anciens ?

– Non, répondit sèchement le gros garçon. Désolé, Lolya, mais vraiment, il me reste juste assez de force pour atteindre ton village. Tu me raconteras tes histoires plus tard. Je fais de gros efforts pour rester debout. Si tu n'étais pas là, je pense bien que je me coucherais en plein milieu de cette route de sable !

– Écoute-moi, c'est important !, insista la jeune reine.

– C'est important… Pourquoi « important » ?, fit Béorf qui commençait à perdre patience. Nous sommes paumés dans un coin de pays aride, près d'un désert quelconque où nous avons à accomplir une mission que je ne suis même pas certain de comprendre. Amos est mort, mais, en réalité, il n'est pas mort! Il doit apparemment ressusciter et personne ne sait comment l'aider! Je suis confus et fatigué. Tais-toi, Lolya, et marchons en silence…

– Je t'assure que c'est important, car je crois que le moment est venu pour moi!

– Quel moment? De quoi parles-tu?, demanda Béorf, excédé.

– Je te parle de la voie des Anciens, reprit Lolya. Marche et écoute, tu ne perdras pas trop d'énergie ainsi. Et cesse de grogner, veux-tu?

– Je suis un ours, alors je grogne, c'est tout! Toi, tu es de la race des pies, alors tu parles!

La petite fille pouffa d'un rire sonore et clair. Béorf, très content de sa réplique, esquissa un sourire, puis, entraîné par la bonne humeur de Lolya, il fut pris d'un monumental fou rire. Les deux marcheurs, maintenant par terre, avaient les larmes aux yeux et se tenaient les côtes. Soudain, la jeune reine s'arrêta net.

– Qu'est-ce qui se passe?, demanda Béorf en retenant son fou rire.

– Nous n'aurons pas le temps de nous rendre au village! C'est commencé!, répondit anxieusement Lolya.

– Mais qu'est-ce qui est commencé?, fit le garçon qui avait retrouvé son sérieux.

– C'est ce que je voulais t'expliquer! C'est la voie des Anciens… Promets de rester avec moi, quoi qu'il arrive! PROMETS-LE-MOI!

– Oui, ça va… ça va !, assura Béorf.

– Bon, écoute…, reprit Lolya en se concentrant pour ne pas défaillir. Je suis de la race des Anciens, les premiers habitants de ce monde. Nous avons été chassés par les humains et totalement éradiqués de la surface de la Terre.

Béorf remarqua alors que la peau de Lolya commençait à se tendre lentement. Ses mains tremblaient et de grosses gouttes de sueur perlaient sur son visage.

– Je le savais… je me doutais bien que cela allait se produire ! Vite, amène-moi derrière cette dune, là-bas !

L'hommanimal retrouva tout à coup ses forces et souleva la fillette d'un bras pour l'amener derrière la dune où elle poursuivit son récit :

– Ce que tu vas voir, Béorf, peu d'humains ont eu l'occasion de le voir. J'ai peur, j'ai très peur… Mes pressentiments, mon incapacité de communiquer clairement avec le Baron Samedi et cet appel vers le village… tout concorde maintenant. Je devais absolument m'éloigner du campement. Je… je me transforme, Béorf… Le pouvoir de la draconite fait son effet !

– Très bien, répliqua nerveusement le gros garçon. Mais… mais… explique-moi ! C'est quoi, au juste, la draconite ?

– Regarde la pierre précieuse que j'ai au fond de la gorge ! C'est le baron qui l'a placée là. C'est une draconite et elle contient l'âme d'un Ancien, l'âme d'un… d'un DRAGON ! Tu vas assister à la… la naissance d'un Ancien ! Tu vas assister à la naissance de Kur! Nous, les Anciens, avions disparu de ce monde, et le Baron Samedi, notre dieu, a décidé de nous faire renaître. Nous devons reprendre la place que nous occupions sur la Terre…

— Lolya, arrête maintenant! Viens, nous rentrons au campement pour te soigner… Ce doit être la fatigue, tu délires! Viens, je te porterai!

— LÂCHE-MOI!, cria énergiquement la jeune reine. Tu ne comprends rien de ce qui se passe ici?

Béorf vit alors la figure de Lolya se transformer. Ses yeux étaient injectés de sang et le garçon vit très clairement, dans ses pupilles, des flammes danser. Il hurla:

— Mais qu'est-ce qu'il se passe? Qu'est-ce qu'il t'arrive? LOLYA!

* * *

Junos s'éveilla brusquement et sortit de sa tente avec précipitation. Le soir tombait paisiblement et une légère brise inespérée lui caressa la barbe. À l'horizon, le soleil disparaissait peu à peu en colorant le ciel d'un rouge flamboyant. C'est la voix de Béorf qui avait réveillé Junos. Enfin, il n'en était maintenant plus tout à fait certain. Peut-être avait-il rêvé. Le seigneur de Berrion se mit à la recherche du garçon. Tous ses chevaliers dormaient à poings fermés. Deux Dogons montaient la garde, assis sur le chariot où reposait le corps d'Amos.

– Pardon, Messieurs, vous n'auriez pas vu Béorf par hasard?, leur demanda Junos.

Les deux hommes firent signe que non.

– Et Lolya? Vous savez où elle se trouve?

Même réponse de la part des guerriers. Inquiet, Junos décida de prendre son cheval pour partir à la recherche de Béorf. Au moment où il mettait le pied dans l'étrier, il sentit la terre trembler, puis entendit un grondement lointain. Il n'en fallait pas plus pour que le seigneur comprenne la gravité de la situation. Une armée galopait à fond de train en direction du camp! Scrutant l'horizon, Junos vit le nuage de poussière caractérisant une chevauchée énergique. Il cria:

– DEBOUT, CHEVALIERS DE L'ÉQUILIBRE! AUX ARMES! ON NOUS ATTAQUE!

Malgré ce brutal réveil, tous les hommes furent bientôt prêts au combat. Ils virent une centaine de guerriers foncer sur eux à toute allure. Yaune-le-Purificateur en tête, c'est dans un infernal boucan qu'ils traversèrent le camp en fauchant avec leurs épées plusieurs Dogons. Quelques chevaliers furent aussi tués au cours de cette attaque. Bien vite, la troupe de Junos fut encerclée. Plus nombreuse, l'armée des mercenaires de Yaune avait formé un cercle autour du camp et aucune retraite n'était plus possible.

Le serviteur de Seth descendit de sa monture et retira son casque. Devant sa laideur repoussante, Junos eut un mouvement de recul. Yaune, cet ancien chevalier de la lumière, avait eu naguère une beauté virile et sauvage. Son pouvoir de séduction était grand et les gens lui faisaient facilement confiance. L'homme qui se trouvait maintenant devant Junos n'avait plus aucun de ces attributs. Avec son œil de reptile, sa cicatrice au visage et son tatouage sur le front, il était devenu un monstre transpirant la haine et le mépris, la convoitise et le désir de vengeance. Yaune, souriant, s'avança vers le seigneur de Berrion. Celui-ci fit signe à ses hommes et aux Dogons de ne pas bouger.

— Alors, Junos, dit Yaune, quoi de neuf? C'est toujours un plaisir de revoir le grand, le très grand libérateur de Bratel-la-Grande.

— Viens-en aux faits, répondit sèchement Junos. Que veux-tu? Que nous veux-tu?

— Pour répondre à ta première question, fit le chevalier déchu, je répondrai que… je veux te tuer. Qu'est-ce que je vous veux, à tous? Eh bien… je veux aussi vous tuer! Mais avant, je vous ferai beaucoup, mais BEAUCOUP souffrir!

— Mais pourquoi? Que t'ai-je fait pour mériter ainsi ta haine?

— CE QUE TU AS FAIT?, hurla Yaune. TU AS LE CULOT DE ME DEMANDER CE QUE TU AS FAIT? Eh bien, je vais te le dire, poursuivit-il en se radoucissant. J'étais seigneur de Bratel-la-Grande, j'avais une armée, des hommes de confiance et je faisais la loi sur mes terres en gouvernant à ma façon. Puis Karmakas et les gorgones sont arrivés pour me détruire. Heureusement, le seigneur Junos du royaume de Berrion est venu avec Amos Daragon pour nous libérer. Seulement voilà ! vous m'avez démis de mes fonctions et vous avez confié mes terres à Barthélémy. Vous m'avez chassé et tatoué le mot « meurtrier » sur le front.

– Tu étais un mauvais roi, rétorqua Junos sur un ton plein de mépris. Tes hommes se sont révoltés contre toi. Tu as tué et brûlé injustement bon nombre de personnes que TU considérais comme des sorciers. Tu as eu ce que tu méritais… Estime-toi chanceux d'être encore vivant !

– Et toi…, Junos de Berrion, dit Yaune en s'approchant du seigneur, tu dis à tes hommes de déposer leurs armes et de se rendre. Nous sommes beaucoup plus nombreux que vous et tu sais que vos chances sont nulles. Vous êtes mes prisonniers. Dis-moi, avant que je t'enchaîne comme une bête sauvage, où est donc la fille noire ? Je dois lui trancher la gorge !, ajouta-t-il avec un rire sonore.

– Cherche !, répondit Junos. Elle a disparu.

– DIS À TES HOMMES DE SE RENDRE MAINTENANT !, cria Yaune.

Junos, d'un geste solennel, fit signe à ses chevaliers et aux guerriers dogons de déposer leurs armes. Yaune les obligea à retirer leurs vêtements afin que le soleil puisse davantage les cuire, puis il les fit enchaîner comme des esclaves. Le chevalier monta ensuite sur le chariot où reposait toujours le corps d'Amos. Il se pencha au-dessus du garçon et il lui murmura à l'oreille :

– Amos, petit futé, je suis content de te revoir. Tu sais que c'est toi qui as causé ma perte ? Tu le sais, non? Eh bien, à partir d'aujourd'hui, c'est moi qui vais te propulser dans la noirceur et le vide, dans le néant de l'existence. Nous allons nous rendre ensemble dans le désert de Mahikui. Nous trouverons la pyramide et tu libéreras mon armée. Ensuite, lorsque ta mission sera terminée, je t'ouvrirai la poitrine pour t'arracher le cœur! Ça te va?

Au crépuscule, le cortège de prisonniers se mit en route.

Chapitre 13

La vérité

Assis à une table, Amos discutait avec l'elfe Arkillon. L'Ombre, qui avait pris l'apparence physique de l'elfe, était aussi présent et partageait un long banc avec Ougocil le barbare.

– Comment puis-je t'expliquer cela simplement?, dit le maître de la guilde. La clé de Braha, c'est… c'est une légende, une terrible légende qui annonce la fin des temps, la fin de tout. Heureusement, peu de gens connaissent cette histoire…

– Je ne comprends pas, l'interrompit Amos. La fameuse légende dit qu'un elfe serrurier créa cette clé à la demande du premier des magistrats de Braha. Ensuite, parce qu'il s'était vu refuser son retour parmi les vivants, il cacha la clé et l'envoûta pour que seul un être vivant puisse la prendre. Dans le royaume des morts, cette clé s'avérait donc impossible à saisir! Elle sert à ouvrir les portes du paradis et de l'enfer, non? La légende parle aussi d'un terrible gardien, c'est bien cela?

Arkillon, perplexe à l'écoute de ce récit, demeura silencieux. L'Ombre se mit à rire discrètement pendant qu'Ougocil, incapable de comprendre quoi que ce soit à cette histoire, se grattait la tête.

– Mais qu'est-ce que tu nous racontes, Darwiche Chaussette?, demanda l'elfe en ricanant. Qui t'a raconté cette histoire saugrenue? Je pense qu'on t'a mené en bateau, mon jeune ami! La clé de Braha n'est pas une clé, mais une pomme!

– QUOI? UNE POMME?, s'exclama Amos, incrédule.

– Oui, Monsieur, une pomme!, reprit l'elfe, sûr de lui. Je pense qu'il est temps pour toi de laisser tomber ton masque, Darwiche. Si tu veux de l'aide, tu dois me dire qui tu es véritablement et ce que tu fais ici, à Braha.

Amos, conscient que son jeu avait assez duré, expliqua en détail ce qui l'avait amené dans la cité des morts. Il révéla son véritable nom, avoua être un porteur de masques et fit la narration complète de sa première aventure à Bratel-la-Grande. Il parla ensuite de Lolya, des Dogons, du Baron Samedi et de Béorf. Puis il raconta la cérémonie au cours de laquelle la jeune reine lui avait enlevé la vie, son voyage sur le Styx, sa rencontre avec Jerik et Uriel et, finalement, son arrivée au palais de justice. Amos parla ainsi pendant près d'une heure. Arkillon et l'Ombre buvaient ses paroles comme des assoiffés, sans jamais l'interrompre. Ougocil, quant à lui, s'endormit bien vite: tout cela était beaucoup trop compliqué pour lui.

– Eh bien!, s'exclama l'elfe à la fin du récit, je pense que tu t'es fait manipuler depuis le début de ton voyage jusqu'à aujourd'hui. Si tu le permets, je vais envoyer l'Ombre enquêter au palais de justice. Il nous dégotera des informations sur ce complot contre toi.

– Je veux bien, fit Amos.

– Va, l'Ombre, ordonna Arkillon. Et reviens avec la vérité !

L'Ombre se dématérialisa et disparut prestement.

– Toi, Amos, reste ici, reprit l'elfe. Tu y seras en sécurité. J'affecterai mon brave Ougocil à ta sécurité personnelle… quand il se réveillera. Regarde-le, il dort comme un bébé. Je pense qu'il ne sait même plus qu'il est mort !

– Arkillon, j'ai besoin de savoir. Qu'est-ce que la clé de Braha ?

– Je t'explique, mon jeune ami, répondit l'elfe en rassemblant ses idées. La clé de Braha vient d'une légende qui remonte à l'époque où fut créée cette cité. Quand les dieux, d'un commun accord, choisirent la ville enfouie de Braha pour en faire le lieu du jugement des âmes, ils y plantèrent un arbre. Cet arbre, un pommier donnant exclusivement des fruits de lumière, est en fait l'arbre de la vie éternelle. Quiconque mange une de ces pommes se voit automatiquement accorder l'immortalité. La clé de Braha, c'est la clé de la vie. C'est en réalité le grand mystère de l'existence de toutes les créatures qui vivent sur la Terre. Si tu croques une de ces pommes, tu deviens un dieu, Amos ! Les fruits n'accordent l'immortalité qu'aux êtres vivants ; voilà pourquoi les âmes des défunts, comme toi et moi, ne peuvent pas voir cet arbre.

— Je comprends…

— Dans cette fameuse légende, continua Arkillon, il est aussi dit que celui ou celle qui mordra dans ce fruit, ouvrira une porte entre le royaume des morts et celui des vivants. Braha se videra complètement de ses fantômes qui, dès lors, envahiront la Terre pour provoquer la destruction complète du monde. Tu me parlais, un peu plus tôt, du Baron Samedi.

— Oui, Lolya, la jeune reine des Dogons, a dit qu'il est son guide spirituel.

— Le Baron Samedi est beaucoup plus que cela. Il est le dieu suprême d'une race éteinte qu'on appelle les Anciens. Les autres dieux le considèrent comme une divinité finie, sans importance, un petit serviteur de deuxième classe, mais, en réalité, il a une force terrible. Lolya est… est sa fille!

— LOLYA EST LA FILLE D'UN DIEU?, s'écria Amos, abasourdi. Mais comment sais-tu tout cela?

— Je le sais parce que je suis un elfe. J'ai vécu sur la Terre des milliers d'années et je suis ici, à Braha, depuis autant de temps. Les elfes sont les dépositaires d'une connaissance inaccessible aux humains.

— Dans ce cas, explique-moi qui sont les Anciens, cette race éteinte dont le Baron Samedi était le dieu suprême.

— Cette race a vécu bien avant moi. À ma naissance, il n'en restait que quelques-uns. Ils ont tous été chassés et tués par les hommes.

— Pourquoi?

– À cause de leur inestimable richesse. Les Anciens vivaient dans d'immenses grottes au cœur des montagnes et dormaient sur des lits d'or et de pierres précieuses. Leur tête contient des pierres brillantes, très recherchées par les magiciens, qu'on appelle des draconites. Pour conserver leurs pouvoirs magiques, ces pierres doivent être dérobées sur un dragon vivant. Les humains, avides de richesse, ont massacré les Anciens pour les voler. C'est au cours d'une de ces expéditions, alors que j'accompagnais une troupe d'humains particulièrement cupides, que j'ai perdu la vie. C'est mon plus grand défaut, mon avidité, qui a causé ma perte.

– Mais enfin, qui sont ces fameux Anciens?

– Ce sont… les dragons! fit Arkillon avec un certain trouble dans la voix. Lolya est… comment te dire?… elle est le premier dragon qui va bientôt renaître sur la Terre. Les dieux sont de nouveau en guerre, tu le sais déjà. Ta mission, comme tu me l'as expliqué, est de rétablir l'équilibre du monde. Eh bien, le monde est sur le point de subir un profond déséquilibre. Le Baron Samedi a choisi son camp. Il se prépare à rétablir sur terre le règne des dragons pour se venger des hommes. Les dieux se servent de toi pour accomplir leurs sombres desseins.

– Si je comprends bien, récapitula Amos sur un ton anxieux, un dieu du mal m'utilise pour que je trouve la clé de Braha et que j'ouvre la porte entre le monde des vivants et celui des morts. Si j'accomplis cette mission, je deviendrai un dieu, et des centaines de fantômes envahiront la Terre pour provoquer la fin du monde ! Je sauve ma peau, mais je provoque en même temps un cataclysme ! Si le Baron Samedi fait amener mon corps dans le désert de Mahikui, en haut de cette pyramide, c'est qu'il joue le jeu d'un dieu plus puissant, ce même dieu qui m'utilise. Ce baron compte sur mon échec à Braha. Si je rate mon coup ici, dans la cité des morts, il se débarrasse définitivement de moi et, dans quelques décennies, c'est lui qui contrôlera le monde avec ses dragons. D'un côté comme de l'autre, quoi que je fasse, je provoque la fin du monde. C'est une situation sans issue ! Je suis piégé ! Pas d'échappatoire possible...

Un lourd silence s'installa dans la pièce. Arkillon, tête basse, réfléchissait. Atterré par ses conclusions, Amos sentit un profond découragement l'envahir. C'est à ce moment qu'Ougocil se réveilla. En bâillant, il laissa tomber :

– Il te faut tout effacer... Il faut revenir en arrière et tout recommencer !

– Tais-toi !, lança méchamment Arkillon. Tu ne vois pas que nous essayons de réfléchir ?

Amos se leva d'un bond, sauta au cou d'Ougocil et, en l'embrassant sur le front, lui cria, tout excité :

– TU ES UN GÉNIE, BRAVE OUGOCIL ! UN VÉRITABLE GÉNIE !

Chapitre 14

La bête de feu

Béorf n'en croyait pas ses yeux. Devant lui, à quelques mètres, Lolya s'était métamorphosée en dragon. Elle était immense, gigantesque! La peau de la jeune reine avait commencé par fondre lentement. Les os de son crâne s'étaient alors mis à bouger, puis ils s'étaient reformés peu à peu en grossissant. Des ailes ornaient maintenant son dos, et de puissantes griffes avaient remplacé ses doigts. L'hommanimal était complètement paralysé par la peur. Incapable de remuer un seul doigt, il restait immobile, tout près de la bête, sans même penser à fuir. Une forte odeur de musc émanait du dragon. Il était noir comme du bois d'ébène et couvert de solides écailles. Sa gueule était énorme et ses dents ressemblaient à de monumentales stalactites et stalagmites. La bête se tourna vers le gros garçon et dit:

– Je t'ai gardé en vie, Béorf Bromanson, afin que tu sois témoin de la résurrection des Anciens et pour que tu dises aux humains de se soumettre au nouvel ordre que connaîtra la Terre. Lolya n'est plus, mon nouveau nom est Kur et, bientôt, je serai le maître de ce monde. Lolya était mon enveloppe, mon œuf, ma dent de lait. Je grandissais en elle en la nourrissant de mes pouvoirs. Dans la langue des Anciens, Kur signifie « montagne ». Je ferai bientôt renaître une race de créatures inférieures, les dragons des plaines. Ils seront petits, et les humains les reconnaîtront à leurs écailles colorées et à leur crête plus acérée. Ce sont eux qui ouvriront la voie et prépareront le monde à accueillir les Anciens. Les humains devront se soumettre et devenir nos serviteurs. Ils devront, comme les Dogons, sacrifier leur vie pour nous servir de nourriture. Anciennement vivaient dans le lac Anavatapa, le centre du monde, Nanda et Upananda, les deux gardiens de la colonne d'or que l'on appelle maintenant l'axe cosmique. Les humains les ont tués par convoitise. La colonne d'or fut profanée et, depuis ce jour, l'axe de la Terre a changé en provoquant de terribles cataclysmes ! Voilà de quoi sont capables les hommes ! Autrefois, chaque montagne avait son dragon, et la paix régnait entre toutes les créatures. Nous étions les maîtres, les juges et les avocats, et nous gouvernions en faisant régner la peur. Nous avions simplement oublié que la peur peut être surmontée par les humains lorsque ceux-ci sont menés par la soif de richesse et de pouvoir. Nous avions d'immenses richesses, des lits d'or, des montagnes de pierres précieuses ! TOUT NOUS A ÉTÉ VOLÉ ! Et pourquoi ? Pour être dispersé impunément dans le monde. Cette fois, personne ne nous dérobera quoi que ce soit impunément !

Béorf écoutait, bouche bée et les yeux ronds. C'était trop pour lui! Son cœur battait la chamade et ses jambes tremblaient. Il avait devant les yeux la plus monstrueuse des créatures ayant foulé le sol de cette planète. Dans sa tête, ses pensées se désarticulaient peu à peu. La terreur le rendait confus. Chevauchant la mince ligne entre la raison et la folie, il continua d'écouter le monologue du dragon.

– Azi-Dahaka fut enchaîné et torturé pendant neuf mille ans par des générations d'humains qui voulaient le forcer à révéler où était caché son trésor. Jamais il ne parla, jamais il ne dit quoi que ce soit! Son silence et sa lente agonie seront aujourd'hui récompensés! C'est dans son antre même, couché sur son lit d'or, que je préparerai la renaissance de mon peuple. Je deviendrai plus grand que Rouimon, le dragon aveugle qui tuait les hommes rien que par son rugissement. Lui qui fut découpé en morceaux, durant la dernière Grande Guerre des dieux, par les épées lumineuses de quelques esprits célestes, sera fier de moi!

Depuis qu'il avait commencé à parler, Kur avait avalé des dizaines de très grosses pierres. La roche, aux abords du désert de Mahikui, avait la particularité de posséder une forte teneur en phosphore. C'est grâce à cet élément qu'il était possible à Kur et à tous les dragons en général de cracher du feu. Une fois dans l'estomac de la bête, les pierres phosphoriques se dissolvaient dans de puissants acides en créant un gaz très inflammable. Le dragon n'avait plus alors qu'à expulser le gaz par la bouche pour que celui-ci s'enflamme au contact de l'air. Ce jet de feu pouvait atteindre une distance de deux mètres et frôler des températures de mille degrés. Kur se préparait donc à une sanglante attaque.

— Va!, lança le dragon à Béorf. Je ne te retiens pas! Je t'ai déjà sauvé la vie et je ne vais pas te la reprendre. Je sais que ta race, les béorites, est en voie d'extinction. Tu comprendras, après ce que je viens de te raconter, que je suis sensible aux races en péril. Pour cela, tu auras la vie sauve. Je veux aussi que tu parles, que tu racontes ce que tu as vu et que tu rapportes tout ce que je t'ai dit. Fais de moi une légende en ce monde! Parle à tout le monde de ma grandeur et de ma magnificence! Considère-toi comme privilégié, Béorf Bromanson, d'avoir pu côtoyer un dragon de si près sans perdre la vie. Allez! au revoir, jeune ours! Le nouveau maître du monde te salue!

Kur avala une dernière pierre puis déploya ses ailes. Dans un mouvement aussi furieux que délicat, le dragon s'éleva dans les airs. En quelques coups de ses puissantes ailes, il disparut dans les nuages en laissant Béorf, assommé par ce qu'il venait d'entendre, seul aux abords du désert.

Quand le jeune hommanimal retrouva ses esprits, la nuit était tombée. Béorf avait la forte impression d'avoir rêvé cette incroyable aventure. Comme un cauchemar qui ne laisse que de vagues images. Rapidement, le béorite se transforma en ours et courut vers le camp de Junos. Il se doutait bien que les hommes de Berrion n'y seraient plus.

Peut-être les trouverait-il tous morts, carbonisés par le souffle du dragon. Peu lui importait ! Il se devait d'aller voir, de se convaincre que Lolya s'était bel et bien transformée en dragon et que tout ceci n'était pas un rêve.

Au campement, il n'y avait plus âme qui vive. Des tentes et une charrette, voilà tout ce qui restait. Béorf vit, par terre, le corps de cinq chevaliers. Les armures, les armes et tout le matériel de voyage gisaient sur le sol dans un effroyable désordre. Il y avait effectivement eu une bataille ici, mais pas avec un dragon. En observant les plaies d'un des chevaliers morts, le gros garçon reconnut la signature de Yaune. Il avait eu, lui aussi, les mêmes entailles infectées par le poison. Il était maintenant évident pour Béorf que Yaune avait attaqué le camp, tué quelques hommes et fait prisonnier le reste de la troupe. Le corps d'Amos avait aussi disparu. Nul doute que le Purificateur avait continué le voyage vers la pyramide du désert de Mahikui.

Rapidement, l'ours tourna les talons et courut à toute vitesse vers le village. Il se rappela que Lolya avait dit que celui-ci se trouvait à environ une heure de marche de l'endroit où avait été monté le camp. Ce n'était donc pas très loin. Cependant, lorsque Béorf arriva au village, il était malheureusement trop tard. Kur était passé bien avant lui et avait fait de l'endroit la macabre célébration de sa renaissance. Les maisons, brûlées de la cave au grenier, étaient encore fumantes. Des corps d'hommes et de femmes, à moitié calcinés ou dévorés, jonchaient le sol. Aucun enfant n'avait été épargné. Leur chair, plus tendre que celle des adultes, semblait avoir fait les délices de la bête.

Béorf, devenu humain, fouilla les décombres, mais sans succès. Il n'y avait aucun survivant. Même les animaux domestiques gisaient par terre, carbonisés. Le garçon se rendit au puits pour se désaltérer. Une soif tenace lui serrait la gorge. L'eau, contaminée, n'était plus bonne à boire. Décidément, le jeune béorite se trouvait dans un cul-de-sac. Deux possibilités s'offraient à lui. La première : rebrousser chemin et obéir à Kur en annonçant la renaissance des dragons et la fin du monde. La deuxième : foncer à toute vapeur dans le désert pour essayer de trouver Junos, la pyramide et le corps d'Amos. Il lui faudrait aussi affronter Yaune encore une fois ou, pire, revoir ce maudit dragon.

Béorf soupira profondément, regarda le désert de sable qui s'étendait à perte de vue devant lui et dit tout haut en s'essuyant le front :

– Moi qui déteste la plage, me voilà servi !

Et le gros garçon, toujours assoiffé, se lança sur ses quatre pattes dans le désert.

* * *

Depuis quelques jours, Yaune avançait dans le désert avec ses mercenaires et ses prisonniers. Se reposant durant la journée et voyageant la nuit, le chevalier suivait à la lettre le plan que lui avait tracé Seth. Les hommes de Berrion et les

Dogons n'avaient presque pas bu et rien mangé du tout depuis le jour de leur capture. Ils allaient à pied alors que leurs kidnappeurs montaient de solides chameaux. Lors de son passage dans le dernier village, à la porte du désert, Yaune avait troqué les chevaux contre ces bêtes plus adaptées aux conditions arides des lieux. Le sommet de la pyramide enfouie était maintenant en vue à l'horizon. Yaune fit venir Junos près de lui et lui demanda brutalement :

– Que faut-il faire avec le corps d'Amos lorsque nous serons à la pyramide ?

– Je ne sais pas…, dit Junos, fatigué et assoiffé. Et même si je le savais, jamais je n'ouvrirai la bouche !

– Oh, tu parleras, vieux débris !… Tu parleras, j'en suis certain !, répondit le chevalier en frappant Junos avec la semelle de ses bottes.

Yaune-le-Purificateur renvoya le seigneur de Berrion, puis sortit, de la sacoche de sa monture, une sphère que Seth lui avait offerte. D'une incroyable puissance, cet objet allait lui servir à contrôler son armée de spectres. Sa puissante magie soumettrait tous les revenants à ses moindres désirs. Yaune serait le maître incontesté et indéniable du monde. Il embrassa tendrement la petite boule de cristal et la remit délicatement à sa place.

Lorsque, plusieurs heures plus tard, il arriva à la pyramide, le chevalier demanda qu'on lui amène de nouveau Junos. Celui-ci avait les lèvres séchées et la peau horriblement brûlée par le soleil. Il tomba à genoux aux pieds de Yaune-le-Purificateur.

– Dis-moi maintenant ce qu'il faut faire!, cria ce dernier. Nous avons le corps d'Amos, la pyramide et le désert! Qu'est-ce qu'il nous manque?

– Je ne sais pas, Yaune, je ne sais rien…, dit Junos avec difficulté.

– Très bien, tu ne sais rien! Tu fais simplement ce voyage pour le plaisir, n'est-ce pas? Eh bien, je vais te faire parler! Je te le jure…

Le chevalier fit un signe à l'un de ses mercenaires. Celui-ci libéra un des hommes de Berrion et l'obligea à s'agenouiller devant Yaune, tout près de Junos. D'un coup d'épée, la tête du prisonnier tomba dans le sable. Le seigneur versa une larme.

– Alors?, reprit Yaune en essuyant le sang de son épée dans le sable. L'un de tes chevaliers vient de mourir à cause de toi! Sauveras-tu les autres? Tu parles et je leur laisse la vie sauve, tu te tais et je les décapite les uns après les autres… Je répète donc ma question: dis-moi maintenant ce qu'il faut faire?

– C'est Lolya, dit Junos, la jeune reine des Dogons, qui connaît la façon d'ouvrir la porte… Moi, je…

– Et un autre qui mord la poussière!, cria Yaune en regardant ses mercenaires.

– NON!, hurla Junos avec force. Je vais te dire ce que je sais, tout ce que je sais…

– Bon, te voilà devenu plus raisonnable?, fit le Purificateur en riant. Vas-y, je t'écoute!

– Bon… le Baron Samedi, le guide spirituel de Lolya, nous a parlé… Il nous a dit de venir ici, dans ce désert… de… de trouver la pointe de la pyramide émergeant du sol. Lolya devait actionner le mécanisme d'ouverture d'une porte quelconque… Là, au centre de la pyramide, nous devions déposer le corps d'Amos afin qu'il retrouve la vie et accomplisse sa mission… Nous avions deux mois pour faire tout cela… Tout devait être en place pour la prochaine éclipse de soleil…

Soudain, une voix sortant de nulle part se fit entendre. Profonde et sombre, elle dit très clairement :

– Bien, Junos ! Tu as bien appris ta leçon…

– QUI ES-TU ?, cria Yaune. Sors de ta cachette et cesse ce petit jeu !

– Tes désirs sont des ordres !, répondit la voix.

Derrière la pointe de la pyramide, une ombre se leva. Grand et puissant, Kur le dragon surgit du sable. Les Dogons, en extase, se jetèrent par terre et commencèrent à prier avec ferveur. À genoux dans le sable, les bras au ciel, ils entamèrent un ancien chant religieux. Yaune et Junos se regardèrent avec incrédulité. Les mercenaires, complètement paniqués devant le monstre, détalèrent à toutes jambes. Kur prit une grande inspiration, puis, contractant son estomac, souffla de toutes ses forces dans leur direction. Les hommes s'enflammèrent d'un coup et s'écroulèrent aussitôt sur le sol, calcinés et fumants.

– En un souffle, je viens d'éliminer tes hommes, petit serviteur de Seth !, dit Kur en regardant Yaune.

– Que me veux-tu, dragon ? Quitte ce lieu ou tu subiras ma colère !, menaça le chevalier après s'être éclairci la voix.

– Que tu es brave, petit serpent !, répondit très calmement Kur. Ce que je veux ?… C'est simple, je veux devenir le maître de ce monde, comme toi ! Je sais que tu sers Seth, eh bien, moi, je sers le Baron Samedi. Nous sommes deux serviteurs des dieux, et un seul d'entre nous survivra à cette rencontre. Tu veux entrer dans cette pyramide, eh bien, voilà, j'ouvre la porte…

À ce moment, trois énormes pierres se déplacèrent en laissant apparaître une porte dans la paroi.

– Mais pour y entrer, continua le dragon, il faudra que tu me tues.

– Seth n'appréciera pas cette intrusion dans ses affaires, déclara Yaune en serrant son épée entre ses mains.

– Le porteur de masques ne doit pas trouver la clé de Braha. S'il retrouve son corps et tombe dans le piège que toi et Seth lui avez tendu, tu dirigeras la plus grande armée de spectres que la Terre ait connue. Cela ne doit pas arriver, car le Baron Samedi prépare la renaissance du règne des Anciens. Le monde sera à lui, pas à Seth !

– Vous avez bien joué votre jeu, toi et ton baron, répliqua Yaune. Maintenant, c'est l'heure de la vérité…

Pendant que les deux rivaux se chamaillaient, Junos avait rampé plus loin et réussi à détacher ses hommes. Les Dogons, quant à eux, priaient toujours avec la même frénésie. Junos prit rapidement le corps d'Amos sur ses épaules, puis fit un signe à ses soldats qui, aussitôt, sautèrent sur les chameaux et déguerpirent. L'attention du dragon fut attirée par toute cette agitation. Le seigneur de Berrion en profita pour se lancer la tête la première dans l'ouverture de la pyramide en y entraînant le corps d'Amos. La porte se referma illico et Junos débic dans l'obscurité un long escalier de pierre, sans lâcher la dépouille de son ami.

Après un bon nombre de culbutes, l'homme et le garçon atterrirent avec fracas dans une salle poussiéreuse et envahie par des centaines de toiles d'araignées. Junos, étendu sur le dos, souffrait le martyre. Il se palpa en respirant profondément. Ses craintes furent vite confirmées : il avait deux côtes et une jambe cassées. Dans la noirceur presque totale, le seigneur trouva, non sans peine, le corps d'Amos. Se parlant à lui-même, il murmura :

– Bon, voilà… le dragon ne viendra sûrement pas me chercher ici… Il… il est trop gros… La porte s'est refermée… Je pense que je n'ai… je n'ai plus rien à craindre… Je pense que… je pense… je…

Junos tomba sans connaissance avant d'avoir fini sa phrase. La fatigue du voyage, la faim, la soif, la douleur et l'intensité de ces dernières minutes avaient drainé toute son énergie.

Chapitre 15

Le rapport de l'Ombre

Après quelques jours d'attente dans le repaire de la guilde des voleurs, Amos vit l'Ombre entrer dans ses appartements. Celui-ci avança lentement dans sa direction. Le corps de l'Ombre entra en contact avec celui du porteur de masques. Ce dernier comprit immédiatement que son vis-à-vis ne s'exprimait pas avec des mots ; il utilisait une autre forme de communication. L'Ombre fit encore un pas en avant et fusionna son organisme gazeux à l'anatomie d'Amos. À ce moment, tout devint parfaitement clair dans l'esprit du garçon.

L'ombre avait fait son enquête au sein du palais de justice. En prenant la forme de l'un ou de l'autre des employés, d'un objet ou encore d'une statue, il avait entendu des conversations, épié les juges et compris la nature du complot ourdi contre Amos. Comme ce dernier l'avait déjà pressenti, il s'agissait d'une vaste machination dont il n'était que le pion. C'était Seth qui, désirant offrir une armée à Yaune-le-Purificateur pour conquérir le monde en son nom, avait échafaudé ce plan. Lorsqu'il avait enlevé Forsete, le dieu de la Justice, il savait que les portes de Braha se fermeraient.

Ganhaus, Uriel et Jerik faisaient également partie du complot. Seth espérait naïvement qu'Amos trouverait la clé de Braha et ouvrirait le passage entre les morts et les vivants. Mais Ganhaus, le magistrat, avait maintenant d'autres projets. Il voulait garder la clé de Braha pour lui et devenir une divinité. Voilà pourquoi Jerik suivait Amos pas à pas. Il avait pour mission d'informer Ganhaus de ses moindres déplacements et d'orienter le garçon vers la clé de Braha dès que Forsete, soumis à la torture du dieu serpent, parlerait. Au moment opportun, Uriel l'assassin se serait débarrassé d'Amos pour amener la pomme de lumière, la clé de Braha, à son frère.

Dans toute cette machination où chacun des protagonistes travaillait pour ses propres intérêts, une autre intrigue avait vu le jour. Ce que le dieu serpent n'avait pas prévu non plus, c'est que le Baron Samedi, désirant depuis des centaines d'années rétablir l'ordre des dragons sur la Terre, se servirait du plan de Seth à ses propres fins. Depuis la disparition des dragons, le baron accomplissait des tâches divines simples et sans éclat. Les dieux du bien, par pitié, l'avaient consigné à l'administration des différents cimetières du monde et à la gestion des arrivées des morts à Braha. Le dieu déchu avait aidé Seth dans son plan pour faire venir Amos dans la cité des morts. Le baron avait besoin de temps avant la naissance de Kur, le premier de ses nouveaux dragons. Il comptait, en réalité, sur l'échec d'Amos pour se débarrasser de lui. C'était une pierre, trois coups ! Il éliminait le porteur de masques en le laissant pourrir dans Braha, envoyait Kur tuer Yaune-le-Purificateur, le serviteur de Seth sur la Terre, et faisait renaître une nouvelle menace sur le monde. La guerre des dieux était aussi une guerre entre les divinités du mal.

Ayant maintenant terminé son rapport, l'Ombre détacha son corps de celui d'Amos. Arkillon, l'elfe noir, entra à ce moment dans la pièce.

– Alors, es-tu content du travail de l'Ombre ?, demanda-t-il au jeune garçon.

– Oui, je suis très content. Mais explique-moi, Arkillon : pourquoi les dieux ne s'affrontent-ils pas directement ? Pourquoi doivent-ils toujours avoir recours aux êtres terrestres ?

– Simple, mon ami !, s'exclama l'elfe en riant. Parce qu'ils sont immortels ! Pour eux, un affrontement direct ne signifie pas grand-chose. Ils ne gagneraient rien à se combattre parce qu'ils sont indestructibles. Pour eux, la Terre est un immense jeu d'échecs où ils jouent une partie sans merci. Ils créent les règles au fil de la partie et chacun désire en sortir vainqueur. D'un côté, il y a le bien, de l'autre, le mal et, entre les deux, sur l'échiquier, il y a nous. Nous les elfes, vous les humains et aussi les dragons, les nains, les gobelins, les fées et toutes les autres créatures de ce monde. Nous sommes tous là à jouer leur jeu, à mener leurs combats, à sacrifier nos vies comme des pions. Ta mission en tant que porteur de masques ne consiste pas à faire gagner l'un ou l'autre ; ta mission, c'est d'arrêter la partie pour que le monde vive en paix !

– Oui… je vois très bien ce que tu veux dire, répondit Amos en appuyant sur chacun de ses mots. Je crois savoir comment rétablir la situation et arrêter cette partie maudite ! Il me faudra de l'aide, j'ai un plan. M'aiderez-vous ?

Arkillon eut un large sourire.

– L'Ombre et moi attendions depuis longtemps un peu de distraction. Ougocil sera également ravi de nous donner un coup de main.

– Approchez-vous, mes amis. Voilà ce que nous allons faire…, commença fièrement Amos.

* * *

Jerik arriva précipitamment au lieu du rendez-vous. Amos l'attendait près d'un grand monastère, juste à côté de la place publique déserte. Le secrétaire dit nerveusement :

– Mais où étiez-vous ?… Tout le monde vous cherche… disons… depuis quelques jours… Nous… comment dire ?… nous étions très inquiets. Un elfe noir est… est venu me voir pour me dire que vous m'attendiez ici… Mais que se passe-t-il ?

Amos, très calmement, demanda :

– As-tu les dix pièces d'or que l'elfe t'a demandé d'amener ?

– Oui… oui… mais, j'aimerais comprendre… disons…, répondit Jerik en lui tendant la bourse. En quoi… ces dix… en quoi cet argent peut-il vous aider ?

– Merci, fit Amos en souriant. Tu m'as trahi, Jerik. Je connais toute l'histoire maintenant. Je sais que la clé de Braha est une pomme de lumière, je sais que Ganhaus la veut pour lui, je connais les plans de Seth et je sais aussi qu'Uriel attend le moment opportun pour me lancer dans le Styx et m'éliminer. Malheureusement pour toi, tout se termine ici !

– Mais… mais… comment vous pouvez ?…, balbutia Jerik.

À ce moment, l'Ombre prit la forme du secrétaire. Il était parfaitement identique et tenait, comme lui, sa tête sous son bras.

– Mais qu'est-ce que… qu'est-ce c'est ?, demanda anxieusement Jerik.

– C'est maintenant à moi de jouer !, répondit Amos. Désolé, mais ton rôle dans cette partie est maintenant terminé !

Amos prit son élan et, d'un puissant coup de pied, botta la tête de Jerik. Celle-ci vola dans les airs et retomba au centre de la place. Le secrétaire, affolé, cria :

– Mais… que se passe-t-il ?… Pourquoi ?…

– Fais bien attention aux morsures !, lança Amos en rigolant.

À cet instant précis, trois chiens noirs à l'allure féroce et aux dents acérées se matérialisèrent sur la place. Amos connaissait cet endroit. C'est là qu'il s'était fait poursuivre, quelque temps auparavant, par ces trois profanateurs de tombe transformés en gardiens à la suite de la malédiction d'un moine. Jerik n'eut pas le temps de prononcer un seul mot que sa tête volait déjà, comme un ballon, entre les pattes de l'un et les crocs de l'autre. Amos se retourna vers l'Ombre et dit :

— Maintenant que tu as l'apparence de Jerik, va au palais et essaye de savoir où se trouve l'arbre de vie de Braha. Seth a sûrement dû faire parler Forsete, le dieu de la Justice. C'est Jerik qui devait m'orienter vers la clé de Braha. Reviens avec ces informations. Moi, à présent, j'ai autre chose à régler.

L'Ombre quitta immédiatement les lieux. Amos, saisissant par la main le corps sans tête de Jerik, prit aussitôt la direction du parc où il avait rencontré Angess. Sans sa tête, la carcasse du secrétaire suivit le garçon sans rechigner. Sur le même banc, Angess attendait toujours Peten, son amoureux. Elle avait encore l'épée de son père qui lui traversait le cou et regardait désespérément de tous les côtés. Son désarroi était palpable et ses yeux, inondés de larmes. Amos, tenant toujours le corps de Jerik, s'approcha d'elle et lui dit :

— Voici Peten, chère Angess ! Je l'ai retrouvé pour vous. L'amour qu'il vous porte, votre séparation et l'idée de ne jamais vous revoir lui ont fait perdre la tête ! Mais c'est bien lui, je vous l'assure !

— Peten ! Peten !, s'écria Angess en explosant de joie, te voilà enfin ! Merci, jeune homme, merci pour tout! Mon cœur est maintenant libre et mon âme est en paix. Merci encore!

Angess saisit tendrement le corps de Jerik et disparut dans le parc en le cajolant et en le couvrant de baisers.

« Pas mal! se dit Amos. Il me reste une dernière affaire à régler! »

Le porteur de masques se dirigea vers la rue que hantait Vincenc, le grand squelette de deux mètres. Arrivé là, il sortit la bourse que lui avait remise Jerik et la lança au géant en disant :

– Prenez, mon ami, voilà de quoi racheter vos os à ce professeur d'anatomie! J'espère que vous le croiserez bientôt!

Le squelette, sautant de joie, remercia vivement le garçon et courut vers sa demeure pour y cacher l'argent. Amos, content de lui, se frotta les mains en riant. Alors qu'il se retournait pour prendre la direction du repaire des voleurs, il se trouva face à face avec un mur. Regardant autour de lui, le jeune garçon vit que la ville entière avait disparu. En reculant un peu, il comprit qu'il se trouvait maintenant au pied de la grande pyramide de Braha. Comment s'était-il rendu là? En un clin d'œil, il était passé de la ville à la pyramide. C'était à n'y rien comprendre!

Soudain, devant ses yeux, une puissante lumière vint découper la roche devant lui pour former une porte. De cette porte sortit un ange magnifique. Il avait de très longs cheveux blonds, des yeux verts lumineux, de puissantes ailes blanches et un plastron d'armure recouvert d'or et de pierres précieuses. Sa peau était blanche comme la neige, ses dents parfaitement droites, et son visage n'avait aucune ride. Il était plus grand que le squelette de Vincenc, et ses muscles semblaient surdimensionnés. À la ceinture, il portait une grande épée en cristal. Devant ce personnage éclatant de force et de vigueur, de puissance et de pouvoir, Amos recula de quelques pas. L'ange se planta devant le garçon et lui dit :

— C'est toi qui cherches la clé de Braha ?

— Oui, répondit poliment Amos, c'est moi.

— Eh bien, te voici à la porte qui mène à l'arbre de la vie, poursuivit le guerrier céleste.

— Comment ai-je fait pour venir jusqu'ici ?, demanda timidement le garçon.

— Pour arriver jusqu'à cette porte, il n'y a pas de chemin, pas de route et pas de sentier. On n'y arrive que si on le mérite. Il faut d'abord vouloir trouver l'arbre de vie. Ensuite, il faut faire trois bonnes actions, des actions significatives qui procurent la paix et le bonheur aux âmes en détresse. Tu as donné aux chiens du monastère la tête d'un vilain personnage, d'un traître qui méritait bien cette punition. De ce fait, tu as libéré les trois hommes de leur malédiction. Pour trouver le repos, ils devaient punir un autre voleur pour ses mauvaises actions. Grâce à toi, ils reposent maintenant en paix. Tu as aussi trouvé un Peten pour Angess et elle est maintenant heureuse. C'est ta dernière action généreuse envers Vincenc qui t'a propulsé ici, devant moi. Par ta générosité et ton désir de venir en aide aux autres, tu as toi-même trouvé la route qui mène à la divinité.

– Merci bien, mais… que… que dois-je faire maintenant pour entrer ?

– Ton corps est déjà dans la pyramide, répondit l'ange. Techniquement, tu es déjà entré. Pour te redonner vie maintenant, je dois te poser trois énigmes. Trois questions qui auront pour but d'évaluer ta sagesse et ton esprit. Une seule mauvaise réponse constituera ton billet de retour à Braha. Il te sera alors impossible de revenir devant moi. On n'a qu'une chance de devenir un dieu ! Si tu réussis, ton corps te sera rendu et tu devras affronter un autre gardien. Celui-là est un puissant démon qui garde jalousement l'arbre de vie. Il t'imposera lui aussi une épreuve.

– Très bien, fit Amos. Une chose à la fois ! Posez vos questions, je suis prêt.

– Voici la première : qui embrasse le monde entier et ne rencontre personne qui lui ressemble ?

Amos prit quelques secondes pour réfléchir et répondit :

– C'est le soleil ! Il embrasse le monde entier et ne rencontre personne qui lui ressemble.

– Bonne réponse !, s'exclama le gardien. Tu es véritablement de la trempe des dieux, jeune homme. Ma deuxième question maintenant : qui est celle qui nourrit ses petits enfants et dévore les grands ?

– Il s'agit de la mer, dit Amos, certain de lui. Elle nourrit les hommes et dévore les grands fleuves.

– Bravo ! Encore une fois, tu me surprends, déclara admirativement l'ange. Ma dernière question : quel est l'arbre à demi noir et à demi blanc ?

Amos se mit à réfléchir sérieusement. Il savait que, dans ce type d'énigme, l'arbre devait sûrement être une métaphore de la vie. Un symbole quelconque. Il pensa à l'arbre de la vie, à l'immortalité et à sa mission de porteur de masques, puis finalement répondit :

– L'arbre qui est à demi noir et à demi blanc est l'âme humaine. Il pousse dans tous les hommes et possède, comme les jours qui passent et se succèdent, un côté blanc relié au bien et un côté noir relié au mal.

– Ta première épreuve est réussie, répondit l'ange. Entre. Je vais réunir ton âme et ton corps afin qu'ils ne forment maintenant plus qu'un.

Chapitre 16

La faim de Béorf

Béorf avait couru sans relâche dans le désert. Il était assoiffé, mais surtout affamé. Les béorites sont une race d'hommanimaux incapables de supporter la faim. Privés de nourriture, ils deviennent violents et déprimés, à tel point qu'ils peuvent en arriver à ingurgiter tout ce qui se présente à eux. Ainsi, surmontant son dégoût, Béorf avait déjà avalé deux petits lézards vivants et faillit gober un scorpion tout rond. L'animal avait été plus rapide que lui et s'était enfui. Dans ce désert de roche et de sable, il n'y avait rien à manger. Pas une plante et pas une seule oasis, seulement des dunes et des amoncellements de pierres.

Alors que le gros garçon marchait, tête basse et en traînant les pieds, une odeur de viande grillée vint instantanément le ravigoter. Regardant autour de lui, il vit, en haut d'une dune, une immense table remplie de victuailles. Des chandelles éclairaient doucement la nourriture. Deux femmes s'affairaient à placer les assiettes et les couverts. Au fur et à mesure que le soleil émergeait de l'horizon en repoussant la nuit, la table semblait s'allonger et se couvrir de nouveaux plats.

Le béorite humait le doux parfum des marrons chauds et du potage de légumes. Dans ses narines, des arômes de cannelle, de menthe et de romarin venaient se mêler aux effluves provenant des macérations de fruits. Une odeur enivrante dominait cependant le tout : celle de la viande grillée ! Béorf l'imaginait bien juteuse et juste cuite à point. Étourdi par cette délicieuse agression de ses sens, il chancela et tomba face contre terre. Il avait tellement faim ! Rassemblant ses forces, il entreprit sa montée de la dune vers le banquet. Ce n'est qu'au prix d'extraordinaires efforts qu'il arriva enfin en haut de la colline de sable. Devant la table, l'hommanimal poussa un cri de contentement et se jeta la tête la première sur une juteuse pièce de viande.

Pendant qu'il mangeait, Béorf observa, tout près de lui, le combat opposant Kur et Yaune-le-Purificateur. C'était un spectacle grandiose. Aux abords de la pyramide enfouie de Mahikui, les deux combattants, nourris par la puissance de leur dieu, se battaient avec une ardeur dévastatrice. Yaune, brandissant son épée, n'était plus qu'un corps calciné. Sa peau, complètement brûlée, laissait entrevoir son squelette. Il avait les muscles déchirés et ne portait plus que quelques pièces de son armure. Sa tête, sans cheveux ni barbe, était horrible à voir. Seul son œil de reptile, cadeau de Seth, était encore bien ouvert et intact.

Malgré son pitoyable état, Yaune attaquait férocement le dragon. Le monstre avait beau cracher son feu sur le chevalier, rien ne semblait réussir à le faire plier. Kur recevait de puissants coups d'épée qui lui déchiraient un bon nombre d'écailles. La bête était couverte de plaies, et un épais sang noir s'échappait de ses blessures. Sans jamais interrompre ses attaques, Kur enchaînait coups de queue et coups de gueule à une incroyable vitesse. Le chevalier bloquait, parait, tombait parfois, mais toujours il parvenait à toucher l'animal avec son épée.

Il arrivait parfois que les deux protagonistes s'écartent l'un de l'autre pour reprendre leur souffle et leurs forces. Kur, d'un coup d'aile, s'éloignait du chevalier pour atterrir un peu plus loin. La bête se penchait et avalait une énorme quantité de pierres phosphoriques. Yaune en profitait pour récupérer quelques pièces de son armure et essayait ensuite de les fixer sur son corps. Le dragon terminait sa pause en léchant un peu ses plaies. Soulagée momentanément de ses douleurs, la bête de feu revenait à l'attaque. Yaune dégainait son épée et fonçait sur le monstre.

Le chevalier savait que tous les dragons avaient un point sensible, une sorte de brèche dans leur cuirasse. C'était l'unique endroit de leur corps où il manquait une écaille. Il suffisait d'y planter une arme contondante pour tuer instantanément l'animal. Son emplacement variant d'un dragon à l'autre, il pouvait aussi bien se trouver sous la queue, derrière la tête, au coude ou encore dans le dos de la bête. C'était le plus grand secret d'un dragon et jamais celui-ci n'aurait dévoilé sa faiblesse à quiconque.

Yaune cherchait ce fameux point et lacérait, à grands coups d'épée, le corps de Kur. Il frappait les jambes, les orteils, le cou et les bras du monstre en espérant tomber par hasard sur ce fameux talon d'Achille. Le chevalier, maintenant investi de la puissance de Seth, savait que jamais il n'arriverait à terrasser seul le dragon. Son épée, bien qu'empoisonnée, avait très peu d'effets sur la créature. Étant donné que le sang noir des dragons était un poison encore plus puissant que celui de son arme, ce dernier était littéralement noyé dans l'organisme de la bête.

De son côté, Kur savait aussi que le chevalier était maintenant indestructible. Ce n'était plus un homme qui se battait, mais une liche. Ce type de morts-vivants se voyait doté d'un incommensurable pouvoir. Représentant d'un dieu sur la Terre, la liche était insensible aux attaques des éléments. Le feu de Kur, aussi brûlant qu'il pût être, ne pouvait en aucun cas venir à bout de Yaune. Le chevalier avait été investi d'un nouveau pouvoir par son dieu et aucun coup de patte, de griffes ou de queue ne pouvait plus l'abattre. Seule la magie d'un très puissant sorcier pouvait désormais l'arrêter ou lui faire du mal.

Les deux adversaires, conscients de leur invulnérabilité, continuaient quand même le combat avec frénésie. L'affrontement n'était plus celui d'un dragon et d'un chevalier, mais bien celui de

Seth et du Baron Samedi. Les dieux se mesuraient par l'intermédiaire de leurs créatures, et chacun espérait profiter d'une faiblesse de l'autre pour en finir. Les divinités jouaient, dans ce désert, l'avenir du monde. Le nouvel ordre serait laissé aux dragons ou aux spectres. Les hommes et toutes les créatures de la Terre deviendraient les esclaves des Anciens ou joindraient, dans la mort, l'armée de la liche. Dans le feu et le sang, les deux serviteurs se frappaient sans merci au nom du mal.

Béorf, toujours en train de manger, regardait ce spectacle avec stupéfaction. Jamais il n'avait vu un tel déploiement de force et de brutalité dans un combat. Kur crachait férocement son feu sur Yaune et celui-ci, malgré ses brûlures, frappait le dragon de toutes ses forces, mais n'arrivait qu'à l'entailler légèrement. C'était un combat grandiose, digne des plus grandes batailles de ce monde.

Sa faim apaisée, l'hommanimal retrouva ses esprits et se demanda tout à coup ce que cette table, remplie de victuailles, pouvait bien faire au milieu du désert et juste à côté d'un affrontement aussi sanglant. Il regarda autour de lui pour finalement s'apercevoir qu'il n'y avait pas de table, pas de nourriture et pas de banquet. Aucune trace de chandelles, de servantes, de potage ni de marrons chauds. Béorf était assis par terre et mangeait effectivement un morceau de viande. Il mâchait quelque chose, mais quoi ? En baissant la tête, il constata avec effroi qu'il avait dévoré la cuisse d'un des mercenaires de Yaune-le-Purificateur, tué précédemment par le dragon. Voilà ce qui sentait si fortement la viande grillée ! Voilà ce qui l'avait conduit jusqu'ici en provoquant ce mirage de banquet !

Son estomac, allié à son imagination, l'avait trahi. Béorf avait mangé de la chair humaine. Pour un hommanimal, ce crime contre nature avait des conséquences dramatiques. Il entraînait la perte presque instantanée de son humanité. Au contact de la viande d'homme, son métabolisme subissait un changement irréversible : le béorite serait désormais prisonnier de sa forme animale. L'accès à l'humanité lui serait dorénavant interdit. Béorf allait devenir un ours et plus jamais il ne marcherait sur deux jambes. Sa gorge se transformerait pour ne plus laisser passer que des grognements de bête. Pour lui, plus de maison, de lit ou de jeux entre amis. Il allait devoir chasser sa nourriture, combattre les autres ours pour se faire un territoire et toujours vivre avec la crainte des chasseurs. Il était maintenant trop tard pour revenir en arrière.

Béorf se mit à pleurer. Pendant qu'il déversait des flots de larmes, il sentit son poil pousser lentement. Contre sa volonté, sa tête et ses membres se transformèrent. Des griffes, maintenant permanentes, poussèrent au bout de ses doigts. Une gueule munie de solides crocs remplaça bien vite sa bouche. Deux oreilles rondes vinrent remplacer les anciennes. En quelques minutes, son corps avait changé du tout au tout.

Toujours assis devant le cadavre et hurlant son malheur, Béorf sentit sa conscience disparaître peu à peu. Il commença par oublier le visage de ses parents, sa chaumière dans les forêts de Bratel-la-Grande, puis sa rencontre avec Amos. Il oublia ses jeux d'enfant, Junos et la ville de Berrion. Sa dernière pensée fut pour Médousa, la jeune gorgone avec laquelle il avait jadis passé quelques jours dans la grotte de ses parents, lors de la conquête des terres des chevaliers de la lumière par le magicien Karmakas. Cette fille avait sacrifié sa vie pour lui. Une belle histoire qu'il allait complètement oublier et que personne, à part Amos, ne pourrait plus raconter. Tout devint noir dans son esprit.

Le jeune ours leva la tête et regarda autour de lui. Malgré sa faim et la pièce de viande qui gisait à ses pieds, l'animal prit peur. Le feu du dragon provoqua en lui une terrible frousse et il déguerpit dans les sables du désert. Béorf, ce gros garçon plein d'entrain, avait irrémédiablement et définitivement disparu.

Une éclipse de soleil vint alors plonger toute la contrée dans les ténèbres.

Chapitre 17

Le réveil d'Amos

Amos ouvrit subitement les yeux. Son corps avait maintenant récupéré son âme. Pour la première fois depuis longtemps, il avait la sensation de respirer pleinement. Son cœur battait à plein régime et son sang irriguait ses muscles. Incapable pour l'instant de bouger, le jeune garçon regarda autour de lui. L'ange l'avait averti qu'il ne devrait pas paniquer, que l'engourdissement de ses membres disparaîtrait après quelques minutes.

Le porteur de masques était couché sur une grande table de pierre au centre d'une pièce qu'il n'avait jamais vue. Des centaines de chandelles éclairaient les lieux. Les murs étaient peints de signes étranges représentant la position des étoiles. Il y avait aussi des formules magiques, des hiéroglyphes et des textes rédigés dans une langue incompréhensible. Un faible rayon de lumière, d'un diamètre égal à celui d'une pièce de monnaie, entrait par un trou taillé dans la pierre du plafond. Ce faisceau lumineux frappait un des murs très précisément sur un dessin représentant une lune. Amos, se sentant maintenant plus fort, réussit à s'asseoir sur la table.

À ses pieds, le garçon vit un homme allongé par terre. Ensanglanté, il semblait respirer difficilement. Amos reconnut aussitôt son ami Junos. Il s'accroupit et écouta son cœur. Celui-ci battait encore, mais… faiblement. Le jeune porteur de masques lui souleva la tête et essaya de lui faire reprendre conscience :

– Junos, c'est moi… c'est Amos… Reviens à toi, Junos…

– Amos ?, dit le seigneur de Berrion en ouvrant péniblement les yeux. Eh bien…, continua-t-il en toussant, je suis content de voir que tu vas bien. Tu ne me croiras pas, mais… j'ai vu des anges… de vrais anges… Ils ont allumé les chandelles et ensuite… ils ont pris ton corps à côté du mien… puis… puis… puis j'ai vu ton âme voler et réintégrer… ton… ton corps. C'était tellement beau !

– Je te crois, Junos !, répliqua le garçon en souriant. Si tu savais tout ce que j'ai moi-même vu, tu trouverais tes anges bien ordinaires !

– Ah…, soupira le seigneur. J'aimerais bien entendre cette histoire-là, mais… mais je pense ne pas avoir assez de temps devant moi.

– Que s'est-il passé ?, demanda Amos, inquiet. Qui t'a mis dans cet état ?

– Ce serait… ce serait beaucoup trop long à t'expliquer, répondit Junos en respirant difficilement. Je pense que mon temps arrive… je pense que ce sera bientôt la fin pour moi…

– Dis-moi comment te sortir d'ici!, lança Amos. Nous trouverons quelqu'un pour te soigner!

– Je ne sortirai pas d'ici… je le sais!, reprit Junos en crachant maintenant de gros caillots de sang. Dehors, il y a un énorme dragon noir et un chevalier fou. Laisse-moi… Fais ce que tu as à faire et ne t'occupe pas de moi. Tu m'as déjà sauvé une fois… dans le bois de Tarkasis… mais cette fois, j'ai mon compte!

– Je ne te laisserai pas, Junos!

– Écoute, jeune homme…, dit lentement Junos avec une certaine sévérité dans la voix. Moi et mes hommes, nous… nous t'avons amené ici pour que tu accomplisses ta mission… Ne me déçois pas, ne nous déçois pas! Plusieurs d'entre nous ont perdu la vie… dans… dans cette aventure. Sois digne de notre confiance et va terminer ta tâche… Je suis avec toi, nous sommes tous avec toi. Pars! Pars… vite!

À ce moment, Junos ferma les yeux. Amos se pencha sur sa poitrine et constata que le cœur du seigneur de Berrion avait cessé de battre. Il essuya une larme au coin de son œil et se dit:

« J'en ai assez! Je suis fatigué de ces jeux, de ses tromperies et de toute cette souffrance. Est-ce vraiment aux humains et à toutes les autres créatures terrestres de payer aussi chèrement le prix d'une guerre entre les dieux? Je suis fatigué d'être une marionnette qu'on manipule à volonté! »

Se tournant vers la dépouille de son vieil ami, il poursuivit à haute voix:

— Je jure, Junos, de te sauver encore une fois. Je vais tout recommencer à zéro et c'est moi ensuite, dans cette aventure, qui tirerai les ficelles. À bientôt, mon ami! Nous nous reverrons très vite!

Regardant autour de lui, Amos vit le rayon de lumière qui traversait la pièce s'affaiblir peu à peu pour ensuite disparaître complètement. À l'extérieur de la pyramide, l'éclipse de soleil était à son apogée. La disparition de ce rayon de lumière eut pour effet d'ouvrir une porte dans un des murs. Les lourdes pierres taillées se déplacèrent en dégageant un autre escalier plongeant davantage dans les profondeurs du bâtiment. Amos saisit quelques chandelles et s'approcha des marches. Des centaines de toiles d'araignées, épaisses et compactes, cachaient la descente.

Comme il avait retrouvé son corps, Amos pouvait maintenant utiliser ses pouvoirs de porteur de masques. Il se concentra et tendit la main vers l'escalier. Immédiatement, un fort vent, prenant naissance entre ses doigts, se mit à souffler avec puissance. Poussées par ce courant d'air, les toiles d'araignées s'envolèrent en dégageant complètement le passage. S'éclairant avec les chandelles, Amos s'engagea dans le long couloir.

Les murs qui encadraient l'escalier suintaient abondamment. Une odeur âcre vint rapidement saisir le jeune garçon. La puanteur l'obligea à se boucher le nez. Une multitude d'araignées se promenaient sur les pierres autour de lui. De toute évidence, personne n'avait emprunté ce passage depuis bien longtemps. Amos descendit pendant près de vingt minutes cet escalier en colimaçon. En s'enfonçant de plus en plus profondément au cœur de la pyramide, il eut une pensée pour l'Ombre, Arkillon et Ougocil. Ils devaient sans nul doute se demander ce qui lui était arrivé. Amos avait demandé à l'Ombre de continuer son enquête au palais de justice. Jamais il n'entendrait son rapport. L'elfe noir et le gros barbare avaient mis au point un plan pour éliminer Uriel et son frère, le magistrat Ganhaus. Le porteur de masques avait trouvé à Braha de véritables amis prêts à l'aider, et le fait de ne pouvoir communiquer avec eux le torturait. Il aurait aimé leur envoyer un message, leur dire qu'il allait bien. Amos était maintenant de retour dans le monde des vivants, complètement coupé de la cité des morts.

L'escalier s'arrêta bientôt en face d'une porte en arche qui donnait sur une grande pièce vide. Dès qu'Amos passa l'entrée, quatre flambeaux s'enflammèrent aux quatre coins de la pièce en éclairant les lieux. Le jeune garçon vit alors, assis sur une chaise, devant une énorme porte de métal, une étrange créature qui aussitôt se leva. Le monstre avait une tête de chèvre couronnée d'une longue crinière de poils drus et sales, et surmontée de très longues cornes semblables à celles d'une antilope. Son long corps était gris, poilu, filiforme et bossu. Ses pieds se terminaient par de puissants sabots de cheval. Torse nu, il portait une culotte de métal rappelant une armure de chevalier. Cet unique vêtement réfléchissait la lumière des flambeaux en répandant des reflets rouges dans toute la pièce. Autour de son cou pendait une clé en or de bonne taille et finement forgée dans un métal argenté très brillant.

La créature alla lentement chercher une grande faux qui était posée contre le mur, puis elle vint se poster au centre de la pièce. Amos recula de quelques pas. Ne sachant pas à quoi s'attendre, il regardait sagement la scène en essayant d'analyser chaque détail. Le monstre se plaça en position de combat et dit, d'une voix éraillée ressemblant vaguement à un bêlement de mouton :

– Je suis le Fougre, gardien de la porte. Celui qui veut devenir un dieu doit d'abord me vaincre. Prépare-toi à mourir, jeune homme !

De toute évidence, Amos ne serait pas capable de vaincre un tel ennemi. Ses pouvoirs se limitaient essentiellement au contrôle de l'air. Trop faible pour créer une tornade ou une très forte bourrasque, les chances qu'il vainque le Fougre semblaient bien minces. Seules sa ruse et sa vivacité d'esprit pouvaient le sauver. Amos s'avança et déclara très solennellement :

– Nous combattrons l'un contre l'autre, mais plus tard ! Je dois d'abord m'assurer que tu es véritablement le gardien de l'arbre de vie.

– Je le suis, répondit la bête, légèrement agacée. Je n'ai pas de preuves à te donner, sinon cette clé. J'ai été choisi par le grand conseil des six enfers pour garder la porte. Tu as vaincu l'ange, le premier gardien. Maintenant, tu dois m'abattre pour réclamer ton droit à la divinité. J'attends d'accomplir ma tâche depuis des siècles. En garde !

– Si tu attends depuis des siècles, tu attendras encore quelques minutes, répliqua Amos d'une voix qui trahissait sa nervosité. Je veux m'assurer que la clé que tu portes est la bonne. J'ai passé tellement d'épreuves, entendu tant de mensonges que, maintenant, je suis méfiant.

– Je ne te donnerai la clé qu'une fois mort !, lança le Fougre, en colère. Prépare-toi à mourir !

– Arrête de me menacer et écoute !, lui ordonna Amos en faisant de son mieux pour cacher son anxiété. J'exige de savoir si c'est la bonne clé et si tu es bien le véritable gardien de ces lieux. Je ne peux pas m'enfuir, tu le vois bien ! Tu me rattraperais facilement dans l'escalier. Je n'ai qu'une parole et tu peux avoir confiance en moi. Attends, je te propose un marché…

Amos prit une des chandelles qu'il tenait encore à la main et la fixa sur le sol, bien droite, juste devant lui.

– Écoute ma proposition, continua-t-il. Tu me donnes la clé pour que je puisse vérifier si c'est la bonne. Quand cette chandelle se sera éteinte d'elle-même, je te rendrai la clé et nous nous battrons.

– D'accord, grogna le gardien en retirant la clé de son cou. Je te la laisse le temps que la chandelle se consume.

– Moi, je n'ai qu'une parole, dit Amos en espérant que sa ruse allait fonctionner. Je jure devant les dieux de te rendre la clé et de me battre avec toi dès que la chandelle se sera éteinte d'elle-même. Jures-tu de respecter notre accord ?

– Je le jure aussi, répondit le Fougre. Je jure devant les rois des enfers et la puissance des ténèbres de te laisser la clé jusqu'à ce que la chandelle se soit éteinte d'elle-même. Je jure aussi de te tuer ensuite !

– Pour la suite, nous verrons bien. Donne-moi cette clé maintenant.

Le gardien sourit d'une monstrueuse façon. Après tout, ce gamin disait vrai. Il était impossible pour lui de fuir et l'affrontement était inévitable. De toute façon, le Fougre attendait ce moment depuis déjà si longtemps que quelques minutes de plus ou de moins ne faisaient pas une grosse différence. La créature avait décelé dans la voix d'Amos de la nervosité et beaucoup d'effroi. Ce garçon manquait de confiance et se savait sans nul doute condamné à mort. Dans ces conditions, pourquoi ne pas faire durer le plaisir et s'amuser de ses fantaisies avant de lui trancher la tête ? Confiant, le gardien lui tendit la clé.

Amos la prit et la passa autour de son cou. Très calmement, il se pencha vers le sol et souffla sur la chandelle. Le Fougre demanda, intrigué et en colère :

– Mais que fais-tu là ? Tu n'as même pas regardé convenablement la clé !

– Je la garde, dit fermement Amos. Elle est maintenant à moi.

– Qu'est-ce que tu racontes ? Nous avions pris un accord. Tu gardes la clé tant et aussi longtemps que la chandelle ne s'éteint pas d'elle-même.

– Oui, mais je viens tout juste d'éteindre la chandelle. Elle ne s'est donc pas éteinte D'ELLE-MÊME, puisque c'est moi qui viens à l'instant de le faire.

– TU M'AS PIÉGÉ ! TU M'AS PIÉGÉ !, hurla le Fougre. JE VAIS TE TUER !

– Tu ne peux pas !, rétorqua courageusement Amos devant la menace. Tu as juré de me tuer une fois que je t'aurais rendu la clé. Je ne t'ai pas piégé, je t'ai vaincu ! J'ai la clé et ta promesse me protège de toi. Bouge de là, je dois maintenant aller croquer une pomme de lumière !

– IL N'EN EST PAS QUESTION !, hurla le monstre. Je ne vais certainement pas renoncer maintenant à mener à bien ma mission. J'ai attendu trop longtemps le jour où quelqu'un aurait la force et le courage d'arriver jusqu'à moi. Je vais te couper la tête et te réduire en pièces.

Le Fougre leva sa faux. Comme la lame allait s'abattre avec violence sur le jeune garçon, le gardien se transforma subitement en pierre. Pétrifié dans son mouvement, il était maintenant devenu une statue immobile. Amos avait eu raison, il l'avait bel et bien vaincu.

Le porteur de masques s'approcha de la porte de métal et se demanda comment elle pouvait s'ouvrir. Elle semblait lourde et très bien fixée au mur. D'imposants gonds la retenaient sur ses deux côtés. En son centre, une toute petite serrure constituait son unique décoration. Amos glissa la clé dans l'orifice et lui fit effectuer un tour complet. Il recula un peu. Dans la porte apparurent ces mots qui, ligne par ligne, défilèrent en lettres de feu sous ses yeux.

Celui qui meurt et revient à la vie
Celui qui vogue sur le Styx
et trouve son chemin
Celui qui répondra à l'ange
et vaincra le démon
Celui-là trouvera la clé de Braha.

La terre commença à trembler. S'amplifiant de plus en plus, la vibration se concentra autour de la pièce jusqu'à ce que les deux murs entourant la porte de métal explosent avec fracas. Des trombes d'eau déferlèrent alors dans la pièce. Dans la déflagration, Amos comprit le rôle de la fameuse porte. Elle l'avait protégé des éclats de rochers, de pierres et de briques. Maintenant, le garçon faisait face à un autre problème. L'eau montait rapidement dans la pièce qui, d'ici quelques secondes, serait complètement inondée. Il lui faudrait nager sous l'eau pour monter à la surface. Aurait-il assez de souffle ? Amos savait nager, mais il n'avait jamais accompli de grands exploits dans ce domaine.

Promptement, le garçon se concentra. En levant un peu les bras, il créa autour de lui un courant d'air puissant qui repoussa légèrement l'eau, juste assez pour créer une bulle. L'air se trouva emprisonné autour de lui et continua à tourner. Ce mouvement dans l'eau rendit la paroi de la bulle plus solide. Elle était maintenant increvable. Amos, toujours très concentré, se sentit aussitôt bouger. Comme l'air, une fois libéré dans l'eau, retrouve toujours son chemin vers la surface, le porteur de masques sut qu'il serait bientôt sauvé. La bulle s'échappa rapidement de la salle et commença sa montée.

Regardant d'un côté et de l'autre, Amos vit des corps et des visages dans l'eau. Leur peau était verte et semblait gluante. Ces étranges créatures avaient toutes de longs cheveux bruns qui flottaient autour de leur tête en décrivant de lentes ondulations. Leurs yeux globuleux ressemblaient à ceux des grenouilles et leurs dents, pointues et très vertes, n'inspiraient aucune confiance. Il y en avait des centaines. Elles bougèrent lentement et regardèrent calmement Amos passer. Ce dernier, effrayé par ces êtres étranges, ferma les yeux pour rester le plus possible concentré. En aucune façon, il n'aurait voulu que sa bulle crève. Nager dans les mêmes eaux que ces monstres aquatiques n'était définitivement pas une possibilité à considérer. Comme Amos songeait à ces choses peu réjouissantes, il se sentit finalement émerger.

Ouvrant les yeux, il perdit sa concentration et se retrouva dans l'eau. Près de lui, il vit une petite île. Jamais de sa vie Amos n'avait nagé aussi vite pour atteindre un rivage. Le seul fait de penser que ces créatures vertes pouvaient à tout moment saisir un de ses pieds et l'entraîner vers le fond, lui donna la force et la vitesse d'un champion. C'est essoufflé et épuisé que le garçon mit le pied sur la petite île.

Retrouvant son souffle et ses esprits, il vit devant lui, au milieu de l'île, l'arbre de vie de Braha. Ressemblant à un gigantesque baobab, cet arbre au tronc colossal et aux branches démesurément grandes, couvrait tout le ciel de son feuillage. Ses pommes de lumière formaient des constellations lumineuses et magnifiquement belles. Ce qu'Amos avait pris pour une île était en réalité l'arbre lui-même. Le porteur de masques se tenait debout sur ses racines. En regardant vers le bas, il vit que celles-ci plongeaient profondément dans l'eau.

Les créatures vertes aux yeux globuleux nageaient sous l'arbre et le nourrissaient. Elles plongeaient à tour de rôle vers les profondeurs du bassin et rapportaient entre leurs mains une pâte épaisse. Elles enduisaient ensuite les racines de cette boue brune, probablement très riche en nutriments, puis redescendaient aussitôt. Ce va-et-vient constant, ordonné et harmonieux, apparut aux yeux d'Amos comme une danse merveilleusement bien chorégraphiée.

Le porteur de masques détacha ses yeux du spectacle et vit, à quelques pas devant lui, la Dame blanche. Il la reconnut immédiatement. Il l'avait déjà vue sous les traits d'une fillette et d'une vieille dame. Maintenant, c'était une femme d'une trentaine d'années, belle comme l'aurore, qui se tenait devant lui. Une robe blanche, chargée de lumière, flottait autour d'elle. Sa tête était ornée d'une couronne de plumes représentant un cygne. Aérienne dans ses mouvements, la Dame blanche s'approcha d'Amos et caressa ses longs cheveux. En souriant, elle dit :

— Amos Daragon, jeune porteur de masques, je ne m'attendais pas à te voir arriver si tôt en ces lieux. Tu as été choisi pour tes qualités de cœur et je vois que je ne me suis pas trompée. Je suis la mère de tous les dieux et de toutes les créatures vivant sur la Terre. J'ai créé le monde et je t'ai choisi pour y rétablir l'équilibre. Tu es encore jeune et tu as encore beaucoup à apprendre. Les dieux, mes enfants, t'ont tendu un piège pour se débarrasser de toi. La Grande Guerre des divinités me chagrine, mais j'ai résolu de ne jamais intervenir directement dans la marche de mon monde. Je suis venue à toi pour te soutenir dans l'épreuve que tu vivras. Bientôt, tu croqueras la pomme de lumière et deviendras toi-même une de ces divinités. Cela entraînera un terrible bouleversement sur la Terre. Des millions d'hommes, de femmes et de créatures de toutes sortes périront. Le monde des vivants croisera celui des morts. Je lis en toi comme dans un livre ouvert et je connais tes intentions. Tu veux te servir de tes nouveaux pouvoirs divins pour rétablir la situation, mais tu dois savoir qu'il sera pour toi difficile d'exécuter ton plan. J'ai confiance en toi et mes pensées t'accompagneront. Ne renie pas ce que tu es pour le pouvoir et la puissance, pense toujours aux autres avant de penser à toi.

Fais ce que tu dois faire et fais-le bien. À bientôt, jeune porteur de masques.

Sur ces derniers mots, la Dame blanche disparut. Amos marcha lentement vers un des fruits de lumière. Il tendit la main pour cueillir la clé de Braha. Comme un cristal, le fruit était transparent et d'une extraordinaire luminosité. Le garçon l'approcha de sa bouche et mordit dedans à pleines dents.

Chapitre 18

Dieu Daragon

Une terrible explosion vint secouer le désert de Mahikui. La pointe de la pyramide émergeant des sables fut instantanément soufflée par la déflagration. Un puissant rayon de lumière sortant du sol perça les nuages pour ensuite aller se perdre dans le cosmos. Des centaines de milliers de fantômes, de momies, de squelettes et d'autres revenants commencèrent à s'échapper du trou pour envahir la Terre. Yaune-le-Purificateur, toujours occupé à combattre Kur, leva la tête et hurla :

– MON ARMÉE EST ENFIN ARRIVÉE !

À ces mots, le dragon prit peur et voulut fuir. Mais il était trop tard pour la créature du Baron Samedi. Tenant son orbe de pouvoir dans une main, Yaune, la liche, ordonna à ses soldats d'attaquer la bête de feu. Kur fut rapidement assailli par une horde de spectres qui, le frappant de tous les côtés, eurent vite fait de l'immobiliser au sol. Yaune demanda qu'on examine minutieusement le corps de la bête pour y trouver l'écaille manquante. On vint promptement l'informer de l'emplacement du point faible du dragon.

Le chevalier mort-vivant, toujours investi de la puissance de Seth, monta sur la bête. Posant la pointe de son épée sur la nuque du monstre, il leva son bras en signe de victoire. Devant sa nouvelle armée qui grossissait à vue d'œil, Yaune déclara gravement :

– SETH ! NOUVEAU MONARQUE DU MONDE, VOICI MA PREMIÈRE OFFRANDE À TA GRANDEUR. LES ANCIENS NE RENAÎTRONT JAMAIS. QUE CE SACRIFICE MARQUE LE PREMIER JOUR DE TON RÈGNE ! TU AS VAINCU, PAR TA MALICE ET TON INTELLIGENCE, LE PANTHÉON DU BIEN ! QUE LES TÉNÈBRES ENVAHISSENT LA TERRE ! LE MONDE EST À MOI ! LE MONDE EST À NOUS !

Yaune enfonça violemment son épée dans la nuque du dragon. Kur poussa un cri retentissant dont les montagnes renvoyèrent l'écho sur toute la Terre. Les soldats du Purificateur unirent à ce moment leurs milliers de voix pour chanter, sur un air lugubre et terrifiant, un hymne à la mort. Le corps du dragon se décomposa rapidement et, bientôt, par la magie de la liche, son squelette prit vie. Yaune avait maintenant une monture digne de lui.

Chevauchant l'ossature du monstre, le serviteur de Seth s'éleva dans les airs. D'un mouvement de bras, il ordonna à ses troupes de former des rangs. Les revenants, de tous genres et de tous acabits, se placèrent les uns derrière les autres. En les survolant à très grande vitesse, le chevalier regarda avec satisfaction la plus grande armée du monde se mettre en branle. Une immense partie du désert était maintenant recouverte de ses soldats. Il y en avait partout! PARTOUT! Yaune, surexcité et habité par une démence sans mesure et sans limite, cria:

– EN MARCHE! LE MONDE EST À NOUS!

* * *

Amos s'éveilla dans une lumière blanche et reposante. Cette lumière émanait de son propre corps. Le garçon connaissait maintenant les secrets de la vie et de la mort, savait tout ce qu'il avait à savoir sur tous les sujets et disposait de pouvoirs dépassant l'entendement humain. La vie sur la Terre lui apparut soudain comme un infernal calvaire. Jamais il n'avait été aussi bien, aussi calme et aussi sûr de lui. Il était né de la race des insectes, d'une humanité misérable d'êtres rampants devant subir les intempéries, les affres de la faim et de la soif, connaître la peur, la joie, la misère et la mort. Amos appartenait maintenant au monde de l'invisible et de la permanence. Il faisait désormais partie d'un niveau de vie supérieur, capable de provoquer des éruptions volcaniques, de faire pousser les fleurs ou encore de créer, sur la Terre, sa propre race de créatures. En un clin d'œil, il avait accès au passé comme au futur. Il était plus fort qu'un dragon et plus sage que la sagesse elle-même.

Amos vit le destin du monde. Il regarda défiler devant ses yeux la quête grandiose de Yaune, la mort de millions d'humains et le nouveau règne de Seth. Curieusement, il ne s'en soucia pas outre mesure. Le monde vivrait des milliers d'années dans les ténèbres avant de renaître à la lumière. Le jeune garçon le savait, ce n'était qu'une question de temps. Il essaierait de contrecarrer les plans de Seth pour se venger de lui. Il lèverait une grande armée du bien, composée de puissants chevaliers, afin de combattre ses spectres. Son destin lui apparaissait clairement maintenant. Il deviendrait le nouveau grand dieu de ce monde, et des millions de fidèles le prieraient tous les soirs. Il y aurait des églises pour célébrer son culte et des hymnes pour glorifier sa puissance. Béorf, Junos, ses parents, Frilla et Urban, n'avaient plus aucune place dans son esprit. Amos avait tout oublié de son humanité. Il ne songeait plus qu'à devenir la nouvelle lumière des hommes, l'étoile rayonnante qui les guiderait vers la paix.

Le garçon vit apparaître devant lui, dans l'espace blanc et immaculé qui l'entourait de toutes parts, un vieil homme. Il avait une longue barbe blanche tressée qui mesurait une dizaine de mètres. Ses cheveux, ramenés en un monumental chignon, semblaient aussi longs. Fortement ridé et voûté sous le poids des années, il tenait à la main un grand livre aux pages jaunies. Il s'installa en face d'Amos, ouvrit son livre et déclara d'un ton neutre et très formel :

– Bonjour, bon après-midi, bonne nuit, peu importe ! Je suis ici pour vous informer des différentes clauses reliées à l'accession à la divinité. Veuillez ne pas m'interrompre pendant la lecture, vous garderez vos questions pour la fin.

Amos acquiesça d'un hochement de tête, et le vieillard poursuivit son monologue :

– Clause numéro un : Le nouveau dieu arrivant au panthéon des divinités de ce monde se verra dans l'obligation de choisir son allégeance entre le bien et le mal. Il pourra rester dans la neutralité un millénaire s'il le désire, mais sera tenu, au bout de ce délai, de m'informer de son orientation. Clause numéro deux : Le nouveau dieu se verra accorder le droit de créer une nouvelle race de mortels s'il le désire. Il pourra également choisir de courtiser une race déjà existante et n'ayant pas encore de dieu à glorifier. Il pourra voler des fidèles à d'autres dieux et ainsi unir plusieurs races de mortels dans son culte. Les moyens qu'il choisira pour arriver à ses fins restent et resteront toujours à sa discrétion. Je vous fournirai une liste des peuplades pratiquant l'athéisme. Je dois aussi vous informer que toutes les races d'elfes bénéficient d'un privilège et qu'il est formellement interdit de les imiter ou de s'en inspirer. Clause numéro trois : Le nouveau dieu prendra à sa charge une partie de ce monde en assurant son entière gestion. Toutes les mers et tous les grands lacs ayant déjà leur protecteur, le nouveau dieu se verra exclu, par ce fait, de tous pouvoirs reliés, d'une façon ou d'une autre, à l'eau. Je vous donnerai aussi une liste de domaines vacants qui, je l'espère, vous inspireront dans vos nouvelles fonctions. Avez-vous des questions ? Sinon vous signez ici et nous passerons ensuite aux clauses reliées à votre immortalité.

À ce moment, Amos pensa aux paroles de la Dame blanche. Elle lui avait dit : « Ne renie pas ce que tu es pour le pouvoir et la puissance, pense toujours aux autres avant de penser à toi. » Le garçon, inspiré par ces mots, sut immédiatement ce qu'il avait à faire.

– Et si je ne signe pas ?, demanda-t-il calmement.

– Cela signifiera, répondit le vieillard, que vous refusez votre statut divin et vous serez renvoyé sur la Terre pour poursuivre votre vie comme simple mortel. Entre nous, jamais personne n'a refusé une telle offre, mais le choix vous appartient !

– Eh bien, fit Amos, je veux redevenir humain. Je sais maintenant comment rétablir l'équilibre du monde et comment corriger mes erreurs.

– Vous devez savoir, précisa le vieil homme, que dès que vous redeviendrez humain, vous oublierez tout de votre passage à Braha, de l'arbre de vie et de notre rencontre. Tout sera effacé de votre mémoire !

– Je prends le risque. Puis-je simplement vous demander un peu d'encre de votre plume ?

Sans comprendre la raison de cette requête, le vieillard lui tend son encrier. Amos en but

alors la moitié. Après s'être gargarisé longuement, il recracha le liquide noir et dit :

– Je suis prêt ! Je veux revenir sur la Terre exactement une semaine avant l'éclipse de lune qui eut
lieu sur les contrées de Berrion. Est-ce possible ?

– Vous êtes un dieu, ne l'oubliez pas. Tout vous
est possible ! Vous n'aurez qu'un seul problème en
rentrant chez vous ! Cette encre a méchamment
taché vos dents et je doute qu'elles redeviennent
blanches avant un sacré bout de temps ! Enfin,
c'est votre problème ! Je vous laisse, j'ai autre chose
à faire. Bonne chance, jeune homme ! Quand vous
serez prêt, fermez les yeux et faites votre souhait
de redevenir humain. Les choses suivront leur
cours. Adieu.

Le vieillard disparut bien vite dans la blan-
cheur environnante. Amos ferma les yeux et dit
à haute voix :

– Je veux me réveiller, à Berrion, le matin
même de l'arrivée de Lolya chez Junos. Je veux
me réveiller, à Berrion, le matin même de l'arrivée
de Lolya chez Junos. Je veux me réveiller, à Berrion,
le matin…

Chapitre 19

Le nouveau réveil

Par une fraîche matinée de septembre, Amos dormait paisiblement dans sa chambre lorsque Béorf entra en trombe. Visiblement énervé, le gros garçon dit:

– DEBOUT, AMOS! Le seigneur Junos te demande dans la cour du château. Vite! Dépêche-toi, c'est important!

À peine réveillé, Amos se leva et s'habilla à toute vitesse. Curieusement, il avait mal partout. Ses bras et ses jambes le faisaient terriblement souffrir. Il avait aussi l'impression d'avoir rêvé longuement, sans interruption pendant des semaines. Il peignit hâtivement ses longs cheveux, mit sa boucle d'oreille représentant une tête de loup et ajusta son armure de cuir noir, cadeau de sa mère. En sortant de sa chambre, le garçon s'arrêta net. Un fort pressentiment d'avoir déjà vécu cet instant l'assaillit.

« Je sors de ma chambre tous les matins, pensa-t-il, il n'y a rien de bien extraordinaire là-dedans. De plus, Junos est un lève-tôt et il me fait souvent sortir du lit en vitesse. Mais pourquoi ai-je donc cette nette impression, cette intuition que j'avance vers quelque chose de mauvais ? »

Le soleil venait à peine de se lever lorsqu'Amos arriva au lieu de rendez-vous, dans la cour intérieure du château. Tout le personnel y était rassemblé et attendait impatiemment le jeune porteur de masques. La foule, curieuse, décrivait un cercle autour de quelque chose ou de quelqu'un. Les cuisiniers discutaient entre eux, à voix basse, pendant que les gardes, les chevaliers et les archers du royaume se tenaient aux aguets. Les palefreniers semblaient hypnotisés et les servantes tremblaient en échangeant des regards angoissés. Encore une fois, Amos eut la certitude d'avoir déjà vécu cet instant. Il regardait les visages et les corps, la lumière qui prenait lentement possession des lieux. Peut-être avait-il vu tout cela en rêve. À ses oreilles arrivaient les mêmes discussions, et l'énergie de ce regroupement lui rappelait vaguement quelque chose. Mais quoi ? Il avait beau fouiller dans ses souvenirs, rien de ce qu'il avait vécu ne lui rappelait cet événement.

Béorf, intrigué et prêt au combat, se tenait déjà sur une estrade centrale, juste aux côtés de Junos, seigneur et roi de Berrion. Ce dernier paraissait perplexe et inquiet dans sa chemise de nuit. Son bonnet jaune et vert lui donnait un air ridicule. De loin, il ressemblait à un vieux clown. Tous les regards convergeaient vers le centre de la place. Amos se fraya facilement un chemin dans la foule compacte qui s'écartait sur son passage. Ses parents, Frilla et Urban Daragon, virent leur fils rejoindre le seigneur Junos et Béorf sur l'estrade de fortune. Encore là, le sentiment de déjà-vu s'imposa. C'est comme si le garçon avait pu prédire, dans les moindres détails, ce qui allait se passer à la seconde près.

Au centre de l'assemblée, une vingtaine d'hommes se tenaient fièrement debout, le dos droit, dans une parfaite immobilité. Leur peau était noire comme la nuit, et leur corps arborait de magnifiques peintures de guerre aux couleurs éclatantes. Ces combattants venus d'on ne sait où avaient la tête rasée et portaient d'énormes bijoux faits d'or, de pierres précieuses et d'ossements d'animaux. Ils étaient légèrement vêtus de peaux de bêtes, exposant ainsi aux regards de tous leur puissante musculature et d'énormes cicatrices de combat. Le nez large et plat, les lèvres charnues, le regard injecté de sang et les dents taillées en pointe, ces hommes aux pieds nus portaient sur le dos de puissantes lances. Près d'eux, cinq panthères noires se reposaient, la langue pendante. Amos les avait déjà vus. Ce spectacle lui était familier. Le garçon ne bougea pas et observa avec insistance ce groupe de guerriers venus d'ailleurs.

Junos se tourna vers Amos et dit, d'une voix éteinte et angoissée :

— Alors, mon garçon, tu as l'air complètement ahuri… Tu n'es pas réveillé ou quoi ? Si tu veux un bon conseil, retombe vite sur tes pattes. Je t'ai fait lever, car ces gens demandent à te voir. Ils sont arrivés aux portes de la ville ce matin en demandant spécifiquement à te rencontrer.

Ce sont probablement des démons, fais bien attention à toi! Regarde-moi la taille de leurs chats, ils sont immenses!

Amos regarda son vieil ami droit dans les yeux et marmonna:

— Si les choses tournent mal, tes chevaliers sont prêts à l'attaque. Au moindre signe d'hostilité, vous les renverrez vite fait en enfer!

— Comme c'est étrange!, s'exclama Junos d'un air incrédule. C'est exactement, mot pour mot, ce que j'allais dire! Depuis quand lis-tu dans les pensées, jeune sorcier?

— Depuis ce matin, répondit le garçon pour lui-même.

Amos se tourna vers son ami Béorf et lui fit un signe de la tête. Celui-ci comprit immédiatement ce que son camarade attendait de lui. Il descendit de l'estrade avec Amos et se plaça un pas en arrière de lui, prêt à se métamorphoser en ours et à bondir.

— Je suis celui que vous vouliez voir, dit Amos, angoissé.

Les guerriers noirs se regardèrent les uns les autres et s'écartèrent lentement sur le côté. Tout le monde put alors apercevoir, au centre de leur formation, une fillette d'une dizaine d'années qui s'avançait dignement vers Amos. Jusque-là, personne ne l'avait remarquée, mais le jeune porteur de masques savait depuis le début qu'elle était là, protégée par ses hommes. Sa peau avait la couleur de l'ébène. Ses cheveux, très longs et tressés de centaines de nattes, touchaient presque le sol.

L'enfant portait autour du cou, de la taille, des poignets et des chevilles, de somptueux bijoux en or. De larges bracelets, de belles ceintures finement entrelacées, des colliers adroitement ciselés et de nombreuses boucles d'oreilles de différentes formes lui donnaient l'air d'une princesse. Elle était magnifique. Entre ses narines, une parure discrète de forme allongée lui traversait le nez. La fillette portait une cape de fourrure noire et une robe en peau de léopard qui laissait entrevoir son nombril. Celui-ci était percé d'un bijou doré orné d'une pierre verte.

Amos ne parvenait pas à détacher son regard d'une de ses boucles d'oreilles. Il avait la profonde certitude d'avoir déjà eu ce bijou dans la bouche ! Pourquoi et comment était-il arrivé là ? Impossible pour lui de se rappeler. La fille s'arrêta devant lui et, le regardant droit dans les yeux, lui dit :

– Je suis Lolya, reine de la tribu des Dogons. J'ai fait un long voyage, un très long voyage depuis ma terre natale pour venir vous rencontrer. Le Baron Samedi, mon dieu et guide spirituel, m'est apparu et m'a ordonné de vous remettre ceci.

Amos sut immédiatement que le coffre contenait le masque du feu. Un des éléments indispensables à sa magie. La reine fit alors claquer ses doigts. Un des guerriers noirs s'avança et déposa aux pieds de la fillette un coffre de bois. Avec précaution, elle l'ouvrit. La curiosité l'emportant maintenant sur leurs craintes, tous les spectateurs s'étaient un peu rapprochés pour essayer de voir le mystérieux cadeau.

– Prenez-le!, déclara solennellement Lolya qui s'inclina de façon respectueuse. Cet objet est maintenant à vous!

En effet, le masque était là, exactement comme Amos l'avait pressenti. Le garçon leva la tête et fit un sourire nerveux à Lolya. Celle-ci, incapable de se retenir, éclata de rire en disant:

– Mais… j'ai la peau noire et les dents blanches et vous avez la peau blanche et les dents noires! C'est très curieux!

À ce moment, sans comprendre pourquoi, Amos sut exactement ce qu'il avait à faire. Il cria à pleins poumons:

– Saisissez-vous de ces hommes!

Immédiatement, tous les chevaliers bondirent sur les Dogons et les immobilisèrent. Les guerriers noirs, surpris par cette attaque soudaine, n'eurent pas le temps de réagir et n'offrirent aucune résistance. Aussitôt, Amos lança à Béorf:

– La fille, mon ami, plaque-la par terre!

C'est un ours puissant qui, à la vitesse de l'éclair, s'abattit sur Lolya. Il la cloua au sol sans qu'elle puisse réagir en employant sa magie. Une voix terrible, profonde et caverneuse, sortit de la gorge de la fillette et hurla cet avertissement:

– Lâchez-moi, mortels, ou vous le paierez cher!

Amos se pencha rapidement sur Lolya. Avec sa main, il appuya fortement sur sa mâchoire inférieure. Tenant ainsi sa bouche ouverte, il y plongea l'autre main. Au fond de sa gorge, le jeune garçon sentit un objet dur et rond. D'un mouvement vif, il glissa ses doigts autour et l'arracha violemment. L'assemblée put alors voir Amos tenir une pierre rouge à bout de bras. Lolya poussa un violent cri et perdit immédiatement connaissance. Junos, abasourdi devant la scène, demanda :

— Mais que se passe-t-il, Amos ? Qui sont-ils ? Et cette pierre ? Explique-nous, s'il te plaît !

— Je ne sais pas comment t'expliquer, Junos, je ne sais pas comment répondre aux interrogations de tous, commença par dire Amos avec circonspection. Je me suis fié à mon instinct et je ne sais pas encore si j'ai fait la bonne chose. Ai-je vraiment les dents noires ?

— On dirait qu'elles sont tachées, lui répondit Béorf, redevenu humain. Ouvre la bouche pour voir ! Oui, tes dents et tes gencives sont complètement noires.

— C'est étrange, reprit Amos. Dès que Lolya a fait allusion à mes dents, j'ai tout de suite su ce que je devais faire. La pierre que je lui ai retirée est une draconite. Lolya se serait transformée en dragon si je ne la lui avais pas enlevée. Par cette action, je pense avoir évité une terrible catastrophe. C'est le Baron Samedi, celui qu'elle appelle son guide spirituel, qui l'a piégée en lui plaçant la draconite dans la gorge.

— Mais comment sais-tu tout cela ?, demanda Junos avec insistance. Et pourquoi tes dents sont-elles noires ?

— Je n'en ai pas la moindre idée, lança Amos en haussant les épaules. Par contre, je sais exactement ce que je dois faire de cette pierre.

Amos prit le masque. Fait en or, il représentait la figure d'un homme dont la barbe et les cheveux dessinaient des flammes. Le garçon y enchâssa la draconite. Très cérémonieusement, Amos plaça le masque sur son visage. Sous le regard de tous, le faciès d'or se fondit à son visage. Les pieds d'Amos s'enflammèrent instantanément. Des murmures d'étonnement fusèrent de l'assemblée. Les flammes grimpèrent lentement de ses chevilles jusqu'au bout de ses doigts en s'enroulant sur son corps comme mille serpents. Le garçon était maintenant une torche humaine. Sous les ordres de Junos, des serviteurs lancèrent plusieurs seaux d'eau sur lui. Rien n'y fit, Amos flambait encore. Toujours debout, il leva les bras et dit :

– Ne vous inquiétez pas. Le masque fait maintenant corps avec moi. Nous fusionnons ensemble tous les deux !

Après quelques minutes de combustion intense, le feu commença à perdre de son intensité. Les flammes moururent une à une. Le masque avait complètement disparu du visage d'Amos. Étonné, Junos s'exclama :

– Eh bien, jeune homme, je comprends mieux ce que tu m'as déjà expliqué plusieurs fois. Tu m'avais dit avoir intégré le masque de l'air et je dois t'avouer que je n'arrivais pas à me figurer une telle chose ! Maintenant, je vois !

– Il y a quatre masques, répondit Amos. J'ai intégré celui de l'air au cours de notre première aventure et maintenant je possède celui du feu. Il me reste le masque de l'eau et celui de la terre à trouver. Je dois aussi chercher les pierres de pouvoir qui augmenteront mon contrôle des éléments.

Alors qu'il regardait autour de lui, Amos vit le cuisinier, l'espion de Yaune-le-Purificateur. Il marcha jusqu'à lui et dit :

— Je sais que tu es un informateur à la solde d'un de nos ennemis. Tu dois le rencontrer bientôt, n'est-ce pas ?

Le cuisinier tomba à genoux et déclara sur un ton suppliant :

— Oui, vous avez raison. Ne me faites pas de mal ! Le chevalier désire tendre un piège à Junos et m'a demandé de l'informer d'une éventuelle sortie du seigneur de Berrion. Il m'a promis de l'or, beaucoup d'or ! Ne me faites pas de mal, je vous dirai tout ! Je vous informerai du lieu de notre rendez-vous, je vous révélerai tout !

— Très bien, dit Amos en se tournant vers Junos. C'est maintenant à notre tour de lui tendre un piège !

* * *

Le cuisinier s'avança dans la clairière. Il se frottait nerveusement les mains et suait abondamment. Yaune-le-Purificateur apparut sur son gros cheval roux, en descendit d'un bond et s'approcha lentement de son espion. Son bouclier arborait des armoiries représentant d'énormes têtes de serpents. L'homme retira son casque. Il avait toujours sa large cicatrice sur la joue et le mot « meurtrier » tatoué sur son front. Le cuisinier prit immédiatement la parole :

– Donnez-moi ce que vous m'avez promis et je vous dirai tout !

– Du calme, misérable vermine !, répondit brutalement Yaune. Je te paierai lorsque tu m'auras dit ce que je veux entendre.

– Dans ce cas, ce n'est pas à moi que vous aurez affaire, mais plutôt à lui !, répondit le cuisinier en pointant du doigt l'autre bout de la clairière.

Dans la lumière du matin, Amos apparut au loin, accompagné de Béorf et de Lolya. Il cria au chevalier :

– Rends-toi, Yaune, ou tu le regretteras ! Les hommes de Berrion entourent cette clairière. Tu es pris au piège.

– Amos Daragon ? C'est bien toi ? Mais tu devrais être mort ! Tu ne devrais pas être là !

– Comme tu peux le voir, je suis bel et bien là ! Je te le demande pour la dernière fois : rends-toi !

Yaune sauta sur sa monture et fondit à toute vitesse sur le garçon. À ce moment, les chevaliers de Junos sortirent rapidement de la forêt. Amos leur fit signe de ne pas bouger. Il ferma ensuite les yeux et leva la main vers son ennemi. À ce moment, Yaune sentit une puissante chaleur l'envahir. Son armure devenait de plus en plus chaude. Tout le métal couvrant son corps était brûlant. Le cheval, dont la peau était directement en contact avec l'armure, se cabra en expulsant violemment son cavalier. Yaune mordit brutalement la poussière. En se relevant, étourdi par sa chute, il commença à injurier ciel et terre. Incapable de supporter plus longtemps les brûlures que lui infligeait sa propre armure, il la retira aussi vite qu'il put. Sous les rires des hommes de Berrion et de Junos, le chevalier se retrouva bien vite presque complètement nu. Blessé dans son orgueil, il poursuivit sa course vers Amos, les poings fermés et les dents serrées.

Tout se déroulait exactement selon le plan établi. Comme convenu, Béorf se transforma en ours et s'élança vers Yaune. Le gros garçon sauta en l'air et entra de plein fouet dans le chevalier. Assommé par ce violent choc, l'homme tomba sur le dos et demeura quelques secondes par terre. Juste assez de temps pour que Béorf l'immobilise en saisissant son cou entre ses dents. Prisonnier de la puissante mâchoire de l'ours, Yaune se radoucit et dit :

– Allons, allons, tout cela n'est pas sérieux ! J'ai déjà payé ma dette envers vous. On m'a condamné à l'errance ! On m'a tatoué comme un animal de ferme ! Je ne vous ai rien fait ! Relâchez-moi !

Amos et Lolya s'approchèrent de lui. Le porteur de masques prit la parole :

– Jamais tu ne nous laisseras en paix. Ton désir de vengeance te consume et t'aveugle. J'ai la charge de rétablir l'équilibre de ce monde et, pour cela, tu dois être arrêté !

– Qu'allez-vous faire ? Vous allez me tuer ! M'emprisonner peut-être ?, demanda Yaune, manifestement vexé.

– Non, répondit calmement Amos. Si nous t'emprisonnons, tu trouveras certainement un moyen de t'échapper. Il n'y a d'ailleurs aucune prison à Berrion. Nous ne te tuerons pas non plus.

– Dans ce cas, fit Yaune en riant, vous ne pouvez rien contre moi!

Amos sourit en demandant à Lolya de s'approcher. La fillette se pencha sur le corps du chevalier. Elle avait une poule sous son bras. Junos et ses hommes, entourant maintenant leur ennemi, allumèrent une dizaine de bougies. Lolya se mit à danser autour du chevalier en psalmodiant d'étranges incantations. Les guerriers dogons encerclèrent la scène et, au son de leurs tambours, rythmèrent la danse de leur jeune reine. Sous le regard médusé de Yaune, Lolya saisit l'âme du chevalier et l'échangea contre celui de la poule. Une fois la cérémonie terminée, la reine des Dogons demanda à Béorf de libérer l'homme. Le gros garçon s'exécuta.

Le terrible chevalier se leva immédiatement sur ses deux pieds et se mit à caqueter. Regardant nerveusement autour de lui, Yaune s'enfuit en battant des bras, effrayé par les rires de tous les spectateurs. Lolya, épuisée, mais contente, dit:

– Voilà, Amos! En voici un qui ne fera plus jamais de mal à personne! Si tu le désires, je te remets la poule. Garde-la toujours dans une cage, elle va sûrement avoir un très mauvais caractère!

– Merci beaucoup, répondit Amos en rigolant. Elle fera maintenant partie du grand poulailler de

Berrion. Crois-moi, nous ne mangerons jamais ses œufs !

— Je te remercie encore de ce que tu as fait pour moi, ajouta la jeune reine. Tu m'as libérée de la draconite et je peux maintenant retourner dans mon pays. Mon peuple est sauvé ! Les Dogons te doivent une fière chandelle. Je serai toujours là pour toi si, un jour, tu avais besoin de moi. Mes pouvoirs et ma magie seront toujours à ta disposition.

— Allez !, lança joyeusement Amos. Retournons à Berrion ! Tu dois te reposer avant de retourner chez toi. Nous fêterons notre victoire !

— Et j'espère qu'il y aura un grand banquet !, s'écria Béorf, affamé.

— Nous te donnerons tellement à manger que tu exploseras, Béorf !, répondit Junos en lui tapant amicalement sur l'épaule.

La joyeuse troupe se mit en route. Dans l'aube de cette nouvelle journée, c'est en chantant qu'Amos, Béorf, Junos et les hommes de Berrion regagnèrent leur ville.

Chapitre 20

La draconite

Dans les grandes forêts du Nord, une fillette pleurait à chaudes larmes. Perdue dans les bois, l'enfant était désespérée. Elle cherchait sa poupée que son grand frère lui avait dérobée. Le soleil tombait à l'horizon, et le hurlement des loups se rapprochait dangereusement. La petite, blonde comme un rayon de soleil, grelottait de tout son corps. Ses yeux bleus fixés sur l'immense forêt, elle essayait de percer l'obscurité de plus en plus opaque de cette fin de journée. Sa robe, déchirée par les branches, laissait passer le vent froid de l'automne. Des feuilles multicolores tombaient çà et là en formant un épais tapis sous ses pieds.

Soudain, entre les branchages, la fillette vit se découper une silhouette. C'était un homme squelettique dont les yeux brillaient comme des feux ardents. Longiligne et portant un haut-de-forme, il avait la peau bourgogne. Un long manteau de cuir noir lui couvrait complètement le corps. En allongeant sa canne, dont le pommeau doré avait la forme d'une tête de dragon, il arrêta la fillette. Très paternellement, cet étrange homme lui demanda :

— Tu es perdue, ma belle fée des bois ?

La petite acquiesça d'un signe de la tête.

— Eh bien, c'est ton jour de chance ! Je me présente. Je suis le Baron Samedi et, bientôt, je serai ton meilleur ami. Viens dans mes bras et laisse-moi te raconter une histoire.

La fillette se laissa prendre. Trop contente de trouver de l'aide dans cette forêt, elle n'offrit aucune résistance.

— N'aie pas peur des loups, ma jolie, je suis beaucoup plus fort qu'eux, reprit le baron en souriant de façon sinistre. Tu es en sécurité maintenant ! Tu es sauvée ! Écoute mon histoire…

Le baron sortit une pierre rouge de son manteau et l'enfonça violemment dans la bouche de l'enfant. La pierre s'enchâssa dans le fond de sa gorge en pénétrant lentement sa peau derrière la luette. Manifestement satisfait, le dieu reprit la parole :

— Dans les temps anciens, la Terre était peuplée de magnifiques créatures. Ces bêtes, grandes et puissantes, furent pendant des siècles les maîtres du monde. Elles dormaient sur de gigantesques trésors au cœur des montagnes. Un jour, à cause de la convoitise des hommes, ces animaux fantastiques disparurent de la surface de la Terre. Je t'ai choisie pour devenir le premier des grands dragons qui renaîtront bientôt partout, sur tous les continents, dans toutes les contrées. J'avais placé mes espoirs dans une autre fillette, mais elle s'est détournée de ma voie. Je voulais un grand dragon noir, j'aurai à la place une magnifique bête dorée, aux yeux bleus!

La petite fille, maintenant sous l'emprise de la draconite, serra fortement le Baron Samedi et l'embrassa sur la joue. Le dieu, au comble du bonheur, continua à lui parler tendrement en caressant sa longue chevelure bouclée.

— Tu n'as maintenant plus de famille, je suis ton père, ta mère, ton guide spirituel, ton présent et ton avenir! Tu deviendras le plus beau des dragons, la plus puissante des créatures de ce monde. D'ici quelque temps, ton corps se transformera! Tu pourras voler sur de très longues distances, manger des troupeaux entiers de savoureux moutons et t'amuser à détruire tous les villages que tu rencontreras sur ton chemin.

La fillette leva la tête et demanda candidement:

— Est-ce que je pourrai me venger de mon grand frère qui me fait toujours du mal?

Le baron éclata d'un grand rire sadique. Arborant un large sourire qui laissait voir ses dents blanches et bien droites, le père des dragons répondit:

— Tu commenceras par te venger de lui, et puis, ensuite, tu vengeras ta race de tous les hommes. Nous monterons ensemble sur le grand trône de ce monde et nous gouvernerons toutes les créatures terrestres. Tu seras beaucoup mieux que Lolya! Au fait, comment t'appelles-tu, petit ange?

— Je m'appelle Brising!

– C'est très joli comme nom! Quand tu deviendras un dragon, je te donnerai un nouveau nom. Tu t'appelleras RAGNARÖK!

– Et qu'est-ce que cela veut dire?, demanda Brising, curieuse.

– Cela veut dire « crépuscule des dieux », répondit gentiment le baron. Avec toi, le monde connaîtra les ténèbres pour ensuite renaître dans ma lumière.

Sur ces mots, Brising et le baron disparurent dans la forêt pendant que, au loin, les voix des habitants du village appelaient anxieusement la fillette perdue.

AMOS DARAGON

LE CRÉPUSCULE DES DIEUX

Prologue

Depuis l'aube des temps, les hommes du Nord racontent l'histoire du Ragnarök. Cette légende est aussi appelée « le crépuscule des dieux ». Elle fait le récit des événements qui mèneront le monde à l'apocalypse. Les vieux conteurs et les gardiens des traditions ancestrales se font peu loquaces quant aux détails qui provoqueront l'unité des forces du mal et le grand cataclysme. Fondamentalement fragile et imparfait dès sa création, le monde subira de grandes permutations lorsque renaîtra la race des Anciens, la race des serpents de feu.

Depuis quelque temps, on raconte aussi qu'une montagne s'est mise à rugir dans le nord du continent. Plusieurs témoignages rapportent de terribles attaques de gobelins sur des villes et des villages. Les rois vikings, Harald aux Dents bleues, Ourm le Serpent Rouge et Wasaly de la Terre verte, ont décrété qu'une grande armée serait constituée pour arrêter l'enracinement du mal dans les lointaines contrées nordiques. Devant toute cette agitation, les sages se grattent la barbe, car ils savent que le Ragnarök est commencé et que seul un miracle pourra les sauver.

Dans le grand livre des prophéties, il est écrit qu'un elfe viendrait rétablir l'équilibre. Accompagné d'un grand guerrier, ils détruiraient ensemble la menace et rétabliraient la paix sur la terre de glace. Mais chacun sait que les elfes ont disparu et que les grands héros ne vivent que dans les contes. La menace, elle, est bien là. Elle gronde dans sa caverne et amasse un trésor pour y pondre ses œufs. Les étoiles ont parlé et le destin du monde semble scellé.

Un dragon vient de naître dans la montagne de Ramusberget. Bientôt, ils seront des milliers.

Chapitre 1

La tête de bouc

Une neige frivole tourbillonnait sur Bratel-la-Grande. Le royaume des chevaliers de la lumière se préparait lentement pour l'hiver. Dans la grande capitale, les habitants coupaient du bois, calfeutraient les fenêtres des maisons et inspectaient minutieusement leur cheminée en prévision du temps froid. Des ramoneurs, noirs de suie et essoufflés, couraient d'un côté à l'autre des rues achalandées. Ils avaient à peine le temps de terminer un travail qu'un autre client les hélait. Leur grande échelle sur l'épaule, les hommes se promenaient d'un client à l'autre en empochant quelques pièces à chaque arrêt.

Sur la place du marché, les femmes se disputaient les derniers bouts de laine disponibles pendant que les hommes regardaient le ciel en y allant de leurs prédictions sur la nouvelle saison à venir. Tout un chacun s'accordait pour dire que l'hiver serait difficile. Il y aurait peu de neige, mais beaucoup de froid. La nature ne ment pas et les signes de ce présage se voyaient partout. Les abeilles avaient fait leur ruche plus bas que d'habitude. Les animaux de la forêt avaient un pelage plus épais et fourni. Les étourneaux, pourtant habitués aux rigueurs d'une température glaciale, avaient migré plus au sud. L'air humide avait une lourdeur inhabituelle et plusieurs enfants étaient déjà malades de la grippe.

Les chevaliers de la lumière de Bratel-la-Grande portaient tous des peaux de loup sous leur armure, mais la froideur de la température les gagnait quand même. Lorsqu'un petit détachement s'aventurait dans la cité pour effectuer la traditionnelle patrouille, on les voyait grelotter, se frotter les mains ou se pencher sur leur cheval pour profiter un peu de la chaleur de l'animal.

Depuis l'attaque des gorgones qui avait complètement détruit la ville, une nouvelle solidarité était née entre les habitants. Comme le phénix, Bratel-la-Grande renaissait de ses propres cendres. La population avait été durement éprouvée et se serrait maintenant les coudes. Barthélémy, le nouveau seigneur, régnait avec candeur et justice. Il avait, de ses mains, aidé à reconstruire une grande partie de la ville. Autrefois le joyau du royaume, cette cité redevenait lentement la capitale impressionnante des jours anciens. Ses larges murs protégeant les habitants avaient été réparés et renforcés. De nouvelles tours d'observation, plus hautes et plus solides, s'élevaient maintenant sur les murailles. Les vigiles, ayant maintenant un meilleur point de vue, contemplaient tous les jours avec bonheur le spectacle du coucher de soleil. La lumière des derniers rayons caressait les grandes plaines cultivées ceinturant la ville, puis l'astre du jour disparaissait derrière la ceinture de montagnes en une explosion de couleurs vives.

C'est sur la route de la forêt, à quelques lieues de la cité, que le premier poste de garde de Bratel-la-Grande reçut une étrange visite. Les chevaliers virent arriver un homme, un vieillard étrange. Il avait la tête rasée et portait un mince bonnet de laine blanc tricoté finement qui semblait être, de loin, de la dentelle. Le front large et les yeux légèrement bridés, il avait de profondes rides accentuées par la couleur basanée de sa peau. Le voyageur avait été bruni par le soleil et longtemps fouetté par le vent. On sentait peser sur lui de nombreuses heures de marche dans des conditions difficiles. Il avait le dos légèrement courbé et portait une longue barbe noire tressée dans une natte d'environ deux mètres. Enroulée autour de son cou, celle-ci lui servait de foulard. Il portait de larges vêtements orange ressemblant vaguement à une toge de moine. Ses habits étaient impeccables. Il n'y avait pas une tache, pas une seule déchirure ou un simple fil de tiré. Malgré le gel qui recouvrait la route, le vieillard marchait pieds nus. Chacun de ses pas faisait fondre la petite neige autour de ses orteils. Un simple sac de voyage sur le dos, il s'aidait dans sa marche avec une grande lance de bois dont la pointe blanche, probablement faite d'ivoire, était vrillée.

– Arrêtez !, lança un des deux gardiens du poste. Déclinez votre nom, votre provenance et les raisons qui vous amènent à Bratel-la-Grande.

Le vieillard sourit du mieux qu'il put en haussant les épaules. Il avait les dents noires, complètement pourries. Son haleine dégageait une forte odeur de poisson et le chevalier, surpris par la puanteur, reculat de deux pas en agitant sa main devant sa figure. Visiblement, le vieil homme était un étranger et il ne connaissait pas la langue du pays.

– Passez, vieil homme!, dit l'autre chevalier en lui faisant un large signe.

Puis, s'adressant à son partenaire, il s'exclama: «Ce bonhomme ne sera sûrement pas une grande menace pour la ville! Regarde-le, il boite de la jambe gauche… pauvre vieux, va!»

Le vieillard sourit encore une fois à pleines dents. Il avait compris qu'il était le bienvenu dans la cité et cette perspective l'enchantait. Le vieux voyageur passa poliment le poste de garde en remerciant un bon nombre de fois dans sa langue maternelle, puis il se dirigea en claudiquant vers les grandes portes de la ville. Un autre poste de garde, celui-là comptant près d'une vingtaine de chevaliers, apparut devant ses yeux. Il y avait une file de marchands, de voyageurs et de citoyens qui patientaient, eux aussi, pour entrer. Les habitants avaient toujours cru Bratel-la-Grande imprenable, mais depuis l'épisode des gorgones, les mentalités avaient changé. Les chevaliers exerçaient un contrôle rapproché sur le va-et-vient dans la capitale. Tout le monde l'avait échappé belle et plus jamais une telle catastrophe ne devait se produire.

Ce fut bientôt au tour du vieillard de passer les grandes portes. Un fonctionnaire, petit et chétif, s'avança vers lui et demanda :

– Votre nom, votre nationalité et le but de votre visite à Bratel-la-Grande ?

Le voyageur sourit gentiment et haussa de nouveau les épaules. Le fonctionnaire s'exclama :

– MON DIEU ! Vous avez une haleine de cheval ! Et ne comprenez-vous pas notre langue ?

Le vieillard continuait de sourire, mais il avait maintenant une expression toute naïve de confusion. Il ne comprenait manifestement pas ce que lui voulait le petit homme.

– Très bien, dit le fonctionnaire en prenant quelques notes, laissez-nous votre arme et vous la reprendrez à votre sortie de la ville ! Votre arme… là… donnez-moi votre arme… je veux votre arme… ici… là… votre arme, là !

Le vieillard finit par comprendre et laissa volontiers sa grande lance au poste de garde. On lui donna une petite plaque de métal marquée d'un numéro et le vieil homme s'engouffra dans la ville. Fatigué par la longue route, il s'installa sur un coin de rue moins achalandé que les autres, sortit de son bagage un petit bol de bois qu'il plaça devant lui et s'assit à terre. Il commença ensuite à chanter très fort un chant traditionnel provenant de son pays. Les passants, intrigués par ce mendiant qui faussait terriblement en hurlant un air discordant, lui donnèrent rapidement quelques pièces afin, non pas de l'encourager, mais plutôt pour qu'il cesse cette cacophonie dérangeante.

Content, le vieillard sourit à pleines dents pour remercier ses bienfaiteurs, les salua plusieurs fois avec de petits signes de tête et quitta les lieux sous les applaudissements de soulagement des commerçants du coin.

Le vieil homme se trouva bien vite devant une auberge appelée La tête de bouc. Partiellement démolie lors de l'invasion des gorgones, son propriétaire avait reconstruit une partie de son établissement. Le bâtiment s'avérait présentable, mais sans plus. Il y avait encore des trous mal bouchés dans les murs et le toit de chaume semblait fragile. Le voyageur, attiré par une bonne odeur de soupe, pénétra dans l'auberge et prit place à une table. Une dizaine d'habitués, devenus silencieux, le regardèrent s'asseoir avec un air de dédain. Les discussions reprirent au bar dans un inquiétant murmure. L'endroit était sombre et lugubre. L'intérieur puait la moisissure et des dizaines de mouches, cherchant la chaleur, volaient çà et là au-dessus des tables et des clients. Le patron s'approcha du vieux et dit :

— On ne sert pas les étrangers ici… partez !

Le vieillard fit son plus beau sourire et tendit candidement son bol de bois vers l'aubergiste. Tout l'argent qu'on lui avait donné, plus tôt dans la rue, était dans le bol.

— Eh bien ! Tu paies chèrement ta soupe, vieux croûton ! Très bien… tu auras du bouillon ! Tu veux de la bonne sou-soupe, vieux débris ? Oui… de la bonne sou-soupe !, ironisa le patron en ridiculisant son client.

Comme un enfant, le vieillard rit de bon cœur lorsqu'il entendit prononcer « sou-soupe ». Il répéta plusieurs fois le mot en s'amusant du son qu'il produisait dans sa bouche. Le patron prit le bol de bois, en retira l'argent et servit le vieillard. En repassant devant ses compères du bar, il leur lança :

– Le vieux est complètement gâteux ! Il a peut-être encore quelques pièces sur lui… profitez-en… les temps sont durs et l'hiver sera long !

Trois hommes se levèrent du bar. Ils avaient de courts bâtons de bois dans les mains. Le vieillard, bien penché sur sa soupe, ne semblait rien voir de l'agression qui se préparait dans son dos. Le voyageur mangeait calmement son bouillon en sapant fortement après chaque cuillérée. Trois mouches se déplaçaient nerveusement sur la table, au moment où les agresseurs arrivèrent près du vieillard. Celui-ci, sans lever la tête, tua avec l'endos de sa cuillère à soupe les trois insectes en trois coups précis. Son mouvement avait été si rapide que les mouches n'avaient pas eu le temps de fuir. Trois petits coups parfaitement placés et enchaînés avec une parfaite dextérité avaient eu raison d'elles. Connaissant la vitesse de ces insectes, c'était un vrai miracle ! Les trois hommes, surpris et moins confiants en leurs moyens, s'arrêtèrent dans leur élan. Le vieillard essuya le dos de sa cuillère sur sa toge orange et termina lentement sa soupe sans s'occuper des trois hommes qui, derrière lui, se demandaient s'ils devaient le frapper ou fuir à toutes jambes. L'avertissement du vieux les avait saisis.

Encouragé par les autres habitués, un des agresseurs leva théâtralement son gourdin. À ce moment, le vieillard bondit d'un trait et se retourna vers ses assaillants. Il sourit tendrement en exposant ses dents pourries et montra son auriculaire aux trois vauriens. Le vieux semblait vouloir dire qu'avec un seul doigt, il viendrait à bout des trois hommes. Motivée par l'audace du patriarche, l'attaque débuta !

Le vieillard évita habilement le premier coup et redirigea d'un petit mouvement d'auriculaire le gourdin de son adversaire vers le genou d'un autre malotru. Un bruit de fracture se fit entendre dans l'auberge suivi d'une longue plainte parsemée de jurons. Toujours avec son petit doigt, le vieux creva un œil au deuxième voleur et termina son mouvement en introduisant son auriculaire dans le nez du troisième comparse. D'un habile mouvement, il lui fit faire une culbute dans les airs et la brute se retrouva face contre terre en s'assommant sur le plancher.

En trois mouvements, le vieillard avait disposé de trois costauds dans la force de l'âge. Le vieux regarda ses adversaires qui gisaient à terre, puis il leva la tête vers les hommes restés au bar. Comme invitation au combat, il leva calmement les deux mains et montra ses... deux auriculaires ! En moins de cinq secondes, il ne restait plus personne dans l'auberge. Les clients avaient fui par les portes et les fenêtres, par la trappe de la cave et les cuisines. Seul le patron, paralysé derrière le bar, était resté à sa place. Ses dents claquaient comme s'il faisait face au plus terrible des monstres. Même les gorgones, pourtant horribles et dégoûtantes, ne lui avaient pas fait cet effet.

Le vieillard sauta agilement derrière le bar, puis il déposa délicatement le bout de son index sur le front du patron. Le vieux voyageur se ferma les yeux et dit, avec un terrible accent :

– Amos Daragon…

Une image se forma dans la tête du vieil homme et il vit clairement Amos et ses parents partageant une table de l'auberge. Le vieillard lisait dans les pensées du patron. Il regarda, comme dans un film, la façon dont le propriétaire avait voulu escroquer la famille. Il vécut la scène du chevalier Barthélémy et la ruse utilisée par Amos pour se sortir du pétrin. Tous ces détails lui furent révélés par l'esprit de l'aubergiste. Content de cette piste, le vieillard retira son doigt du front de l'hôtelier véreux. Celui-ci tomba mollement à terre, complètement épuisé.

– On ouvre difficilement un esprit obtus, pensa le vieil homme dans sa langue maternelle.

Il se pencha ensuite vers le corps inanimé et reprit son argent dans le tablier du patron. Le vieux lança ensuite, en prenant une expression de dégoût :

– Sou-soupe… EURK !

Le vieillard quitta discrètement l'auberge La tête de bouc pour se diriger sans tarder vers le nord.

Chapitre 2

Les bonnets-rouges

La ville de Berrion s'activait lentement dans la froideur d'une matinée de gel. Là aussi, on faisait les derniers préparatifs avant d'accueillir les quelques mois d'hiver à venir. Au château, lieu de résidence de la famille Daragon, le seigneur Junos avait demandé que l'on rénove quelques foyers en piteux état et que l'on ajoute plusieurs tapisseries aux murs afin de couper la froide humidité dégagée par les pierres.

Malgré le calme et la paix qui régnaient sur ses terres, Junos était inquiet. Depuis que Lolya, la jeune princesse des Dogons, avait quitté la ville pour retourner dans ses contrées, Amos se portait mal. Il n'avait cessé de dépérir et depuis bientôt deux mois, son état s'aggravait dangereusement. Les meilleurs médecins du royaume l'avaient examiné, mais sans succès. Leurs médicaments ne faisaient aucun effet. Urban et Frilla Daragon, les parents du jeune porteur de masques, ne savaient plus quoi penser.

Amos n'arrivait pas à dormir paisiblement. Son sommeil était peuplé de fantômes, de squelettes et de revenants. Des images d'une gigantesque ville, habitée par une foule de spectres, revenaient régulièrement dans ses songes. Il s'y voyait marcher en cherchant quelque chose. Le garçon pouvait sentir qu'une grande menace planait sur lui et sur le monde, mais il ne pouvait pas la définir. Il s'éveillait de ces rêves en sueurs avec la certitude qu'on venait de le tuer, avec la conviction que le grand couteau de son amie Lolya lui traversait le corps. Amos mangeait peu et vomissait souvent. Il essayait de faire la sieste, mais toujours les cauchemars l'assaillaient. Des images horribles de gens souffrant désespérant sous un soleil de plomb lui revenaient sans cesse. Parfois, il voyait l'ignoble figure d'un homme, un capitaine de bateau qui hurlait sans cesse des injures. Ces rêves lui rendaient la vie impossible. Dans la froideur de l'hiver naissant, Amos se sentait dépressif et abattu. Il toussait beaucoup, respirait mal et sortait peu de sa chambre. Frilla Daragon s'occupait de son fils en lui prodiguant des soins attentifs, mais le garçon dépérissait de jour en jour.

Béorf, quant à lui, semblait dans une forme éclatante. Le jeune hommanimal, fils adoptif des Daragon, avait engraissé encore de quelques kilos. Il était plus rond et plus en chair que jamais. Lui aussi se préparait, à sa façon, pour l'hiver. La race des béorites avait la particularité d'être capable de se transformer en ours à volonté. Béorf ressemblait à tous les autres garçons de son âge à l'exception de ses deux favoris blonds lui découpant le visage et de ses sourcils dont le poil se joignait au dessus de son nez. Béorf Bromanson, dont les parents avaient été condamnés à mort par l'ancien seigneur de Bratel-la-Grande, vivait maintenant au château de Berrion. Sous la protection du seigneur Junos et comblé d'amour par sa nouvelle famille, il avait trouvé chez le jeune porteur de masques beaucoup plus qu'un ami. Il avait maintenant un vrai frère. C'est pour cette raison que Béorf passait ses nuits auprès d'Amos et surveillait attentivement, de jour en jour, son état de santé.

Comme Amos pouvait difficilement dormir, les deux garçons discutaient longuement ensemble. Le passage de Lolya au château avait provoqué d'étranges choses et Béorf avait la certitude que la maladie de son ami y était reliée d'une façon quelconque.

Un matin, alors qu'une faible neige tombait en virevoltant sur Berrion, Béorf tira les rideaux de la chambre d'Amos et lui dit sur un ton déterminé :

— Bon ! Il est temps de sortir d'ici... Habille-toi chaudement, nous allons marcher un peu. J'ai besoin d'exercice et toi aussi. Tes parents et Junos sont d'accord ! L'air pur de cette belle matinée te fera sûrement du bien. Viens, je vais t'aider...

Amos leva difficilement la tête et, après quelques secondes d'hésitation, il se glissa en dehors du lit. Le garçon tressa ses cheveux en une longue natte, s'habilla convenablement en ajustant son armure de cuir noir par-dessus quelques peaux de renard et mit sa boucle d'oreille en forme de tête de loup. Frilla et Béorf l'assistèrent dans toutes ces préparations. Amos avait les traits tirés, les yeux creux et deux poches noires sous les yeux. Son teint était verdâtre et il avait de la difficulté à respirer. En marchant vers la grande porte du château, le jeune malade se confia à Béorf :

– Je ne l'ai pas dit à personne, mais je pense que je rejette peut-être le masque du feu…

– Qu'est-ce que tu veux dire ?, demanda le gros garçon. Quand tu as intégré le masque de l'air, tout s'est bien passé ! Pourquoi aurais-tu des problèmes avec celui du feu ?

– Comme tu sais, je dois encore trouver deux masques, celui de l'eau et celui de la terre. Je dois aussi chercher quatorze pierres de puissance pour sertir les masques. Comme ceux-ci disparaissent sur mon visage et s'intègrent à mon corps en me donnant leur magie, je pense que je suis peut-être encore trop jeune pour en absorber autant. Le masque de l'air et sa première pierre m'ont causé peu de tort, mais celui du feu, serti lui aussi de sa première pierre, me consume de l'intérieur.

– Que veux-tu dire ?, questionna Béorf inquiet.

– J'ai parfois l'impression que mes entrailles sont en feu, confia Amos. J'ai physiquement très mal. J'ai des bouffées de chaleur qui me donnent l'impression d'évaporer toute l'eau de mon corps. Je me retrouve sans salive et je peux boire plusieurs litres d'eau sans ressentir aucun bienfait.

– En as-tu parlé aux docteurs ou à tes parents ?, demanda Béorf.

– Non, je ne veux pas les inquiéter, soupira Amos. Toute cette histoire de porteur de masques, ma mission de rétablir l'équilibre entre le bien et le mal, mes cauchemars et mon inexplicable maladie les troublent déjà beaucoup trop. Je le vois bien. Mes parents sont des gens simples, des artisans-voyageurs qui ne savent pas trop que penser des derniers événements. Ils sont complètement dépassés par ce qui m'arrive... je dois t'avouer que moi aussi, je sens que les choses se précipitent pour moi... et... enfin, je ne suis plus tout à fait moi !

Plongés dans leurs pensées, les deux enfants marchèrent en silence. Ils dépassèrent la place du marché en direction des grandes portes menant à l'extérieur de la ville fortifiée de Berrion. La température était fraîche et Amos respirait à pleins poumons l'air salutaire de cette douce matinée. Béorf, inquiet pour son ami, le regardait du coin de l'œil. Le gros garçon vit avec plaisir que le jeune porteur de masques reprenait lentement des couleurs.

En respirant profondément, Amos aperçut son père venir vers lui à cheval. L'homme avait une large barbe et un sourire éclatant. Il envoya énergiquement la main aux enfants. Dans ses yeux, on pouvait lire toute la fierté qu'il avait pour son fils. Comme le père d'Amos trottait vers son garçon, le son sifflant d'une arbalète se fit entendre. Urban Daragon demeura quelques secondes en selle, puis il dégringola mollement de son cheval. L'homme heurta violemment le sol. Glacé d'effroi, Amos courut vers son père. Béorf, sur ses gardes, tenta de voir d'où pouvait bien provenir ce son. Urban avait le carreau de l'arbalète planté dans la nuque. Il était mort sur le coup.

Béorf cria soudainement :

– Là ! il est là ! Sur la muraille Amos… Attention, il recharge !

Amos tourna la tête et vit une horrible créature remettre un carreau dans son arbalète. D'un coup d'œil, le garçon remarqua l'absence des gardiens qui normalement circulaient sur cette partie de mur. Ils avaient sûrement été surpris et tués dans leur patrouille. La créature avait une forme humaine. Elle avait la peau brune et très sale, un immense nez aquilin, deux gros yeux globuleux et une bouche aux lèvres tombantes. Des crocs longs et fins émergeaient de sa mâchoire du bas. L'humanoïde avait de très longs bras et de courtes jambes. Sa tête aux larges oreilles pointues était recouverte d'un bonnet rouge qui dissimulait de longs cheveux blancs clairsemés. Une armure de cuir grossière, des bottes de métal, un léger sac de voyage et une large ceinture d'où pendait un grand couteau rudimentaire complétaient le portrait de l'assassin.

La créature arma son arbalète et visa Amos. Le garçon comprit rapidement que cet être répugnant avait tué son père par maladresse. C'était le porteur de masques qui était la cible du premier carreau. Urban avait malencontreusement traversé la trajectoire du projectile au mauvais moment.

L'arbalète libéra sa deuxième flèche en direction du garçon. Enragé, Amos poussa un cri retentissant en levant la main vers l'horrible créature. Une boule de feu sortit de son corps et vint se fracasser sur son ennemi en grillant au passage le carreau. L'humanoïde au bonnet rouge fut propulsé dans les airs et se consuma complètement avant de toucher le sol. Béorf, toujours aux aguets, cria :

– Il y en a partout ! ILS ENVAHISSENT LA VILLE !

Le jeune hommanimal se transforma en ours et courut vers le château pour sonner l'alarme. Béorf avait dit vrai. Les rues regorgeaient de bonnets-rouges. Ceux-ci semblaient être soudainement apparus de nulle part. Les créatures avaient maintenant ouvert les portes de la ville et déferlaient comme une vague maudite dans les rues de Berrion. Ces monstres étaient armés de hallebardes et massacraient la population.

En regardant son père qui gisait au sol, sans vie, Amos fut pris d'une rage démesurée. Autour de lui, une bonne douzaine d'humanoïdes s'approchaient en l'encerclant. Sans penser à ce qu'il faisait, le garçon ouvrit les bras en serrant les dents. Des flammes soutenues sortirent des paumes de ses mains. Tournant sur lui-même, Amos enflamma d'un coup ses adversaires.

Sur la place du marché, une cinquantaine de bonnets-rouges courraient d'un kiosque à l'autre en pillant les étals. Amos leva la main droite au ciel et poussa un cri empreint d'une incroyable furie. Un vortex noir se créa instantanément sur la place en soulevant les créatures, les présentoirs du marché, la fontaine et trois devantures de maison.

La population paniquée fuyait du mieux qu'elle pouvait. Une longue sonnerie de cor retentit dans toute la ville et une centaine de chevaliers sortirent du château en galopant. Les bonnets-rouges entraient encore par milliers dans la ville. Les créatures pillaient les maisons et les boutiques. Ces monstres ne volaient que des objets d'or, d'argent ou de bronze. Les pierres précieuses, elles aussi, semblaient particulièrement leur plaire. Les humanoïdes tuaient sans distinction les hommes, les femmes ou les enfants pour ensuite piller les corps. Les bagues, boucles d'oreilles, colliers, pierres de naissance et ceintures fines étaient systématiquement enlevés. Dans cette armée de monstres, chacun semblait avoir un rôle très précis. Les bonnets-rouges portant des hallebardes exterminaient la population pendant que d'autres, simplement armés d'un couteau, pillaient la ville. Ces derniers emplissaient de grandes poches de tissu. Des subalternes, sans armes et sans bonnets, sortaient les sacs pleins de la ville et les ramenaient vides. Des sentinelles munies d'arbalètes assuraient la sécurité des porteurs de sacs et tuaient quiconque s'approchait d'eux. Ces monstres étaient organisés, efficaces et d'une cruauté inhumaine. Ils accomplissaient leur tâche sans haine ni mépris, sans joie ni plaisir, comme un travail indispensable à leur existence.

Le cyclone d'Amos, maintenant incontrôlable, ravageait la ville en emportant tout sur son passage. Des bonnets-rouges tombaient du ciel en se fracassant sur les toits. Certains se voyaient expulsés au-delà des fortifications et allaient s'empaler sur les branches des arbres environnants.

Amos se fit soudainement agresser. Il fut poussé au sol, face contre terre. Dans son dos, trois créatures se préparaient à le tuer d'un coup de hallebarde. En essayant de se dégager, le jeune porteur de masques se transforma en torche humaine. La prise des agresseurs cessa immédiatement et les bonnets-rouges, eux aussi en feu, s'enfuirent en poussant des hurlements. Amos, désespéré devant le spectacle macabre de la destruction de Berrion, cria de toutes ses forces :

– ÇA SUFFIT !

D'un coup, tout le bois de toute la ville, tous les planchers et les toits, les meubles, les manches des outils aussi bien que les armes, les chariots, les chars et les charrettes, les granges comme les arbres s'enflammèrent spontanément. Le cri du garçon avait provoqué, sans savoir comment ni pourquoi, la combustion entière de la cité. Les pouvoirs du jeune porteur de masques se voyaient quintuplés par sa rage. La maladie qui le consumait depuis des mois explosait maintenant au grand jour en semant la destruction. La magie des éléments s'était emparée de son âme et galopait en lui à plein régime. Rien ne pouvait plus arrêter Amos maintenant, car lui-même ne se possédait plus.

Les habitants comme les bonnets-rouges fuyaient maintenant Berrion. Le feu avait tout embrasé et la chaleur du brasier était insupportable. Amos dansait dans la cité comme un diable au milieu des enfers. Il poussait des hurlements de bête en tournant sur lui-même. Un jet de flammes sortait de sa bouche à chacune de ses expirations. Ses cheveux, défaits de leur natte, volaient autour de lui, soulevés par la chaleur de feu.

Le garçon était devenu fou ! Il regardait maintenant avec satisfaction la ville se consumer. Les flammes étaient constituées de milliers de petits hommes, à peine plus hauts que trois pommes, qui dévoraient Berrion. Ceux-ci croquaient dans le bois à pleines dents et se régalaient d'un aussi grandiose festin. Leur corps était liquide et constitué presque uniquement de lave volcanique. Ils portaient tous des culottes courtes de charbons ardents et quelques flammes bleues leur servaient de chevelure. Un de ces petits êtres s'avança près d'Amos et s'agenouilla respectueusement devant lui. Boucanant par la bouche et fumant par les oreilles, il dit en levant la voix afin d'enterrer le crépitement ambiant :

– Choisissez-nous, Maître, nous sommes un bon peuple ! Un bon peuple ! Très bon peuple ! Nous n'avons pas de dieu et nous méritons un guide comme vous. Un bon peuple !

Amos, étourdi et incapable d'expliquer le spectacle qui se jouait devant ses yeux, regarda le petit bonhomme de lave avec incompréhension.

Le garçon commençait à sentir une grande fatigue l'envahir. Mi-conscient, il demanda :

– Mais de quoi parlez-vous ? Qu'est-ce qui se passe ici ?

– Nous sommes un bon peuple !, répliqua immédiatement le petit bonhomme de larve. Vous étiez un dieu, le peuple du feu sait des choses. Nous savons des choses que vous avez oubliées…

– Qu'est-ce que j'ai oublié ?, s'enquit Amos, les yeux mi-clos et la tête lourde.

– La clé de Braha !, lança nerveusement son interlocuteur. Le peuple du feu sait des choses sur le passé, sur l'avenir et sur ce qui n'a jamais existé ! Le feu et l'air sont en vous ! Devenez notre dieu, retournez à Braha et devenez notre dieu ! Nous sommes un bon peuple ! Un bon peuple, je vous dis !

Le jeune porteur de masques sentit alors une extrême fatigue l'envahir. Ses jambes n'étaient plus capables de le porter. Tout son corps fut attiré vers l'arrière et Amos tomba lourdement à terre, inconscient.

Chapitre 3

Le retour au bois de Tarkasis

Amos ouvrit péniblement les yeux. Il était couché dans une clairière de campanules. Partout autour de lui, de jolies petites fleurs bleues ressemblant à des clochettes tapissaient le sol. Le garçon portait un large vêtement finement tissé de mousse et de lin. Il leva la tête et vit un attroupement de fées bleues assises sur son torse. Hautes d'à peine quelques centimètres, celles-ci le regardaient avec curiosité. Elles avaient de longues ailes délicates et de petites oreilles pointues. Un œil non averti les aurait facilement confondues avec des libellules. Amos, hésitant, demanda :

– Mais… où suis-je ?

Une des petites fées bleues s'envola et vint se placer en vol stationnaire au-dessus de son visage. Elle examina ses yeux et demanda :

– As-tu entendu les cloches des campanules, jeune mortel ?

– Pardon ?, répondit Amos. Je ne sais pas de quoi vous parlez…

– Il ne sait pas de quoi je parle !, lança la fée en riant vers ses camarades. Ceux qui entendent les

cloches des campanules s'en souviennent, mais…
pas pour longtemps!

Toutes les fées assises sur le garçon éclatèrent
d'un rire léger et cristallin, puis s'envolèrent
prestement en laissant derrière elles de petites
traînées de lumière.

— Tu dois savoir, reprit le petit être surnaturel,
que les fleurs qui t'entourent s'appellent les
«clochettes de la mort». Ceux qui entendent
tinter la campanule entendent le glas de leurs
funérailles. C'est une fleur magique aux grands
pouvoirs de guérison. Tout le bois de Tarkasis
tire sa force et sa puissance de cette clairière et…

— Je suis donc de retour chez Gwenfadrille?,
demanda fébrilement Amos.

— Oui, lui répondit la fée. Mes sœurs sont
allées l'avertir de ton réveil et la souveraine doit
nous attendre. Ne la faisons pas attendre… allez!
Debout!

Amos se leva difficilement. Ses muscles,
fortement endoloris, ne lui obéissaient qu'au
prix de grands efforts. Le garçon remarqua que
la marque de son corps était imprégnée dans
l'herbe de la clairière.

— J'ai sûrement passé de longues journées ici,
pensa-t-il.

Après une courte marche guidée par la petite
fée bleue à travers les bois, Amos déboucha au
centre du bois de Tarkasis. Il connaissait déjà
l'endroit. C'est dans ce lieu qu'il avait reçu sa
mission. C'est également là que Gwenfadrille lui
avait donné le masque de l'air. Il reconnaissait les

sept dolmens disposés en cercle et les dizaines de chaises en bois aux formes insolites. À sa première visite, il y avait de grandes et de petites fées, de vieux personnages poilus, de jolies druidesses et plusieurs étranges nains ridés. Aujourd'hui, la place du conseil était vide.

Amos prit une chaise sur l'invitation de la fée bleue. Devant lui, Gwenfadrille apparut dans un éclat de lumière. La grande fée avait, elle aussi, les oreilles pointues et une grande robe légère et verte. Ses longs cheveux blonds avaient été rasés. Elle était maintenant tout à fait chauve. La souveraine sourit tendrement au garçon, vint s'asseoir près de lui et lui dit :

— Gwenfadrille est contente de te voir, jeune porteur de masques !

Amos se rappela que Gwenfadrille parlait toujours d'elle à la troisième personne. Le garçon demanda :

— Qu'est-il arrivé à vos cheveux ?

— Gwenfadrille les a sacrifiés pour protéger son royaume des bonnets-rouges. Les cheveux d'une fée portent en eux une grande magie et la souveraine de ce royaume a dû les disperser autour de sa forêt pour en accentuer la protection. Ne t'en fais pas, jeune ami, les cheveux de Gwenfadrille ne repousseront plus jamais, mais elle aime beaucoup se voir ainsi.

— Vous êtes encore plus belle !, complimenta gentiment Amos.

— Tu es gentil, dit la reine en souriant. Gwenfadrille a beaucoup d'affection pour toi, mais elle doit maintenant t'annoncer de mauvaises nouvelles.

– Je sais, dit Amos en baissant la tête et en serrant les poings. Mon père est mort et je jure que…

– Calme-toi!, ordonna brusquement la reine. Tes émotions ont déjà causé une grande catastrophe à Berrion et Gwenfadrille ne désire pas voir sa forêt brûlée. Laisse-moi t'expliquer…

Amos fit signe de la tête en guise de réponse et écouta attentivement le récit de la reine.

– La souveraine de Tarkasis doit d'abord t'expliquer qui sont les bonnets-rouges. Ces créatures du mal comptent parmi les plus horribles et malfaisantes des anciens gobelins de la terre. Ils vivent par milliers dans les vieux donjons et les châteaux en ruines, choisissant ceux dont le passé est marqué par le vice, l'impureté et la souillure. Ils teignent leur bonnet dans le sang des innocents qu'ils massacrent. Ces effroyables gobelins sont disciplinés, organisés et très efficaces au combat. Ils ne craignent pas la mort, ni la souffrance. De plus…

– Mais pourquoi ont-ils attaqué Berrion?, demanda Amos en interrompant la reine.

– Comme j'allais te le dire, continua Gwenfadrille, ces bonnets-rouges sont des pillards. Ils sont en train de constituer un trésor, une montagne d'or. Je vois dans ton regard que tu brûles de me poser une question… et bien, vas-y!

– Je ne sais pas comment vous dire cela, hésita le garçon, mais… j'ai la certitude qu'ils sont à la solde d'un dragon et qu'ils amassent un trésor qui lui servira de lit. Est-ce que je me trompe ?

Gwenfadrille eut un léger rictus et dit :

– Tu es surprenant, mon jeune garçon ! Comment sais-tu cela ?

– Je ne sais pas, avoua sincèrement Amos. Depuis quelque temps, bien... en vérité, c'est depuis le premier jour de l'arrivée de Lolya à Berrion. Je savais qu'elle avait été possédée par une force maligne et je lui ai arraché une pierre dans la gorge... enfin, tout cela est très confus et je n'arrive pas à l'expliquer clairement... J'ai des prémonitions. Je sais ce qu'il faut faire, au moment où il faut le faire, mais je ne sais pas d'où me viennent ces informations !

– Écoute, jeune porteur de masques, reprit très sérieusement la souveraine. Tu as raison. Des elfes nordiques nous ont informés qu'un dragon a vu le jour au nord du continent, dans le pays des glaces. Nous pensions toutes que cette race de monstres avait été éradiquée de la surface du monde, mais elle est apparemment revenue. Les bonnets-rouges ont pillé Berrion et une multitude d'autres villes parce qu'ils sont en chasse pour le dragon. Les Anciens, c'est ainsi que l'on nomme le défunt peuple des cracheurs de feu, ont besoin de dormir sur un lit d'or, d'argent et de pierres précieuses pour pondre. Le dragon aura sans doute réussi à envoûter les gobelins pour se constituer un trésor. Tu dois maintenant suivre à la trace les bonnets-rouges pour qu'ils te mènent au dragon. Ensuite, tu agiras comme bon te semble. Ta charge est de rétablir l'équilibre du monde. Cette bête doit-elle survivre ou mourir? Ce sera à toi de le décider.

— Mais qu'est-il advenu de ma mère?, demanda Amos. Et de Béorf et Junos? Je dois retourner en ville!

— La ville de Berrion n'existe plus, Amos, lui rappela doucement la grande fée. Tu l'as toi-même réduite en cendres. Tu ne te souviens pas? Pour une raison que Gwenfadrille ignore, la rage causée par l'assassinat de ton père alliée avec le pouvoir de tes deux masques a déclenché un cataclysme sur la ville. Mes fées ont fouillé les décombres et elles n'ont pas retrouvé le corps de Junos. Par contre, nous savons avec certitude que les bonnets-rouges ont enlevé ta mère pour la vendre comme esclave. C'est une autre façon pour eux de gagner quelques pièces de plus pour leur maître.

— Et Béorf?, questionna Amos. Béorf est-il toujours en vie?

— Oui, il est encore en vie!, dit la reine d'une voix rassurante. Tu lui dois une fière chandelle. Au péril de sa vie, il a plongé dans les flammes pour aller te chercher. Il t'a retiré de la ville en feu au moment où tout s'effondrait autour de toi. Il est immédiatement venu ici, à la lisière du bois de Tarkasis, pour demander de l'aide. Mastagane le druide nous avait déjà parlé de lui et nous l'avons reconnu à son arrivée dans le bois. Béorf était sévèrement brûlé et nous l'avons aidé à se remettre sur pied. Il est demeuré à l'orée du bois et il attend impatiemment ton retour. Nous avons ensuite amené ton corps dans la clairière des campanules pour te soigner.

– Béorf n'a pas été autorisé à entrer dans le bois ?, s'enquit le garçon.

– Non, répondit fermement Gwenfadrille. Même s'il est un jeune hommanimal de confiance, nous jugeons qu'il en est mieux ainsi pour nous. D'ailleurs, tu es ici depuis dix jours ! Ton ami aurait été prisonnier du bois tout ce temps. Ta guérison fut difficile et c'est presque un miracle que tu sois encore en vie.

– Dix jours !, s'exclama Amos. Cela veut dire que les bonnets-rouges ont tout ce temps d'avance sur moi. Je dois les rattraper au plus vite ! Je n'ai plus de temps à perdre si je veux revoir ma mère un jour !

– Tu as raison, affirma la souveraine, mais avant que tu partes, Gwenfadrille a un cadeau pour toi et ton compagnon.

En terminant sa phrase, Gwenfadrille claqua des doigts. Une dizaine de petites fées bleues arrivèrent en volant. Elles portaient un petit coffre en bois rouge. La souveraine prit le coffret, remercia les fées et l'ouvrit. À l'intérieur, il y avait quatre oreilles pointues d'elfe en cristal. La reine se tourna vers Amos et lui offrit ce cadeau en disant :

– Voilà qui pourra t'aider ! Ces oreilles sont de puissants objets magiques qui te permettront de comprendre et de parler toutes les langues. Tu en auras besoin pour discuter avec les créatures que tu rencontreras. Ceci te facilitera beaucoup la tâche dans tes investigations! Tu garderas deux oreilles pour toi et tu donneras les deux autres à Béorf. Elles te protégeront aussi de tous les chants d'envoûtement.

– Elles sont magnifiques!, s'exclama le garçon.

– Cependant, continua la souveraine, Gwenfadrille doit t'avertir d'une chose. Ces objets se portent sur tes propres oreilles et les transformeront en véritables oreilles d'elfe.

Amos essaya l'objet magique. Ses oreilles se moulèrent lentement à l'intérieur du cristal et prirent une forme effilée et pointue.

– Entends-tu ce que je te dis?, demanda Gwenfadrille.

– Oui, très bien!, répondit Amos.

– Savais-tu que la reine te parle maintenant en langage des fées?, poursuit-elle en souriant.

– Et je vous réponds dans la même langue!, lança fièrement le garçon.

– Oui, tu parles notre langue avec un très charmant accent!, continua Gwenfadrille en riant. Il te sera possible d'enlever et de remettre les oreilles de cristal à ta guise. Cependant, souviens-toi toujours de bien les dissimuler dans tes cheveux lorsque tu les porteras, sinon les gens penseront que tu es véritablement un elfe.

– Je m'en souviendrai, dit le jeune porteur de masques. Merci beaucoup!

– Pars maintenant, ta véritable quête commence aujourd'hui, conclut Gwenfadrille en quittant le cercle du conseil.

Amos fut guidé par une fée des campanules jusqu'au long couloir de branchages menant à la sortie du bois de Tarkasis. Il enleva son large vêtement de mousse et de lin et remit ses peaux et son armure de cuir noir. Le garçon, habitué au climat toujours chaud et constant du royaume de Gwenfadrille, eut un choc lorsqu'il déboucha à l'orée du bois. Un froid humide le surprit. La neige couvrait entièrement le paysage.

Amos appela Béorf, mais sans succès. Le garçon se dit que les fées avaient été bien inhospitalières en abandonnant son ami aux rigueurs du froid, sans abri et sans nourriture. En regardant au sol, Amos découvrit des indices de pistes laissées dans la neige. En suivant les traces, le garçon arriva devant un grand trou creusé sous un arbre, entre les racines. Lorsqu'il se pencha dans l'ouverture, le jeune porteur de masques découvrit Béorf couché en boule dans le fond du trou. Le gros garçon ronflait paisiblement. Son corps était couvert d'une épaisse couche de poils. Amos éclata d'un rire spontané et se dit à lui-même :

– Sacré Béorf ! Il ne m'avait jamais dit que les hommes-ours hibernaient !

Chapitre 4

La route du Nord

– Réveille-toi Béorf!, lança Amos pour la douzième fois en secouant vivement son ami.

Encore plongé dans un profond sommeil, l'hommanimal grogna un peu, se retourna sur lui-même, puis replongea dans ses rêves. Amos sortit du trou et se gratta la tête. Son ami serait probablement impossible à réveiller. Soudain, une idée lui traversa l'esprit. Le garçon dit alors à haute voix:

– Hum…! Encore des TARTES et du POULET! Désolé, mais je n'ai plus faim! Si seulement Béorf était là… il se RÉ-GA-LE-RAIT, tous ces FRUITS sauvages, cette VIANDE bien grillée… ces MONTAGNES DE NOIX et tout ce MIEL!

En un clin d'œil, la tête de Béorf apparut à la sortie de la tanière. Le gros garçon avait les cheveux en broussailles et les yeux encore collés par le sommeil. Il dit en bâillant:

– Tartes, poulet, noix et miel?

– Eh bien!, s'exclama Amos en rigolant. J'ai trouvé l'unique façon de tirer un béorite de son hibernation ! Avec toi, Béorf, tout passe par l'estomac !

– Viande ?, demanda le gros garçon encore à moitié endormi. Je suis certain d'avoir entendu le mot viande !

– Allez… allez !, dit Amos en aidant son ami à se mettre sur ses pieds. Je sais où il y a une petite rivière non loin d'ici. Nous briserons la glace ! L'eau froide te réveillera !

– Oui, de la dinde froide ! Ce sera très bon !, s'exclama le gros garçon en trébuchant.

* * *

Béorf avait maintenant repris ses esprits. Les deux garçons, tristes et affligés, pleurèrent ensemble la mort d'Urban. Assis près de la rivière, Amos parla longuement de son père. Il se souvint des bons moments qu'ils avaient vécus ensemble dans le royaume d'Omain. Le jeune porteur de masques repensa à la tendresse et à l'amour d'Urban. Béorf, orphelin lui aussi, comprit exactement ce que son ami pouvait ressentir et il tenta de le réconforter le mieux possible.

Après un moment, Amos se ressaisit :

– Bon ! Nous devons maintenant nous lancer à la poursuite de ces maudits bonnets-rouges ! Ils ont enlevé ma mère pour la vendre comme esclave et je n'ai pas l'intention de les laisser faire…

– Que s'est-il passé à Berrion ?, demanda Béorf. Te rappelles-tu que tu as réduit la ville en cendres ?

– Oui, répondit Amos en baissant la tête. La reine des fées m'a raconté ce qui est arrivé. Je ne sais pas ce qui s'est passé, Béorf. J'étais tellement en colère que l'émotion a quintuplé mes pouvoirs. J'ai tout détruit sans le vouloir…

– LE MULET! JE L'AVAIS OUBLIÉ! LE MULET!, cria Béorf en s'agitant. Suis-moi vite!

Béorf disparut dans la forêt et Amos se lança à sa poursuite. Après quelques minutes de course, les deux garçons arrivèrent tout près d'une petite maison abandonnée. Le jeune hommanimal ouvrit la porte et fut renversé par la brusque sortie d'un mulet enragé et affamé. Béorf courut ensuite vers l'arrière de la maison et jeta une grande quantité de foin, d'avoine et de céréales à l'animal. La bête commença à manger goulûment. Le gros garçon s'essuya le front et dit:

– Je craignais que la bête ne soit morte de faim… pauvre animal, je l'avais complètement oublié!

– Explique-moi, Béorf, demanda Amos, je ne comprends rien à ce que tu dis!

– Simple, reprit-il. Lorsque les fées t'ont amené, je suis retourné en ville et j'ai récupéré tout ce qui pouvait m'être utile pour survivre. Junos nous avait déjà dit qu'il était né dans une chaumière près du bois de Tarkasis. Comme j'avais besoin d'un endroit pour y laisser le matériel, j'ai cherché la maison de Junos et j'ai trouvé cette cabane abandonnée. C'est peut-être la maison de son enfance… de toute façon, j'y avais aussi placé le mulet, mais comme tu sais, je me suis endormi sous l'arbre et…

– Je vois, répondit Amos en riant. Cette bête nous sera utile pour le voyage.

– Viens voir ce que j'ai trouvé !, lança fièrement Béorf.

Il y avait dans la maisonnette de grandes tapisseries pouvant servir de tente, de la corde solide, des lampes à huile noircies, plusieurs épées éméchées, des vêtements divers, des flèches et deux arcs en parfait état. Il y avait aussi des contenants pouvant servir de gourdes, des casques de fer bossés, quelques peaux roussies par le feu, des assiettes, des morceaux d'armures et de la cotte de mailles. Béorf avait aussi sauvé le livre, appartenant anciennement à son défunt père, intitulé : *Al-Qatrum, les territoires de l'ombre*. Ce gros bouquin avait été d'une aide précieuse lors des événements de Bratel-la-Grande et il serait, sans nul doute, encore utile à l'avenir.

Les deux enfants se préparaient pour leur voyage vers le nord. Amos enveloppa ses pieds et ses chevilles de fourrures, trouva la façon d'utiliser les tapisseries pour en faire un abri portatif, bourra de retailles de peaux de loup l'intérieur d'un casque de guerre en métal pour s'en faire un chapeau chaud et se fit une cape d'un restant de tapisserie très colorée représentant une scène de couronnement. Les grands froids ne lui feraient pas peur. Le garçon se choisit ensuite une épée sans fourreau qu'il passa au travers de sa ceinture de corde.

Quant à Béorf, il décida de revêtir une cotte de mailles qu'il passa par-dessus ses habits de paysan. L'hommanimal avait déjà une épaisse fourrure d'hiver le recouvrant des chevilles jusqu'au cou. Ses bras étaient aussi recouverts de poils jusqu'aux poignets. De près comme de loin, on aurait dit que le garçon portait un vêtement de fourrure d'ours parfaitement ajusté. Béorf chargea le mulet pour le voyage et les deux jeunes prirent la route.

* * *

En deux semaines de voyage, les garçons n'avaient rencontré que misère et désolation. Comme ils suivaient la piste des bonnets-rouges, ils étaient passés par une grande quantité de villes détruites, incendiées et pillées. Dans les villages, les habitants avaient été sauvagement assassinés ou kidnappés afin d'être vendus, en tant qu'esclaves, comme Frilla. Plus les garçons avançaient vers le nord, plus les méfaits des bonnets-rouges semblaient terribles. Gagnant de la confiance en eux d'attaque en attaque, les gobelins prenaient maintenant plaisir à torturer leurs victimes. Les cadavres avaient des marques de brûlures, des lacérations multiples et d'ignobles mutilations. Pour Amos et Béorf, il s'agissait de scènes insupportables à voir. Ils en faisaient des cauchemars pendant leur sommeil et s'imaginaient souvent être épiés par une présence invisible. La paranoïa les gagnait lentement.

Comme tous les soirs, Béorf avait monté la tente et Amos était parti à la recherche de nourriture. Lorsque le jeune porteur de masques revint au camp avec quelques poissons et un faisan sauvage, Béorf était couché en boule sous un arbre. Le gros garçon dormait de plus en plus fréquemment. Il était toujours fatigué et cherchait constamment à se reposer. Poussé par instinct à l'hibernation, l'hommanimal avait complètement perdu l'appétit et il était souvent de mauvais poil, surtout le matin à son réveil. Amos trouvait ce nouveau comportement légèrement déplaisant, mais il comprenait bien que son ami combattait du mieux qu'il pouvait sa nature d'ours.

Amos prépara le repas tandis que Béorf ronflait. Le jeune porteur de masques alluma le feu en claquant des doigts et se concentra pour qu'une légère brise souffle constamment sur les braises afin d'activer la cuisson du gibier. Le soleil était presque disparu derrière les montagnes et la nuit s'annonçait particulièrement froide. Amos grelottait tout en regardant fumer les poissons. Comme le garçon leva les yeux vers l'horizon pour admirer le pâle croissant de lune, son attention fut attirée par une lueur lointaine. Là-bas, à l'écart, dans l'ombre de la forêt, il y avait un petit château d'où émanait de la lumière. Amos se précipita sur Béorf et le secoua fortement:

– Réveille-toi Béorf, je vois de la lumière au loin! Quelqu'un vit là-bas! Peut-être qu'on pourra nous renseigner sur le passage des bonnets-rouges! Réveille-toi, bon sang! En deux semaines, nous n'avons vu que des horreurs… nous pourrions demander l'hospitalité… c'est peut-être notre chance de dormir dans un bon lit et…

– DORMIR DANS UN BON LIT! lança Béorf en levant la tête. Je suis partant! Ne perdons pas de temps, laissons là le matériel, amenons le mulet et prions pour UN BON LIT!

Après une bonne heure de marche accélérée dans les bois, les deux garçons atteignirent leur but. Ils débouchèrent devant une petite forteresse abritant une grande demeure de pierre d'où s'élevait une très haute tour. Un profond fossé entourait la résidence qui n'était accessible que par une passerelle de bois en très mauvais état. Béorf, impatient et fatigué de sa promenade tardive en forêt, s'y engagea d'un pas rapide. Amos voulut avertir son ami du mauvais état de la passerelle, mais trop tard! Une planche craqua sous le poids du gros garçon. Il perdit l'équilibre, tomba à plat ventre et passa au travers de la passerelle. Dans un infernal bruit de planches qui cassent, l'hommanimal poussa un cri retentissant et alla terminer sa chute au fond du ravin. Amos s'avança un peu sur la passerelle et cria, en essayant de voir où était tombé précisément son ami:

– Ça va Béorf? Réponds-moi! Béorf? Es-tu blessé?

Angoissé et inquiet, Amos voulut utiliser ses pouvoirs de porteur de masques afin de créer, dans sa main droite, une petite boule de feu pouvant lui fournir assez de lumière pour apercevoir Béorf. Au lieu de cela, c'est un globe lumineux d'un mètre de diamètre qui apparut au-dessus de lui. La lumière était si puissante qu'il était impossible de la regarder. Amos vit clairement Béorf, bien assis dans le fond du ravin. Autour de lui, il y avait des centaines de pièces d'or qui scintillaient comme des étoiles à travers la neige. Sous la lumière magique, Béorf leva la tête vers son ami et dit en plissant les yeux :

– NOUS SOMMES RICHES ! Il y a des milliers de pièces d'or ici ! Mais non ! Des centaines de milliers ! Tout le ravin est rempli d'or... je n'en crois pas mes yeux !

– Prenez une seule pièce de ce trésor et vous mourrez !, résonna une voix grave et profonde.

Amos se retourna et vit un grand homme avec un chapeau large et un long manteau de cuir, lancer une corde à Béorf. Dans la lumière magique qui rayonnait comme un soleil, le garçon remarqua qu'il avait de longs cheveux roux et de larges mains couvertes de taches de rousseur. L'homme, qui parlait avec un fort accent, dit :

– Vous ! Oui vous, dans le ravin ! Attrapez cette corde et montez ! Et vous, jeune homme, de l'autre côté de la passerelle, marchez sur les planches du côté droit et vous traverserez sans danger !

Les enfants s'exécutèrent. L'homme parla ensuite d'une voix rassurante :

– Je vous attendais ! Votre feu a attiré mon attention alors que j'observais les étoiles du haut de ma tour. J'ai pris ma longue-vue et je vous ai regardés prendre votre mulet et vous diriger vers chez moi. Entrez… suivez-moi, le dîner est servi. Ah oui ! Vous pouvez laisser votre animal de l'autre côté du ravin. Tous les prédateurs du coin ne s'approchent jamais de ma maison, ils me craignent…

Béorf et Amos se regardèrent, légèrement angoissés. L'homme claqua des doigts et la boule de lumière s'éteignit. Le jeune porteur de masques comprit alors que le sort n'était pas de lui, mais bien de cet étrange bonhomme. Les garçons suivirent leur hôte à l'intérieur de la grande maison. C'était somptueux, riche et magnifiquement bien décoré. Sur les murs, il y avait de grands portraits d'hommes et de femmes en habit d'apparat. Des dizaines de chandeliers éclairaient la pièce et un immense foyer chauffait les lieux. Sur les meubles antiques, tous en bois exotiques, reposaient des statuettes dorées, des bibelots d'argent et plusieurs autres objets de valeur. Tous les miroirs étaient sertis de pierres précieuses. Trois couverts de porcelaine attendaient les convives sur une grande table remplie de mets fins, de fruits exotiques et de viandes fumantes. Béorf se tourna vers Amos et lui dit à l'oreille :

– C'est mieux que tes poissons ça ! On devrait amener ce type avec nous comme cuistot !

– Prenez place !, lança l'homme en retirant son chapeau et son manteau. Mettez-vous à l'aise, il fait bon ici !

Les enfants retirèrent leurs vêtements d'hiver et passèrent ensuite à table.

– Mangez! Faites comme chez vous! Empiffrez-vous, ce n'est pas tous les jours que je reçois de la visite! Vous devez certainement vous questionner à mon sujet? Attaquons ensemble ce poulet et je vous raconte mon histoire.

Béorf ne se fit pas prier pour satisfaire son hôte. L'appétit lui revenait à grande vitesse et le «empiffrez-vous» du maître des lieux avait sonné comme une douce musique à ses oreilles. Amos, moins extraverti, se contenta de manger calmement en écoutant attentivement le récit de l'homme.

– Vous êtes ici chez moi, commença le rouquin. Je suis de la grande lignée des De VerBouc, une famille de nobles et de riches propriétaires qui possédait toutes les terres environnantes. Je suis un duc et...

– ... et vous êtes tellement riche que vous semez des pièces d'or dans les ravins?, demanda Béorf en mastiquant un énorme morceau de poulet.

– Ce trésor est maudit, mon jeune ami affamé, répondit le duc. Quiconque dérobe une seule pièce de cet amoncellement d'or se voit condamné à mort. Une malédiction terrible plane sur ce trésor.

– Et d'où vient cette malédiction?, s'enquit Amos.

– Elle vient d'un vieil homme un peu fou, répondit le duc De VerBouc. Il y a de cela sept générations, mon arrière-grand-père fit un pacte avec le diable. Il échangea son âme contre un grand sac rempli d'or. Mon aïeul était un avare de la pire espèce. Posséder des terres, des villages, des esclaves et une gigantesque fortune en bêtes de toutes sortes ne lui suffisait pas. Il voulait de l'or, des pièces d'or bien rondes et solides.

– Mais il y a beaucoup plus qu'un seul sac de pièces dans le ravin!, s'exclama Amos.

– Oui parce que mon arrière-grand-père voulut tromper le diable, continua le duc. Il s'installa en haut de sa tour et fit une grande ouverture dans le fond d'une poche vide de farine. Il tendit le sac dans les airs et ordonna au diable d'honorer sa parole. Alors, du ciel, des pièces commencèrent à tomber directement dans la poche, mais comme celle-ci était percée, elle fut impossible à remplir. Pendant des heures et des heures, le diable déversa des pièces. Mon arrière-grand-père riait aux éclats d'avoir ainsi piégé son adversaire. Une petite montagne d'or commença à s'élever au pied de la tour. Le diable avait décidé qu'il aurait l'âme de mon grand-père coûte que coûte! Cela lui coûterait des millions de pièces, mais il allait en verser jusqu'à ce qu'elles atteignent le haut de la tour et finissent par remplir le sac! Devant le spectacle de tout cet or tombant du ciel, l'avare perdit la tête et hurla au ciel qu'il était maintenant plus riche qu'un dieu. Au moment où la montagne de pièces, presque aussi haute que la tour, allait enfin combler la poche de farine, un violent cours d'eau, arrivé d'on ne sait où, vint disperser le trésor. Cette rivière creusa un ravin autour de la demeure en tapissant son lit d'une épaisse couche de pièces. Les dieux venaient de faire taire l'arrogance de mon aïeul. L'avare se lança en bas de la tour pour rattraper son or et se brisa le cou. Le diable, qui avait perdu l'âme de mon grand-père en plus de sa fortune personnelle, lança alors une malédiction sur son argent. Depuis ce jour, les De VerBouc sont condamnés à être les gardiens du trésor. De génération en génération, nous sommes obligés d'habiter ce lieu et nous ne disposons que d'une semaine dans notre vie pour trouver une femme, nous marier et concevoir un enfant.

— C'est bien peu de temps!, lança Amos très surpris.

— Le diable m'accorde quelques pouvoirs, dont celui de charmer, répondit l'homme en souriant. C'est plus facile et plus rapide ainsi! J'ai un fils depuis déjà quelques années et le pauvre garçon ne sait pas qu'à ses dix-huit ans, il devra prendre ma place. Tout comme moi, il aura une surprise de taille!

— Mais qu'arrive-t-il si quelqu'un s'empare d'une pièce?, questionna Béorf en essuyant le gras de poulet de ses mains sur son pantalon.

— Il meurt d'une horrible façon, répondit le duc De VerBouc. La peste le ronge d'un coup, très sauvagement. Ses entrailles se dessèchent et son sang devient acide. Des plaques noires et de grosses pustules couvrent lentement son corps. Viennent ensuite les crises de délire puis les vomissements. Rendu à cette étape, il n'y a plus rien à faire! La peau tombe en plaques et les muscles se déchirent d'eux-mêmes en causant de terribles souffrances. Toute personne qui quitte ce lieu en emportant une pièce, apporte avec elle cette infernale maladie.

Béorf ravala et retira lentement deux pièces de sa poche. Il les plaça timidement sur la table et dit :

– J'avais pensé qu'elles auraient pu nous être utiles pour le voyage, mais… à bien y réfléchir…, nous n'avons pas vraiment besoin d'argent. Tenez, je vous les laisse !

– Seulement deux !, s'exclama le duc en riant. S'il advenait que quelqu'un vole le trésor au complet, le diable n'aurait plus besoin de gardien et je retrouverais ma liberté. Il te faudrait en prendre beaucoup plus, jeune homme, pour me donner un véritable coup de main ! Tu veux que je t'aide à emplir des sacs ?

– NON ! Ça va !, répondit Béorf s'amusant de la blague. Je n'ai pas besoin de pustules et de plaques sur la peau…

– Et vous maintenant, demanda De VerBouc, parlez-moi un peu de vous et des raisons qui vous ont conduites ici.

Amos raconta l'attaque de Berrion par les bonnets-rouges, la mort de son père et leur quête pour retrouver Frilla, sa mère. Il garda pour lui le secret du bois de Tarkasis et de ses fées. Le garçon ne parla pas non plus de ses pouvoirs, des masques et de ses anciennes aventures. Certaines choses se devaient de rester secrètes.

À la fin de son récit, Amos vit que Béorf s'était endormi sur sa chaise. Le jeune porteur de masques sentit ses paupières devenir lourdes et à son tour plongea dans un profond sommeil. Toute la nuit, les deux garçons rêvèrent qu'ils dormaient chacun dans un confortable lit aux draps propres.

Amos rouvrit les yeux dans le soleil du matin. Il était assis devant les restes éteints d'un feu de camp où se trouvaient des poissons calcinés et un faisan desséché. Un peu plus loin, Béorf ronflait sous son arbre. Il n'y avait plus de forteresse à l'horizon et l'air frais du matin était glacé. C'était exactement comme si, la veille, Amos s'était endormi devant le feu avant d'apercevoir la demeure du duc De VerBouc. En se levant, le garçon remarqua une enveloppe à ses pieds. À l'intérieur, une pièce d'or et une lettre :

Chers amis,

Ce fut un plaisir de partager mon repas en aussi bonne compagnie. Vous êtes les bienvenus quand vous voudrez. Soyez sans crainte, cette pièce n'est pas maudite. Elle saura vous guider vers moi si, un jour, vous désirez me revoir. Si je n'étais plus là, saluez bien mon fils de ma part et dites-lui que...

Dites-lui que je l'aime beaucoup et que j'aurais donné ma vie pour lui éviter la malédiction de notre famille.

Amitiés,

Duc Augure De VerBouc

Chapitre 5

Les molosses hurlants

Amos et Béorf étaient complètement perdus. Depuis quelques jours, ils avaient quitté la route pour couper directement à travers une grande forêt. Les pistes des bonnets-rouges s'enfonçaient dans les bois. Malgré les risques de se perdre, les garçons se résolurent à tenter l'aventure. Ils n'avaient pas vraiment le choix, car pour retrouver Frilla, il faillait suivre les gobelins!

La forêt était sombre et lugubre. De gigantesques pins gris cachaient en permanence le soleil. Le sol était glacé et très glissant. Les garçons et le mulet devaient prendre d'immenses précautions pour ne pas tomber et se blesser. Ils avançaient difficilement, mais étaient toujours à l'affût d'indications leur permettant de suivre la trace des bonnets-rouges. Les indices du passage de ces créatures hideuses n'étaient pas difficiles à découvrir. Ces monstres brisaient tout et ne respectaient rien. Branches cassées, arbres blessés, petits animaux morts, feux de camp éteints et déchets divers parsemaient constamment leur route.

Soudain, devant eux, les garçons aperçurent un cadavre. Il s'agissait bien d'un de ces monstrueux gobelins. Amos examina le corps et dit à Béorf :

— Il est mort en combattant. Regarde les morsures sur ses jambes ! Une bête probablement très féroce l'a attaqué.

Béorf regarda autour de lui pour s'assurer de leur sécurité. Le gros garçon sursauta devant le spectacle de dizaines de cadavres.

— Regarde Amos, dit nerveusement Béorf, ce bonnet-rouge n'est pas mort seul… Je pense qu'il y a dans cette forêt des bêtes qui ne veulent pas être dérangées !

Autour des deux jeunes, il y avait des cadavres de gobelins dont les corps avaient été sauvagement mordus. La scène était désolante à voir.

— Je crois bien, dit Amos songeur, que nous ferions mieux de passer inaperçus ! Pour avoir tué autant de ces maudits gobelins, il faut que les habitants de ces lieux soient nombreux et très féroces !

— Je pense comme toi, confirma Béorf. Nous devrions peut-être même arrêter de parler, on ne sait jamais si…

Le gros garçon se tut et regarda d'un rapide coup de tête vers la cime des arbres. Son oreille avait capté un son étrange. Il scruta les troncs, les branches puis fixa son regard sur quelque chose. Béorf s'approcha ensuite lentement d'Amos et pointa son doigt en direction d'une forme étrange. Il lui dit à l'oreille :

— Regarde là ! Juste là, tu vois ?

– Oui, je vois quelque chose de rouge dans l'arbre!, chuchota Amos.

– C'est un de ces bonnets-rouges, j'en suis certain!, lança Béorf en serrant les dents. Il est à califourchon sur une grosse branche.

– Il s'est probablement réfugié dans cet arbre lors de l'attaque des bêtes dans la forêt, supposa le jeune porteur de masques. Il n'a pas eu le courage de redescendre! Je me demande depuis combien de temps il est là.

– Et si je le faisais descendre?, demanda l'hommanimal. On pourrait lui poser quelques questions! Il n'a vraiment pas l'air très en forme et je me sens d'attaque pour me dégourdir les griffes.

– Je croyais que tu hibernais en hiver!, s'exclama Amos en taquinant son ami. Ce ne sera pas un trop gros effort pour toi?

– Je dormirai une semaine pour me remettre sur pied s'il le faut!, répondit Béorf avec un air complice.

– Dans ce cas, très bien!, dit Amos en se frottant les mains. Il est temps d'en apprendre un peu plus sur toute cette histoire. Prends cette corde Béorf et prépare-toi à l'immobiliser à son atterrissage. Je vais le faire tomber comme un fruit mûr…

Les garçons s'avancèrent en silence et prirent position tout près du grand arbre où sommeillait le gobelin. Amos se concentra et leva la main vers la cime du pin gris. Doucement, un léger vent commença à souffler sur le bonnet de la créature. Le couvre-chef rouge glissa de sa tête et tomba vers le sol. À ce moment, réveillé par la perte de son bonnet, le gobelin eut le réflexe de se pencher pour essayer de le saisir au vol. Voyant son ennemi en déséquilibre, Amos claqua des doigts et fit s'enflammer le fond de culotte du gobelin. Celui-ci, surpris par la soudaine chaleur et oubliant la précarité de sa position, bondit spontanément de la branche. Incapable de se rattraper, il s'écrasa de tout son long, une quinzaine de mètres plus bas. Lors de sa chute, le bonnet-rouge poussa un cri retentissant et se fracassa le nez et les dents sur une grosse racine.

Béorf intervint alors rapidement. En quelques secondes, il le désarma et le ligota solidement contre l'arbre. Étourdi par sa vilaine culbute, le gobelin fut incapable de se défendre. Béorf sortit ses puissantes griffes et les appliqua sur la gorge de son prisonnier. Il lui dit, d'un ton menaçant :

– Maintenant, nous allons te poser des questions et tu vas répondre sinon… sinon, je me fâche !

– Aglack koi galok koi giss kuit !, s'exclama le gobelin paniqué.

– Je pense qu'il ne parle pas notre langue !, constata Béorf un peu dépité.

– J'ai ce qu'il nous faut, dit Amos en se dirigeant vers le mulet. J'ai ici un cadeau de Gwenfadrille qui nous sera très utile.

Le jeune porteur de masques prit le coffre enfermant les quatre oreilles d'elfe en cristal et les montra à Béorf. Il lui expliqua comment s'en servir et les deux garçons se retrouvèrent avec chacun deux oreilles pointues. Lorsque le bonnet-rouge les vit, il s'exclama :

– Des elfes! Pas de mal à moi! Prier à toi et à toi de pas mal à moi! Pour rien dans l'histoire à moi…

– J'ai questions à toi…, dit Amos qui parlait maintenant le gobelin. Répondre à moi ce que sait de toi.

– Tout dire à toi de moi si de toi ne pas avoir de mal à moi!, lança nerveusement le captif.

– Pas mal à toi de moi! À moi jure à toi!, confirma Amos.

– Mais moi mal à toi si toi cacher à moi vérité de toi, grogna Béorf en montrant ses canines d'ours.

– Premier, explique à moi forêt morts de frères à toi et toi dans arbre?, questionna Amos.

– Canins nuits attaque à nous… partout canins, protéger à moi, grimper à moi dans arbre!, expliqua le bonnet-rouge.

– Comprendre à toi?, demanda Béorf à Amos.

– Retire oreilles à toi!, répondit le garçon.

Les deux enfants retirèrent les oreilles de cristal. Ils entendirent le gobelin demander :

– Gilka koi, puili kuit?

– Un instant!, répondit Amos en faisant un signe au prisonnier. Tu as entendu Béorf? Il parle de chiens noirs.

– Oui, j'ai bien compris, confirma le gros garçon. Cette langue est vraiment étrange… canins nuits veut dire chiens noirs!

– Je pense comprendre ce qu'il veut dire, dit Amos en se dirigeant vers le mulet.

Amos sortit des affaires de voyage le livre *Al-Qatrum, les territoires de l'ombre*. Le garçon tourna rapidement les pages et tomba sur une description sommaire de ces chiens noirs. Il était écrit que ces bêtes, communément appelées les molosses hurlants, vivaient toujours en meute. De la taille d'un veau, ces grands chiens étaient recouverts d'un pelage noir et semblaient facilement reconnaissables à leurs grands yeux flamboyants. Selon le bouquin, les molosses seraient des gardiens de trésors ou des protecteurs de lieux sacrés.

— Tu vois Béorf, dit Amos en terminant sa lecture à voix haute, il y a dans cette forêt un lieu que ces chiens gardent jalousement. Les bonnets-rouges ont dû, sans le savoir, s'en approcher un peu trop. Plusieurs gobelins auront payé de leur vie le prix de cette erreur.

— Ils étaient des milliers de gobelins lors de l'attaque de Berrion!, s'exclama Béorf. Quelques dizaines de moins, c'est une très bonne nouvelle et j'espère que ces molosses les mangeront tous avant qu'ils ne sortent des bois!

— Le seul problème, continua Amos, c'est qu'ils pourraient aussi nous attaquer n'importe quand!

— KAQUIK MULF! KAQUIK MULF!, hurla soudainement le bonnet-rouge.

Les enfants replacèrent à nouveau leurs oreilles d'elfe.

— Panique à toi, explique à moi…, demanda le jeune porteur de masques.

— Canins nuit, Canins nuit autour à nous, courir à nous! Courir à nous!, expliqua le gobelin.

Béorf jeta un rapide coup d'œil autour de lui. Plus loin, des ombres circulaient derrière les arbres en ceinturant leur petit groupe. Amos libéra le bonnet-rouge et lui dit :

— Pars à toi, libre à toi !

— NON À TOI !, cria le prisonnier. Elfe à toi, promis à moi pas mal à moi aller à toi suivre à toi pour protéger à moi !

— Problèmes à nous !, grogna Béorf.

— Courir à nous !, lança Amos un peu paniqué.

Saisissant le mulet par la bride, Amos et Béorf commencèrent à courir dans la forêt. Le gobelin, aussi terrorisé, les suivait pas à pas. À cause de la gelée, le sol était toujours aussi glissant et les ombres se rapprochaient rapidement derrière eux. En jetant un coup d'œil par-dessus son épaule, Amos vit trois énormes molosses hurlants au regard perçant devancer la meute.

— Il faut aller plus vite, laissons là le mulet !, proposa Béorf.

— Tu as raison, haleta Amos, selon le livre ces créatures sont des gardiens ! Comme le mulet ne représente aucun danger pour leur trésor, les chiens le laisseront sûrement en paix. Enfin, j'espère…

— Et qu'est-ce qu'on fait du gobelin ?, demanda le gros garçon essoufflé.

— S'il nous suit, il aura une chance de s'en sortir, répliqua le jeune porteur de masques, sinon, tant pis pour lui !

Amos saisit une couverture dans les affaires de voyage, lâcha la bride du mulet et accéléra sa course. Béorf s'était déjà transformé en ours et courait à pleine vitesse. Les deux garçons débouchèrent presque en même temps sur un grand lac gelé. On aurait dit un gigantesque miroir posé à plat. Derrière eux, les molosses se rapprochaient rapidement. Utilisant ses griffes pour éviter de glisser, le jeune hommanimal cavalait déjà sur le lac. Amos saisit les quatre coins de la couverture, deux dans chaque main. Grâce à ses pouvoirs, il fit s'engouffrer le vent dans cette voile de fortune. Le garçon décolla d'un coup et faillit tomber. Il se redressa heureusement à temps. Le jeune porteur de masques glissait maintenant à vive allure sur le lac. Les deux pieds sur la glace, le garçon utilisait sa magie pour faire chauffer les semelles de ses bottes. En réduisant ainsi la friction de ses pieds sur la glace, il doubla sa vitesse. En deux temps, trois mouvements, Amos avait rattrapé Béorf.

– Regarde là-bas!, cria Amos à son ami en le doublant. Il y a une maison à l'autre bout du lac! Allons nous y abriter...

– Les molosses... ils... je les sens... ils me rattrapent!, lui répondit l'ours dans un grognement essoufflé.

– Agrippe-toi à moi, Béorf!, lança le garçon en ralentissant. Ma ceinture!

L'hommanimal ouvrit la gueule et saisit la ceinture d'Amos. Le jeune porteur de masques, voyant venir la meute non loin derrière lui, redoubla sa concentration. De fortes bourrasques, constantes et puissantes, s'engouffrèrent dans la voile en tirant aisément Amos et le gros garçon.

Tout à coup, Béorf sentit quelque chose agripper sa patte arrière. En y jetant un coup d'œil, il vit que le gobelin profitait lui aussi du transport. Vue de loin, la scène avait quelque chose de très hétéroclite. Un jeune garçon glissait à grande vitesse sur un lac en s'accrochant à une couverture lui servant de voile. Celle-ci, gonflée par un vent bizarre qui ne soufflait nulle part ailleurs, avait aussi à sa remorque un ours blond sur quatre pattes et un gobelin à plat ventre qui se cramponnait de peine et de misère à l'animal. Toute la troupe gagnait maintenant de plus en plus de vitesse.

Tout comme à Berrion, le garçon avait encore une fois perdu le contrôle de sa magie. Dominées par sa peur des molosses, ses émotions avaient pris le dessus sur sa raison. Les bourrasques se transformèrent en vents violents. Les semelles d'Amos étaient maintenant si chaudes que le jeune porteur de masques glissait sur le lac en laissant derrière lui deux traces d'eau bouillante. Un nuage de vapeur s'échappait de ses pieds. Encore une fois, la magie des éléments allait encore tout ravager.

Conscient de ce nouveau danger, Béorf décida que la balade avait assez duré. L'ours fit volontairement trébucher Amos qui aussitôt s'affala de tout son long sur la glace. Déconcentré par sa chute, le garçon perdit sa concentration et le vent cassa net. Il était moins une !

Entraînés par leur élan, Amos, Béorf et le gobelin allèrent tous terminer la randonnée sur les rives du lac, tête première dans la neige. Le petit groupe était à quelques pas de la maison qu'Amos avait aperçue un peu plus tôt et ils allaient pouvoir vite se protéger des molosses.

La maison était en réalité un petit temple. Une fois à l'intérieur, Béorf barricada la porte et reprit sa forme humaine. Le gobelin, spectateur de cette transformation, n'en croyait pas ses yeux. Il n'avait jamais vu de béorites et cette métamorphose le paralysa. Il était assis par terre, bouche bée, et observait le gros garçon aux oreilles pointues avec de grands yeux incrédules. Il osa demander:

— Ours à toi ou homme à toi?

— Ta gueule à toi!, répondit Béorf d'un air méchant. Tranquille à toi ou sinon à moi dévore à toi!

Les molosses hurlants entouraient maintenant le petit temple. Par la fenêtre, Amos surveillait les déplacements des bêtes. Les gros chiens noirs avaient l'air calmes. Le garçon appela Béorf et lui dit:

— Regarde comme ils ont l'air nerveux... selon moi, nous sommes précisément dans le lieu qu'ils devaient protéger.

— Toi dire à moi, trésor à nous ici?, lança Béorf. Euh... pardon! Depuis que nous avons ces oreilles d'elfe, je ne sais plus quelle langue je parle! Ce que je disais c'est que...

— Oui, j'ai compris!, répliqua Amos en riant. Moi aussi, j'ai toujours mes oreilles de cristal. Tu as raison, il y a sûrement un trésor ici. Seulement, les molosses ne nous laisseront pas l'emporter si facilement.

– Parlez à vous, langue à elfe?, demanda le gobelin intrigué. Trésor à nous ici? Compris à moi que…

– Moi mettre à toi dehors, canins nuits aimer à toi, canins nuit besoin dîner!, s'exclama Béorf en se retournant vers le bonnet-rouge.

Soudainement, tout près de l'autel du temple, un cierge s'alluma de lui-même. Amos murmura alors à son ami :

– Ce n'est pas moi qui ai fait cela! Prépare-toi, il va peut-être y avoir de l'action!

Puis doucement, dans l'embrasure de la porte d'une annexe située derrière l'autel, apparut un druide. Vision d'horreur, cet homme n'avait pas de tête. Celle-ci était remplacée par un crâne lisse et blanc. Un calice d'or à la main, il vint se placer près du cierge. Cet être mi-homme, mi-squelette, habillé de vêtements de cérémonials, prononça d'une voix calme et lugubre :

– Par Manannan Mac Lir, fils légitime de Lir, époux de Fand, rendons gloire ou mourons!

– Qu'est-ce qui se passe?, demanda Béorf anxieux.

– Je ne sais pas!, répondit Amos en haussant les épaules.

– Par Manannan Mac Lir, fils légitime de Lir, époux de Fand, rendons gloire ou mourons!, répéta le druide.

– Voilà! Je crois savoir ce qu'il veut!, s'exclama Amos en regardant partout autour de lui.

– Explique-moi!, demanda Béorf avec insistance.

– Par Manannan Mac Lir, fils légitime de Lir, époux de Fand, rendons gloire ou mourons !

– Tu vas voir…, répondit Amos.

Le garçon se dirigea vers l'autel. Juste à côté du monstrueux druide, il y avait un gros livre posé sur un piédestal. Le garçon l'ouvrit et y jeta un rapide coup d'œil. Grâce à la magie de ses oreilles d'elfe, il put aisément y déchiffrer les inscriptions.

– Par Manannan Mac Lir, fils légitime de Lir, époux de Fand, rendons gloire ou mourons !, reprit encore une fois le druide.

– Mourons la tête haute au combat ! Mourons comme nous avons vécu… sans peur et sans modestie !, répondit Amos.

– Que l'eau nous porte !, chanta soudainement le druide.

– Que le vent nous mène !, répliqua Amos, le regard fixé au livre pour suivre cette étrange cérémonie.

– Que le sang coule dans mes veines…, poursuivit le druide.

– Que le sang de mes ennemis coule aussi…, ajouta le garçon.

Les deux voix alternèrent longtemps. « Manannan Mac Lir ! », disait souvent le druide en tournant vers le ciel sa bouche sans lèvres et ses orbites sans yeux. « Grand Dieu entre les dieux ! », répondait Amos avec une voix tremblante d'émotion.

Et la cérémonie continua ainsi pendant près d'une heure.

Au moment de la bénédiction des disciples de Manannan Mac Lir, le monstre se retourna vers Amos; la tête de mort avait disparu pour faire place à une figure vaguement lumineuse et empreinte d'une ineffable expression de sérénité. L'homme avait une grande barbe d'algues marines et d'anémones multicolores. Il parla :

– J'étais condamné à venir ici tous les jours, jusqu'à ce qu'il se trouve une âme charitable pour m'aider à dire une cérémonie négligée par mon avarice, ma cupidité et ma convoitise. Plusieurs sont entrés dans ce temple pour ma fortune et ont connu la mort par les morsures des molosses hurlants. Prends la cassette d'or qui se trouve sous l'autel. C'est ma richesse que je t'offre afin que tu poursuives ton voyage vers le nord. J'attends qu'on me libère depuis deux cents ans. J'ai payé ma dette envers Mananna Mac Lir, mon dieu. Je pars vers lui et je t'obtiendrai ses faveurs.

Cette dernière phrase prononcée, le druide s'évapora. Les deux garçons regardèrent sous l'autel et aperçurent le coffret qu'ils ouvrirent facilement. Il était rempli de saphirs bleus. Il y en avait des centaines. Béorf sourit :

– Je pense que nous sommes riches, Amos !

– Je le crois aussi !, répondit le porteur de masques. Nous n'aurons plus de problèmes d'argent pour longtemps !

Comme Amos se retournait vers Béorf, ce dernier s'effondra lourdement sur le sol. Le gobelin venait d'assommer l'hommanimal d'un coup de bâton. Excité par les saphirs, le bonnet-rouge avait les yeux exorbités et bavait comme un chien affamé. Avant même que le jeune porteur de masques puisse utiliser ses pouvoirs, il reçut lui aussi le bâton de son adversaire sur la tête et tomba dans les pommes. Il eut le temps de l'entendre s'exclamer :

– RICHESSES À MOI ! Richesses à moi... riche...

Chapitre 6

Le maître

Amos ouvrit les yeux avec un terrible mal de tête. Il avait la lèvre inférieure fendue et une grosse ecchymose sur le front. Béorf revenait aussi lentement à lui. Le jeune porteur de masques se releva :

– Je pense qu'on s'est bien fait avoir !

– Outch !, s'exclama Béorf en s'assoyant. Si je retrouve ce maudit gobelin, je lui crève les yeux !

– Allons, il faut nous mettre à ses trousses pour récupérer notre cassette, suggéra Amos encore étourdi. Nous devons le rattraper…

– Oui… tu as raison, confirma l'hommanimal. Sortons vite d'ici !

Les deux garçons se levèrent et sortirent rapidement du petit temple. Quelle ne fût pas leur surprise de voir toute la meute des molosses hurlants, toujours devant la porte ! Ils auraient dû, eux aussi, se lancer à la poursuite du gobelin ! Les enfants figèrent, puis esquissèrent un léger mouvement de recul. Devant eux, il y avait près d'une centaine de gros chiens noirs. Curieusement, les bêtes semblaient très calmes. Parmi les chiens noirs, l'insouciant mulet gambadait. Le plus gros des molosses s'approcha lentement d'Amos. La queue entre les jambes et la tête basse, il frôla de son museau la main du garçon. Ce chien quémandait une caresse! Béorf explosa d'un rire libérateur.

Toute la meute s'approcha alors joyeusement des garçons. Comme Amos allait se pencher pour caresser à tour de rôle ses nouveaux amis, une forte lumière blanche déchira le ciel. Tous les animaux disparurent d'un coup et le jeune porteur de masques se retrouva avec un collier entre les mains. Entièrement fait de bois, il était composé de maillons de noyer. Une centaine de crocs de chien, finement décorés d'argent, étaient attachés tout autour. Surpris, Amos regarda Béorf:

– Nous avons maintenant une armée de cent molosses à notre disposition. Je n'aurai probablement qu'à lancer une de ces dents par terre pour qu'elle se transforme en gros chien noir! Je l'ai lu dans *Al-Qatrum, les territoires de l'ombre*.

– Eh bien!, s'exclama le gros garçon en saisissant le mulet par la bride. Tu es la première personne que je connaisse qui portera une armée autour de son cou! Dépêchons-nous de rattraper ce maudit gobelin!

Les garçons se lancèrent à la poursuite du voleur. Le bonnet-rouge n'avait même pas essayé de brouiller ses pistes. Pendant des heures, ils traversèrent la forêt et discutèrent des fréquentes pertes de contrôle d'Amos sur sa magie. Le jeune porteur de masques ne comprenait pas ce qui lui arrivait. Jamais ses pouvoirs n'avaient été aussi grands et aussi destructeurs. Ses émotions venaient presque à tous coups amplifier, de façon désastreuse, le moindre de ses sorts. Était-ce une conséquence de sa longue maladie? Comment rétablir la situation? Ces questions demeuraient sans réponses.

La nuit allait bientôt tomber lorsqu'ils virent, au loin, une lueur familière. En s'approchant, les deux garçons aperçurent leur voleur assis dans une minuscule clairière. Il avait la cassette posée sur les genoux, il se réchauffait les mains devant un feu de camp. Amos remarqua tout de suite les gestes très théâtraux du gobelin. La créature regardait furtivement, de chaque côté d'elle, en jouant la comédie. De toute évidence, ce gobelin n'avait pas aussi froid qu'il le laissait croire. Manifestement, il attendait l'arrivée des garçons. Dans la lumière mourante de cette fin de journée, le jeune porteur de masques remarqua que la neige avait été balayée dans la clairière. De toute évidence, on avait effacé des pistes, probablement des centaines de traces de pas. Le bonnet-rouge leur tendait un piège. Toute cette mise en scène était un guet-apens!

Béorf, inconscient du danger, se transforma en ours et courut en grognant vers le gobelin. Amos voulut l'arrêter, mais il était trop tard. L'homma-nimal fonça directement dans le piège. À peine eut-il marché quelques pas dans la petite clairière que des dizaines de bonnets-rouges bondirent des arbres et se jetèrent sur lui. En quelques secondes, l'ours était immobilisé au sol, les pattes ligotées et prêt à être transpercé de plusieurs lames de hallebarde. Des cris de joie et des hurlements de guerre célébrèrent la capture de Béorf. Le voleur de saphirs fit rapidement taire ses compatriotes.

– Montrer à toi à nous, elfe Amos!, cria-t-il vers la forêt. Montrer à toi à nous sinon tuer à lui!

Des vociférations belliqueuses s'élevèrent du groupe de gobelins. Caché derrière un arbre, Amos tâta nerveusement son nouveau collier. Une armée de molosses hurlants viendrait facilement à bout de ces bonnets-rouges, mais les créatures auraient le temps de tuer Béorf. Que faire? Utiliser encore une fois ses pouvoirs sur les éléments au risque de tout détruire? Se livrer et faire face à la mort? Rester caché à l'abri et attendre la suite des événements? Non, il fallait sauver Béorf, mais comment?

– MONTRER À TOI!, hurla le bonnet-rouge furieux en pointant la lame d'une hallebarde sur la gorge de l'ours. SI JOUER À NOUS MAUVAIS TOUR À TOI, À MOI TUER À LUI! MONTRER À TOI À NOUS DE SUITE!

Amos se gratta la tête. Lui, qui d'habitude avait les idées claires et savait toujours comment réagir pour se sortir des pires pétrins, était maintenant terrifié. Il ne savait plus que faire et étrangement son corps commençait à le brûler. Toute la neige autour de lui était maintenant fondue. Par terre, juste devant lui, s'animaient de petites flammes qui dansaient en chuchotant:

– Choisissez-nous, Maître, nous sommes un bon peuple! Un bon peuple! Très bon peuple! Nous n'avons pas de dieu et nous méritons un guide tel que vous. Un bon peuple!

Le jeune porteur de masques allait perdre encore une fois le contrôle de sa magie! Comme à Berrion, il se transformerait en torche humaine! Bientôt, toute cette partie de la forêt allait spontanément s'enflammer et une tornade gigantesque détruirait ses ennemis. La haine avait maintenant remplacé la peur. Il pensait au meurtre de son père, à l'enlèvement de sa mère. Et toujours ces flammes, comme de petits bonshommes qui dansaient devant ses yeux en murmurant :

– Choisissez-nous, Maître, nous sommes un bon peuple! Un bon peuple! Très bon peuple!

– MONTRER À TOI À NOUS !, hurla encore une fois le gobelin en levant sa hallebarde. TRANCHER TÊTE À LUI! TRANCHER TÊTE À LUI!

– Un bon peuple! Très bon peuple! Un bon peuple!, chantaient les flammes comme un rituel.

– MORT À LUI!, cria le bonnet-rouge enragé.

– MORT À LUI!, reprirent en chœur ses horribles compagnons.

Puis, dans l'excitation générale, un cri perçant retentit de la forêt. Les bonnets-rouges, glacés d'effroi, s'immobilisèrent quelques secondes. Amos qui avait repris ses esprits leva la tête pour voir d'où provenait ce haro guerrier. Entre les arbres, dans une aura de lumière blanche, jaillit la plus étrange des apparitions.

Un vieillard, habillé de larges vêtements orange, portant un bonnet de laine blanc et un sac de voyage en bandoulière, déboucha dans la clairière. Il était debout sur le dos d'une... d'une licorne ! Entre ses mains, il faisait rouler très habilement une grande lance de bois à la pointe vrillée. Sa longue barbe tressée, longue de deux mètres, flottait au vent. Une boule de fonte ornait le bout de la natte.

Galopant à toute allure, la licorne fonça sur le groupe de gobelins. Avec sa corne, elle en embrocha deux au passage qu'elle expulsa aussitôt d'un léger coup de tête. Le vieillard, toujours debout sur l'animal, faisait maintenant tourner sa natte en forme d'un huit comme s'il s'agissait d'un lasso. La boule de fonte, fixée au bout de la tresse, élimina une douzaine de bonnets-rouges en leur fracassant un bras, une épaule, le thorax ou encore, en leur défonçant la tête. Dans un mouvement aussi gracieux que périlleux, le vieil homme sauta de la licorne en exécutant deux vrilles arrière et retomba sur ses pieds au centre de l'attroupement de gobelins. En trois mouvements de lance, il tua cinq bonnets-rouges. Les créatures enragées commencèrent à se défendre plus sérieusement. Maniant son arme avec une dextérité hors du commun, le vieillard évitait tous les coups et chacun des siens blessait mortellement. L'homme semblait connaître par cœur les points faibles de ses adversaires et frappait tantôt au cou, tantôt au ventre ou aux jambes. Des bruits d'os cassés, des exclamations de douleur et un vacarme de plaintes arrivèrent aux oreilles d'Amos. Les gobelins qui essayaient de fuir se voyaient immédiatement embrochés par la licorne. Le magnifique cheval blanc courait autour de la petite clairière en empêchant quiconque de fuir. En trois minutes, tout était fini.

Le voleur de saphirs fut le dernier des gobelins debout. Il recula de quelques pas devant le vieillard et balbutia une série d'excuses incompréhensibles. L'homme le regarda dans les yeux et sourit (tendrement), puis il poussa un cri strident si intense que le bonnet-rouge perdit pied et tomba par terre. Comme une flèche qu'on décoche, l'intensité du son transperça le cœur de la créature.

Le vieil homme replaça légèrement ses habits orangés. Ses vêtements étaient impeccables. Malgré le combat, il n'y avait pas une tache et pas un fil de tiré. Il dit, en regardant au sol sa dernière victime :

– Celui qui fait l'âne ne doit pas s'étonner qu'on lui monte dessus !

Le vieillard alla ensuite caresser la licorne et lui murmura quelques mots à l'oreille. L'animal rendit la caresse et disparut en trottinant dans la forêt. Amos s'approcha lentement de la petite clairière. Tous les corps des gobelins gisaient par terre, inanimés. Il y en avait peut-être une centaine.

Le vieil homme libéra Béorf et tout en faisant signe à Amos d'approcher, lui dit :

– En général, les gens intelligents n'ont pas de courage et les courageux ne sont pas très intelligents ! Et bien, vous êtes plus courageux qu'intelligent, Monsieur Bromanson. Votre position ici me le prouve bien… et vous, Monsieur Daragon, vous êtes assez intelligent pour voir le guet-apens, mais pas assez courageux pour sauver votre ami ? Ce n'est pas bien… Par contre, vous avez tous les deux de très belles oreilles. C'est très bon signe, car on dit chez moi que l'homme qui n'a pas d'oreilles pour écouter, n'a pas de tête pour se gouverner !

– Qui êtes-vous ? Et que voulez-vous ?, demanda impoliment Béorf redevenu humain.

– Qui a honte de poser des questions a honte d'apprendre !, s'exclama le vieil homme en enroulant sa barbe comme un foulard. C'est très bien, Monsieur Bromanson ! C'est très très bien !

– Oui, dit Amos songeur. Et ce ne sont pas toutes les questions qui méritent d'être posées, n'est-ce pas ?

– MERVEILLEUX !, lança fièrement le vieillard. Vous êtes comme je l'imaginais, Monsieur Daragon. Vif d'esprit ! Allumé ! Nous allons bien nous plaire tous les trois, nous nous amuserons ensemble, oh oui, nous allons bien nous plaire !

– NOUS TROIS, ENSEMBLE !, reprirent simultanément les garçons surpris de la nouvelle.

– Oui !, affirma le vieux guerrier. À partir de maintenant, je suis votre maître… plutôt votre guide ! Quelqu'un veut du thé ?

Chapitre 7

Les premières leçons

Le vieillard sortit de son sac une petite théière, y versa de l'eau et la mit à chauffer sur le feu. Ensuite, il demanda aux enfants de l'aider à nettoyer la clairière des corps de gobelins. La nuit était tombée et bientôt, ils se retrouvèrent tous les trois autour du feu de camp à boire un thé très parfumé. Le vieil homme partagea en trois morceaux un quignon de pain et dit :

– J'ai une histoire à vous raconter. Cela expliquera mieux ma présence à vos côtés. Voilà, un jour qu'il revenait d'une longue marche j'ai demandé à mon maître ce qu'était le savoir. Il avait un grand bâton et m'a répondu que le savoir était exactement comme sa perche. Mon maître l'avait trouvé par hasard, l'avait taillé et poli de ses mains. Aujourd'hui, il s'en servait tous les jours. Il s'y appuyait pour l'aider à marcher, pour l'aider à avancer. Ma fonction auprès de vous sera simple, je serai votre appui, votre bâton.

– Oui, mais…, demanda Amos, en retirant son chapeau de fourrure. Pourquoi nous ? Pourquoi ici ? D'où venez-vous ? Et qui êtes-vous réellement ? Comment se fait-il que…

– Tant de questions et si peu de thé !, interrompit le vieil homme. Commençons par le début. Je me nomme Sartigan et j'ai grandi dans les lointaines contrées de Chû, à l'extrême est du continent. Très jeune, ma famille m'a confié aux bons soins d'un temple dédié au dieu Liu. J'y ai vécu en paix une enfance difficile, mais très enrichissante. Je suis devenu un très grand combattant, respecté et aimé de tous. Je suis, comme on m'appelle chez moi, un guerrier du feu.

– Qu'est-ce qu'un guerrier du feu ?, demanda Béorf, en lorgnant le bout de pain que Sartigan n'avait pas encore entamé.

– Un guerrier du feu est un chasseur de dragon, répondit le vieil homme.

– Mais, les dragons sont disparus depuis des milliers d'années !, s'exclama Amos. Vous n'avez certainement pas mille ans !

– Oh que si !, s'exclama Sartigan. Et je fus presque tué par une de ces terribles créatures. Je combattais avec mon armée dans le nord du continent et accidentellement, au cours de la bataille, je suis tombé dans l'eau glacée. Le dieu Liu a protégé mon âme alors que mon corps demeurait prisonnier des glaces pendant plusieurs centaines d'années. Lorsque j'ai rouvert les yeux, j'étais dans mon pays, sur une plage déserte, il y a de cela presque treize ans. C'était précisément le jour de ta naissance, Amos. Je suis revenu à la vie pour devenir ton maître, pour te servir de guide. Liu m'a donné cette mission. J'ai pris la route et me voici maintenant auprès de toi. Pendant douze ans, j'ai marché vers le premier de la nouvelle génération des porteurs de masques. Ce fut… une longue route !

– Dans votre temps, étiez-vous un porteur de masques aussi ?, questionna Amos très ému.

– Oh non !, rigola Sartigan. Je n'ai pas eu cette chance ! Par contre, j'ai vu une fois, une seule fois un porteur de masques à l'œuvre. Notre armée lui a demandé de nous aider à combattre un dragon. La bête était cachée dans une caverne de la montagne. Eh bien, tu sais ce que le porteur de masques a fait ? Il a fermé ses yeux très calmement et dans un terrible tremblement de terre, la montagne s'est transformée en volcan. Plus tard, nous avons retrouvé les ossements du dragon dans la lave refroidie. C'était un des plus grands porteurs de masques que le monde ait connus. Comme toi, c'était un elfe et il s'appelait Arkillon.

– C'est bizarre, mais ce nom me dit quelque chose…, murmura Amos.

– Peut-être l'auras-tu entendu dans de vieilles chansons !, dit Sartigan. C'était un ancien voleur repenti. Les légendes racontent qu'il aurait subi une grave malédiction et qu'il vivrait prisonnier du monde des morts.

– Maître Sartigan, je peux avoir votre bout pain ?, se décida à demander Béorf en salivant. Comme vous ne le mangez pas, je me disais… que… peut-être… enfin, si vous me le donnez, je vous confierai un secret !

– Très bien, dit le maître en lui tendant sa ration. Quel est ce secret que je paie si chèrement?

– Et bien, Amos et moi ne sommes pas des elfes!, lança Béorf en croquant le pain. Explique-lui Amos, c'est impoli de parler la bouche pleine et comme je mange…

Amos retira ses oreilles de cristal. À sa grande surprise, il constata que Sartigan ne parlait pas la même langue que lui. Le maître s'étonna aussi de ne plus comprendre un seul mot de son nouvel élève. Seul Béorf comprenait tout, mais il était trop occupé à avaler sa dernière bouchée de pain pour s'interposer. Sartigan examina les oreilles de cristal d'Amos et lui demanda, par signe, la permission de les essayer. À son grand étonnement, ses propres oreilles devinrent pointues.

– Maintenant, c'est vous qui parlerez ma langue, dit Amos en souriant.

– Si j'avais eu ces choses dans le temps…, s'étonna le maître songeur.

– En fait, ce sont les fées du bois de Tarkasis qui nous en ont fait cadeau…, continua le garçon.

– Oui… oui… j'ai rencontré ces fées!, l'interrompit Sartigan. Je les ai croisées tout près de Berrion… enfin, tout près des restes de Berrion devrais-je plutôt dire! Elles se demandaient, les petites fées, pourquoi un chasseur de dragon portait une couleur aussi voyante! J'ai bien rigolé!

– Et pourquoi donc?, demanda Béorf en jetant un coup d'œil furtif dans le sac du maître pour voir s'il restait du pain.

– Allons donc!, lança Sartigan très déçu. Vous ne saviez pas que les dragons ne peuvent voir l'orangé? Je suppose que vous ignorez également que la pointe vrillée de la grande lance est faite d'une corne de licorne?

– Non, dit Amos en haussant les épaules.

– C'est la seule arme capable de traverser les épaisses écailles du dragon!, s'exclama Sartigan. Pas une lame ou une pointe de flèche n'arrive à blesser un Ancien, mais l'ivoire de la licorne passe à travers tout.

– Mais comment vous procurez-vous ces cornes?, demanda Béorf en cherchant dans son propre sac un bout de quelque chose à grignoter.

– Mais vous ne savez donc rien?, s'étonna le maître. Il était temps que j'arrive dans vos vies! Bon, parlons de la licorne. Ces bêtes magnifiques habitent les grandes forêts partout à travers le monde. Invisibles pour les yeux des mortels, elles se laissent pourtant voir des gens bons et généreux et parfois même, elles leur servent de monture. Ce grand cheval blanc est d'une force et d'une vitesse surprenantes. Toute sa fougue repose dans sa corne et au moment de mourir, il arrive qu'elles l'offrent à un mortel. Voilà pourquoi j'ai cette arme… j'ai déjà eu une grande amie licorne.

Le maître resta silencieux quelques secondes, plongé dans ses pensées, puis continua :

– En m'offrant cette magnifique défense, elle a fait de moi un ami de sa race et c'est pourquoi les licornes viennent toujours me saluer dès qu'elles me voient. Ces bêtes sont des alliées sur qui je peux compter. Rappelez-vous toujours qu'une corne offerte par une licorne garde en elle toute sa magie, mais qu'une corne volée ne vaut plus rien.

— Il y a des gens qui chassent les licornes?, questionna Amos.

— Oui, répondit Sartigan, il y a beaucoup de chasseurs et de braconniers. Ceux-ci tuent impunément ces magnifiques chevaux pour voler leur défense. Ils restent indifférents aux paroles des sages et des magiciens qui leur disent que cela ne sert à rien. Tout ce qu'ils veulent, c'est le pouvoir de la corne!

— Mais si les licornes sont invisibles… comment font-ils… les chasseurs… pour les capturer?, demanda Béorf en mastiquant un bout de cuir pour lui couper la faim.

— Bonne question, Monsieur Bromanson, complimenta le maître. Les licornes ont plusieurs faiblesses. La première est qu'elles sont hypnotisées par leur propre reflet. Face à un miroir, elles perdent tous leurs moyens, mais surtout, leur invisibilité. Les chasseurs fabriquent des pièges à l'aide de miroirs qu'ils dispersent dans les forêts. Sa deuxième plus grande faiblesse est sa sensibilité aux charmes des jeunes filles pubères. Les licornes recherchent leurs douces caresses. C'est probablement à cause de la pureté de leur âme. Une des techniques de chasse consiste à amener une fillette avec soi dans les bois. Celle-ci a pour mission d'attirer l'animal hors de sa cachette. Ensuite, elle doit l'encourager à se coucher docilement sur le sol et à poser la tête sur ses genoux afin de recevoir de tendres caresses. Ainsi exposée, la licorne se fait souvent tuer sans pouvoir réagir ! La bête a aussi une troisième faiblesse. Au combat, sachant que sa corne peut aisément transpercer une armure, l'animal charge tête première. Une vieille ruse de chasseur consiste à se placer devant un arbre et à faire un pas de côté au dernier moment. La corne traverse alors le tronc et la bête, prisonnière de l'arbre, est ainsi vulnérable !

— Mais, expliquez-moi une chose…, demanda Amos.

— Terminé !, l'interrompit Sartigan. Nous avons assez parlé…

— Et pas assez mangé…, continua Béorf en maugréant.

— Dormons un peu, suggéra le vieillard. Ces quelques bonnets-rouges que j'ai éliminés sont une infime partie de l'armée qui voyage présentement en ces terres. Nous avons encore beaucoup de chemin à faire pour retrouver votre mère, Monsieur Daragon !

— Mais comment savez-vous que…, commença à dire Amos.

— Je sais beaucoup de choses, mais je suis fatigué, interrompit encore une fois le maître.

— Nous devrions établir des tours de garde, suggéra Béorf.

— Ne vous en faites pas…, reprit Sartigan, j'ai une amie qui veille ! Tenez Amos… je vous rends vos oreilles de cristal. Surtout, cachez-les bien lorsque nous sortirons de cette forêt. J'ai entendu dire que les elfes n'ont pas toujours bonne réputation parmi les peuplades du Nord! Bonne nuit! Ah oui... j'oubliais! Jusqu'à nouvel ordre, je vous interdis formellement d'utiliser vos pouvoirs de porteur de masques, Monsieur Daragon! C'est un ORDRE! Souvenez-vous-en...

Amos tourna la tête et vit l'ombre d'une licorne manger quelques branches d'un grand pin.

– Une autre chose avant de dormir!, dit promptement le vieillard. Je connais bien la race des béorites, Monsieur Bromanson. Plus vous mangerez, plus vous dormirez! Votre race, jeune homme, peut choisir d'hiberner ou non. Comme je vous désire alerte et bien réveillé pour notre voyage, à partir de maintenant, vous êtes au régime, Monsieur Bromanson!

– QUOI!, hurla Béorf en état de panique. Vous... vous... vous voulez ma mort? C'est ça? Je ne peux pas faire de régime... c'est contre... contre ma nature... je...

– Taisez-vous et bonne nuit!, conclut le maître.

– Je déteste ce vieux!, marmonna Béorf entre ses dents.

– PARDON?, demanda Sartigan en se redressant.

– JE DÉTESTE CE LIEU!, répliqua Béorf en se dirigeant vers le mulet pour prendre des couvertures. J'ai dit que je déteste ce lieu!

– Très bien!, s'exclama le maître en bâillant. J'avais compris autre chose...

Amos raviva le feu et les deux garçons s'installèrent pour la nuit. Sartigan, pieds nus et légèrement vêtu, s'était endormi sur le sol glacé. C'est à travers le bruissement du vent dans les arbres et les ronflements bien sonores du vieil homme que, sous un magnifique ciel étoilé, les deux garçons plongèrent dans le sommeil.

* * *

Amos vit soudainement la figure de son père apparaître devant lui. Le jeune porteur de masques était dans le lit de l'ancienne chaumière de ses parents située dans le royaume d'Omain. C'est à cet endroit qu'il avait vu le jour et qu'il avait grandi. Urban venait de le réveiller et c'est avec tendresse qu'Amos lui fit une chaleureuse étreinte.

– Écoute ce que j'ai à te raconter mon fils, commença Urban. C'est une énigme que tu devras toi-même résoudre. J'ai eu dans ma jeunesse un superbe cheval. Sa robe était claire et sans défauts, ses jambes longues et solides et c'était, sans nul doute, un des animaux les plus intelligents de sa race. Mon père voulut, avant de me l'offrir, le dresser convenablement. Il l'attacha donc à un piquet, au bout d'une très longue corde. Le jeune cheval se mit à se cabrer et à ruer avec furie. L'animal, privé de sa liberté, regimbait avec force, se rebellait contre son nouveau maître, sautait dans les airs, piétinait le sol, hennissait avec violence et cherchait à mordre quiconque s'en approchait. Mais, le piquet était bien planté et la corde, épaisse et bien tressée, ne le laissa pas s'enfuir. Sa rage doubla, quadrupla même! Rien à faire, il demeurait toujours attaché. Pendant plusieurs jours, mon cheval s'épuisa de la sorte puis, un matin, il se calma tout à fait. Alors, mon père le libéra et me l'offrit. Pendant des années, ce cheval fut mon meilleur ami. Nous allions ensemble au village, à la rivière et nous faisions des courses folles dans les champs. Il rendait des services à ma famille et demeurait constamment libre d'aller et de venir à sa guise. Comprends-tu ce que je veux te dire?

— J'en déduis que mes pouvoirs de porteur de masques, répondit Amos à son père, sont comme le cheval de ton histoire. Ils prennent peur, sautent dans tous les sens, hennissent et ragent parce que la magie se sent prisonnière de mon corps. Voilà pourquoi je perds le contrôle!

— Très bien, mon fils!, s'exclama Urban en caressant la tête d'Amos. Ton «attention» est la corde qui tiendra fermement tes pouvoirs à leur place. Le «piquet» est une image représentant le contrôle de tes émotions. Laisse tomber ta rage et ta haine, elles ne te servent à rien. Je veille sur toi et Béorf. Le vieux Sartigan est là pour t'aider à devenir meilleur, fais-lui confiance.

Chapitre 8

Le village d'Upsgran

Urban disparut et Amos se réveilla en sursaut. Sartigan avait rallumé le feu et buvait un bol de thé. Dans les premières lueurs du matin, Amos remarqua que Béorf était déjà levé. Affamé, le gros garçon marchait dans les bois à la recherche de racines comestibles et de fruits sauvages gelés.

– Votre ami est de très mauvaise humeur, dit Sartigan en riant. Il s'est levé avant moi et le pauvre garçon fouille cette forêt depuis bientôt une heure. Je crois qu'il a vraiment faim…

– Moi aussi, j'ai faim…, répliqua Amos en se réchauffant près du feu. Il nous faudrait trouver quelque chose à manger.

– Oui, c'est évident…, confirma le maître. À quelques lieux d'ici, nous rejoindrons la grande mer du Nord. Il y a un village côtier où nous pourrons nous restaurer.

– Allons-y vite, car je sens que Béorf est sur le point de dévorer un arbre !, s'exclama Amos.

– Oui, et le bois est très mauvais pour la digestion, ajouta Sartigan d'un air moqueur.

Le petit groupe chargea rapidement le mulet et prit la direction du nord. Béorf était de très mauvais poil. Le gros garçon, traînant de la patte, maugréait en avançant. La race des hommes-ours était ainsi faite, on aurait dit que leur estomac occupait la fonction d'organe émotif. Plus il était vide, plus les béorites étaient irritables.

Heureusement, le maître et ses deux nouveaux élèves arrivèrent bientôt à la grande mer du Nord, tout près du village d'Upsgran. Sur la route, ils rencontrèrent un menhir sur lequel Amos put lire ce message de bienvenue profondément gravé dans la pierre :

Village D'Upsgran – 103 âmes – Foutez-le camp !

De toute évidence, les habitants ne voulaient pas être importunés par des étrangers. Seulement, pour les voyageurs il n'y avait pas d'autres endroits où aller se restaurer. Béorf devait absolument manger et ce village était leur dernière chance de transformer la mauvaise humeur du gros garçon en un état plus positif. De toute façon, ils avaient besoin de provisions et devaient aussi acheter de nouveaux vêtements plus chauds. Même Sartigan, qui ne paraissait jamais frissonner, avait dit se sentir légèrement indisposé par le vent plus frisquet de la mer.

Upsgran était un tout petit village composé de grandes maisons de bois. Celles-ci pouvaient facilement abriter de trois à quatre familles chacune.

Faites entièrement de planches robustes, elles avaient une charpente solide rappelant celle d'un bateau renversé. Leur toit était recouvert de gazon. À travers la fine neige, il était possible de voir les brindilles d'herbe qui poussaient tout l'été sur la toiture. Ces maisons, sans fenêtres, étaient parées de sculptures en bois représentant des monstres marins et d'affreux démons.

Amos fit signe à Béorf de bien cacher ses oreilles pointues et ils s'approchèrent de l'une de ces demeures. Il trouva une fissure entre les planches et jeta un coup d'œil à l'intérieur. La lumière éclairant la résidence provenait essentiellement d'un grand trou pratiqué dans le toit. Il n'y avait qu'une seule pièce et des lits y avaient été disposés tout autour. L'endroit étant pauvrement meublé, il était facile de voir que la majorité des biens de cette famille étaient suspendus au mur ou rangés dans de gros coffres ouverts. Un immense foyer siégeait au centre de la maison. Tout près du feu, on avait placé un impressionnant métier à tisser.

Il était midi passé et le village entier semblait profondément endormi.

– Alors, dit agressivement Béorf, y a de quoi manger là-dedans?

– Oui, mais tous les habitants de cette maison dorment à poings fermés!, répondit Amos. Ils ronflent tous comme des sonneurs!

– Réveillons-les!, suggéra Béorf impatient. Nous avons de quoi payer leur dérangement!

– Regardez…, dit Amos en pointant du doigt. Il y a un petit port de pêche là-bas et je vois un établissement, on dirait une taverne. Allons voir si nous pouvons y manger et nous réchauffer !

En approchant du port, Amos fut grandement impressionné par les bateaux qui y étaient amarrés. Ils étaient longilignes, très grands et possédaient une unique voile carrée finement tressée de larges bandes blanches et bleues. Une vingtaine de rames pendaient de chaque côté des navires. Des boucliers multicolores et d'imposantes têtes de proue aux allures de monstres complétaient leur décoration. La mer n'était pas encore gelée et ces magnifiques vaisseaux se balançaient lentement en suivant la cadence des vagues.

En arrivant à la porte de la taverne, Sartigan s'arrêta :

— Il y a de l'activité à l'intérieur ! Je ne pourrai pas communiquer avec ces gens. Ils ne parlent pas ma langue et je n'ai pas d'oreilles magiques comme les vôtres. Entrez, je resterai ici. Bonne chance les garçons et ne vous mettez pas dans le pétrin… je surveille et je vous attends à l'extérieur.

Amos et Béorf se regardèrent, confiants dans leur chance de se faire aider. Discrètement, ils pénétrèrent dans le bâtiment de bois. Une épaisse fumée de foyer flottait dans les lieux en s'évacuant lentement par un grand trou au plafond. Un rayon de lumière perçait l'obscurité de cette taverne sans fenêtres. Six hommes qui ressemblaient à de véritables brutes se tenaient debout, autour d'une table en dévisageant Amos et Béorf. Il s'agissait sans nul doute de solides guerriers. Fiers de leur apparence, ils portaient d'épaisses cottes de mailles et des pantalons de cuir grossier resserrés aux mollets par des bandes molletières. Posés autour d'eux, on pouvait voir des casques coniques de métal à protège-nez, des boucliers ronds, de longues lances, des haches et des épées à deux mains. Chacun d'eux portait une cape épaisse et une large ceinture. Ils étaient costauds, bedonnants et arboraient de longues barbes et des moustaches fournies.

Manifestement, les deux garçons les avaient dérangés en plein milieu d'un repas. Sur la table, il y avait d'épaisses tranches de pain beurrées, de la viande de bœuf rôtie, du jambon bouilli, des saucisses de sanglier, du cerf, du renne grillé et une quantité impressionnante de fruits sauvages, de noix et de légumes. D'un coup de narine, Béorf avait détecté chaque plat à son odeur. Le gros garçon salivait en priant pour que ces étrangers l'invitent à leur table.

Le plus gros des hommes saisit un pichet rempli d'eau et cria, en le lançant de toutes ses forces vers les garçons :

– DEHORS VERMINE! ON NE SERT PAS LES ÉTRANGERS ICI!

– Je sers qui je veux CHEZ MOI!, hurla une grosse femme en sortant des cuisines. C'est moi qui prends les décisions dans ma taverne!

La dame était en train d'essuyer un grand poêlon de fonte. Elle s'avança vers l'antipathique brute et lui en assena un coup en plein visage. L'homme tomba à terre, inconscient.

– QUE J'EN SURPRENNE UN AUTRE à se mêler de mes affaires et je lui transforme le nez en crêpe!, menaça la matrone en agitant son poêlon de fonte dans les airs.

Les barbares se renfrognèrent et continuèrent à manger en observant les enfants. La dame se retourna vers Amos et Béorf et leur demanda:

– Alors les enfants, qu'est-ce que vous faites ici? Cet endroit n'est pas convenable pour vous!

– Nous arrivons de loin, dit Amos en saluant respectueusement la dame. Nous avons traversé la grande forêt au sud de votre charmant village et nous n'avons plus de provisions. Pouvons-nous manger ici? Nous avons de quoi payer!

– Jeune garçon!, s'exclama la matrone en jetant un œil dédaigneux sur ces clients. Si TOUT LE MONDE ICI était aussi gentil que toi, ma vie serait beaucoup plus facile. Tu as d'ailleurs un très joli accent du Sud… cela m'a toujours plu…

– Alors, on peut manger?, demanda anxieusement Béorf.

– Non… peut-être… enfin… pas maintenant…, hésita la grosse femme. Il y a une importante réunion ici et je dois vous demander de revenir plus tard.

– J'AI FAIM!, hurla soudainement Béorf.

Le garçon, enragé par le refus de la dame, avait maintenant transformé ses bras en pattes d'ours et ses dents en redoutables canines.

– Donnez-moi à manger, ordonna-t-il, ou je me sers moi-même!

Le regard de Béorf se tourna vers la table de victuailles. Le gros garçon n'en croyait pas ses yeux! Devant lui, les brutes souriaient à pleines dents... d'ours. Tous ces hommes étaient, en réalité, des béorites! Même la matrone avait maintenant les oreilles rondes et de la fourrure épaisse autour des bras. Celle-ci lui demanda :

– Qui es-tu jeune ours et d'où viens-tu?

– Je m'appelle Béorf Bromanson et je suis le fils de...

– ÉVAN! LE FILS D'ÉVAN BROMANSON!, cria la matrone tout excitée. VOUS AVEZ ENTENDU? C'EST LE FILS D'ÉVAN!

Les hommes se levèrent tous en même temps et sautèrent dans les bras de Béorf! Ils le lancèrent plusieurs fois dans les airs et lui caressèrent la tête en riant de bon cœur. Dans leurs yeux brillaient la fierté et la joie de retrouver un des leurs. La grosse dame cria :

– Les Bromanson sont de retour à Upsgran! Je vais réveiller tout le village!

Béorf essaya de placer un mot, mais en vain. On se saisit de lui et il atterrit bien vite sur une chaise tout près de la table. On le bombardait de questions. Comment vont ton père et ta mère? Évan a-t-il encore son drakkar? Ta mère est-elle encore aussi jolie? Hanna, ta mère était la plus belle fille de ce village! Elle te l'aura sûrement dit, non? Évan est sûrement un bon père n'est-ce pas? Que font-ils? Où demeurent-ils maintenant? T'ont-ils parlé de nous? D'Upsgran? Évan t'a-t-il raconté la fois où nous sommes tombés ensemble de la falaise de Ryhiskov? Toujours dans les livres, ton père, n'est-ce pas? A-t-il trouvé des réponses à ses questions? Est-il là? Arrive-t-il bientôt?

Les paroles s'entremêlaient, les questions et les exclamations se juxtaposaient et pendant ce temps… Béorf mangeait! Il s'empiffrait en riant. De la viande et du pain, des fruits et du miel! Le paradis s'appelait maintenant Upsgran.

Amos fut invité à se joindre au repas. Le garçon sortit chercher Sartigan et lui dit:

– J'ai une bonne et une mauvaise nouvelle, Maître!

– Commence donc par la bonne, répondit Sartigan, le sourire aux lèvres.

– Nous avons trouvé des amis dans ce village!, s'exclama Amos.

– Et la mauvaise?, s'enquit le vieillard curieux.

– Le régime de Béorf… c'est foutu!, lança Amos en éclatant de rire.

Chapitre 9

Banry Bromanson et les funérailles d'Évan et d'Hanna

Un lourd silence chargé de chagrin, de rage et de colère, envahit la taverne d'Upsgran lorsque Béorf raconta la mort de ses parents. Tout le village s'était réuni. Les cent trois béorites composant la communauté s'étaient tous tirés de leur hibernation pour voir le fils Bromanson et entendre ses histoires. Le gros garçon leur raconta comment son père avait été capturé par les chevaliers de la lumière de Bratel-la-Grande. Évan s'était défendu comme un véritable homme-ours. Il avait vendu chèrement sa peau. Sous les ordres de Yaune-le-Purificateur, sa mère avait, elle aussi, été faite prisonnière. Ses parents, accusés de sorcellerie, étaient montés ensemble sur le bûcher. Ils étaient morts main dans la main, leurs yeux remplis de peur, mais aussi de tendresse l'un pour l'autre.

L'assemblée prit quelques minutes pour essuyer ses larmes. Upsgran était le village natal d'Évan et d'Hanna. Tous les habitants les avaient connus, aimés et chéris. Un homme se leva et retira son casque à cornes. Il était très grand, avait les cheveux longs et bruns, une barbe courte bien taillée et de fortes épaules.

— Je suis Banry Bromanson, dit-il, chef de la grande maison des Bromanson et chef de ce village. Ton père était mon frère et ma maison est maintenant la tienne. On m'appelle le « serpent des mers », car je suis meilleur navigateur que chasseur. Si tu veux venger la mort d'Évan, je t'accompagnerai jusqu'en enfer !

— Moi, je suis Helmic l'Insatiable, lança un autre homme dans le fond de la taverne.

Helmic était costaud et semblait être un guerrier très robuste. Contrairement aux autres béorites, il était complètement chauve et imberbe. Il avait des yeux perçants, un nez fin, de petites oreilles et affichait une large panse.

— On m'appelle l'Insatiable, continua-t-il, parce que je n'ai jamais assez à boire, jamais assez à manger, jamais assez de batailles à mener et jamais assez d'aventures à vivre ! J'ai navigué aux quatre coins de ce monde et je suis prêt à repartir dans la seconde ! Ma maison est aussi grande ouverte pour toi et tes compagnons. Tu peux compter sur moi n'importe quand… je suis toujours là pour mes amis et sache que je n'ai qu'une parole !

— Chez nous aussi, tu es le bienvenu !, s'exclamèrent deux autres hommes.

Les frères Azulson venaient de parler. De taille moyenne, les deux guerriers avaient des physionomies complètement différentes. L'un était bourru et mal dégrossi tandis que l'autre avait les traits fins et semblait plus fragile.

– Moi, c'est Goy et lui, c'est Kasso, dit brutalement le plus renfrogné des deux.

– Je suis capable de me présenter seul!, interrompit le chétif. Excuse-le, jeune garçon, mon frère n'a pas beaucoup de manières. Nous n'avons pas eu la même éducation. J'ai été élevé par ma mère et lui par mon père. Mon frère est un peu… primaire!

– C'est ça! Primaire toi-même!, répliqua Goy. Kasso ne mange que des raisins et des noix. Il a peur de prendre du poids… son régime, c'est sa religion! Il est tellement faible au combat corps à corps que c'est toujours moi qui fais tout le travail!

– Pourquoi risquer ma vie quand tu es là pour moi, Goy!, s'exclama Kasso. Moi, je pense et toi, tu agis, je suis la tête et toi, les bras, depuis toujours tu n'as jamais…

– TAISEZ-VOUS!, cria une voix forte et profonde. Ces deux-là n'arrêtent jamais de se chamailler…

Six hommes se levèrent. C'était eux qui avaient accueilli les enfants dans la taverne. Le plus gros du groupe, un homme-grizzly haut de deux mètres et devant peser au-dessus de cent cinquante kilos, prit la parole. Il exhibait fièrement de longs favoris tressés et une épaisse moustache rousse. Son imposant casque de métal bosselé arborait deux ailes noires de corbeaux.

– Je suis Piotr Bailson dit «le géant d'Upsgran»! Je te présente mes hommes. Voici Geser Michson dit «la Fouine», il connaît la forêt mieux que personne. Alré Girson dit «la Hache», il est le plus sauvage des combattants que je connaisse. Rutha Bagason, dit «la Valkyrie», est la seule femme de mon groupe et toute la côte du Nord résonne encore de ses exploits. Chemil Lapson dit «les doigts de fée», est le meilleur charpentier de ce continent et voici Hulot Hulson dit «la Grande Gueule». Hulot a tout vu et a tout fait, mais sans jamais sortir de ce village !

À la présentation de Hulot, toute l'assistance éclata d'un grand rire complice. Les émotions provoquées par la nouvelle de la mort d'Évan et d'Hanna se dissipaient peu à peu. Hulot voulut prendre la parole pour défendre son honneur, mais Alré la Hache le rassit bien vite.

— Nous formons la garde d'Upsgran, continua Piotr le Géant. En hiver, nous protégeons le sommeil de nos amis afin que rien ne trouble leur repos. On nous appelle les «Corbeaux» et c'est avec un très grand plaisir que nous aimerions t'accueillir au sein de notre groupe. Nous avons besoin de relève et tu pourras apprendre beaucoup de nous. Ce serait un honneur pour moi de commander le fils d'Évan Bromanson, notre ancien chef…

— Mon père était chef ?, s'étonna Béorf.

— Mon frère aîné, répondit Banry, fut le plus grand chef que ce village ait connu. Il était d'une force et d'un courage hors du commun. D'une intelligence rare, il a fait beaucoup pour les béorites d'Upsgran. Quand il est parti, c'est moi qui, temporairement, lui ai succédé. Depuis des années que nous attendons son retour et c'est toi qui arrives à sa place. Le destin fait tout de même bien les choses !

— Mais pourquoi mon père a-t-il quitté le village ?, questionna le gros garçon avide des paroles de son oncle.

— Pour une raison simple et fort louable, reprit Banry, il est parti à la recherche de réponses à ses questions. Ses études l'ont amené à penser que la race des hommes-ours s'était dispersée à travers le monde et était menacée de disparition. Il voulait retourner sur notre terre d'origine pour mieux comprendre notre espèce et essayer de réunir nos semblables.

— Mais, si je peux, demanda Amos, pourquoi Évan pensait-il que votre race était sur le point de disparaître ?

— À cause de la malédiction !, rugit Helmic. Nous sommes une espèce maudite, voilà la vérité !

— Ne dis pas cela, répliqua Banry. Nous n'avons pas de preuves concrètes !

— J'ai remarqué qu'il n'y avait pas d'enfants à Upsgran, dit Amos. Est-ce normal ?

— Non, ce n'est pas normal…, confirma Banry. Depuis plusieurs années, nos enfants meurent en bas âge. À peine ont-ils appris à marcher qu'ils sont emportés par une étrange maladie. Ils cessent soudainement de respirer dans la nuit. Il n'y a rien à faire… C'est avant tout pour cette raison que mon frère a quitté le village. Il voulait comprendre ce phénomène pour nous venir .

en aide. Il voulait des réponses! D'ailleurs… il a dû réussir à trouver quelque chose de significatif puisque Béorf est le fils d'un béorite et qu'il est… vivant! Sans enfants, nous sommes appelés à disparaître. En plus, il y a ces sales gobelins qui rôdent depuis quelque temps…

— Les bonnets-rouges!, s'exclama Béorf. Ils sont passés par ici?

— Ils ont bien essayé de prendre le village!, lança Piotr le Géant en riant. Seulement, ils nous ont trouvés sur leur route! Nous pensons qu'ils reviendront… plus nombreux et plus féroces. C'est de cela que nous parlions autour de la table à votre arrivée à l'auberge ce matin. D'ailleurs, je vous demande pardon pour la façon dont nous vous avons accueillis. Nous étions préoccupés et…

— Nous comprenons, dit Amos en souriant.

— Bon!, reprit brusquement Banry. Notre ancien chef et sa tendre épouse sont morts, nous leur devons des funérailles dignes de leur rang, dignes de l'amitié que nous avions pour eux. Nous reparlerons plus tard de nos malheurs. Ce soir, nous prierons pour le repos éternel d'Évan et d'Hanna, deux enfants d'Upsgran.

Sur les ordres de Banry, deux artisans commencèrent à tailler de gros troncs d'arbres à l'image des disparus. Les deux sculptures seraient placées au centre du village en mémoire du couple. On hissa hors de l'eau le drakkar de la famille Bromanson. Tous les objets personnels qu'Évan et Hanna avaient laissés derrière eux furent placés dans le bateau. Les habitants y ajoutèrent chacun une babiole qui leur rappelait les défunts. Banry s'avança, une torche à la main, et immola l'embarcation. Tandis que le soleil se couchait lentement derrière les montagnes de l'Ouest, tous les habitants d'Upsgran entonnèrent un chant funéraire :

Ô peine au cœur, la mer est calme,
vois,
Comme un miroir étincelant repose,
Comme en sa coupe l'argent fondu,
Heure douce quand rien
n'est désaccord.

En fleurs et fruits, Terre tient
ses promesses
Et la forêt pare ses riches frondaisons.
Pour couche les troupeaux ont
toute la montagne
Dormant jusque le jour enfin rougeoie.

Un frais zéphyr à l'ouest passe
et murmure.
Joueurs, les oiseaux volent
çà et là en sifflant
Et le rossignol trille son chant,
disant : Joie !
C'est ici la demeure d'Évan et d'Hanna
Et nous avons mal…
Et nous avons mal…
Et nous avons mal…

Une fois la cérémonie terminée, le village se donna rendez-vous à la taverne du port où un banquet les y attendait. Durant la soirée, chacun y alla d'une histoire farfelue sur Évan et d'un compliment sur Hanna. Sartigan se leva et prit aussi la parole. Comme les béorites parlaient la langue du pays, le vieillard hérita de deux oreilles d'elfe en cristal. Ainsi équipé, il avait pu suivre avec attention la cérémonie. La pointe de ses oreilles bien cachée sous un bandeau, le vieil homme dit :

– Si vous me le permettez, j'aimerais vous raconter une histoire !

– Allez-y !, lança Helmic l'Insatiable avec énergie. J'adore les histoires !

– Un jour, un homme perdit son cheval. L'animal se sauva et galopa loin de son maître. Comme la bête était magnifique, l'homme fut peiné de cette perte, mais il se dit, pourquoi ce malheur ne se transformerait-il pas en bonheur ? Après plusieurs mois, le cheval revint accompagné d'une autre bête aussi belle que lui. L'homme avait maintenant deux magnifiques chevaux, mais il se dit, pourquoi ce bonheur ne se transformerait-il pas en malheur ? Un jour, le fils de cet homme qui aimait chevaucher dans les prés fit une terrible chute et se tordit la jambe. L'homme regarda son fils, maintenant handicapé pour la vie et se demanda pourquoi ce malheur ne se transformerait-il pas en bonheur ? Un an après, de puissants ennemis attaquèrent le royaume et tous les jeunes hommes furent envoyés au combat. La plupart des soldats moururent. Comme le fils de l'homme boitait, il ne fut pas mobilisé et put rester avec son père. Comprenez-vous ce que je veux vous dire par cette histoire, braves citoyens d'Upsgran?

– Tu veux nous dire de ne jamais faire confiance aux chevaux!, s'exclama Goy du fond de la salle.

– Mais non!, intervint immédiatement Kasso, frère de Goy. Ce que Sartigan veut dire c'est qu'un bonheur n'est jamais loin d'un malheur et qu'il faut faire confiance au destin. Si Évan et Hanna sont morts, c'est pour que Béorf accomplisse sa destinée parmi nous.

– Je pense que Kasso a raison, affirma Banry. Le destin vous a menés jusqu'ici et ce n'est certainement pas pour rien.

– Si vous permettez, dit Amos, je vous explique. Nous sommes à la poursuite des bonnets-rouges et nous savons de source sûre que les gobelins pillent les villes et les villages pour amasser un grand trésor qui servira de couche à un... à un dragon.

À l'évocation de la bête de feu, il y eut un gémissement de frayeur dans l'assistance.

– Ces créatures, continua Amos, ont tué mon père et capturé ma mère. Je dois retrouver ma mère et combattre du mieux que je peux ce dragon. Sartigan est là pour m'aider dans ma tâche et Béorf est mon bras droit. Il est le plus fidèle des garçons que je connaisse...

– Tu en as assez dit jeune homme, interrompit Piotr le géant. Les Vikings, plus au nord, regroupent présentement une grande armée pour combattre ce dragon. Ceux-ci ont envoyé un émissaire ici, à Upsgran. Le roi Harald aux Dents bleues nous invite à joindre ses rangs. Jamais les béorites ne se sont mêlés aux affaires vikings, mais je crois maintenant qu'il est temps que nous agissions.

– Je suis d'accord, confirma Banry. Seulement, il existe une tradition qui stipule que nous devons offrir un cadeau d'allégeance au roi Harald. Nous devons donner une importante somme d'argent afin de collaborer au trésor de guerre.

– Et nous sommes sans le sou!, s'exclama Hulot Hulson. Vaut mieux tout oublier! Restons ici… nous sommes bien ici, chez nous! Je suis pour l'aventure, mais là… un dragon… ce n'est pas de l'aventure, c'est du suicide!

– J'ai ce qu'il vous faut!, s'exclama Amos en se dirigeant rapidement vers la sortie de la taverne. Viens, Béorf, tu vas leur faire un cadeau.

Les garçons se rendirent dans l'étable abritant le mulet et emportèrent la cassette remplie de saphirs. Ils revinrent dans la taverne et la posèrent au centre d'une table et dévoilèrent son contenu. Des exclamations de surprise et d'admiration fusèrent de toutes parts.

– C'est pour l'effort de guerre!, lança fièrement Béorf.

– Tu es le digne fils de ton père, dit Banry rempli de fierté pour son neveu. Helmic l'Insatiable! Goy et Kasso! Piotr le Géant! Alré la Hache!

Rutha la Valkyrie! Chemil aux doigts de fée et Hulot Hulson! Préparez-vous… dans une semaine, NOUS PARTONS À LA GUERRE!

– ET LE DRAGON N'A QU'À BIEN SE TENIR!, hurla Helmic en brandissant sa longue épée.

Chapitre 10

La mer du Nord

Pendant une semaine, les préparatifs du voyage allèrent bon train. On choisit le plus robuste des drakkars du port pour servir de vaisseau de guerre. Il fut renforcé de la coque jusqu'en haut du mat. Le forgeron installa à la proue un énorme pieu de métal pouvant servir à embrocher et à couler de plus petites embarcations. Une nouvelle voile rouge sang fut tressée par les femmes du village et quelques charpentiers taillèrent des rames plus longues et plus résistantes.

Une impressionnante quantité de nourriture fut chargée à bord. Des saucisses et de la viande fumée, des poulets rôtis et de grosses pièces de jambon salé, du poisson et des pots de légumes marinés, des pâtés, du fromage, du lait de chèvre, de l'hydromel et de la bière, du vin, des patates, des fèves, de la farine de sarrasin, du pain et une étonnante quantité de miel vinrent atterrir dans le drakkar. En plus des armures en cotte de mailles, des longues lances et des haches, des boucliers, des casques, des arcs et des flèches, il y avait des dizaines de fourrures pour les nuits glacées en mer, des vêtements de rechange, une meule pour aiguiser les armes, des ballots de plantes médicinales, des instruments de navigation, des outils de toutes sortes, des chandelles, des lampes à l'huile, un brasero et du bois de chauffage. Au fil des jours, l'embarcation ressemblait de moins en moins à un navire de guerre et de plus en plus à un navire marchand. En voyage, les béorites ne voulaient manquer de rien et c'est précisément pour cette raison qu'ils prirent une semaine entière pour préparer le voyage. Béorf passa le plus clair de son temps à aider aux préparatifs.

Amos et Sartigan se préparèrent eux aussi, mais à leur façon. Le vieillard commença l'entraînement physique et psychologique du garçon. Il lui raconta plusieurs histoires, dont celle-ci :

– Dans mon pays, disait-il, il y a longtemps de cela, un puissant roi n'ayant pas de descendants pour lui succéder sur le trône décida de faire un grand concours. Celui ou celle qui serait assez adroit pour allumer une chandelle avec une seule flèche deviendrait le nouveau roi. Les meilleurs archers du royaume accoururent et tentèrent leur chance. Ceux-ci y allèrent de tirs habiles qui souvent frôlèrent la mèche sans jamais l'allumer. Découragé, le roi attendait avec impatience son successeur et comme il allait arrêter le concours, un jeune paysan se présenta. Le garçon prit une flèche dans sa main droite et refusa l'arc qu'on lui tendait. Il enduit la flèche de suif, y mit le feu et marcha ensuite jusqu'à la chandelle. D'un simple mouvement, il alluma la bougie. Le concours spécifiait que celui qui serait assez adroit pour allumer une chandelle avec une seule flèche deviendrait roi. Jamais le régent n'avait stipulé qu'il faille se servir d'un arc! Dans la vie, il arrive souvent que nous présumions des choses sans en comprendre véritablement le sens. Il faut savoir aller au-delà des apparences…

Amos aimait beaucoup les histoires de son nouveau maître. Ces récits de sagesse ancienne l'obligeaient à réfléchir et à se remettre en question. Le jeune porteur de masques commença également à faire de longues séances de méditation. Sartigan lui demandait de se concentrer pour laisser circuler en lui la magie. Pour devenir un bon mage, Amos devait garder la tête froide en toutes occasions, il devait laisser ses émotions de côté, oublier sa haine pour les assassins de son père et toujours agir le plus rationnellement possible.

Pour renforcer ses enseignements, Sartigan lui avait raconté l'histoire de son propre maître. C'était un moine qui parlait peu, mais doté d'une incroyable vivacité d'esprit. Le sage homme s'était rendu à un important tournoi de tir à l'arc avec ses disciples. Là étaient réunis les meilleurs archers de tous les pays. Malgré le peu d'intérêt qu'il avait pour cet art et son manque d'entraînement, le sage moine gagna la compétition en tirant trois flèches exactement au centre de la cible. Sartigan, alors jeune et talentueux archer, accepta difficilement la victoire de son maître. Il demanda respectueusement au sage la recette de son succès. Le moine lui dit que tous les archers du tournoi étaient en compétition les uns contre les autres et qu'ils désiraient ardemment gagner. La pression du tournoi avait empreint leurs gestes de lourdeur. Ils avaient des regards anxieux et semblaient mal contrôler leur pouls. Ces archers ne voulaient pas véritablement gagner! Ils avaient simplement peur de perdre! Pour gagner, il faut savoir garder le cœur léger et l'esprit serein. La peur ne sert à rien, elle doit être remplacée par la connaissance!

– Vous parlez souvent de connaissance, Maître Sartigan, remarqua Amos. Mais qu'est-ce que la véritable connaissance?

– La connaissance, c'est suivre son propre chemin!, s'exclama le vieillard ravi de cette question.

– Oui, répondit Amos, mais comment l'appliquer à la vie quotidienne?

– Je te réponds par une autre question, jeune homme, poursuivit Sartigan. Si tu avais à choisir entre les sept couleurs de l'arc-en-ciel, laquelle choisirais-tu?

– Quelles sont ces couleurs?, demanda Amos.

– Le rouge, l'orangé, le jaune, le vert, le bleu, l'indigo et le violet, énuméra le maître.

– Je pense que…, hésita le garçon, je pense que je choisirais la couleur qui resterait dans mes yeux une fois l'arc-en-ciel disparu.

– Voilà!, lança très fièrement Sartigan. Tu viens de répondre toi-même à ta question. La connaissance, c'est ce qui reste lorsque tout est disparu. Voilà pourquoi il est important d'apprendre, d'apprendre beaucoup et toujours, à tout âge nous avons des milliers de choses à apprendre, tous les jours, il y a des centaines d'expériences à faire et la connaissance, et bien… c'est ce qui reste de ces apprentissages! Exactement comme tu as dit, c'est la couleur qui demeure dans nos yeux.

— Vous me raconterez encore de vos histoires lorsque nous voguerons sur la mer?, demanda Amos. Je les aime beaucoup… elles me donnent confiance.

— Je ne partirai pas avec toi, dit Sartigan. Je reste ici et je t'attendrai.

— Mais, j'ai besoin de vous…, répliqua Amos un peu confus. Vous êtes chasseur de dragon… vous devez venir avec moi, je ne serai jamais capable de combattre seul une telle créature!

— Voilà que tu oublies déjà mes leçons!, s'exclama le maître. Ma voie n'est plus de chasser des dragons… je suis maintenant là pour enseigner. Il te faut combattre seul, ce n'est pas moi le porteur de masques, c'est toi… c'est TA voie!

— Mais comment?, questionna Amos. Comment faire sans vous?

— Ma première histoire te dit de voir au-delà des apparences et ma deuxième te recommande d'éviter la peur de perdre. Avec ces deux principes, tu vaincras le dragon!

— Mais comment les appliquer?, s'inquiéta Amos.

— Par la connaissance!, s'exclama le maître. Mes leçons s'arrêtent ici maintenant. J'attendrai ton retour dans ce village.

— Et si… et si, je ne revenais pas…, hésita à dire Amos.

– Eh bien, je mourrais en t'attendant…, répondit calmement Sartigan. Mon dieu m'a libéré des glaces et fait revivre pour devenir ton maître et celui de Béorf. Le jeune hommanimal n'est pas encore tout à fait prêt à recevoir mes enseignements. Il le sera à votre retour. Si, bien sûr, vous revenez… Allez maintenant, prépare ton voyage, car les béorites sont enfin prêts à partir.

Amos paqueta ses effets personnels, reprit ses oreilles de cristal et se dirigea lentement vers le drakkar. L'équipage prenait lentement place à bord. Béorf s'activait et obéissait aux moindres commandements de son oncle Banry. Tout semblait paré pour effectuer une longue traversée et le jeune porteur de masques prit place à bord.

– Alors Amos, tu n'es pas excité de partir?, demanda Béorf.

– Oui… mais j'ai déjà été plus joyeux, répondit un peu amèrement le garçon. Je croyais que Sartigan viendrait avec nous…

– QUOI? IL NE VIENT PAS?, s'exclama le jeune hommanimal.

– Non, confirma Amos. Il pense que c'est ma voie d'affronter seul la bête… tu comprends, comme il était chasseur de dragons, j'avais cru… enfin, j'avais présupposé qu'il nous accompagnerait pour s'occuper lui-même de la créature. Je tente de penser comme lui et je me dis… et si ce malheur se transformait en bonheur!

– Mais si ce malheur se transformait en un plus gros malheur encore?, demanda le gros garçon inquiet.

– Je ne sais pas, je ne sais plus…, dit Amos en haussant les épaules. Nous verrons bien…

Dans le froid d'un hiver de plus en plus rigoureux, le drakkar leva sa grande voile carrée et quitta lentement le port. Chaque membre de l'équipage était installé derrière une rame. Banry, à la barre, entonna alors une chanson traditionnelle et les rameurs se mirent en mouvement en suivant la cadence. Béorf et Amos partageaient le même banc et la même pagaie. Tout le village était rassemblé sur les quais pour voir partir les valeureux guerriers. En quelques minutes, le navire avait quitté la baie et entrait en pleine mer.

Pendant trois jours consécutifs, les béorites du navire ramèrent sans manger, sans dormir et sans se reposer. Amos se souvint de ce qu'avait dit Sartigan à Béorf. La race des hommes-ours était d'une force exceptionnelle et ceux-ci avaient le choix d'hiberner ou non. Ces guerriers avaient maîtrisé leur appétit. Ils savaient exactement quand se dépenser et quand se sustenter. Le drakkar avançait à grande allure. Aucun humain n'aurait pu soutenir une telle cadence. Helmic L'Insatiable ramait sauvagement, Alré la Hache suait à grosses gouttes pendant que Piotr le Géant, un aviron dans chaque main, réalisait à lui seul le travail de deux béorites. Rutha Bagason dit « la Valkyrie » ne donnait pas non plus sa place et narguait Goy par sa technique. Seul Kasso Azulson ne ramait pas. Il s'occupait de la voile, regardait les étoiles et décidait de la trajectoire du navire. Comme navigateur, on ne pouvait trouver mieux. Banry, capitaine et barreur, avait une confiance aveugle dans son bras droit. Kasso était capable d'anticiper les mouvements du vent et connaissait les courants marins comme personne. Chemil aux doigts de fée partageait une rame avec Hulot Hulson. Ces deux béorites n'étaient jamais sortis d'Upsgran et c'est avec crainte qu'ils avaient entrepris ce voyage. Pour réparer les bateaux, il n'y avait pas meilleur charpentier que Chemil et Hulot était un orateur extraordinaire. Banry l'avait choisi afin qu'à leur retour, il témoigne de leur voyage et raconte la grande aventure des béorites d'Upsgran.

Après trois jours de navigation dans de difficiles conditions de froid, de vent et de vagues coriaces, Kasso cria :

— Derrière ligne droite avant l'île de Burgman !

— Ramez, mes amis !, s'exclama Banry, en entonnant une chanson plus rythmée.

Amos, épuisé par le voyage, n'avait presque pas dormi. Sensible au mal de mer, il était resté couché après le départ dans le fond du drakkar. Pendant le trajet, il avait été malade à plusieurs reprises. Le garçon n'avait plus qu'un rêve, atteindre le plus rapidement possible la terre ferme.

Béorf, quant à lui, se portait assez bien. Même si son estomac le torturait affreusement, il s'était comporté comme un vrai béorite. Comme les autres, il n'avait rien avalé de tout le trajet. Son jeune âge ne lui permettant pas de suivre le rythme des adultes, il s'était endormi à plusieurs reprises. Le gros garçon avait naturellement le pied marin et sa présence fut d'une aide précieuse pour tout l'équipage. En plus de s'occuper d'Amos, il avait donné un bon coup de main à Kasso pour ajuster la voile et faisait régulièrement boire les rameurs. Béorf avait également tenu plusieurs fois la barre pendant que Banry s'occupait à déchiffrer les cartes marines.

Le drakkar s'immobilisa sur les rives d'une baie de l'île de Burgman. Rapidement, les béorites halèrent l'embarcation jusqu'à une plage de galets et entreprirent d'installer leur camp. Prodigieusement efficaces, les membres de l'équipage savaient exactement ce que chacun devait faire. En un tour de main, la grande tente fut montée et un somptueux repas fumait dans les gamelles. Les hommes-ours dévorèrent d'impressionnantes quantités de viande. Le bruit de leurs mâchoires accompagné de leurs borborygmes de contentement avait envahi la côte, anciennement silencieuse, de la petite île. Seul Kasso ne mangeait que des noix et des raisins.

Après le repas, tous les béorites se jetèrent dans la mer glacée pour y faire quelques brasses. Béorf hésita longuement avant de plonger, mais encouragé par Amos, il trouva la volonté d'affronter l'épreuve. Cette baignade traditionnelle avait pour but de saisir les muscles endoloris par le voyage en accélérant le flux sanguin. Le froid précipitait les battements du cœur en propulsant de grandes quantités de sang du bout des doigts jusqu'aux orteils en aidant les muscles à se refaire. Il n'y avait rien de plus bénéfique pour un homme-ours ! Amos pensa que ce traitement-choc, surtout après un copieux repas, aurait été un suicide collectif pour des humains. Le garçon demeura donc bien assis sur la plage et regarda la scène avec plaisir en s'amusant des exclamations et des commentaires des baigneurs.

Le bain terminé, l'équipage s'installa confortablement dans la tente et y dormit deux jours entiers. Amos trouva difficilement le sommeil à cause des ronflements gargantuesques des béorites. Il eut plusieurs fois l'impression que l'île tremblait sous les soubresauts d'un volcan. Il quitta la tente pour aller se reposer sous une bonne dizaine de peaux dans le drakkar. Amos se dit que les hommes-ours étaient bien étranges dans leurs comportements. Cette race n'avait pas beaucoup de mesure dans leur vie. Pour eux, c'était tout ou rien! Ceci expliquait probablement l'amitié indéfectible de Béorf à son égard.

C'est Kasso qui se réveilla le premier. Le navigateur alla chercher un grand seau d'eau glacée et en aspergea ses équipiers :

– Allez, les béorites! Nous avons encore du chemin à faire! L'hibernation ce sera pour une autre fois! DEBOUT BANDE DE FAINÉANTS!

– Pourquoi les réveillez-vous si brutalement?, demanda Amos surpris.

– Parce qu'ils ont encore trop mangé!, s'exclama Kasso. Si je n'agis pas ainsi, dans deux semaines ils seront encore là à ronfler. Voilà pourquoi moi je mange peu, c'est pour ne pas trop dormir! Il faut dire que je n'ai pas la même dépense d'énergie... je ne rame pas, moi.

– Je vois, dit Amos en souriant. Ce sont véritablement des ours et l'hiver…

– Et l'hiver, ils dorment!, s'exclama le navigateur en aspergeant Helmic l'Insatiable. DEBOUT BANDE DE MOLLUSQUES! ACTIVEZ-VOUS! NOUS PARTONS BIENTÔT!

Un à un, les béorites, se levèrent très difficilement. Trempés, ils ne parurent pas le moins du monde surpris de se faire réveiller ainsi. Banry, encore à moitié endormi, reçut aussi douche bien glacée en plein visage et dit, le visage mouillé et les yeux encore mi-clos:

– Merci Kasso, on peut toujours compter sur toi!

– À la bonne heure!, répondit le navigateur en aspergeant tout aussi violemment son frère Goy.

– MAIS QU'EST-CE QUI SE PASSE?, hurla Béorf lorsque ce fut son tour de recevoir le seau d'eau.

– Ce n'est rien Béorf!, s'exclama Amos en rigolant. C'est apparemment la seule façon de vous réveiller… je m'en souviendrai l'hiver prochain!

Après un copieux petit-déjeuner, le groupe reprit le large en direction des terres d'Harald aux Dents bleues. Amos se sentait mieux et le mal de mer n'était plus maintenant qu'un mauvais souvenir. Il faut dire que les eaux étaient beaucoup plus calmes et que le drakkar ne tanguait presque pas. Le vent était tombé et la voile avait été remontée. Banry chantait joyeusement pour donner le rythme aux rameurs lorsqu'il s'arrêta brusquement. Le barreur se leva de son banc et regarda l'horizon tout autour de lui. Solennellement, il posa ensuite les yeux sur son équipage et dit :

– Des merriens !… Je les sens venir, ils nagent sous l'eau et nous entourent !

– Laissez-les-moi !, marmonna agressivement Alré la Hache en exhibant son arme à deux tranchants. S'il vous plaît, laissez-les-moi !

– Nous mangerons du poisson ce soir, Alré ?, demanda Rutha la Valkyrie. Je peux peut-être t'aider à faire quelques filets !

– FERMEZ-LA !, ordonna Banry. De un, bouchez-vous les oreilles avec du suif ! Et de deux, faisons les morts. Attendez mon signal et vous me les réduirez en bouillie ! Est-ce clair ?

– C'est clair comme le jour qui se lève !, grogna Helmic en serrant les dents. Surtout pour la bouillie…

– Mais qu'est-ce qui se passe ?, demanda nerveusement Béorf à Amos.

– Je pense que nous allons subir une attaque de merriens, répondit nerveusement le jeune porteur de masques. Je me souviens de ce que la sirène Crivannia m'a raconté à leur sujet. Les merriens ressemblent aux sirènes à l'exception qu'ils sont d'une laideur repoussante. Comme elles, ils utilisent leur voix pour envoûter les hommes. Ces monstres marins dévorent ensuite leurs victimes, pillent les cargaisons et coulent les navires pour s'en faire des demeures dans les profondeurs de l'océan. J'ai aussi lu dans

Al-Qatrum, les territoires de l'ombre, que les merriens portent des bonnets rouges à plumes. Ce sont certainement les cousins aquatiques des gobelins!

— Pourquoi n'utiliserais-tu pas ton collier pour faire apparaître quelques molosses?, demanda Béorf avant de se boucher les oreilles.

— Non…, répondit Amos, j'ai une autre idée.

Le jeune porteur de masques mit ses oreilles d'elfe et attendit patiemment en jouant le mort. Il s'était rappelé que Gwenfadrille avait dit que ses oreilles de cristal le protégeraient des chants d'envoûtement. Soudain, il distingua la complainte lancinante des merriens. Se mêlant aux bruits du vent et des vagues, une douce mélodie émergea soudainement. La chorale de voix cristallines chantait doucement:

Seul dans sa frêle barque,
Le navigateur va sur le vaste océan.
Très haut scintillent les étoiles
Et dans les profondeurs
Il entend l'appel de sa tombe.
En avant! Telle est sa destinée!
Au fond du ciel comme des flots,
C'est nous, qu'il trouvera…
C'est nous, qu'il trouvera…

Amos murmura, en dirigeant sa voix vers le fond de l'embarcation:

Montez sans crainte,
Leur temps, depuis des lunes,
est terminé
Ce drakkar est un cercueil
Qui vogue vers les brumes des Dieux

Le chant s'arrêta net et laissa place à un angoissant silence. Puis, une voix se fit entendre :

Qui es-tu, frère des eaux ?
Toi qui nous parles en notre langue,
Mais qui articule comme un humain ?

Amos, se rappelant des leçons de Sartigan, demeura calme et répondit :

Je suis merrien,
Je suis blessé,
Prisonnier d'un filet
J'ai voulu fuir
La bouche brisée par leur haine
Je me suis vengé et les ai tués

La voix reprit :

Frère, nous arrivons
Nous montons et les dévorerons

D'horribles mains palmées aux ongles longs et répugnants se posèrent sur les bords du drakkar. Des visages apparurent de tous les côtés du navire. Le plus gros des merriens, probablement le chef, se glissa dans le bateau. Ils étaient d'une laideur sans nom. Une énorme bouche laissait entrevoir des centaines de fines dents de poissons qui leur recouvraient entièrement le palais. Couverts d'écailles poisseuses et malodorantes, ils arboraient une crête en forme de raie débutant au sommet de leur tête et qui se terminait deux mètres plus bas, au bout de leur queue. Ils avaient de petits yeux perçants, de grandes queues de poisson à la place des jambes et des algues vertes leur couvraient abondamment la tête, les épaules et le dos. Le chef était très robuste et semblait avoir dans la main, une arme ressemblant à un oursin. Un bonnet rouge à plumes lui couvrait aussi le côté droit de la tête.

Au moment où le merrien s'approcha de Rutha la Valkyrie en rampant, Banry saisit rapidement une épée longue et trancha la tête de la créature. Le signal était donné! Les béorites avaient maintenant de longues griffes, des dents acérées et des museaux d'ours. Helmic s'empara d'un merrien, le tira hors de l'eau et lui broya le cou. Piotr le Géant en assomma cinq d'un seul mouvement pendant que Rutha et Goy se positionnèrent dos à dos en prévision de l'invasion du drakkar. Hulot et Chemil se lancèrent derrière Alré la Hache pour garantir leur sécurité et Kasso grimpa en haut du mat. Béorf se plaça tout près d'Amos et lui dit:

– Tu pourrais nous faire un de tes tours maintenant?

– Voilà… ça vient!, confirma le jeune porteur de masques.

Amos calma sa peur et se concentra. Les haches et les épées des béorites, ensorcelées par la magie, commencèrent à rougeoyer. Alré cria :

– Nos haches ! Nos lames deviennent rouges ! Les lames chauffent ! Les dieux sont avec nous !

Motivée par cet événement surnaturel, la force des béorites se décupla. Les merriens tentaient en vain d'approcher du bateau. Les lances, les haches et les épées, leur perçait la peau en la brûlant et en laissant de profondes cicatrices. Kasso, assis sur la barre transversale du mat, décochait flèche après flèche avec la précision d'un elfe. Helmic se battait à mains nues et donnait de terribles coups de griffes au visage de ses adversaires. Alré la Hache, quant à lui, hurlait de bonheur en tranchant tête après tête. Une nauséabonde odeur de poisson avait envahi les lieux. Épée à la main, Banry s'en donnait à cœur joie et chantait maintenant un hymne guerrier des temps anciens. Goy et Rutha contrôlaient la proue du drakkar et tuaient sans pitié et sans remords.

Soudain, Helmic fit un mauvais mouvement et tomba par-dessus bord. Piotr le Géant hurla, entre deux coups d'épée :

– UN OURS À LA MER ! UN OURS À LA MER !

Sans faire ni une ni deux, Béorf sauta promptement à l'eau. Amos saisit une épée, enflamma sa lame d'un feu magique et la lança dans la mer. Le jeune porteur de masques se concentra pour que l'arme demeure embrasée même submergée. Le gros garçon étira la main et saisit, sous l'eau, la poignée de l'épée.

Béorf aperçut un merrien emmener Helmic vers le fond. Le béorite se débattait sans pouvoir se libérer. Le gros garçon lança l'épée de toutes ses forces en direction de la créature. L'arme, ensorcelée par le feu, pénétra l'eau et alla se loger dans l'épaule du monstre. Celui-ci lâcha sa prise et Helmic, presque noyé, remonta difficilement vers la surface.

Sur le Drakkar, la bataille se poursuivait. Banry, dans le feu de l'action, ordonna :

– Descends la voile Kasso, il faut nous dégager !

À ce moment, Béorf remonta à la surface en soutenant Helmic. Hulot Hulson se décida enfin à agir. Il sortit son épée, blessa un merrien et retira les deux béorites de l'eau. La voile tomba et Banry hurla :

– Si véritablement les dieux sont avec nous, le vent se lèvera et nous éloignera d'ici !

Amos ferma les yeux et leva la main. D'abord, une brise légère se leva et le vent se mit ensuite à souffler. La voile se gonfla et le drakkar bougea lentement. En employant toute son énergie, le jeune porteur de masques transforma le vent en blizzard. Les béorites se ruèrent sur les avirons et commencèrent à souquer ferme. En quelques minutes, l'équipage avait quitté le lieu du combat en laissant derrière eux leurs ennemis.

– Ils ne nous suivent pas !, cria énergiquement Kasso, toujours dans le mat. Regardez, ils se dispersent ! Nous avons gagné cette bataille, mes frères ! Nous avons gagné !

– NOUS AVONS GAGNÉ !, crièrent d'une seule et même voix les béorites.

Le vent tomba soudainement, sans raison apparente. Amos était assis par terre, très essoufflé et en sueurs.

– Beau travail Amos!, complimenta Béorf, satisfait de son ami.

– Merci! Pas mal, toi non plus!, lui répliqua le garçon. J'ai bien aimé mon idée de l'épée en feu dans l'eau! Pas toi?

– Excellent! Et ton blizzard ne s'est pas transformé en tornade!, se moqua gentiment Béorf. Je pense que les enseignements de Sartigan t'ont été profitables… Je suis content de constater que tes pouvoirs ne détruiront pas toujours tout sur ton passage!

– J'ai une meilleure maîtrise de ma magie, mais elle est très difficile à contrôler!, confirma Amos. Elle est encore un peu comme un cheval fou qui galope en moi… enfin, je suis content, je fais du progrès.

– Repose-toi…, dit Béorf en s'essuyant les cheveux avec un bout de tissu. Il reste encore quelques longues journées de traversée à faire.

– Combien?, demanda Amos.

– Trois jours!, lui répondit la voix de Banry. Il reste trois jours d'efforts…

Chapitre 11

Chez Harald aux Dents bleues

– Faites entrer les béorites!, cria une voix grave et agressive.

Les deux immenses portes de bois de la salle du trône d'Harald aux Dents bleues s'ouvrirent dans un grincement sonore et strident. Les béorites, Banry en tête, s'avancèrent très dignement vers le roi. De chaque côté du passage menant au trône, des centaines de Vikings s'étaient massés pour voir les hommes-ours. Les hommes du Nord avaient les yeux ronds et tâtaient nerveusement leur arme. Hulot Hulson dit «la Grande Gueule» devança Banry et s'arrêta devant l'immense trône de bouleau blanc du roi. Selon les coutumes, Hulot y alla d'une présentation solennelle:

– Nous, les fils d'Upsgran, dernier des villages de béorites du Sud, sommes venus à toi pour t'aider dans ta quête. Un de tes émissaires est venu en nos terres, implorant notre secours. Nous sommes des gens de cœur et de courage. Bien que ma race se mêle peu aux humains, nous avons décidé de combattre sous tes ordres! Je te présente les braves qui ont affronté mille et un dangers pour…

– FERME TA SALE GUEULE D'OURS MAL LÉCHÉ !, hurla le roi avec haine et mépris. Montre-moi ce que tu amènes pour l'effort de guerre et nous verrons ensuite si j'ai envie d'entendre tes sornettes !

Helmic voulut sortir sa hache et bondir sur ce roi malotru et ingrat, mais Alré l'empêcha en implorant discrètement son calme. Chemil s'avança et déposa aux pieds d'Harald la cassette pleine de saphirs. Le roi la fit ouvrir par un de ses hommes. Devant la splendeur des pierres, il s'exclama :

– J'accepte votre présent avec plaisir ! Maintenant, foutez-moi le camp et allez vous perdre dans les bois qu'on vous oublie.

– Mais…, hésita Hulot, mais je ne comprends pas ! Avons-nous fait quelque chose qui vous déplaise ?

– Vous arrivez trop tard bande de stupides animaux de cirque !, cria le roi hors de lui. Vous savez ce que cela veut dire… TROP TARD ? Il n'y a plus de guerre et plus de combats. Les peuplades du Nord ont signé une entente avec l'Ancien dans la montagne.

– Mais, les bonnets-rouges ?, demanda Banry. Ne vous attaquent-ils pas ?

– Les bonnets-rouges et les merriens sont maintenant avec nous, dit Harald en ricanant. La grande armée viking ne servira pas à détruire la bête de feu, mais plutôt à l'aider dans sa noble tâche.

– Et quelle est cette si noble tâche ?, questionna impétueusement Alré en glissant subtilement la main sur son arme.

– Celle de conquérir le monde !, lança Harald comme s'il s'agissait d'une bonne blague. C'est pourtant bien ce qui va se produire. Les Vikings savent où se trouve leur intérêt supérieur. Retournez chez vous, petits béorites insignifiants, et préparez-vous à la visite des gobelins. Si vous leur remettez tous vos objets de valeur, tout votre or, vos pierres et votre argent, peut-être vous laisseront-ils en vie !

Il y eut à ce moment un grand éclat de rire général dans la salle du trône. Les Vikings se moquaient des hommes-ours, les barbaient et leur lançaient des invectives et des insultes. Les hommes du Nord s'avançaient et entouraient lentement les béorites. Leurs intentions étaient claires, les Vikings n'avaient pas envie de laisser partir les hommes-ours et les béorites n'allaient pas se laisser faire. Banry se pencha vers Béorf et lui dit à l'oreille :

– Tu vois pourquoi notre peuple s'est toujours tenu à l'écart des humains ! Si ton ami le jeune magicien… car il est magicien, n'est-ce pas ?

– Oui, confirma Béorf.

– Bon, s'il a un truc pour nous sortir d'ici, il faudrait qu'il l'utilise sinon nous finirons tous dans un bain de sang. Mes amis vont bientôt sortir leurs griffes et rien ne pourra plus les arrêter.

– C'est à toi de jouer !, dit Béorf en se tournant vers Amos.

Le jeune porteur de masques s'avança vers le trône. Le roi fit calmer l'assistance d'un mouvement ferme et autoritaire. Il dit ensuite :

– Tiens ! En voici un qui n'est pas de leur race. Ses sourcils ne se joignent pas au-dessus de son nez et il n'a pas encore de barbe ! Tu dois être un humain, vermisseau ?

– Croyez-vous aux elfes ?, demanda naïvement Amos.

– On dit qu'ils existent, mais je n'en ai jamais croisé !, répondit le roi ironiquement. C'est comme les fées ! Moi, tout ce que je vois, ce sont des gobelins !

– Et bien, voyez de vos yeux !, lança Amos en dévoilant ses oreilles.

L'assistance eut un mouvement de recul. Les hommes-ours se regardèrent un à un, incrédules. La supercherie semblait fonctionner à merveille.

– Les béorites ont conclu une entente avec les elfes, continua Amos. Nous savons maintenant qui est notre ami et qui est notre ennemi. Comme dans les légendes, nos pouvoirs sont grands ! Laissez-nous partir et vous ne subirez pas ma colère !

– Un elfe !, s'exclama Harald. Et que pourras-tu faire, petit lièvre excité, contre une centaine de mes hommes ?

Amos recommençait à perdre le contrôle de ses émotions. Harald était un être irrespectueux et vulgaire, un roi méprisant et suffisant. Le garçon l'avait tout de suite détesté et sa magie, motivée par la haine, commençait à galoper dans ses veines. Un feu brûlant lui chauffait les entrailles. Le jeune porteur de masques se souvint des mots de son maître. Il se remémora le rêve de son père. Celui-ci lui disait de se méfier de la colère.

– ALORS L'ELFE!, hurla le méchant roi. TU NE RÉPONDS PAS À MA QUESTION? QUE FERAS-TU CONTRE CENT DE MES HOMMES?

Le garçon respirait mal. Conscient de ce qui allait se passer, Béorf avertit discrètement les béorites du danger potentiel que représentait Amos. Le jeune porteur de masques vit encore une fois apparaître le peuple des flammes devant ses yeux. Un petit bonhomme de braise gigotait devant lui en suppliant:

– Sois notre dieu! Sois notre maître! Libère-nous de toi... nous sommes un bon peuple, nous ne ferons pas de mal... Libère-nous!

En sueurs et étourdi, Amos tomba face contre terre.

– Eh bien!, s'exclama le roi. Quelle puissance et quelle force dans cet elfe! À peine est-il capable de marcher et il me menace de ses pouvoirs!

– Libère-nous!, insistait le petit bonhomme. Vas-y soit notre dieu et laisse nous servir ta haine! Laisse-nous te servir! Nous sommes un bon peuple, un bon peuple!

Le jeune porteur de masques tremblait. Il tentait de se contrôler, mais les images de la mort de son père, l'absence de sa mère, la disparition du Junos et la sauvagerie des bonnets-rouges lui revenaient à l'esprit. Amos voulait faire exploser ce lieu de mensonges, ce royaume de trouillards! D'un autre côté, il pensait aux enseignements de Sartigan. Le sage lui avait dit de contrôler ses émotions :

— Rappelle-toi, Amos, qu'une fine pluie est bénéfique pour la terre alors qu'un ouragan détruit et ne laisse que le chaos. Tu es la pluie et pas l'ouragan!

— Libère-nous, Maître! ALLEZ!, criait le petit bonhomme. Vas-y!

— Qu'on lui coupe la tête!, ordonna Harald. J'ai toujours eu envie d'avoir une tête d'elfe sur ma cheminée.

Un homme se dégagea du groupe des Vikings et leva sa hache dans les airs afin d'exécuter les ordres du roi. Les béorites firent un pas en avant afin d'intervenir. Amos reprit le contrôle de lui-même à l'instant précis où tout allait dégénérer dans la violence et le sang.

Le garçon se releva et pointa du doigt son agresseur. Le Viking reçut une boule de feu en plein visage qui fit s'enflammer sa barbe et ses cheveux. Une exclamation de surprise éclata dans la salle. Personne n'osait plus bouger. Les yeux fixés sur Amos, les spectateurs virent la magie du garçon à l'œuvre. Un vent puissant défonça les grandes portes et vint souffler avec force dans la salle du trône. Le jeune porteur de masques concentra l'air autour de lui dans un tourbillon. Ses pieds quittèrent soudainement le sol. Amos était en lévitation.

Des trombes d'eau déferlaient maintenant dans la pièce. Cette marée venue d'on ne sait où entrait sans ménagement par l'ouverture des grandes portes. Avec elle, des centaines de kelpies pénétrèrent dans la salle du trône. Ces créatures des mers, mi-homme, mi-cheval, avaient les jambes et la tête d'un pur-sang, le torse et les bras d'un humain, une queue, une crinière et trois doigts dans chaque main. Marchant rapidement dans l'eau déferlante, ils vinrent mettre une distance entre les Vikings et les béorites. Amos, toujours en lévitation, semblait être entré en contemplation. Le garçon fixait le plafond sans rien faire, les bras en croix, pendant que le vent le soutenait dans les airs. Puis, lorsque tous les kelpies eurent pris position, le jeune porteur de masques dit au roi, d'une voix qui n'était plus la sienne :

– Je suis Manannan Mac Lir, ton dieu ! Tu te souviens de moi, Harald aux Dents bleues ? Je suis celui que tu as oublié depuis trop longtemps. Je suis celui qui t'a aidé à gagner ce trône, mais qui n'a jamais reçu de prières ni de remerciements. Je suis celui que tu as trahi en t'associant au dragon. Je suis celui que tu ridiculises en traitant avec les merriens. Je suis celui qui en a assez de toi ! Tu me reconnais ?

Le roi Harald, paralysé par la peur, balbutia quelques mots incompréhensibles.

– Peureux va !, continua Manannan Mac Lir. Écoute ce que je vais te dire et exécute mes ordres à la lettre. Dès demain, tu rompras toutes alliances avec mes ennemis et tu recevras dignement les béorites. Ceux-ci te remettront une cassette pleine de saphirs. Dans tes forges, tu feras fondre les pierres précieuses. Toi et ton forgeron, vous quitterez ensuite les lieux et fermerez la porte. Tu posteras un garde à l'entrée afin qu'aucun mortel ne puisse y accéder. C'est ta dernière chance de retomber dans le droit chemin! Tu feras ce que je te demande où tu subiras ma colère! Réveille-toi maintenant!

Harald ouvrit les yeux. Il était dans son lit et le soleil se levait doucement à l'horizon. Le roi hurla:

– GARDE! GARDE!

– Que se passe-t-il, majesté?, demanda un garde en entrant dans la chambre.

– Demandez à mes commandants de venir à l'instant!, ordonna Harald. Allez dire à mon forgeron de faire chauffer ses feux! Je veux que mon conseiller aux affaires d'État annule toutes ententes conclues avec les armées de la bête de feu! Que l'on prépare un repas digne de mes plus grandes réceptions et qu'on envoie au large une flotte pour accueillir un drakkar venant du sud! Et... ET CESSEZ DE ME REGARDER AINSI ET AIDEZ-MOI À M'HABILLER!

Chapitre 12

Le nouveau Harald

– Faites entrer les béorites!, cria une voix énergique et excitée.

Les deux immenses portes de bois de la salle du trône d'Harald aux Dents bleues s'ouvrirent très cérémonieusement. Un grand tapis vert et bleu, arborant les symboles religieux du dieu Manannan Mac Lir, recouvrait le plancher de la salle du trône. Les béorites, Banry en tête, s'avancèrent très dignement vers le roi. De chaque côté du passage menant au trône, des centaines de Vikings s'étaient entassés pour saluer amicalement les nouveaux arrivants. Les hommes du Nord souriaient à pleines dents et ressemblaient à des enfants émerveillés. Hulot Hulson dit «la Grande Gueule» devança Banry et s'arrêta devant l'immense trône de bouleau blanc du roi. Selon la coutume, Hulot y alla d'une présentation solennelle:

– Nous, les fils d'Upsgran, dernier des grands villages de béorites du Sud, sommes venus à toi pour t'aider dans ta quête. Un de tes émissaires est venu en nos terres, implorant notre secours.

Nous sommes des gens de cœur et de courage. Bien que ma race se mêle peu aux humains, nous avons décidé de combattre sous tes ordres ! Je…

– OUI, MON AMI !, lança fortement le roi. Je te coupe la parole pour te certifier que toi et tes frères êtes les bienvenus chez moi.

– Nous vous remercions de tout cœur, continua Hulot, trop content de son impact. Je dois t'avouer, grand roi, que j'ai moi-même failli perdre la vie en sauvant deux de mes amis des griffes des merriens et que sans mon courage, jamais nous ne serions arrivés ici.

Tous les béorites se raclèrent la gorge ou toussotèrent un peu. Hulot continua :

– Enfin… bon… passons là mes exploits et venons-en directement aux faits ! Nous t'apportons ici notre contribution à l'effort de guerre !

Chemil s'avança et déposa au pied du roi la cassette remplie de saphirs bleus. Harald ordonna :

– Qu'on amène immédiatement ceci au forgeron. Je vous remercie beaucoup mes amis !

– C'est nous qui te remercions, répliqua Hulot. Ton escorte de bienvenue et tes largesses à notre égard ont été grandement appréciées. Le banquet d'accueil que tu nous as fait préparer dans ta salle de réception nous a comblés. Nous étions morts de faim et ce repas nous a ragaillardis pour la peine !

– Tant mieux, mes frères, tant mieux !, s'exclama le roi. Mes cuisiniers m'ont d'ailleurs dit que vous leur aviez grandement fait honneur en mangeant comme… comme… comme de véritables guerriers! Depuis ce matin, plusieurs choses ont changé dans mon royaume et cela coïncide très heureusement avec votre arrivée. Pour une raison que j'aime mieux ne pas expliquer, des dizaines de campements de bonnets-rouges se sont installés sur mes terres. M'aiderez-vous à les chasser?

– Donne-nous chacun une division de tes hommes et dans une semaine tes terres seront guéries de cette infection!, affirma Banry en faisant un pas à l'avant.

– Banry parle d'une semaine parce qu'il travaille lentement, dit Helmic à la blague. En trois jours, je les aurai tous décapités!

– Votre fougue fera du bien à mes hommes!, lança fièrement Harald aux Dents bleues. Ils se sont bien ankylosés depuis quelque temps. Nous parlerons de cette stratégie avec mon conseiller militaire, mais avant, pourrais-je m'entretenir seul à seul avec le jeune elfe?

Tous les béorites, surpris de cette demande, se regardèrent avec incompréhension.

– Il n'y a pas d'elfe parmi nous, grand roi, répondit Hulot. On t'a mal informé!

– Mais oui…, murmura le roi entre ses dents, il y a certainement un elfe dans votre groupe. C'est lui! Le garçon là… je le reconnais. Je l'ai déjà vu…

Toute la salle se retourna vers Amos. Le jeune porteur de masques s'avança vers le roi et salua respectueusement.

– Je suis désolé de vous dire que je ne suis pas un elfe, mais un humain, confirma Amos.

– Mais oui, tu en es un… je… enfin, pourrais-je vous parler seul à seul, Maître elfe ?, demanda le roi déstabilisé.

– Avec plaisir !, répondit Amos.

– Chers hommes-ours, reprit Harald. Mes Vikings vous conduiront à vos quartiers. Reposez-vous, vous êtes ici chez vous. Nous reparlerons de nos futures actions contre les gobelins dans quelques jours. Pour l'instant, je garde ce jeune homme et je vous prie de m'accorder un peu d'intimité…

Les béorites, contents de cet accueil, sortirent prestement de la salle du trône. Les spectateurs vikings les suivirent et bientôt Harald aux Dents bleues demeura seul avec Amos.

– Est-ce que tout est à votre convenance ?, demanda le roi en s'agenouillant devant l'enfant.

– Euh… oui… mais pourquoi ?, balbutia Amos.

– Je sais que vous êtes l'envoyé de Manannan Mac Lir, continua Harald et vous devez savoir que je me suis conformé aux ordres de notre maître. Il n'y a plus d'alliance avec la bête de feu. J'ai choisi définitivement mon camp et mes hommes se battront pour vous.

– C'est… c'est très bien !, répliqua le garçon sans comprendre les propos du roi.

– La prophétie disait donc vrai !, lança le chef des Vikings en retournant vers son trône.

– Quelle prophétie ?, demanda Amos.

– Ce matin, j'ai… j'ai fait un rêve. Enfin, vous le savez, vous étiez là, dans mon songe ! En me réveillant, je suis allé consulter un grand prêtre, pour lire le livre du Ragnarök.

– Et quel est ce livre?, questionna le garçon.

– Vous ne le savez pas!, s'étonna Harald aux Dents bleues. Ah, mais, je vois… vous me mettez à l'épreuve… c'est bien, c'est bien, je suis prêt. Le Ragnarök est un chapitre du grand livre de la création et de la destruction du monde. Il raconte qu'un terrible mal naîtra sur la terre. Un immonde serpent, indestructible et crachant du feu, répandra son venin en empoissonnant les hommes. À ce moment, les dieux tomberont dans le chaos et le monde connaîtra ses années les plus sombres. Des bêtes immondes asserviront l'humanité et la soumettront à l'esclavage. Il n'y aura plus de soleil et plus de lune, plus de jours et plus de nuits, tout deviendra noir et sans lumière. Heureusement, il est aussi écrit qu'un être supérieur, un jeune elfe, ressuscité du monde des morts et choisi par les dieux, arrivera en nos terres pour combattre la bête. Il y aura avec lui un guerrier magnifique qui, d'un seul coup d'épée, anéantira l'animal en plein vol.

– Mais… je ne pense pas être celui que vous attendez!, dit pensivement Amos

– MAIS SI!, cria Harald. Cessez ce jeu avec moi, cessez de me torturer! Je sais que vous êtes un elfe… je vous ai vu dans mon rêve et puis… si ce n'est pas vous…, mon peuple n'a plus aucun espoir.

– Et pourquoi?, demanda le garçon.

– POURQUOI!, s'exclama le roi. Parce que les gobelins se sont multipliés comme des lapins.

Ils sont partout! Les bonnets-rouges détruisent et pillent mes villages, ils attaquent la côte et font même des razzias sur le continent! Bientôt, les merriens auront coulé tous mes drakkars et je serai sans défense! Voilà POURQUOI! Et, malgré le respect que je vous dois, ce ne sont pas une dizaine de béorites qui changeront les choses.

– Et si j'étais cet elfe?, reprit sérieusement Amos.

– Nous serions en mesure de croire en notre victoire, affirma l'homme. Si les Vikings ne sont pas capables de contenir le mal en leurs terres, je ne vois pas qui pourrait empêcher la bête de feu de se répandre sur le monde.

Amos se souvint de l'histoire du maître de Sartigan. Celle où le sage homme avait gagné le tournoi de tir à l'arc. Le vieillard avait dit avoir triomphé parce que ses adversaires ressentaient la peur de perdre. Pour gagner, il avait gardé le cœur léger et l'esprit serein.

Fort de cette réflexion, Amos sortit ses oreilles de cristal et les installa discrètement. Il les dévoila ensuite au roi et dit:

– Allez dire à vos hommes que l'elfe de la légende est là! Que votre armée reprenne confiance en elle, rien ne lui sert plus maintenant d'avoir peur, la prophétie du Ragnarök est accomplie.

– Je le savais!, s'exclama le roi en riant. Je n'aurais jamais dû perdre la foi et me plier aux exigences de ces monstres. Un nouveau jour s'est maintenant levé. Venez avec moi, je dois vous montrer quelque chose.

Harald et Amos se rendirent aux forges du roi. Derrière une grande porte surveillée par quelques gardes, le garçon entendit un martèlement violent, presque déchaîné. Harald dit :

– Selon les indications de Manannan Mac Lir, j'ai fait amener vos saphirs afin qu'ils soient travaillés à votre convenance.

– Mais… les pierres précieuses ne se fondent pas !, s'écria le garçon.

– Justement, reprit le roi, j'espérais que vous puissiez me dire ce qui se passe dans cette forge.

– Je ne sais pas…, s'étonna Amos, il faudrait demander à votre forgeron.

– Mon forgeron est chez lui et personne n'est entré dans l'atelier depuis que nous y avons déposé les pierres, affirma Harald. C'est un de mes hommes qui est venu me prévenir de cette étrange activité pendant que les béorites quittaient ma salle du trône. Vous n'avez aucune idée de ce qui se passe ici ?

– Pas le moins du monde !, s'exclama Amos en regardant vibrer les portes de la forge sous l'impact du martèlement.

Chapitre 13

Le nouveau masque et le départ des troupes

Les béorites, selon leur habitude, dormirent chez leur hôte pendant deux jours d'affilée. Ce fut encore Kasso qui eut la difficile tâche de les réveiller.

Amos raconta à Béorf sa conversation avec Harald et lui rapporta tous les détails de la prophétie. Le jeune porteur de masques se voyait maintenant condamné à toujours porter ses oreilles d'elfe. Amos parla aussi des bruits dans la forge. Le martèlement n'avait pas cessé depuis près de quarante-huit heures. De jour comme de nuit, on entendait le son répétitif du marteau frappant l'enclume. Harald, suivant les consignes de son rêve, avait interdit à quiconque de pénétrer dans l'atelier. Comme Amos terminait son récit, un Viking de la garde personnelle du roi, vint l'interrompre :

– Monsieur l'elfe… désolé, mais on vous demande à la forge… c'est apparemment urgent !

Les deux garçons ne firent ni une ni deux et se rendirent rapidement sur les lieux. Harald, impatient et nerveux, faisait les cent pas. Il se précipita sur Amos :

– Il y a quelque chose derrière cette porte qui rugit de façon très agressive ! Devons-nous entrer ou attendre ? Faites quelque chose, s'il vous plaît, car la bête qui est enfermée dans l'atelier n'est pas de très bonne humeur.

Un cri affreux retentit soudainement. Les gardes sursautèrent et firent un pas en arrière. C'était un appel que seul Amos comprit à cause de la magie de ses oreilles.

– Ça va ! Il n'y a rien de dangereux !, confirma le garçon en essayant de calmer les angoisses des Vikings présents. C'est moi qu'il veut, la bête me demande. Je vais entrer dans la forge.

– Veux-tu que je vienne avec toi ?, demanda Béorf.

– Non, mais reste prêt à toute éventualité…, répondit un peu anxieusement Amos. On ne sait jamais ce qui peut arriver !

Le jeune porteur de masques ouvrit la porte de la forge et il y pénétra lentement. Une créature se tenait dans l'ombre, à quelques pas de l'enclume. Haut de deux mètres, cet humanoïde avait la tête et les jambes d'un cheval. Son torse et ses bras étaient ceux d'un homme. Se tenant sur deux pattes, il avait une très longue crinière et une imposante queue de pur-sang. Commença alors dans la forge une étrange conversation parsemée de sons et de mouvements hétéroclites :

– Vous avez appelé mon nom ?, demanda Amos en hennissant. Je suis là, parlez !

– Je suis content de savoir que vous parlez le kelpie, répondit la créature dans la langue des chevaux de mer. Peu d'humains connaissent notre langue.

– Je connais votre langue, mais pas vos coutumes, continua Amos en tapant du pied et en s'ébrouant la tête. Comment dois-je vous marquer le respect ?

– S'ébrouer de la sorte, surtout lorsqu'on n'a pas de crinière, est une marque de très grand respect chez moi, affirma le kelpie en galopant légèrement sur place.

– Que puis-je faire pour vous ?, questionna le garçon en bougeant la tête trois fois.

– Je suis ici pour vous donner quelque chose !, s'exclama le kelpie en ruant.

– Votre cadeau sera apprécié !, répliqua poliment le garçon en jouant de ses lèvres et en montrant ses dents.

– Vous avez sauvé un prêtre de Manannan Mac Lir…, hennit l'humanoïde en baissant la tête. Pour vous remercier, il m'a demandé de vous forger ceci !

Le kelpie tendit les bras et donna à Amos un magnifique masque bleu translucide. L'objet, constitué de centaines de saphirs, avait l'apparence d'une tête de poisson. Ses écailles ressemblaient à de fines gouttelettes imbriquées les unes aux autres. Il y avait quatre trous, deux de chaque côté des branchies, pour y insérer des pierres de pouvoir. Ce masque avait été travaillé avec la finesse et l'habileté des grands artistes. Très léger, mais quand même solide, il arborait comme pourtour de magnifiques représentations d'anémones et d'étoiles de mer, d'algues frivoles et de coraux.

– C'est une grande œuvre d'art!, s'exclama le garçon en se balançant follement la tête.

– Merci, merci bien!, répondit le kelpie en faisant résonner ses sabots sur le plancher de bois. Vous le méritez bien!

– Je dois y enchâsser une pierre de pouvoir avant de l'intégrer…, dit Amos en soufflant bruyamment à cinq reprises par ses narines. Savez-vous où je peux trouver une telle pierre?

– Les kelpies se sont fait voler beaucoup de leurs richesses par les merriens, répondit le forgeron en expulsant de sa bouche une grande quantité de salive. Dans le trésor du dragon, vous trouverez ce que vous cherchez… Cette pierre vous appartient!

– Je la prendrai et ferai honneur aux pouvoirs du masque, répliqua le garçon en se cabrant brusquement.

– Aidez-moi maintenant à sortir d'ici et à regagner la mer, demanda le kelpie en faisant mine de ruer. Si les Vikings me voient, ils paniqueront et voudront me tuer… Ils ne savent pas encore que nous combattons dans le même camp.

– Tout de suite!, s'écria le jeune porteur de masques en frappant une fois par terre avec son pied.

Amos lança une grande couverture sur la créature. En ouvrant la porte de la forge, il vit Béorf, hilare, le regarder avec curiosité.

– Mais qu'est-ce que c'était que cette langue?, demanda le gros garçon. Tu dansais en poussant des hennissements de cheval. Je n'ai pas pu m'empêcher de regarder par l'entrebâillement de la porte. Savais-tu que tu n'arrêtais pas de cracher?

– Tu aurais compris si tu avais mis tes oreilles de cristal!, lança Amos en souriant. Demande au roi de se retirer avec ses hommes, je dois reconduire mon nouvel ami à la mer et personne ne doit le voir.

– Très bien!, lança le gros garçon. Je m'occupe de tout! Reste là, je reviens te chercher!

Quelques minutes plus tard, Amos guidait le kelpie à travers la demeure du roi jusqu'à une charrette recouverte d'une petite tente. Béorf aux commandes, les enfants se rendirent sur une plage non loin de la ville. La créature des mers sortit de sa cachette, salua les jeunes, et galopa dans l'eau avant de s'évanouir dans une vague.

– C'était quoi au juste comme créature?, demanda Béorf bouche bée.

– C'était un kelpie, répondit Amos. Ce sont des êtres très gentils et très polis. Regarde le masque qu'il m'a forgé!

– Il est magnifique!, s'écria le gros garçon.

– Il ne reste maintenant qu'à trouver la pierre de pouvoir dans le trésor du dragon!, lança Amos avec un petit rire nerveux dans la voix.

* * *

Les béorites roulèrent un gros tonneau en bas de leur drakkar. Banry s'assura que personne ne les épiait pendant que Chemil, armé de ses outils de charpentier, ouvrit très précautionneusement le baril. Amos et Béorf assistèrent à la scène en se demandant ce qu'ils allaient en sortir. À leur grande surprise, il y avait un autre béorite couché dans le baril. Banry regarda les garçons et dit :

— Piotr le Géant vous l'a déjà présenté à la taverne. C'est Geser Michson, dit «la fouine». Il déteste l'eau, mais il n'a pas son pareil dans la forêt.

— Mais comment a-t-il fait pour survivre dans ce baril ?, demanda Amos.

— L'hibernation, c'est notre secret !, lança Kasso qui se préparait à asperger d'eau froide Geser.

— Oui, c'est cela..., continua Banry. Avant le départ, il a mangé pendant trois jours puis il s'est endormi dans ce tonneau. Chemil a scellé l'ouverture en prenant bien soin de lui laisser quelques trous pour respirer. Il a dormi durant tout notre voyage !

— Et pourquoi le réveiller maintenant ?, questionna Béorf en regardant Geser ouvrir difficilement un œil.

— Parce que nous avons besoin de lui, répondit Helmic L'Insatiable. Nous allons l'envoyer faire une reconnaissance du terrain. Ce type est un vrai miracle dans les bois. Il sait disparaître aux yeux de ses ennemis et survivre dans des conditions très difficiles. La Fouine saura nous rapporter exactement la position des bonnets-rouges, leurs déplacements et le nombre de leurs unités.

– Ce sera plus facile pour nous de monter par la forêt que d'emprunter la rivière jusqu'au dragon, dit Alré la Hache. Les Vikings sont des navigateurs et les gobelins surveilleront davantage les cours d'eau.

– Et je vais demander à Geser de bien regarder si les bonnets-rouges ont des prisonniers, dit Rutha Bagason en caressant maternellement les cheveux d'Amos. Nous sommes aussi là pour retrouver ta mère…

– Merci beaucoup, répliqua amicalement le garçon. Je pense souvent à elle et je me demande ce qui a bien pu lui arriver. Je n'ai plus de pistes et je ne sais pas ce que ces gobelins ont bien pu faire d'elle.

Geser Michson dit « la Fouine », réussit à s'extirper du tonneau et à se réveiller. Suivant les demandes de ses amis, il se transforma en ours et disparut dans la grande forêt du Nord pendant près d'une semaine. Lorsqu'il revint de son périple, le béorite dessina avec précision une carte montrant la position des bonnets-rouges, leurs routes, mais surtout, un camp de prisonniers. Banry se frotta les mains de satisfaction, félicita son ami et dit :

– Je connais des gobelins qui vont être surpris de nous voir !

Chapitre 14

La menace de Brising

Brising était une charmante petite fille de huit ans aux cheveux blonds et aux yeux bleus qui vivait dans le petit village de Ramusberget, situé au pied de la grande montagne du Nord. Son père était bûcheron et sa mère, enceinte, s'occupait de la maison. La plupart des hommes vivant dans ce hameau exerçaient la profession de bûcheron. Les Vikings passaient deux fois par année et achetaient tout leur bois. Les arbres poussant sur les terres de Ramusberget étaient d'une qualité supérieure et faisaient des Drakkars solides et résistants. Toute l'économie du village était basée sur cette unique activité qui, depuis des centaines d'années, faisait bien vivre ses habitants.

Brising avait un frère plus vieux et celui-ci s'amusait souvent à la taquiner, peut-être un peu trop parfois. Récemment, il avait volé sa poupée préférée pour la cacher dans les bois derrière la maison. La petite fille était partie à la recherche de son jouet et s'était perdue dans la forêt. Pendant que le village organisait une battue, c'est l'avatar du Baron Samedi qui la trouva en premier.

C'était un homme squelettique aux yeux de braise portant un haut-de-forme, un long manteau de cuir noir et une canne. L'automne était arrivé, les loups hurlaient, Brising avait froid et, sans se méfier de ce personnage étrange à la peau bourgogne, elle accepta de lui parler. Le baron la prit dans ses bras et lui enfonça rapidement une draconite dans la gorge. L'avatar lui raconta ensuite cette histoire :

— Dans les temps anciens, la Terre était peuplée de magnifiques créatures. Ces bêtes, grandes et puissantes, furent pendant des siècles les maîtres du monde. Elles dormaient sur de gigantesques trésors au cœur des montagnes. Un jour, à cause de la convoitise des hommes, ces animaux fantastiques disparurent de la surface de la Terre. Je t'ai choisie pour devenir le premier des grands dragons qui renaîtront bientôt partout sur tous les continents et dans toutes les contrées. J'avais placé mes espoirs dans une autre fillette, mais elle s'est détournée de ma voie. Je voulais un grand dragon noir, j'aurai à la place une magnifique bête dorée, aux yeux bleus !

Le Baron Samedi, grand dieu de la race des dragons (aussi appelés les Anciens) avait réussi à forger en secret trois draconites. Ces pierres précieuses devaient être implantées dans le corps de trois fillettes pour les transformer en dragon. Ces monstres pouvant se reproduire par eux-mêmes allaient construire des nids d'or pour y pondre des œufs. En quelques années, les créatures du baron allaient se répandre sur toute la terre et devenir la race dominante du monde. Tel était le plan d'origine du Baron Samedi, mais les choses avaient mal commencé pour lui.

Le dieu avait échoué dans sa tentative de transformer la jeune princesse Lolya de la tribu des Dogons, en un terrible dragon noir. C'est Amos Daragon qui lui avait ravi la draconite afin d'en sertir son masque de feu. La deuxième pierre avait été volée par un dieu inférieur et la troisième, maintenant enchâssée dans le corps de Brising, allait enfin pouvoir servir les intentions du dieu.

Une grande bête dorée aux yeux bleus avait effectivement vu le jour dans la montagne de Ramusberget. La draconite avait rapidement agi et Brising était disparue en abandonnant son corps et son âme à sa nouvelle existence. Le Baron Samedi rebaptisa la bête Ragnarök, qui veut dire le crépuscule des dieux. Cette menace signifiait la fin du monde ou plutôt la fin d'un monde. Il n'y aurait plus désormais qu'un seul dieu et qu'une race dominante sur terre, la sienne.

Le baron s'allia à Thokk, une stupide déesse de glace au cœur de pierre, pour qu'elle forme une grande armée de bonnets-rouges et de merriens afin d'asservir le monde. Celle-ci, maîtresse des gobelins, accepta une alliance avec le Baron Samedi et regroupa ses créatures au pied de la montagne de Ramusberget. Pour constituer un trésor au dragon, elle leur donna la mission de piller les villes et les villages de la côte, puis ceux du continent.

Pendant ce temps, le dragon se creusa un immense refuge au cœur de la montagne. À grands coups de griffes et de crocs, il avait fait trembler la terre à des lieues à la ronde. On aurait dit que la montagne grognait et ce vrombissement constant alerta les populations des environs. Une fois sa tâche terminée, Ragnarök alla réduire en cendres tous les villages entourant sa nouvelle demeure. Tous ceux qui n'avaient pas eu la sagesse de partir à temps y laissèrent leur vie. Le dragon n'eut pas de pitié pour son ancienne famille. Il assassina sauvagement son père et son frère et tua également sa mère en la croquant d'un coup de gueule. La femme mourut dans d'atroces souffrances en sachant que l'enfant qu'elle portait ne verrait jamais le jour. Sous les rires sadiques du Baron Samedi, la prophétie allait bientôt s'accomplir et le monde tomberait sous la puissance de ses dragons.

* * *

Les bonnets-rouges entraient dans l'antre du dragon et déversaient des seaux remplis d'or, de pierres précieuses ou d'objets précieux. Le trésor de l'Ancien devenait plus gros de jour en jour. Au centre d'une immense caverne, la bête de feu se reposait. Ragnarök s'était délié les ailes et avait volé, loin dans les neiges éternelles du Nord, pendant une bonne partie de la matinée. Le froid à l'extérieur de sa caverne était vif, même pour un dragon cracheur de feu. Devant la bête affalée par terre comme un chien savant, le Baron Samedi faisait les cent pas. Il réfléchissait en affichant un air préoccupé. Le dragon grogna lourdement :

– Le monde ne peut rien contre moi, je suis maintenant le maître de cette terre !

– Ne commets pas l'erreur que j'ai faite, avertit le baron.

– Tu parles de ce jeune garçon ?, demanda l'immense bête en bougeant sur son trésor. C'est lui qui te préoccupe ?

– Oui, c'est bien lui qui me préoccupe, affirma le dieu. Il est imprévisible. Ce garçon est arrivé à déjouer tous les plans de Seth et à m'enlever Kur, mon dragon noir.

– Il ne pourra rien contre moi, je suis trop puissant !, s'exclama d'une voix caverneuse le dragon en ricanant. Dans quelques semaines, les bonnets-rouges m'auront constitué un assez gros trésor pour que je ponde mes premiers œufs. Mes enfants partiront ensuite à travers le pays pour y faire d'autres nids. Mes petits-enfants iront encore plus loin en semant, jour après jour, le chaos sur le monde.

– Et moi, ajouta le Baron Samedi, je deviendrai le dieu suprême du panthéon. Tout cela grâce à toi, ma belle petite Brising !

– De qui parles-tu ainsi ?, demanda l'Ancien intrigué par ce nom.

– Je veux dire, Ragnarök !, reprit le dieu. Oublie ce que je viens de dire mon beau Ragnarök. Cependant, je ne veux pas qu'Amos Daragon arrive jusqu'à toi…

– Baron Samedi!, s'exclama la bête de feu d'un ton agressif. Tu es mon père et je te dois la vie, mais ne viens pas m'insulter dans mon antre. JE SUIS UN DRAGON ET IL EST UN ENFANT! Comment pourrait-il être de taille contre moi?

– Il est malin… très malin, avertit le baron avant de se faire couper la parole.

– DISPARAIS DE MA MONTAGNE, PÈRE INGRAS!, hurla le dragon. Tu ne crois pas en moi, tu penses que je suis trop bête pour affronter seul UN ENFANT. Je te méprise! Voilà un dieu qui crée un dragon, mais qui s'inquiète comme une nourrice… Pour te prouver ma force et ma grandeur, je ferai en sorte que cet insecte se présente devant moi et je l'éliminerai d'un coup de dents.

– NE FAIS PAS CELA, RAGNARÖK!, lança le baron en haussant la voix. TU NE LE RECEVRAS PAS! Est-ce bien clair? Je n'ai plus de chance à prendre. La guerre entre les dieux du bien et ceux du mal a épuisé les pouvoirs de mes semblables. Ils sont plus faibles et moins vigilants. Tous pensent maintenant que j'ai disparu dans l'oubli. C'est le temps pour moi de frapper et de conquérir ce monde! Je ne suis pas du côté du bien ou du côté du mal, je travaille pour moi!

– Tais-toi et pars!, ordonna le dragon. Tu seras le maître des cieux et je serai le maître de la terre. Tes discours m'ennuient et votre guerre de divinités me lasse. Je suis le roi ici et on ne m'ordonne pas! Je veux voir ce garçon et je veux le tuer. Il en sera selon ma volonté!

– Ne rate pas ton coup lorsque tu ouvriras la bouche pour le croquer !, lança le baron prêt à quitter les lieux. J'aurai les yeux sur toi et sur tes agissements. La race des Anciens doit renaître…

– ET ELLE RENAÎTRA !, hurla la bête en furie.

Chapitre 15

Vers la montagne
de Ramusberget

Harald aux Dents bleues, Ourm le Serpent rouge et Wasaly de la Terre verte avaient convenu d'un plan. Les trois rois vikings regrouperaient leurs forces pour attaquer et détruire les gobelins. Ourm le Serpent rouge avait une puissante flotte de drakkars et fut chargé d'écumer la grande mer et d'éliminer les merriens. Wasaly de la Terre verte jura de libérer le sud des terres vikings et de poursuivre les bonnets-rouges sur le grand continent. La montagne et le dragon furent laissés au roi Harald aux Dents bleues et à ses hommes. Celui-ci avait la plus grande et la plus efficace des armées. Ses combattants étaient sauvages et n'avaient peur de rien. De plus, le royaume produisait de solides armures et de très bonnes épées.

Le roi Harald aux Dents bleues divisa ses troupes en six bataillons et nomma un béorite à la tête de chacun d'eux. Banry se vit confier deux cents hommes et Helmic l'Insatiable en reçut trois cents. Les frères Azulson, Goy et Kasso, prirent la charge d'un bataillon d'éclaireurs composé d'une cinquantaine d'archers pouvant rapidement se déplacer. Rutha Bagason dit « la Valkyrie », Alré la Hache et Piotr le Géant se divisèrent près de quatre cents guerriers. Chemil Lapson, l'habile charpentier, demeura dans la ville pour diriger les travaux de fortification en prévision d'une attaque, Geser la Fouine retourna dormir dans son baril et Hulot Hulson dit « la Grande Gueule », demeura introuvable lors de la division des tâches. On le chercha longtemps dans la ville pour s'apercevoir que le poltron s'était réfugié dans un drakkar avec la ferme intention de fuir vers Upsgran. On lui confia trente-cinq hommes avec la mission très précise d'aller libérer les prisonniers du camp des bonnets-rouges. Amos et Béorf proposèrent leur aide et il fut décidé qu'ils accompagneraient le nouveau commandant Hulot.

Tous les bataillons reçurent des ordres très précis. Suivant un itinéraire établi selon le rapport de Geser la Fouine, chaque formation devait remonter vers la montagne de Ramusberget en forçant le retrait des gobelins vers le nord. Comme la neige était déjà très abondante dans les forêts, les armées se déplaceraient en skis. Les Vikings et les béorites connaissaient très bien ce mode de locomotion et pouvaient parcourir avec un minimum d'efforts de très grandes distances. La neige et la glace constituaient pour eux un avantage non négligeable. Il fut également convenu d'un lieu de rendez-vous où tous les bataillons joindraient leurs efforts pour effectuer la dernière attaque, celle de la montagne du dragon.

Seule la garde personnelle d'Harald demeura dans la ville. Ces cinquante guerriers se virent confier comme nouvelle fonction de protéger la cité et le roi en cas d'attaque. Les béorites se souhaitèrent bonne chance. Très dignement, chacun prit la charge de ses hommes et bientôt la ville se vida. Au moment du départ, Hulot était encore introuvable. C'est Amos qui réussit à dénicher sa nouvelle cachette. Il s'était réfugié dans la prison du roi et avait lui-même verrouillé la porte à double tour. Le pauvre béorite était mort de peur à l'idée de partir en campagne.

– Hulot!, s'exclama Amos. Que fais-tu là? Il est temps de partir!

– Je ne pars pas…, affirma le béorite derrière ses barreaux. Comme c'est moi qui commande mes hommes, je déclare que nous allons rester un peu ici… et… et voir ensuite ce que nous allons faire… Nous ferons cela ou le contraire!

– Qu'est-ce qui se passe Hulot?, demanda gentiment Amos. Tu as peur de partir?

– OUI!, répondit l'homme-ours en tombant mollement assis sur la couchette de la cellule. J'ai tellement peur que je me suis enfermé moi-même! Je suis né sans courage et sans talent pour la guerre. Tout ce que j'aime dans la vie, ce sont mes histoires. J'ai la langue bien pendue, mais je n'ai aucun talent pour conduire des hommes.

– Et quelle est ton histoire préférée?, interrogea le jeune porteur de masques.

– C'est l'histoire de Sigurd!, s'écria Hulot. C'est le plus célèbre des héros que je connaisse. C'est lui qui terrassa, il y a des centaines d'années de cela, le grand dragon du Nord nommé Fafnir. Cette bête de feu avait anciennement été un homme, le fils d'un très grand magicien qui tua son père et fut changé en dragon à cause de sa cupidité. La légende d'un fabuleux trésor attira dans le repaire de la bête de nombreux héros en quête de célébrité et de richesses. Beaucoup d'entre eux moururent sur les terres qui entouraient son antre, mais le jeune Sigurd, armé de l'épée de son père, réussit à vaincre le monstre. Il se cacha dans un trou sur un chemin qu'empruntait chaque jour le dragon et lui planta son épée dans le ventre.

– Une nouvelle légende s'écrit présentement, Hulot, et tu en fais partie, reprit Amos en pesant chacun de ses mots.

– Nous mourrons tous si nous affrontons le dragon!, s'exclama Hulot. Je ne veux pas mourir, je veux revoir Upsgran.

– Quelqu'un m'a déjà dit qu'il fallait remplacer la peur par la connaissance, dit Amos. Ton histoire vient de me donner une idée... pour combattre un dragon, il faut voir au-delà de son apparente force. Rien ne sert de l'attaquer avec une armée, il faut le tuer par son point faible.

– Tu sais comment te débarrasser du dragon?, interrogea timidement Hulot.

– Oui, je l'aurai par la ruse et je commettrai en même temps une bonne action pour Augure De VerBouc!, s'exclama Amos.

– Alors…, j'ai confiance en toi, je viens !, confirma le béorite. Concentrons-nous sur notre mission et allons libérer les prisonniers… Va avertir les hommes que nous partons bientôt !

– Sors de là, Hulot, et prenons tout de suite la route !, lança fièrement Amos. Nous n'avons pas de temps à perdre !

– C'est que… comment dire… euh, balbutia le béorite. C'est que j'ai avalé la clé de la cellule et qu'il faudra attendre que mes intestins me la rendent !

– Nous attendrons…, répondit le garçon très amusé, nous attendrons !

* * *

Après une demi-journée de ski, le bataillon de Hulot arriva, tel qu'indiqué sur la carte, tout près des installations des bonnets-rouges. Les gobelins avaient investi une petite plaine. De grandes cages en bois montées au centre du camp contenaient des dizaines de prisonniers. Ceux-ci attendaient d'être vendus comme esclaves.

De grossiers murs de neige avaient été montés autour du camp pour protéger les gobelins du vent. Cinq grands feux brûlaient jour et nuit en dégageant une épaisse fumée dans les forêts environnantes. Les bonnets-rouges marchaient de long en large, engourdis par le froid. Ils étaient une centaine à guetter les lieux.

– As-tu un plan ?, demanda Béorf en regardant son ami Amos.

– Retiens Hulot d'ordonner quoi que ce soit, je vais inspecter les lieux!, répliqua le jeune porteur de masques.

Amos se concentra et leva doucement la main. Une petite mésange vint promptement se poser sur son doigt. Le garçon dit:

– Prête-moi tes yeux, j'ai le pouvoir du vent et je ne te ferai pas de mal.

La mésange s'envola vers le camp de prisonniers et se posa bien vite sur une des cages. Par les yeux de l'oiseau, Amos vit le désespoir dans le regard des captifs. Les prisonniers étaient majoritairement des femmes et des enfants, mais il y avait aussi plusieurs hommes dans la force de l'âge. Pelotonnés les uns aux autres, ils grelottaient tous à gros frissons. Les détenus semblaient très malades ou très faibles. Des couvertures sales et trouées recouvraient les enfants. Ils n'avaient pour manger que du poisson cru et un peu de pain.

L'oiseau se déplaça et vit une silhouette familière. Un homme, grand et robuste à la barbe longue, aidait une mère en pleurs à recouvrir son enfant malade d'une nouvelle couverture. La mésange se posa sur un barreau, tout près de la scène. Amos reconnut immédiatement Junos, seigneur de Berrion. Quelle joie! Peut-être que Frilla, sa mère, était aussi parmi ces prisonniers!

La mésange alla se poser sur l'épaule de Junos. Le chevalier, surpris d'une telle familiarité de la part d'un oiseau sauvage, lui caressa doucement la tête avec son doigt. L'oiseau s'envola et Amos perdit le contact. Le garçon se retourna et vit que Béorf était de retour.

– Junos est parmi les prisonniers!, s'écria Amos.

– Tu l'as vu?, demanda le gros garçon. Et ta mère?

– Je n'ai pas vu Frilla, mais j'espère bien qu'elle s'y trouve, répondit le jeune porteur de masques. Je vais faire griller ces gobelins pour les punir de…

– Tu te laisses emporter Amos, lança Béorf pour calmer son ami. Lorsque tes émotions prennent le dessus sur ta raison, tu deviens très dangereux pour tout le monde.

– Tu as raison, confirma le garçon, mais il faut faire quelque chose!

– Laisse-moi m'occuper de ça…, dit Béorf très confiant dans ses moyens. J'ai un plan… tout ce que tu auras à faire c'est d'aller libérer les prisonniers à mon signal.

– J'ai confiance en toi, Béorf, répondit Amos en serrant le bras de son ami, je te laisse le plancher!

Béorf et Hulot se transformèrent en monstres répugnants. Mi-homme et mi-ours, les deux béorites avaient la bouche déformée, un corps à moitié poilu et un crâne ressemblant davantage à une tête de troll qu'a celle d'un humain. Le gros garçon avait bien pris soin de mettre ses oreilles de cristal pour discuter facilement avec le gobelin. Pour faire croire qu'ils étaient des marchands d'esclaves, les deux béorites traînaient derrière eux une bonne dizaine de prisonniers vikings.

Ceux-ci avaient des épées, des couteaux, des haches et des dagues cachés sous leurs vêtements. Amos était parmi eux, tête basse et ligoté comme les autres. Le reste du bataillon attendait dans les bois, prêt à frapper.

La petite troupe arriva au campement des bonnets-rouges. Un garde arrêta Béorf et demanda :

– Toi à qui ? Présente à toi à moi sinon à moi tuer à toi !

– À moi suis Geurk !, répondit le gros garçon. Esclaves à nous, à père et à moi. À père ne pas parlé, pas langue à lui, coupé à lui par humains !

– À nous pas payer esclaves, à nous prendre dans village !, s'exclama le gobelin.

– À toi bon prix pour solides hommes…, insista Béorf.

– À toi entrer, à moi voir chef à nous, continua le bonnet-rouge en laissant pénétrer tout le monde dans le camp.

À ce moment, Amos se glissa un peu hors du groupe et alla près de la cage de Junos. Le chevalier le reconnut aussitôt.

– Amos !, murmura-t-il. Je n'arrive pas à croire ! Mais que fais-tu ici ?

– Je répondrai à tes questions plus tard si tu veux bien Junos, dit le garçon en prenant bien soin qu'on ne le repère pas. Ma mère est-elle là ?

– Non, malheureusement, affirma Junos en baissant la tête. Elle a été vendue par ces monstres dans un marché d'esclaves, il y a déjà deux semaines de cela. Je n'ai pas vu ton père Urban… a-t-il réussi à leur échapper ?

– Mon père a été tué lors de l'attaque de Berrion, répondit le garçon.

– Je suis désolé…, chuchota péniblement le chevalier. Vraiment… c'était un homme bien… j'espère que sa dispa…

– Je sais…, interrompit Amos. Nous en parlerons plus tard. Prends ces armes et distribue-les aux prisonniers. Au signal de Béorf, nous attaquons !

– Très bien, fais passer ici les épées, confirma Junos, je m'occupe de tout. Fais simplement ouvrir les cages et tu vas voir que plusieurs prisonniers ici en ont gros sur le cœur. Même les femmes voudront égorger quelques-unes de ces créatures immondes et cruelles.

Le groupe de Vikings fit passer une à une les armes aux détenus. Pendant ce temps, le chef des gobelins arriva devant Béorf. Il était plus gros que les autres et portait fièrement une plume à son bonnet. Bedonnant et ankylosé par le froid, il dit d'un air supérieur :

– À QUOI À TOI VOULOIR À MOI ET À NOUS ?

– Moi à vous amener esclaves à nous, pas chers…, répondit poliment le gros garçon sous son allure de monstre.

– Mais… toi à fou !, s'écria le chef. Moi à pas acheter, moi à vendre esclaves ! À moi pas intéressé esclaves à toi !

– À moi désolé, grand chef à toi, s'excusa Béorf dont le plan se déroulait à merveille. Parce que déranger à toi, à moi et père à moi donnons esclaves à toi !

– Grand cadeau!, s'écria le gobelin bedon-nant. Pour ça, à moi pas tuer à vous! Seulement, gardez à vous aussi comme esclaves à nous!

Tous les gobelins entassés derrière leur chef éclatèrent d'un grand rire machiavélique. Béorf fit alors semblant de rire de bon cœur. Le chef demanda alors:

– À toi pas comprendre à moi! Je dis à toi que à toi devenir esclaves à nous… à moi voler esclaves à toi et faire à toi devenir esclave aussi à nous! À toi pas à rire, à toi à pleurer!

– À moi à rire…, expliqua Béorf, parce à toi trop stupide! À toi tomber dans piège à moi, grosse bourrique à toi.

– …?, se demanda quoi répondre le gobelin.

– À L'ATTAQUE!, hurla Béorf.

Les Vikings poussèrent un grand cri et dévoilèrent leurs armes. Béorf se transforma en ours et sauta au visage du chef des bonnets-rouges. Hulot se lança à corps perdu dans la bataille. La peur venait enfin de le quitter. Les portes des cages volèrent rapidement en éclats en libérant les prisonniers armés, assoiffés de vengeance. Junos, trop content de retrouver une épée, laissa libre cours à sa fougue. Peu de bonnets-rouges eurent le temps de répliquer avant que le bataillon entier envahisse le camp. Pourtant en surnombre, les gobelins n'offrirent que peu de résistance et plusieurs d'entre eux se sauvèrent dans les bois. Après quelques minutes de batailles, les hommes crièrent victoire.

Une fois les retrouvailles terminées entre Béorf et Junos et la présentation de Hulot et des Vikings complétée, il fut décidé que le bataillon raccompagnerait les détenus le plus rapidement possible chez le roi Harald. Plusieurs anciens prisonniers avaient rapidement besoin de soins, de confort, de nourriture, mais surtout de chaleur. On fabriqua des civières de fortune et le groupe, Hulot en tête, quitta le campement en direction du sud. Amos et Béorf avaient, quant à eux, choisi de continuer seuls.

– Venez avec nous, insista Junos. C'est dangereux et je ne veux pas vous perdre encore !

– Non merci, répondit poliment Amos. Il me faut rejoindre la montagne de Ramusberget le plus tôt possible. Dis-moi Junos, ma mère allait-elle bien la dernière fois que tu l'as vue ?

– Oui, confirma le chevalier. Mais elle était très inquiète pour toi et ton père. Elle ne cessait de dire comment elle espérait qu'il ne vous soit rien arrivé de mauvais. Pauvre Frilla, lorsqu'elle apprendra qu'Urban est mort, elle sera chavirée.

– Si je finis par la retrouver, reprit Amos en soupirant.

– Ne perds pas confiance en toi, jeune homme !, lança fièrement le seigneur. Tu m'as bien retrouvé, moi ! Alors, rien n'est impossible. Fais bien attention à toi, nous nous reverrons bientôt !

– À bientôt Junos !, dirent d'une voix commune les garçons.

Amos et Béorf chaussèrent leurs skis et partirent vers le nord. Ils avaient une copie de la carte réalisée par Geser la Fouine. Béorf estima que dans cinq jours, ils seraient arrivés à la montagne.

Chapitre 16

La poupée de Brising

Les deux garçons effectuèrent le trajet vers la montagne. Amos avait déjà fait du ski, mais jamais de façon aussi intensive. Le soir, il avait mal aux jambes et aux bras et se réveillait courbaturé tous les matins. Béorf, quant à lui, prenait un bain de neige après le repas du soir. Il avait appris des béorites à vite se remettre de ses lourdeurs musculaires. Par chance, le soleil les accompagna durant tout le trajet. Pas de tempêtes de neige et pas de nuits trop glaciales, le voyage parfait.

– Nous arriverons demain à la montagne ! À quoi penses-tu ?, demanda Béorf alors qu'il préparait un feu de camp pour la nuit.

– Je pense que cette journée de ski m'a épuisé !, lança Amos en terminant de monter la tente.

– Non… tu me mens… je vois bien qu'il y a autre chose, insista le gros garçon. C'est ta mère ? Tu penses à elle ?

– Oui, répondit Amos. J'aurais aimé qu'elle soit là, avec Junos. Il y a aussi mes pouvoirs qui me tracassent. Quand j'ai intégré le masque de l'air, tout s'est bien passé, la magie du vent est douce et non violente, mais depuis que je porte le masque du feu, il me consume! Je n'arrête pas de voir un petit bonhomme de braise qui danse devant mes yeux et qui me demande de devenir son dieu… je ne comprends rien à tout cela! C'est comme si tout son peuple était prisonnier de moi… je… enfin, c'est difficile à expliquer…

– Je pense que c'est un problème d'équilibre, théorisa Béorf en cherchant quelque chose à manger. Tu possèdes la magie des éléments, non? En toi, il y a deux masques, celui de l'air et du feu! Ce sont des forces qui se… comment dire… l'air souffle sur le feu et alimente la braise… voilà pourquoi tu perds le contrôle. Les deux éléments agissent ensemble et s'activent l'un et l'autre. Tout deviendra normal lorsque tu auras intégré le masque de l'eau.

– Tu penses que c'est simplement cela?, demanda Amos presque convaincu de cette brillante théorie.

– J'en suis certain…, affirma le gros garçon en croquant dans un bout de pain gelé.

Les yeux d'Amos tombèrent sur un objet hétéroclite dans la forêt. Une poupée en chiffon était maladroitement accrochée au bout d'une branche. Le jeune porteur de masques s'appro-cha du jouet et en s'assurant que ce n'était pas un piège, il la prit et l'amena près du feu. Béorf se grattait la tête en se demandant ce qu'une poupée pouvait bien faire en plein bois. Amos l'examina et découvrit le nom de Brising brodé en lettres rouges sur sa nuque.

– Brising?, se questionna Amos. Tu sais ce que cela veut dire toi?

– De toute évidence, répondit Béorf, il s'agit d'un nom de petite fille. Cette poupée devait lui appartenir.

– Oui, dit Amos, mais je pense que ce nom vient d'une légende que j'ai lue dans *Al-Qatrum, les territoires de l'ombre…* attends que je me rappelle, il s'agit…

– Il s'agit d'une histoire vraie, dit un chœur de voix mélodieuses, il s'agit de la légende des brisings.

Une dizaine de femmes, magnifiquement belles, sortirent lentement de la forêt. Elles éblouissaient par de longs cheveux blonds, très denses, qui leur couvraient les épaules et la moitié du dos. Ces apparitions avaient la peau blanche comme la neige, des lèvres rouge feu et elles semblaient voler au-dessus du sol. Légèrement vêtues d'une robe longue, semi-transparente et arborant de discrets motifs dorés, les brisings portaient un ruban d'or en guise de couronne et de magnifiques colliers de pierres précieuses multicolores. Ces êtres parlaient tous d'une seule et même voix:

– Nous sommes les habitantes de cette forêt. Nous étions anciennement les uniques maîtresses de ces lieux. Nous sommes les gardiennes du collier Brisingamen. Nous sommes des êtres de paix. Les hommes sont arrivés. Ils ont coupé des forêts pour leurs bateaux. Nous n'avons rien dit. Nous n'avons rien fait. Nous sommes là depuis que les dieux sont des dieux et que le monde est monde. Seulement un jour, une de nous, une enfant, s'est échappée. Des humains l'ont recueillie et elle est devenue humaine. Comme elle ne parlait pas et ne savait dire que le mot brising, c'est ainsi qu'ils l'appelèrent. Le temps passa et la petite grandit. Nos yeux étaient fixés sur elle. Nous attentions le moment de la reprendre. Nous attendions les circonstances favorables pour la récupérer.

— Et ces circonstances ne se sont jamais présentées…, continua Amos.

— Nous l'avions presque saisie, mais nous l'avons perdue. Son grand frère, sous l'emprise d'un de nos charmes, vola sa poupée. C'est ce jouet que vous avez entre les mains. Brising se lança à la poursuite de son frère dans la forêt. C'est l'événement que nous attendions depuis des années. Enfin, nous allions pouvoir la récupérer et la reconduire dans son véritable monde. Malheureusement pour nous, un dieu aux intentions belliqueuses scrutait la terre pour choisir une enfant ayant de grands pouvoirs. La magie du Baron Samedi transforma notre Brising en monstre. Le dieu lui inséra une draconite dans la bouche et notre sœur se métamorphosa en dragon.

— C'est exactement ce qui est arrivé à Lolya!, s'exclama Béorf. Tu l'as sauvée en lui retirant la draconite de la gorge, Amos! Tu te rappelles?

— Oui, je sais…, répliqua Amos. D'après ce que je comprends, ce n'est pas n'importe quelle fillette qui est sensible à la draconite. Il faut que celle-ci possède des prédispositions pour la magie. Lolya était déjà magicienne et Brising est elle-même, de par sa naissance, une créature magique.

– Cette fois-ci, continuèrent les Brising, il ne sera pas possible de la sauver. Elle est perdue. Vous devez absolument éliminer ce dragon. Bientôt, la bête sera prête à pondre et ses enfants détruiront le monde.

– Nous ferons du mieux que nous pourrons !, s'exclama Amos.

– Si vous réussissez, poursuivirent les brisings, nous vous parlerons du collier Brisingamen et vous entretiendrons de la malédiction des béorites. Ces choses sont liées entre elles. Suivez-nous, les brisings vous conduiront au dragon.

Les deux garçons se regardèrent avec effroi. Eux qui avaient imaginé rencontrer le dragon accompagné d'une armée de Vikings, ils se trouvaient maintenant bien seuls. Amos prit une grande respiration et dit :

– Peut-être devrions-nous attendre l'armée d'Harald aux Dents bleues ?

– Vous avez le choix, reprirent en cœur les brisings. Si vous n'agissez pas maintenant, l'armée des Vikings sera anéantie par la fougue du dragon. Vous devez d'abord vous débarrasser de la bête, puis des gobelins. Le contraire n'est pas envisageable.

– Si tu es prêt Amos, moi, je te suis !, s'écria bravement Béorf en se frappant fièrement la poitrine.

– Eh bien !, lança le jeune porteur de masques en retirant de ses affaires deux grands draps orange. Ne perdons pas de temps !

– C'est vrai !, s'exclama Béorf. Sartigan a dit que les dragons ne voyaient pas l'orangé !

– Je les ai fait tisser avant notre départ par les femmes d'Upsgran, confirma Amos. Avec cela sur le dos, nous pourrons approcher plus facilement de la bête. En réalité, ce sont deux grandes capes avec capuchon.

– Cela me rappelle un peu le vêtement de Médousa, dit tristement Béorf. Tu sais… ce n'était pas une méchante gorgone.

– Oui, je sais…, lui confirma Amos en revêtant la cape. Nous aurions bien besoin d'elle aujourd'hui pour transformer ce dragon en statue de pierre ! Allons-y, Béorf, nous avons du pain sur la planche !

– Tant qu'il y aura du pain, poursuit Béorf à la blague, je te suivrai partout !

Chapitre 17

Le dragon

Les brisings amenèrent les deux garçons à l'entrée d'un long tunnel menant directement au cœur de la montagne.

– Marchez dans ce couloir, dirent-elles d'une seule et même voix. Marchez jusqu'au bout et vous arriverez à un escalier. La bête se repose en bas de ces marches.

– Merci pour votre aide, dit Amos.

– J'espère que tu as un plan…, lança un peu nerveusement Béorf. Quand nous entrerons dans ce passage, il sera difficile de reculer.

– Je sais, répondit Amos. J'ai quelque chose derrière la tête !

– OUF…, soupira le gros garçon. Je me disais aussi…

Les deux compagnons entrèrent dans le tunnel. Le long couloir avait probablement été taillé par une ancienne rivière souterraine. Béorf sortit une lampe à l'huile de ses affaires et Amos l'alluma en claquant des doigts. Posséder des pouvoirs sur le feu avait certains avantages, dont celui d'allumer mèches et bougies en un clin d'œil.

Les parois rocheuses étaient polies et le sol jonché de petites pierres rondes. Les deux garçons marchèrent longuement en prenant bien soin de ne pas attirer l'attention. Après une bonne heure de promenade souterraine, ils débouchèrent en plein milieu d'un escalier grossièrement taillé. Deux gobelins arrivèrent par le haut en discutant nonchalamment. Les bonnets-rouges portaient un grand panier d'osier rempli de pièces d'or, de bijoux, d'objets d'art et de pierres précieuses. Les enfants enfilèrent leurs oreilles de cristal, se cachèrent du mieux qu'ils purent et éteignirent leur lampe.

– Gros trésor à lui, jamais rien à moi!, se plaigna le plus petit des deux.

– À lui gros, donc gros trésor à lui…, reprit l'autre.

– Fatigué à moi de servir à lui, continua le petit.

– Arrête à toi!, ordonna le gros. Sentir à moi viande enfant…

– Viande enfant!, s'écria le braillard.

– Ta gueule à toi…, vociféra son compagnon. Empêche à moi respirer bonne odeur enfant… hummmmm! Suivre à moi, hummmmm, sentir bons enfants!

Les gobelins s'approchèrent des deux garçons. Amos, maintenant certain qu'il devrait combattre, se concentra sur sa magie. Béorf, acculé au pied du mur, transforma ses mains en pattes d'ours. Le jeune porteur de masques vit, encore une fois, par terre devant lui, un petit bonhomme de braise qui dansait.

– Ah non! Pas encore ça! Pas encore cette vision!, se dit le garçon.

– Libère-nous!, criait le petit bonhomme, libère-nous et nous te servirons bien! Sois notre maître et ordonne…

– Ce n'est pas le moment!, se dit Amos en essayant de garder le contrôle de ses émotions.

– Allez! Allez… sois gentil!, insista la petite créature de feu. Nous sommes un bon peuple… un bon peuple!

– Très bien, dit Amos fatigué de ces éternelles supplications. Très bien petit bonhomme, je te libère!

Le petit être de braise leva les bras dans les airs en signe de victoire, remercia plusieurs fois le garçon et commença à courir vers le gobelin.

– Tu vas voir, Maître…, dit le bonhomme en se retournant vers Amos, nous sommes un bon peuple!

La petite créature se jeta sur les bottes du bonnet-rouge. Le gobelin s'enflamma aussitôt en poussant des cris d'horreur. De ce feu sautèrent cinq autres petits bonshommes qui attaquèrent le deuxième gobelin. La créature dégringola les marches en hurlant de peur. De cinq, ils étaient maintenant dix et de dix ils se dédoublèrent encore pour en faire vingt. Amos et Béorf dévalèrent eux aussi les escaliers à toute vitesse en laissant derrière eux les bonshommes de braise et les gobelins en feu.

– Mais veux-tu bien me dire ce que tu as fait là, Amos!, demanda Béorf dans leur course.

– Je pense que je viens de faire une erreur!, s'exclama le jeune porteur de masques. J'ai libéré de moi quelque chose qui va faire beaucoup de dégâts!

Les deux garçons débouchèrent en bas de l'escalier directement en face du dragon. Devant la taille de la créature, ils figèrent net, le souffle coupé par l'émotion. La bête était couchée sur un incroyable amoncellement de richesses. C'était un trésor gigantesque! Tout ce que les bonnets-rouges avaient volé lors de leurs attaques était rassemblé dans cette grotte. Le sol était recouvert de pièces d'or, d'argent, de cuivre et de bronze. Il y avait des colliers précieux, des bracelets étincelants, des bagues d'une valeur inestimable. Des objets d'art, des sculptures anciennes, des assiettes uniques, des porcelaines délicates, des tapis finement brodés de soie, du verre soufflé et des tableaux magnifiques entouraient la pièce. Il y avait aussi des centaines d'épées de valeur inestimable, des boucliers hors du commun et des armures d'exception. En plus des pierres précieuses de toutes les tailles et de toutes les sortes, une montagne de perles et de coraux s'offrait à l'émerveillement des garçons. Tout cela sans compter les symboles religieux des temples pillés et les objets de culte finement taillés par des maîtres. Il y avait dans ce trésor tout ce que le nord du continent avait fait de beau, de noble et de précieux. Les gobelins avaient tout volé sans ménagement et sans vergogne.

L'immense dragon doré avait la peau rugueuse en écailles et quatre pattes munies de serres ressemblant à celles de l'aigle. Une longue queue serpentine, une gueule reptilienne couronnée d'une paire de cornes, des ailes évoquant celles de la chauve-souris et de grandes dents effilées complétaient le portrait de la terrible créature. Plusieurs cadavres de gobelins gisaient un peu partout dans la grotte en se décomposant lentement. Une odeur de soufre et de pourriture empestait les lieux.

Ragnarök ouvrit un œil et vit, juste devant lui, le jeune Amos Daragon et son compagnon béorite. Le dragon se déplaça lentement et dit, d'une voix à faire trembler la terre sur des lieux à la ronde :

— JE T'ATTENDAIS… Regarde devant toi le nouveau roi du monde et prosterne-toi devant sa grandeur. As-tu peur de la mort, jeune inconscient ?

— Pourquoi craindrais-je une chose que je ne connais pas, répondit Amos, et qui, une fois survenue, ne me concernera plus ?

— Petit insolent !, vociféra l'Ancien. Tous les hommes qui m'ont croisé se sont prosternés devant moi. Ils tremblaient de peur et leurs sueurs coulaient comme de l'eau.

— Mais, moi aussi, je tremble de peur…, dit Amos en jouant l'excès de bravoure, mon âme tremble si fort que ma sueur n'ose même pas sortir.

— Tu sais ce qui t'attend ?, demanda le dragon.

— Et toi, le sais-tu ?, répondit agressivement Amos. Je suis ici pour faire un marché avec toi !

– Tu te crois en position de négocier quelque chose?, lança la créature arrogante. Tu ne peux rien contre moi et tes pouvoirs sont limités!

– Eh bien, dans ce cas…, dit nonchalamment le garçon. Moi et mon ami allons partir! Tu n'auras qu'à m'appeler si tu veux me revoir! Je ne te dis pas mon nom, car je sais que tu le connais! C'est bête que je parte ainsi, car j'avais beaucoup d'or pour toi!

Amos s'enroula d'un coup dans sa cape orange. Aux yeux du dragon, il venait de disparaître. Une seconde après, Béorf s'évanouissait à son tour. L'Ancien, complètement ahuri par la disparition des garçons, demeura bouche bée. La bête regarda partout autour d'elle sans rien voir. Elle avait beau chercher, Amos avait bel et bien disparu! Pourtant, le jeune porteur de masques et le béorite étaient juste devant ses yeux.

– Qu'allons-nous faire pour nous débarrasser de cette bête?, chuchota Béorf bien dissimulé sous sa cape.

– Je pense que je contrôle bien la situation, murmura Amos. Je dois laisser croire que mes pouvoirs sont très grands. Je veux lui tenir tête pour le forcer à accepter un présent… je veux avoir sa confiance et son respect!

– OÙ ES-TU?, hurla le dragon. Où te caches-tu?

– Tu m'as appelé?, demanda nonchalamment Amos en se dévêtant d'un coup de sa cape.

– Mais comment peux-tu apparaître dans mon repaire, selon ta volonté, et ce, sans que je puisse rien y faire?, questionna anxieusement la bête de feu.

— Disons simplement qu'il y a des choses que tu n'es pas en mesure de comprendre!, s'exclama nonchalamment Amos en espérant que son plan fonctionne.

— Tu me nargues?, demanda le dragon qui commençait à fulminer.

— Calme-toi et ne te fâche pas!, dit posément le garçon. Je peux faire apparaître dans ton repaire tout ce que je veux… et s'il me prend la fantaisie de faire jaillir, disons, un ours du néant et bien… je le fais!

Béorf eut la présence d'esprit de se transformer en ours et de se dévoiler de sous sa cape au moment précis ou Amos l'ordonna. Le dragon eut un mouvement de recul. La bête repensa aux avertissements du Baron Samedi et commença sérieusement à craindre le garçon. L'Ancien, si gros et si puissant, ne se doutait pas de la blague qui se jouait juste sous son nez. La bête de feu se fiait aux apparences et la peur gagnait du terrain sur sa confiance.

— Disparais, ours!, s'écria Amos en lançant sur Béorf la cape orange. Comprends-tu ce que cela veut dire, dragon?

— Je commence à comprendre…, dit lentement le dragon en reculant encore d'un pas.

— Cela veut dire que, si l'envie m'en prend, je peux te faire disparaître!, lança Amos en avançant vers son adversaire. Par ma seule volonté, je te renvoie au néant! Heureusement pour toi, je ne suis pas méchant et j'aime bien la race des Anciens. Pour cela, je t'épargne la vie et te fais un cadeau. Je t'ai dit, avant de disparaître tout à l'heure, que j'avais beaucoup d'or à te donner et bien, c'est vrai !

– Tu feras apparaître de l'or ici ?, questionna la bête de feu.

– Mais oui !, s'exclama Amos le plus naturellement du monde. En doutes-tu ?

– Non… non, je… je ne doute pas…, balbutia l'Ancien dépassé par les événements.

Amos sortit alors une pièce de sa poche. Il s'agissait de la pièce d'or du duc De VerBouc. Le duc, maudit par le diable, leur avait donné une lettre où il était clairement écrit : soyez sans crainte, cette pièce n'est pas maudite. Elle saura vous guider vers moi si, un jour, vous désirez me revoir.

Le jeune porteur de masques joua alors le tout pour le tout. Il lança la pièce dans les airs et dit à haute voix :

– Guide-moi jusqu'au trésor des De VerBouc !

La pièce tomba par terre et se mit à rouler en direction d'une des parois de la caverne. Lorsqu'elle toucha le mur de pierre, une grande porte dimensionnelle s'ouvrit et la moitié de la grotte disparut pour faire place à un magnifique paysage. Le dragon, médusé par ce miracle, vit une petite forteresse se former sous ses yeux, de l'autre côté de la paroi rocheuse. C'était une grande demeure de pierre d'où s'élevait une haute tour en mauvais état. Un large fossé, celui où Béorf était anciennement tombé, entourait la résidence. Un petit pont de bois à l'allure fragile complétait cette soudaine apparition.

– Ta magie est puissante, jeune garçon…, s'étonna la bête de feu. On m'avait averti, mais je ne l'avais pas cru !

– Ce n'est rien !, s'exclama Amos, trop content de l'effet que la pièce avait produit. Dans le fossé, juste là sous le pont de bois, il y a un somptueux trésor. Il est à toi ! Prends-le, jusqu'à la dernière pièce.

Béorf, redevenu humain et caché par sa cape, eut un sourire de contentement. Amos venait de condamner le dragon à mort et de libérer, par le fait même, le duc De VerBouc de ses obligations de gardien de trésor et de sa damnation familiale. Augure De VerBouc avait bien dit que celui qui s'emparait d'une seule petite pièce de ce trésor se voyait rapidement rongé par la peste. Les entrailles du voleur se desséchaient et son sang devenait acide. Des plaques noires et de grosses pustules lui couvraient lentement le corps. Crise de délire, vomissements, lèpres et déchirement des muscles tuaient ensuite le condamné dans d'horribles souffrances. Le duc De VerBouc avait aussi dit : « S'il advenait que quelqu'un vole le trésor au complet, le diable n'aurait plus besoin de gardien et je retrouverais ma liberté. »

– J'accepte ce cadeau avec plaisir, dit respectueusement la bête. En contrepartie, je t'en offre un moi aussi. Prends cela et occupe-toi bien de lui. Il est le premier d'une nouvelle génération d'Anciens.

Avec sa queue, le dragon approcha un œuf. Amos ne s'attendait pas à cela et tenta du mieux qu'il put de cacher sa surprise. Le garçon pensa immédiatement à le détruire dès qu'il le pourrait, mais il se ravisa en prenant l'œuf entre ses bras. Sa mission de porteur de masques n'était pas de détruire systématiquement le mal au profit du bien. Sa tâche était de rétablir l'équilibre du monde. Il tenait maintenant dans ses mains une chance exceptionnelle de réintégrer sur la terre une créature disparue. Dans ce gros œuf, il y avait une nouvelle bête en gestation qui serait, à sa naissance, ni bonne ni mauvaise. Ce petit dragon qui sommeillait encore dans sa coquille n'avait pas été créé par une divinité dans le but de prendre le contrôle du monde. Il allait naître et deviendrait peut-être ami des humains.

– Je te remercie, dit Amos. J'en prendrai bien soin.

– Me feras-tu entrave pour devenir maître de cette terre?, demanda le dragon en regardant attentivement le garçon.

– De toute ta vie, répondit Amos, tu ne seras maître que d'une seule chose.

– Quoi donc?, questionna la bête.

– Tu seras maître de ta destinée et c'est tout, répliqua le jeune porteur de masques. Ta cupidité te perdra!

Pendant ce temps, profitant de l'inattention du dragon et bien camouflé par sa cape, Béorf se rendit jusqu'au trésor. Il lui fallait retrouver la pierre de puissance nécessaire au masque d'Amos.

Le jeune magicien lui avait rapporté les paroles du kelpie et c'était maintenant ou jamais qu'il se devait de mettre la main sur cette pierre. Le gros garçon n'avait aucune idée de son apparence, de sa forme ou de sa couleur. Dans cette montagne de pierres précieuses, comment la reconnaître?

– Pars maintenant!, grogna le dragon. Tu m'impatientes avec tes petites leçons de morale!

– J'ai encore quelque chose à te demander?, lança Amos en regardant Béorf qui fouillait désespérément le trésor.

– Que me veux-tu, encore?, soupira la créature.

– Je veux savoir ce que tu penses de ce masque!, s'exclama Amos en présentant l'objet au dragon.

– Il est très beau… maintenant, laisse-moi prendre ton trésor et pars!, insista l'Ancien. J'ai autre chose à faire…

Au moment où Amos sortit le masque de son sac de voyage, Béorf vit une lumière intense se former dans une grosse perle non loin de lui. La magie du masque faisait scintiller la magie de la perle. Discrètement, le jeune béorite s'approcha de la boule nacrée et la glissa dans sa poche. Amos vit son ami lui faire un signe. Le jeune porteur de masques s'enveloppa alors dans sa cape orange et disparut aux yeux du dragon. Croyant le garçon parti, le dragon marmonna:

– Tu verras bien, jeune prétentieux, lorsque mes enfants déferleront sur la terre qui sera le véritable maître du monde!

L'Ancien traversa la porte dimensionnelle et se mit à transférer le trésor du ravin des De

VerBouc à sa grotte. Béorf et Amos, toujours sous leur cape, ramassèrent leurs affaires et gravirent rapidement les escaliers. Béorf apporta l'œuf entre ses bras et les deux garçons se lancèrent vers le passage souterrain. Amos arrêta brutalement Béorf et dit :

– J'ai libéré le peuple du feu tout à l'heure… Enfin, disons que j'ai libéré de moi une force qui aura vite fait de s'étendre et de tout brûler ! Je dois l'arrêter…

– Comment ?, demanda Béorf anxieux à quitter le repaire du dragon.

– C'est maintenant que nous allons voir si ta théorie sur mes pouvoirs était juste, répliqua Amos en déposant ses affaires. Tu m'as dit, qu'à l'intérieur de moi, la magie de l'air soufflait sur la magie du feu en alimentant sa puissance. Alors, passe-moi la pierre de puissance du masque de l'eau et je vais calmer tout cela !

Béorf posa l'œuf de dragon et donna la perle à Amos. Le jeune magicien des éléments l'enchâssa et déposa, lentement et très cérémonieusement, le masque sur son visage. L'objet se moula aussitôt à sa figure et bloqua sa respiration. Rien ne se produisit pendant une vingtaine de secondes. Commençant à manquer d'air, Amos essaya de le soulever pour respirer. Impossible ! Le masque était collé à son visage. Béorf se lança sur son ami pour lui donner un coup de main. Même à deux, il était impossible de retirer le masque. Le jeune magicien commença à étouffer. Il avait beau pousser, tirer et essayer de glisser ses doigts entre le rebord et sa peau, rien à faire. Amos se noyait devant les yeux de Béorf sans que le gros garçon puisse l'aider.

Maintenant presque sans force, Amos s'écroula au sol, asphyxié. Le garçon allait mourir, il le savait. Son corps était lourd et ses pensées lointaines. Instinctivement, il essaya une dernière fois de respirer un bon coup. Le masque devint alors liquide et pénétra dans le corps d'Amos par sa bouche et ses narines. L'intégration était maintenant terminée et le jeune porteur de masques émergea de son état en respirant un bon coup. Béorf, les jambes coupées par le stress, tomba assis et déclara :

– Je déteste vraiment la magie !

Des dizaines de petits serpents composés de l'eau de ruissellement du passage souterrain se formèrent. Ils entourèrent Amos. L'un d'eux s'avança et dit :

– La magie de l'eau est maintenant vôtre... devons-nous rétablir l'équilibre avec le feu ?

– Oui, je vous le demande, répondit Amos surpris et content à la fois.

– Nous mangerons le feu et disparaîtrons en vapeur. Que vos désirs soient des ordres, conclut le serpent en dirigeant son groupe vers l'escalier.

– C'est quoi ça ?, s'exclama Béorf. Des serpents d'eau... c'est toi qui...

– Je ne sais pas, déclara Amos. Il y a encore bien des choses qui m'échappent et j'ai moi-même du mal à comprendre ma magie. Enfin..., nous pouvons partir, les serpents m'ont promis de réparer ma faute.

– Moi non plus je ne comprends rien à ce qui t'arrive parfois, conclut Béorf, mais une chose est sûre, c'est qu'on ne s'ennuie pas avec toi Amos !

Les deux amis éclatèrent d'un rire franc et continuèrent leur marche vers la sortie.

* * *

Dans ce pays du bout du monde, longtemps après le départ d'Amos et de Béorf, longtemps après que furent oubliés le dragon et les gobelins, lorsque les hommes revinrent y bâtir leurs maisons et élever leurs enfants, on découvrit des lacs d'eau chaude et plusieurs éruptions d'eau bouillante émergeant du sol. Dans ces contrées de froid, de neige et de misère, ces sources furent les pierres angulaires sur lesquelles des villages et même des cités purent renaître. Les légendes racontèrent que de puissants démons, exclus du royaume des ténèbres, s'étaient réfugiés sous la terre de Ramusberget. Leur colère était si intense qu'elle faisait bouillir les sources souterraines en provoquant les geysers. Personne ne sut jamais, qu'en réalité, ce fut Amos Daragon qui sans le vouloir, provoqua un éternel combat. Il avait libéré le feu et demandé à l'eau de le combattre. Dans un cycle sans fin, les deux éléments se livrèrent une bataille continuelle et sans merci. Encore aujourd'hui, ce combat n'est pas terminé.

Chapitre 18

La bataille de Ramusberget

Les troupes vikings s'étaient rassemblées au pied de la grande montagne. Les béorites étaient tous là en plus de Junos, chevalier et seigneur de Berrion. Beaucoup hommes avaient été tués pour libérer les terres et la force d'Harald aux Dents bleues se résumait maintenant à approximativement quatre cents hommes. Devant eux s'élevait le dernier retranchement des gobelins. Protégés par des murs de pierres grossièrement érigées les unes par-dessus les autres, les bonnets-rouges attendaient patiemment une attaque. Ils devaient être approximativement trois mille. Avec leurs arbalètes, ils auraient tôt fait de tuer beaucoup d'hommes lors d'une éventuelle charge des Vikings. Une attaque de la part des humains semblait être un suicide. Banry se tourna vers Helmic et dit :

— Tu sais ce qu'il nous reste à faire, mon ami ?

— Je crois que nous n'avons pas le choix, continua L'Insatiable en souriant. Ce sera peut-être la dernière bataille des béorites, mais elle sera... EXPLOSIVE !

– Regroupe les autres et demande à Junos de nous rejoindre, demanda Banry résigné.

Piotr le Géant, Alré la Hache et Rutha Bagason arrivèrent en premier. Suivirent les frères Goy et Kasso Azulson, puis Chemil et Hulot. Même Geser la Fouine avait fait le voyage pour joindre ses amis dans la bataille. Junos se plaça un peu à l'écart et tendit l'oreille.

– Mes amis, commença par dire Banry. Nous sommes tous des frères et chacun d'entre nous est libre. Jamais, dans notre village comme dans nos voyages, un chef n'a forcé quelqu'un à faire une chose à laquelle il ne croyait pas. Nos ancêtres ont traversé des continents, des océans sans fin sur des radeaux tressés de rêves. Et nous voilà, aujourd'hui bien vivants, notre vie dans le reflet d'un glaive. Allons-nous risquer l'existence de valeureux Vikings alors que dans nos veines coule le grand pouvoir de notre race?

– Que ce soit la mort ou la victoire qui nous attend au bout de ce combat, reprit Helmic, je dis que nous devons utiliser la rage guerrière! Je suis partant, pour le meilleur et pour le pire, mais surtout… pour le plaisir!

– Quant à moi, dit Piotr le Géant, j'aime mieux régler les choses dans la famille et ne pas impliquer les humains. Je suis un béorite… ce qui veut dire que lorsque je commence une guerre, je la termine!

– Goy et moi sommes aussi d'accord, confirma Kasso. Je n'ai jamais vécu la rage guerrière, mais je suis prêt à vivre l'expérience!

– Tout ce que j'espère, lança Alré la Hache, c'est de ne pas blesser l'un de vous. Je perds vraiment tout contrôle lorsque je suis dans cet état.

– Je saurai bien te maîtriser, blagua Rutha la Valkyrie. Vous êtes ma seule famille, je n'ai pas d'enfants et pas de parents. Si vous mourez, je veux partir avec vous !

– Ce sera un honneur de me battre à vos côtés, dit Chemil. Je suis plus doué pour le bois que pour l'épée, mais ceux que je tuerai seront une menace de moins pour vous.

– La rage guerrière !!!, s'écria Geser. Eh bien ! Pourquoi pas !

– Moi, dit Hulot « la Grande Gueule » Hulson, j'espère survivre pour raconter cette histoire ! Allons-y qu'on en finisse !

– Tout le monde est d'accord ?, demanda Banry.

– OUI !, répondirent tous les béorites en même temps.

Banry appela Junos d'un signe de la main et le chevalier s'approcha :

– Je t'explique ce que nous allons faire, Junos. La race des béorites a plusieurs pouvoirs, dont celui de centupler nos capacités physiques lors d'un combat. Cet état s'appelle la rage ou la folie guerrière. Nous perdons complètement l'esprit et devenons des monstres inhumains capables d'égorger des femmes et des enfants ! Lorsque la rage guerrière nous prend, il est très difficile de nous ramener à un état normal. Tout s'arrête lorsque nous tombons de fatigue. J'ai déjà vu Helmic continuer à frapper des arbres pendant cinq heures alors que tous ses ennemis gisaient par terre. Il était impossible à arrêter et si, par malheur, j'avais essayé de le calmer, il m'aurait tué d'un coup de patte. Nous devenons très dangereux pour nos adversaires comme pour nos amis.

– Et qu'attends-tu de moi?, demanda Junos.

– J'attends de toi, poursuivit Banry, que tu gardes les Vikings sous tes ordres tant et aussi longtemps qu'il y aura du remue-ménage dans le camp gobelin. Ne nous accompagne pas et ne nous aide pas! Nous devons nous battre contre les gobelins et pas avec les Vikings, tu comprends?

– Oui, répondit Junos, mais ils sont près de trois mille et vous serez moins d'une dizaine. Combien de temps penses-tu tenir contre eux?

– Je pense que trois mille gobelins sont un hors-d'œuvre pour des béorites enragés!, s'exclama Helmic en se tapant sur la bedaine.

– Sérieusement, reprit Junos. Ils ont des centaines d'arbalètes! Ils vous perceront avant même que vous puissiez les atteindre…

– Nous savons ce que nous faisons Junos, dit Banry. Je veux maintenant que tu l'éloignes et que les hommes se cachent. En état de rage guerrière, nous ne faisons pas la différence entre les bons et les méchants… si tu vois ce que je veux dire!

– Il y a sûrement un autre moyen!, s'exclama Junos. Vous n'allez pas vous sacrifier ainsi…

– Il y a peut-être d'autres moyens, mais c'est celui que nous avons choisi!, répliqua Banry, un peu agacé.

– Très bien, reprit Junos. Je respecte votre décision… bonne chance!

Pendant que le seigneur de Berrion demandait aux troupes de s'éloigner, le groupe des béorites entonna une chanson de guerre. Les voix, profondes et graves, s'élevèrent en un chœur puissant:

Nous sommes venus pour vaincre
Et nous allons au combat
Libres de nos corps
Libres de notre esprit
Libres de nos âmes
Nous ne plierons pas
Nous ne faiblirons pas
Et si le soleil se lève encore demain
Ce sera avec nous, ou sans nous!

Puis, les hommes-ours se laissèrent aller à un retentissant cri de guerre. D'une force et d'une intensité hors du commun, il résonna longuement à plusieurs lieues à la ronde. Les gobelins cessèrent de bouger et se regardèrent avec perplexité. Après le cri des béorites, un lourd silence prit place au pied de la montagne. Quelques secondes, qui parurent des heures, s'écoulèrent dans le campement gobelin.

Puis, on sonna l'alarme, mais il était déjà trop tard! Les béorites étaient déjà dans le camp et commençaient leur attaque.

Ce n'était plus des hommes, mais des ours en furie qui avaient investi le repaire des gobelins.

Ils étaient très grands et incroyablement rapides. Marchant parfois à deux ou à quatre pattes, ceux-ci pouvaient faire des bonds de six mètres en avant et sauter sans difficulté d'un élan sur les petites tours d'observation du campement. Chacun de leurs coups de patte tuait instantanément un gobelin. Leurs grandes griffes déchiraient le métal comme s'il avait été du papier. Tous également poilus, ils avaient les yeux injectés de sang et des filets de salive épaisse leur coulaient de la bouche. La rage guerrière avait rendu les béorites fous furieux! Ils se jetaient sur les bonnets-rouges en hurlant des sons discordants et hystériques. Mordant, déchirant et attaquant tout ce qui bougeait devant leurs yeux, ils étaient sans pitié. Les carreaux d'arbalète des gobelins n'arrivaient pas à traverser le cuir épais de leur dos. Les réflexes aiguisés comme des lames de rasoir, les hommes-ours évitaient presque tous les coups de leurs ennemis. Dans cet état, les guerriers d'Upsgran semblaient invincibles.

Au loin, les Vikings entendirent des cris d'horreur pendant près de trente minutes. Les voix s'élevant du champ de bataille ressemblaient à des hurlements d'humains sous la torture. L'écho amplifiant la moindre exclamation! Ce concert mortel glaça le sang des troupes d'Harald aux Dents bleues. Puis, un autre cri, celui-là grandiose, s'échappa de la montagne. Junos vit se déployer sous ses yeux Ragnarök le dragon. En deux coups d'ailes, la bête survola le camp des gobelins. L'Ancien entrait maintenant dans la bataille.

– Trois mille bonnets-rouges, peut-être!, se dit Junos. Mais les béorites ne passeront jamais à travers un dragon.

L'Ancien cracha son feu sur le camp en brûlant bon nombre de ses gobelins. Un béorite sauta alors d'une tour d'observation et atterrit, crocs et griffes sortis, dans le dos du dragon. À la surprise générale, la bête de feu vomit une substance noire et malodorante. Ce n'était pas normal! Le monstre semblait malade. Malgré cela, le dragon saisit le béorite dans son dos et le propulsa contre la paroi rocheuse de la montagne. Se servant encore une fois de son feu, l'Ancien grilla la moitié du campement avant de perdre l'équilibre et de tomber à la renverse en écrasant un homme-ours. Les bonnets-rouges fuyaient comme des rats sur un navire en train de couler. En se relevant, la bête de feu croqua un béorite qui la menaçait, s'envola d'un battement d'ailes et le laissa brutalement tomber à terre. La malédiction du trésor des De VerBouc commençait à faire effet. L'Ancien sentait ses entrailles se dessécher et de grandes plaques noires lui couvraient le corps. Ses écailles étaient tombées à plusieurs endroits et son ventre était maintenant vulnérable.

Les Vikings, bouches bées devant la démonstration de force du dragon, virent un béorite sortir en courant du campement. Armé d'une épée longue, l'homme-ours se lança à la poursuite du dragon. La bête monta dans les airs, se retourna d'un habile mouvement d'aile, et plongea à toute vitesse sur le brave. Comme l'Ancien allait cracher encore une fois son feu, l'hommanimal lança l'épée dans les airs de toutes ses forces. La lame vint se loger directement dans le ventre du dragon. Le monstre plana un peu puis alla percuter de plein fouet la montagne. L'impact fit trembler la terre en provoquant un éboulement sur la bête. Hulot Hulson dit «la Grande Gueule», venait de tuer d'un coup d'épée, comme son héros Sigurd, le dragon Ragnarök. La grande bataille de Ramusberget était maintenant terminée.

C'est à ce moment précis qu'Amos et Béorf arrivèrent près des troupes d'Harald aux Dents bleues. Les garçons s'étaient enfuis de l'antre du dragon par le passage des brisings et s'étaient ensuite naturellement dirigés à toute vitesse vers le champ de bataille. Surpris de voir tous les Vikings en bonne santé, Amos demanda à Junos:

— Mais… vous ne vous êtes pas battus?

— Non, ce sont les béorites qui ont terminé cette guerre pour nous!, s'exclama le seigneur de Berrion.

— Ils ont affronté seuls les gobelins?, questionna Béorf inquiet.

— L'un d'eux vient tout juste, sous mes yeux, de tuer le dragon d'un seul coup d'épée!, répliqua Junos en admiration devant l'exploit. C'était… c'était grandiose! D'ailleurs, regardez autour de vous. Toute l'armée est encore sous le choc… les Vikings ont assisté au spectacle de leur vie!

— Et où sont-ils maintenant?, continua Amos.

— Oui, insista Béorf, où sont-ils et que sont-ils devenus?

– Je ne sais pas, dit Junos perplexe. Banry m'a bien averti de ne pas m'approcher à moins d'être certain qu'ils soient tous morts ou tous redevenus humains. C'est ce qu'ils appellent la rage guerrière. Je ne voudrais pas me retrouver en face d'eux lorsqu'ils sont dans cet état !

– Mais que faisons-nous alors ?, s'écria Béorf.

– Nous attendons, se contenta de dire Junos. Nous attendons… il n'y a rien d'autre à faire.

Loin devant eux, les Vikings virent Hulot Hulson se relever. Il était redevenu humain. Des cris de joie et des applaudissements éclatèrent de toutes parts. Le béorite venait d'accomplir un acte digne des plus grands héros des légendes anciennes. En réalité, personne ne sut que c'était, en réalité, la malédiction du trésor des De VerBouc qui avait eu raison de la bête de feu. L'épée n'avait fait que blesser faiblement l'animal déjà moribond.

Un à un, les hommanimaux sortirent du camp des gobelins. À travers le feu et la fumée, ils apparurent comme des demi-dieux rescapés d'un difficile voyage en enfer. Les béorites étaient dans un état lamentable. Ils boitaient, avaient du sang de gobelin partout dans le visage et arboraient de profondes blessures. Helmic avait le crâne fendu et Banry semblait avoir un bras cassé. C'est Goy Azulson qui s'était fait écraser par le dragon et porté par son frère Kasso, il avait les deux jambes brisées. Alré, s'étant fait mordre, saignait abondamment à l'épaule et à la cuisse pendant que Rutha Bagason, étourdie par la violente projection de l'Ancien contre la paroi de la montagne, saignait du nez et des oreilles. Ils étaient tous dans un piteux état, mais ils étaient tous là! Aucun d'eux ne manquait à l'appel. Malgré leur souffrance, les béorites chantaient à tue-tête, portés par leur victoire:

> Nous sommes venus pour vaincre
> Et nous allons au combat
> Libres de nos corps
> Libres de notre esprit
> Libres de nos âmes
> Nous ne plierons pas
> Nous ne faiblirons pas
> Et si le soleil se lève encore demain
> Ce sera avec nous!

Les Vikings se précipitèrent vers eux pour les féliciter. On monta rapidement des tentes de fortune pour recevoir les blessés. Banry demanda à Amos et Béorf de s'approcher, il leur demanda:

— On a dit que Hulot Hulson avait tué le dragon d'un seul coup d'épée?

— Oui, confirma le garçon. C'est ce que j'ai entendu moi aussi!

— Et ce dragon... il était en pleine forme ou..., continua le béorite.

— Disons que Béorf et moi, reprit Amos, avons un peu aidé Hulot en jetant une malédiction sur la bête.

— Je me disais aussi, lança Banry en riant, cet exploit-là, nous allons en entendre parler encore longtemps.

– D'ailleurs, tu me fais penser, dit le jeune porteur de masques. Il faut absolument refermer le trou de la grotte du dragon. Son trésor est encore là, personne ne doit y toucher. Si quelqu'un avait le malheur de prendre une seule pièce, il connaîtrait une mort atroce.

– Dommage !, s'exclama Banry. Nous aurions bien pris quelques bijoux pour faire des cadeaux aux gens d'Upsgran.

– Nous avons tout ce qu'il faut pour faire de magnifiques cadeaux !, dit fièrement Béorf en renversant son sac de voyage.

Des colliers, des bagues, des bijoux et des pierres précieuses tombèrent de son bagage. Le gros garçon lança :

– En fouillant le trésor pour trouver ta pierre de puissance Amos, je me suis dit que ce serait dommage de ne pas apporter un peu de ce trésor. Rien de cela n'est maudit, car je l'ai pris avant que tu ouvres la porte dimensionnelle vers De VerBouc.

– Tu es comme ton père, Béorf !, dit Banry en riant. Tu es un garçon plein de surprises !

– Et ce n'est pas tout !, s'écria le gros garçon. Regarde ceci !

Béorf présenta l'œuf de dragon à son oncle.

– OH, GRAND DIEU !, s'étonna le béorite. Mais qu'allons-nous faire de cela ? C'est bien… un… c'est bien un œuf de dragon !

– Oui, confirma Amos. Je veux le ramener à Upsgran et demander conseil à Sartigan.

– N'en parlez à personne dans ce cas, leur conseilla Banry. S'il advenait que quelqu'un sache que vous amenez avec vous une bête de feu, vous pourriez avoir de gros problèmes.

– Très bien, reprit Amos. Nous serons très vigilants. Personne n'apprendra quoi que ce soit.

Les deux garçons quittèrent les lieux en cachant adroitement l'œuf dans un sac de voyage. Amos se retourna vers Béorf et lui dit :

– Je te fais un cadeau… comme tu es celui qui, d'entre nous, se retrouve le plus souvent à combattre corps à corps, je te donne mon collier.

– Tu ferais ça !, s'écria Béorf très content.

– Il te sera plus utile qu'à moi, continua Amos en lui tendant l'objet. Tiens, prends-le ! Tu disposes maintenant d'un petit bataillon de cent molosses hurlants pour te servir.

– Merci beaucoup Amos, c'est vraiment gentil de ta part…, remercia Béorf.

– De toute façon, j'en profiterais sûrement autant que toi puisque nous sommes toujours ensemble.

La nuit tomba rapidement sur la montagne de Ramusberget et déjà, autour du feu, la légende de Hulot Hulson, l'homme qui à l'image de Sigurd tua un dragon d'un unique coup d'épée, commença à être racontée. De la bouche des témoins aux oreilles des conteurs, l'histoire serait contée et amplifiée, relatée et embellie, pour séduire pendant des siècles l'imaginaire des peuples du Nord.

Chapitre 19

Les révélations des brisings

Après une semaine de repos sur les lieux de la bataille, les béorites furent prêts pour le voyage de retour. On fabriqua des civières pour ceux qui ne pouvaient pas marcher et lentement, les armées prirent la route vers le royaume du roi Harald aux Dents bleues. On avait préalablement envoyé un messager pour annoncer la nouvelle de la victoire des troupes et rapporter les exploits des béorites. Avant le départ, tel que promis, les brisings étaient réapparues aux garçons pour leur confier un grand secret, celui du bijou de Freyja qu'on appelle aussi le collier de Brisingamen.

Elles racontèrent, d'une seule et même voix, que ce bijou, créé sous la terre par quatre nains forgerons de grand talent, brillait telle une constellation d'étoiles. Autour du cou de la déesse Freyja, il irradiait de mille feux et éblouissait par son éclat. On le compara aux pommes de lumière de l'arbre de vie de Braha, la cité des morts.

À ces mots, Amos eut une vague impression de déjà-vu. Il avait entendu ce nom auparavant, mais ne pouvait pas se souvenir où exactement.

Le jeune porteur de masques savait très bien de quoi parlaient les brisings. L'arbre et les pommes de lumière, tout cela lui était familier. Pourquoi? Comment? Amos n'en avait aucune idée. Il oublia l'arbre et continua à écouter attentivement le récit.

À cause des pouvoirs du collier de Brisingamen, chaque fois que Freyja pleurait, et elle pleurait beaucoup en particulier lorsqu'elle cherchait son mari, elle fabriquait des trésors avec ses larmes. Les gouttes tombant de ses yeux transformaient les rochers en or. Dans la mer, ses larmes se métamorphosaient en ambre. Ce que les contes et les légendes ne disent pas c'est que la déesse avait acquis le collier des nains de mauvaise façon. Odin, le dieu suprême des Vikings, la chassa de son royaume en l'accusant d'avilir les dieux. Une grande guerre éclata entre les dieux et beaucoup d'hommes perdirent la vie sans qu'il y ait pour autant de gagnant. Le conflit entre Freyja et Odin demeure encore aujourd'hui très virulent et la déesse, pour provoquer son opposant, lança il y a plusieurs années une malédiction sur les béorites.

– Mais, pourquoi sur les béorites exclusivement?, demanda Amos très surpris.

– Parce que les béorites sont une création d'Odin!, s'exclamèrent les brisings.

Odin avait créé la race des hommes-ours parce qu'il voulait marier l'esprit de l'un avec la force de l'autre. Jamais le dieu n'avait autant aimé une de ses créations. Lui-même s'identifiait aux béorites et il ne se lassait pas de les voir évoluer. Freyja, déesse de la fécondité, lança alors sa malédiction et maudit tous les nouveau-nés de cette espèce.

– Ce devait être quelque temps avant ma naissance?, demanda Béorf.

– Tu es le dernier né des béorites, confirmèrent les voix des brisings. Après toi, il n'y a plus d'enfants. Si tu vis jusqu'à un âge avancé, tu demeureras le seul représentant de ta race.

C'est alors que Béorf repensa à son père Évan. Celui-ci lui avait souvent dit que leur espèce était menacée de disparition et c'est pour cette raison qu'il avait quitté le village d'Upsgran. En tant que chef, il se devait de comprendre pourquoi les enfants mouraient les uns après les autres. L'hommanimal avait fait beaucoup de recherches pour trouver la cause de ce mal surnaturel. Voilà pourquoi Évan avait autant de livres et voilà pourquoi il s'était déplacé vers Bratel-la-Grande. Il y avait dans la capitale une grande bibliothèque à consulter. L'abondance de monastères où les moines copistes recopiaient les bouquins, les marchands venus de contrées lointaines qui apportaient souvent avec eux des livres rares ou très anciens, les conteurs qui parlaient des anciennes légendes et les troubadours qui colportaient de ville en ville les nouvelles du monde, voilà ce qui avait attiré Évan dans le Sud! Béorf comprit que c'était sûrement pour cette raison qu'on avait soupçonné son père de sorcellerie. Le gros garçon se rappela des discussions entre son père et sa mère. Évan parlait de créatures vaporeuses qui gardaient un secret…

– Mais…, s'interposa Amos. Y a-t-il moyen de faire quelque chose ? Existe-t-il une façon de les aider ?

– Freyja seule peut lever la malédiction qui pèse sur les béorites, reprirent les créatures des bois. Même Odin n'a pas ce pouvoir.

– Comment faire pour convaincre Freyja de nous laisser vivre ?, demanda Béorf. Je suis prêt à faire n'importe quoi pour sauver mon peuple et pour donner un avenir à ma race.

– Nous sommes les brisings, dirent les femmes, nous sommes les gardiennes du collier sacré de la déesse. Nous savons qu'il existe une île, loin dans la mer du Nord, dédiée à Freyja. C'est là qu'il faut vous rendre pour parler directement à la déesse et la convaincre de lever la malédiction qui pèse sur vous.

– Sera-t-elle ouverte à notre demande ?, questionna Béorf. Après tout, nous sommes des créatures d'Odin. Elle sera peut-être en colère si nous foulons son île !

– Vous nous avez rendu un grand service en tuant le dragon, continuèrent les brisings. Notre sœur repose maintenant en paix. Son âme est libérée de la bête de feu et nous la sentons heureuse et légère. Lorsque Freyja viendra chercher son collier, nous parlerons en votre faveur. Nous sommes ses créatures et la déesse nous accorde un grand respect.

– Nous savons maintenant ce que nous avons à faire pour le bien des béorites !, s'exclama Amos. Je suppose, Béorf, que tu voudras continuer le travail de ton père et aller plaider votre cause sur l'île sacrée !

– C'est mon désir le plus cher !, répondit solennellement le gros garçon. Tu m'accompagneras Amos ?

– Oui mon ami, répliqua le jeune porteur de masques. D'autant que c'est toi maintenant qui as le collier des molosses hurlants, si je veux être en sécurité, il faut que je te suive !

– Très bien !, lança fièrement le gros garçon en s'adressant aux brisings. Informez la déesse Freyja qu'elle aura bientôt de la visite sur son île. Je suis certain que les guerriers d'Upsgran voudront aussi être du voyage.

Les créatures disparurent dans les bois et les deux garçons rentrèrent au campement. Alors qu'ils marchaient côte à côte, Béorf dit :

– Tu sais, j'ai l'impression de mieux comprendre mon père. C'est dommage, j'aurais tant aimé qu'il soit là pour me voir... je pense qu'il serait fier de moi.

– Moi aussi je m'ennuie de mon père, confia Amos. J'aurais bien aimé lui raconter comment nous avons roulé le dragon dans la farine ! On a fait du bon boulot et je voudrais bien le partager avec lui...

– Mais j'y pense, interrompit le gros garçon. Ta mère, il faudra d'abord essayer de la retrouver.

– J'y ai pensé, reprit Amos. Tu as ta quête et j'ai la mienne... si tu veux, nous essayerons de faire les deux ensemble !

– Je te l'ai déjà dit, tant qu'il y aura du pain sur la planche, je te suivrai!, s'exclama Béorf en rigolant. J'aime trop le pain pour refuser une aventure!

Chapitre 20

Le retour à Upsgran

Les béorites furent accueillis en héros sur les terres d'Harald aux Dents bleues. Ourm le Serpent rouge et Wasaly de la Terre verte, les deux autres rois vikings étaient là avec leurs armées. Ils avaient aussi vaincu leurs ennemis ! Ourm sur la mer, en éliminant les merriens et Wasaly sur le continent, en traquant les bonnets-rouges. Les rois chantaient joyeusement des hymnes à leurs victoires pendant que des porcs, des bœufs et des moutons cuisaient lentement sur la broche. Pour une des rares fois de leur histoire, les trois nations vikings étaient rassemblées dans la même fête et pour la première fois, des béorites partageaient leur table. Des cris de joie éclataient de toutes parts et le vin, la bière et l'hydromel coulaient à flots. On organisa des jeux et des épreuves pour distraire les convives. Des musiciens se relayèrent également à tour de rôle afin de maintenir l'ambiance de cette magnifique fête.

Debout sur une table, Helmic dansa toute la soirée pendant qu'Alré, remis de ses blessures, gagna le concours du lancer de la hache. Hulot

Hulson dit «la Grande Gueule» fut porté en triomphe et il dut raconter mille et une fois son exploit contre le dragon. À chaque récit, Hulot rajoutait des détails, précisait une émotion, clarifiait ses intentions et terminait toujours en disant:

– Mes amis… Dans la vie, j'ai appris une chose importante et cette chose est la clé de MA victoire sur l'immense, le terrible et très DANGE-REUX DRAGON que J'AI TUÉ, moi-même et sans l'aide de quiconque, d'un SEUL et UNIQUE coup d'épée! La vie m'a enseigné ceci… il faut remplacer la PEUR par la CONNAISSANCE! J'ai compris cela tout seul et je remercie le ciel de m'avoir si bien inspiré!

En réalité, porté par sa rage guerrière, Hulot ne se souvenait de rien. C'était en écoutant les autres guerriers rapporter son exploit qu'il s'était lui-même construit un récit d'héroïque. Amos et Béorf riaient de bon cœur en l'écoutant déblaté-rer sur son courage et sa fougue. Les deux garçons connaissaient la véritable histoire, mais ils ne dédirent jamais les histoires du béorite. Hulot était maintenant devenu une idole, un symbole de la force et de la grandeur. Il ne fallait rien briser de cette image. Sartigan avait déjà dit à Amos que les vrais héros triomphaient toujours modestement et que leur plus grande satisfaction ne se trouvait pas dans les applaudissements de la foule, mais plutôt dans le travail bien fait.

La ville d'Harald aux Dents bleues était pleine à craquer et les célébrations durèrent toute une semaine. Sept jours pendant lesquels les bras, les jambes et les côtes cassés des béorites prirent du mieux. Les hommes-ours avaient un métabolisme et une constitution hors du commun. Ils guérissaient de trois à quatre fois plus vite qu'un homme ordinaire. Banry put commencer à utiliser son bras brisé quelques jours après la grande bataille et Goy marchait sur ses jambes huit jours après s'être fait écraser par le dragon. Les blessures d'Alré et de Rutha disparurent également très rapidement. Quelques bonnes nuits de sommeil, de la nourriture en abondance et un bain d'eau glacé tous les jours faisaient de véritables miracles pour cette race de guerriers. À les voir aussi forts et invincibles, il paraissait maintenant évident que les béorites étaient une création du grand Odin.

Les hommanimaux quittèrent les côtes des Vikings par une belle journée froide et prirent la mer en direction de leur village. Encore une fois, leur drakkar était plein à ras bord de nourriture et d'équipement pour le voyage. Contrairement à l'aller, Banry se fit moins exigeant pour les rameurs au retour. Le drakkar vogua doucement en se laissant bercer par les vagues. Junos était aussi du voyage. Il fut convenu que les prisonniers, ceux ayant été libérés des griffes des gobelins, seraient reconduits chez eux par les navires du roi Ourm le Serpent rouge, mais le seigneur de Berrion demanda à suivre Amos et Béorf.

– Que vas-tu faire maintenant Junos?, demanda Amos. Berrion n'existe plus…

– Je vais la reconstruire!, s'exclama le seigneur. Cette ville est un symbole pour moi et mes chevaliers reviendront lorsque je poserai la première pierre. J'imagine qu'ils ne sont pas tous morts ! Je les ai nommés les chevaliers de l'équilibre en ton honneur et maintenant que l'équilibre est revenu, nous renaîtrons !

— Barthélémy, à Bratel-la-Grande, pourra sûrement te donner un coup de main, proposa le garçon. Je pense qu'il te doit une fière chandelle !

— C'est surtout grâce à toi qu'il est monté sur le trône, répliqua Junos, mais je pense qu'il ne refusera pas de me tendre la main. C'est un homme bon.

— Et toi, s'enquit le seigneur, que feras-tu ?

— Je vais essayer de retrouver ma mère, répondit le jeune porteur de masques. Avec les indications que tu m'as données, je pense peut-être pouvoir remonter la piste de ceux qui la tiennent en esclavage. Elle aura peut-être été revendue à quelqu'un de bien… enfin, j'espère pour elle.

— Ne perds pas courage, dit Junos en essayant de réconforter le garçon. Tu la retrouveras, j'en suis certain. Tu sais que tu seras toujours le bienvenu à Berrion et que ma demeure te sera toujours grande ouverte. Cette ville, une fois reconstruite, sera la plus belle des cités du continent et tu y reviendras avec fierté !

— Je n'en doute pas, Junos, répondit Amos.

L'équipage fit une escale sur l'île de Burgman pour un repos bien mérité. Après un copieux repas, une bonne baignade dans l'eau glacée et une longue nuit de sommeil, les béorites reprirent la mer. Amos ne fut pas malade et le garçon commença même à aimer naviguer. L'œuf de dragon était bien caché dans les affaires de Béorf et personne ne se douta de sa présence. Les garçons avaient également placé leurs oreilles d'elfe en sécurité, dans les affaires d'Amos. La petite partie du trésor que Béorf avait volée à l'Ancien fut distribuée également entre les membres de l'équipage. Au loin apparut le village d'Upsgran.

Dans le crépuscule de cette fin de journée, le village était en pleines festivités du solstice d'hiver. Le soleil avait gagné encore une fois son combat contre les ténèbres et les jours seraient de plus en plus longs jusqu'à l'été. Toutes les maisons étaient décorées de houx et de gui. Les femmes du village portaient de grandes robes blanches et sur la tête, des couronnes de lierres agrémentées de chandelles. De loin, elles étaient lumineuses et ressemblaient à des anges. Upsgran embaumait la cannelle et le pain d'épices! Une douce musique s'élevait de la taverne et l'équipage entendit clairement la complainte langoureuse d'une chanson traditionnelle de marin. Les hommanimaux pleurèrent à chaudes larmes en mettant le pied à terre. Le village entier accourut pour les accueillir chaleureusement. Ils étaient tous revenus sains et saufs à la maison. Dans la joie et l'allégresse, les béorites offrirent leurs présents aux membres de leur famille. Il n'y avait évidemment pas d'enfants et la joie de partager en fut un peu assombrie. Dans les effusions de joie, d'accolades, de rire et de viriles poignées de main, Sartigan s'approcha d'Amos et lui dit :

— Je... content, voir toi ! Béorf aller pas mal ?

— Nous allons très bien tous les deux, confirma le garçon. Mais vous parlez notre langue ?

— Difficile... mais apprendre ! Tu... oreilles ?, demanda Sartigan.

— Oui, je les mets..., dit Amos en s'exécutant.

— Ce sera maintenant à toi de me raconter tes histoires !, s'exclama le vieillard soulagé de pouvoir enfin parler sa langue. Vous avez réussi à vaincre le dragon ?

— Oui et de belle façon, je pense..., répondit le garçon. Enfin, Hulot vous racontera sûrement une histoire différente de la mienne, mais je vous assure que c'est moi qui ai la bonne version.

— C'est donc un très grand bonheur qui mérite d'être fêté !, reprit Sartigan. Je savais que tu ferais du bon travail. Les bons maîtres doivent avoir confiance en leurs élèves. De plus, je sens en toi une magie nouvelle ! Est-ce que je me trompe ?

— Non, vous avez raison, dit le jeune porteur de masques. J'ai intégré le masque de l'eau et je pense que l'équilibre de la magie se porte mieux.

— Très bien..., lança le vieil homme en applaudissant brièvement. J'ai une foule d'exercices pour toi qui t'aideront à bien faire circuler cette nouvelle énergie.

— Avant toute chose, venez avec moi !, murmura Amos en saisissant le sac de Béorf. J'ai quelque chose à vous montrer...

Amos s'éloigna avec Sartigan. Le jeune porteur de masques s'installa et dit, en dévoilant l'œuf de dragon :

– J'ai reçu ce cadeau de la part de l'Ancien. Je voulais vous le montrer pour avoir votre avis !

Sartigan figea. Pour la première fois depuis qu'Amos le connaissait, le vieillard parut désarçonné. Le vieil homme ne parlait pas. Il essaya bien de balbutier quelque chose, mais rien de cohérent ne sortit de sa bouche. Il finit par dire :

– Est-ce bien… ce que je… je crois…, est-ce un… un œuf de… de dragon ?

– Oui, c'est exactement cela !, s'exclama Amos. N'est-ce pas merveilleux ! Nous aurons peut-être la chance de réintroduire une espèce dans ce monde en lui apprenant à collaborer avec les humains. Ce petit n'est pas corrompu, nous pouvons l'éduquer et lui montrer le respect de la vie. Qui sait, c'est peut-être une nouvelle alliance qui naîtra de nos actions… c'est véritablement un nouveau jour qui se lève pour ce monde !

Le vieillard se frotta les yeux. Toucha à l'œuf et dit, d'un air songeur et d'une voix profonde :

– Et si ce bonheur se transformait en malheur ?

Chapitre 21

La grotte de Ragnarök

Dans la noirceur et la froideur de la grotte du dragon, sur la terre gelée et maintenant déserte de Ramusberget, un son de coquille brisée résonna. L'entrée de la grotte avait été solidement refermée. Les Vikings avaient réussi à provoquer quelques avalanches de rochers et d'immenses pierres scellaient maintenant toute communication entre l'intérieur et l'extérieur de la montagne. La porte dimensionnelle s'était, elle aussi, refermée définitivement après le transfert de la dernière pièce du trésor des De VerBouc.

Personne ne vit ou n'entendit le bruit d'un petit être qui venait de naître. Au travers du trésor maudit, un minuscule cri de rage s'éleva. Un cri qui portait en lui le désespoir d'une créature qui arrive dans le monde nue et seule, sans parents pour la réchauffer, sans personne pour la nourrir et sans guide pour l'éduquer. Cet appel de désespoir résonna longuement sur les parois de la caverne et alla se perdre dans les nombreux couloirs creusés par les gobelins. Le trésor maudit voyait naître une créature immunisée contre la malédiction. Ce petit être serait le propriétaire à part entière de toutes les richesses. Il lui faudrait survivre en mangeant des cafards et des insectes, en léchant la paroi rocheuse pour y recueillir un peu d'eau. Il lui faudrait vaincre la peur du noir et des bruits étranges que colportaient les entrailles de la terre. Ce sous-sol où, par la magie d'Amos, combattaient l'eau et le feu dans un corps à corps d'ébullition et de vapeur. L'être qui venait de naître n'aurait pas de nom, pas d'âge, pas de souvenirs heureux et aucun respect pour la vie, à part la sienne. Il serait sauvage et indépendant, brusque et froid, sans morale et sans pitié. Son cœur serait comme cette caverne, froid et inaccessible. Il ne serait pas au service d'un dieu ou d'une cause, mais libre et fier. Et toute sa vie, il la consacrerait à faire payer le monde pour son enfance esseulée et à se venger des humains qui avaient assassiné son unique parent.

Le petit être qui brisait présentement sa coquille en pleurant sa solitude et son malheur, était l'enfant de Ragnarök. Un nouveau dragon avait vu le jour dans la grande montagne du Nord. Devant les pouvoirs du jeune porteur de masques, la bête de feu avait agi par instinct de survie. En donnant un de ses œufs, en sacrifiant un de ses enfants, le dragon cachait l'autre sous son ventre en espérant duper son adversaire. L'Ancien avait amadoué le jeune garçon en protégeant ce qu'il avait de plus cher au monde, sa descendance. Ce qu'Amos ne savait pas et que Sartigan connaissait d'expérience, c'est qu'un dragon pond toujours deux œufs à la fois.

Lexique mythologique

Les Dieux

Baron samedi (le) : Dans la tradition haïtienne du Vaudou, le baron Samedi est un des gardiens du chemin menant dans le monde des morts. Il porte toujours un chapeau haut-de-forme et une canne.

Dame blanche (la) : Elle est un personnage de contes et de légendes que l'on retrouve dans beaucoup de cultures. La Dame blanche aide les humains à accomplir leur destin.

Forsete : Il est le dieu germanique de la justice. Il demeure dans un palais aux imposants piliers d'or rouge dont le toit est incrusté d'argent. C'est de là qu'il rend ses jugements et arbitre les conflits

Freyja : Cette déesse de la mythologie germanique est parfois connue sous le nom de Freya ou Frea. Fille de Njord, dieu de la mer dans le panthéon scandinave, elle est le symbole du désir et elle est toujours reliée à la fécondité.

Liu : Prince céleste de la mythologie chinoise, il règne sur l'agriculture en veillant à la croissance du blé, du millet, de l'orge et du riz. Il se présente sous la forme d'un jeune homme doté d'un grand pouvoir charismatique.

Manannan Mac Lir : Dieu celtique des eaux, il se promène au-dessus des vagues des océans sur un chariot tiré par différentes créatures de la mer. On le voit généralement habillé d'une armure de coquillages et il porte à sa ceinture une immense épée.

Odin : Il est le chef des dieux de la mythologie scandinave et germanique. On le voit souvent assis sur son trône d'où il surveille les neuf mondes. Ses deux infatigables corbeaux lui servent de messagers et voltigent constamment autour de lui. Odin a sacrifié un de ses yeux pour boire à la fontaine de la sagesse. À Valhalla, un immense palais qui se trouve dans la forteresse d'Asgard, c'est lui qui préside le conseil des dieux nordiques.

Seth : Dans la mythologie égyptienne, il est le dieu de l'Obscurité et du Mal. Les Égyptiens l'associaient au désert et le représentaient souvent sous la forme d'une créature imaginaire ou d'un homme à tête de monstre. Il est aussi associé au crocodile, à l'hippopotame et aux animaux du désert

SIGURD : Il est le plus célèbre des héros islandais. Sigurd planta son épée dans le ventre du dragon Fafnir. Même si son acte héroïque lui apporta une immense renommée et de grandes richesses, sa vie fut brisée par une malédiction.

THOKK : Les peuples germains la voyaient comme une géante de glace au cœur de pierre. Elle est connue pour avoir refusé de verser une larme pour l'âme du gentil dieu Balder. Par cet acte, Thokk le condamna aux tourments de l'enfer.

Les Créatures de légendes

ANGES : Les anges sont d'importants personnages dans l'ensemble des religions judéo-chrétiennes. Ils sont de taille humaine et portent toujours des ailes. Les plus importants sont : Michael, le chef des armées célestes et Gabriel qu'on associe à l'annonciation à Marie, à la résurrection et à la mort. Chez les musulmans, Gabriel est l'ange de la vérité.

BASILIC : En Europe, au Proche-Orient et dans les pays du nord de l'Afrique, on tenait le basilic pour une des plus abominables créatures du monde. Étant donné que tous ceux qui ont eu la malchance de voir un basilic ont péri, sa véritable apparence est matière à controverse. En 1553, dans *Cosmographia Universalis*, le scientifique Munster attribuait au basilic huit jambes et pas la moindre aile. Au grand palais de Bangkok, en Thaïlande, on peut voir une statue qui représente fidèlement un basilic, selon la description qu'en ont faite des voyageurs revenus d'Occident.

BONNET-ROUGE : Il est un des plus dangereux et des plus vicieux gobelins ayant vécu sur la terre. Vivant dans les vieux châteaux abandonnés, il teint son bonnet dans le sang de ses victimes.

BRISINGS (LES) : Elles sont aussi connues sous le nom de bristling. Gardiennes du collier d'or de Freyja appelé Brisingamen, on sait peu de choses à leur sujet.

CHARON : Ce personnage est aussi connu comme le passeur des morts. Dans la mythologie grecque, c'est lui qui fait traverser le Styx aux âmes condamnées à rejoindre les enfers. Charon n'accepte dans son embarcation que les morts ayant été proprement enterrés selon les rites et les usages grecs. Les passagers doivent toujours lui payer un droit de passage.

DÉMONS : Les démons sont nombreux et se comptent par centaines dans toutes les mythologies du monde. Ils sont les représentations sous diverses formes du mal et du vice.

DRAGON : De la taille d'un éléphant, les dragons ont vécu en Europe, au Moyen-Orient, en Asie Mineure, en Inde et en Asie du Sud-Est. Selon les légendes, ils habitent dans les cavernes en terrain montagneux et peuvent aisément vivre plus de quatre cents ans.

FÉE : Les fées existent dans de nombreuses cultures, surtout européennes. Selon les pays, elles sont de tailles diverses. Les légendes nous disent que chaque fée appartient à une fleur. Ces créatures protègent la nature, et le temps ne semble pas avoir d'effets sur elles.

FÉE DES CAMPANULES : Petites créatures des forêts, les fées des campanules sont craintes à cause de leurs pouvoirs. Il est extrêmement risqué de les rencontrer parce qu'elles se trouvent toujours où agissent les charmes et les enchantements des elfes. Elles sont synonymes de gros problèmes.

FOUGRE (LE) : Le fougre est un type de gobelin irlandais pouvant prendre diverses formes animales. Ses yeux sont étincelants et il est souvent complètement noir. Il aime par-dessus tout se transformer en poney, faire monter sur son dos un innocent passager pour lui offrir ensuite une infernale chevauchée et le propulser dans un fossé.

GOBELIN : Ils sont les bandits et les voleurs du royaume des fées. Généralement petits et taquins, il existe plusieurs races féroces de gobelins.

GORGONE : Les gorgones sont des créatures de la mythologie grecque. Dans les légendes, elles habitent les régions sèches et montagneuses de la Libye. À l'origine, elles étaient trois sœurs : Sthéno, Euryalé et Méduse. Seule Méduse, la plus célèbre des gorgones, était mortelle. Persée lui a coupé la tête.

HOMMANIMAL : Les hommanimaux sont présents dans toutes les cultures de tous les pays. Le loup-garou est la plus célèbre de ces créatures. Parfois gentils et parfois menaçants, les hommanimaux se divisent en races et en espèces. La pleine lune joue souvent un rôle important dans la transformation d'un homme en animal.

KELPIE : En gaélique, on les appelle « each uisge » ou « tarbh uisge », ce qui signifie taureau des eaux. Ils vivent dans les lacs et les rivières, ont la taille d'un cheval et appartiennent à la mythologie écossaise et irlandaise.

LICHE (LA) : La liche est le plus puissant de tous les morts-vivants. En plus d'être immortelle, cette créature possède de grands pouvoirs magiques. Elle ressemble à un squelette et porte toujours une couronne d'or en signe de Sa Majesté.

LICORNE : D'après les légendes, les licornes disparurent de la surface de la Terre lorsque Noé oublia d'en prendre un couple à bord de son arche. Elle est, avec le dragon, la plus connue des

créatures fabuleuses de la planète. D'une longé-
vité de 40 à 60 ans, la licorne existerait encore
dans les forêts de l'Inde et les terrains boisés de
toute l'Eurasie.

Merrien : En Irlande, les habitants des mers se
nomment les merriens. Ils se distinguent facilement des autres créatures aquatiques à cause du
bonnet rouge à plumes qu'ils portent toujours sur
la tête. Ce chapeau magique les aide à atteindre
leurs demeures dans les profondeurs océaniques.
Les apparitions de femelles sont perçues comme
le présage d'une tempête. Les merriens viennent
parfois sur la terre sous forme de petits animaux
sans cornes.

Molosses hurlants (les) : Dans toute l'Europe,
ils sont également appelés « chiens noirs » ou
« chiens du diable ». On les retrouve près des villes
et des villages. Ils accompagnent sur la route les
voyageurs solitaires et annoncent, à celui qui les
voit, un décès dans la famille.

Nagas : Les Nagas sont des hommanimaux
capables de se métamorphoser en serpents. Ceux
qui habitent le désert s'appellent des Lamies, alors
que les Nagas sont davantage liés aux milieux
aquatiques. Ils peuvent atteindre une longueur de
4,60 m sous leur forme reptilienne et vivent près
de quatre cents ans. On les trouve dans le Sahara,
en Inde et en Asie du Sud.

Sirène: Les origines de ces créatures des mers demeurent obscures. Elles sont présentes depuis l'Antiquité dans les contes et les légendes de nombreuses cultures. Ce sont généralement de très belles femmes à queue de poisson qui charment les marins et font s'échouer leurs bateaux sur des écueils.

Styx (Le): On ne connaît pas avec certitude les origines de ce fleuve qu'on appelle aussi «la rivière de la haine». Son cours sépare le monde des vivants de celui des morts. Il est dit dans la mythologie grecque que le Styx fait neuf fois le tour d'Hadès (le monde souterrain des enfers) avant de disparaître dans le néant.

Du même auteur :

Horresco referens, théâtre, Édition des Glanures, 1995.

Contes Cornus, légendes fourchues, théâtre, Édition des Glanures, 1997.

Louis Cyr, théâtre, Édition des Glanures, 1997.

Fortia Nominat Louis Cyr, théâtre, éditions Michel Brûlé, 2008 [1997].

En mer, roman, éditions de la Bagnole, 2007.

Marmotte, roman, Les Intouchables, 2008 [1998, 2001].

Mon frère de la planète des fruits, Les Intouchables, 2008 [2001].

Pourquoi j'ai tué mon père, Les Intouchables, 2008 [2002].

Créatures fantastiques du Québec, tome 1 et 2, ouvrages de référence, Les Intouchables, 2009.

Dans la série *Amos Daragon* :

Porteur de masques, roman, Les Intouchables, 2003.

La clé de Braha, roman, Les Intouchables, 2003.

Le crépuscule des dieux, roman, Les Intouchables, 2003.

La malédiction de Freyja, roman, Les Intouchables, 2003.

La tour d'El-Bab, roman, Les Intouchables, 2003.

La colère d'Enki, roman, Les Intouchables, 2004.

Voyage aux Enfers, roman, Les Intouchables, 2004.

Al-Qatrum, hors série, Les Intouchables, 2004.

La cité de Pégase, roman, Les Intouchables, 2005.

La toison d'or, roman, Les Intouchables, 2005.

La grande croisade, roman, Les Intouchables, 2005.

Porteur de masques, manga, Les Intouchables, 2005.

La fin des dieux, roman, Les Intouchables, 2006.

La clé de Braha, manga, Les Intouchables, 2006.

Le crépuscule des dieux, manga, Les Intouchables, 2007.

Le guide du porteur de masques, hors-série, Les Intouchables, 2008.

Le Sanctuaire des Braves 1, roman, Perro Éditeur, 2011.

Le Sanctuaire des Braves 2, roman, Perro Éditeur, 2012.

Dans la série *Wariwulf*:

Le premier des Râjâ, roman, Les Intouchables, 2008.

Les enfants de Börte Tchinö, roman, Les Intouchables, 2009.

Les hyrcanoï, roman, Les Intouchables, 2010.

Dans la série *La grande illusion*:

La grande illusion, bande dessinée, Les Intouchables, 2009.

Dans la série *Walter*:

Walter tome 1, roman, Les éditions La Presse, 2011